COLLECTION « RÉPONSES »
dirigée par Joëlle de Gravelaine

LES FANTASMES MASCULINS

NANCY FRIDAY

MA MÈRE,
MON MIROIR

Traduit de l'américain par Théo Carlier

ÉDITIONS ROBERT LAFFONT
PARIS

Titre original : MY MOTHER / MY SELF

© Nancy Friday, 1977

Traduction française : Éditions Robert Laffont, S. A., Paris, 1979

ISBN 2-221-00254-7
(édition originale :
ISBN 0-440-06006-0 Delacorte Press, New York)

Quand j'ai cessé de voir ma mère avec mes yeux d'enfant, j'ai découvert la femme qui m'a aidée à accoucher de moi-même. Je dédie ce livre à Jane Colbert Friday Scott.

Remerciements de l'auteur

En 1973, il m'est arrivé de lire un livre qui faisait dépendre le potentiel orgasmique de la femme du degré de sécurité qu'elle éprouvait étant enfant vis-à-vis de son père. Je me souviens avec précision de ce jour-là, de l'endroit où j'étais assise, du poids du livre dans ma main et de ma réaction instantanée : *Et la mère, pourquoi n'en parle-t-on pas?*

Je venais d'écrire un livre sur les fantasmes sexuels de la femme. Ce travail m'avait fait comprendre, sans l'ombre d'un doute, où commence le refoulement de la sexualité ou son acceptation. Qui donc, pendant notre première enfance, éloigne nos mains de nos organes génitaux? Qui nous a fait apprécier ou redouter les plaisirs que nous pouvions tirer de notre corps? Qui nous a imposé ses lois et nous a marquées d'une façon indélébile par le modèle qu'elle nous proposait? Cette semaine-là, j'ai tracé les grandes lignes d'un livre que je voulais intituler : *Mères et filles : le premier mensonge.*

Je m'estimais bien placée pour traiter ce sujet; j'aurais certainement commencé par vous dire que j'aimais beaucoup ma mère, mais je m'imaginais qu'il y avait entre nous un espace psychologique suffisant, une séparation qui devaient me permettre d'être équitable et objective. Comme s'il existait au monde une femme capable d'être équitable et objective en ce qui concerne sa mère! Ce n'est qu'après deux ans de recherches que j'ai pu dépasser mes colères... et me rendre compte à quel point j'étais encore révoltée contre ma mère.

J'avais d'abord eu l'intention d'interviewer des mères et des filles au sein d'un très grand nombre de familles et même, si possible, des grand-mères. Pendant ces quatre dernières années, je me suis entretenue avec plus de deux cents femmes à travers les États-Unis. La plupart étaient mères. Toutes, bien sûr, étaient filles. Elles étaient toutes lucides, et à un niveau significatif. Mais j'ai très vite compris qu'un recueil d'interviews ne suffirait pas.

J'avais espéré éviter toute subjectivité en trouvant des modèles qui auraient été valables pour la plupart des femmes. En suivant ces modèles, de génération en génération, je pensais faire apparaître des répétitions conscientes et inconscientes, ce qui aurait permis de choisir le meilleur de l'héritage maternel et d'éliminer le reste. Si les femmes veulent que leur vie change, elles doivent pouvoir disposer de la force formative de la relation mère-fille. Nous devons dépasser les colères que nous font éprouver tous les mensonges qui nous ont été dits « pour notre bien », découvrir l'amour qui a réellement existé entre notre mère et nous, libéré de l'illusion d'un amour idéal qui n'a jamais existé. Je pensais pouvoir tout tirer au clair, mais j'ai découvert *Rashomon* [1]. La mère : « J'ai soigneusement préparé ma fille à la menstruation. » La fille : « Ma mère ne m'a absolument rien dit. » Deux versions de la même histoire, différentes et pourtant semblables sur un point : aucune des deux ne croyait mentir.

Pour comprendre ce genre de contradictions, j'ai interrogé des psychiatres, des éducatrices, des médecins, des juristes, des sociologues. Je ne voulais pas me contenter des réponses que j'aurais pu trouver dans les manuels universitaires. Sur les vingt et une femmes, appartenant à ces disciplines, qui sont citées dans ce livre, seize ont elles-mêmes une ou plusieurs filles. Aucune femme ne m'a livré son esprit, son expérience personnelle, son savoir professionnel avec autant de générosité que le Dr Leah Schaefer ; je me sentirai toujours en dette à son égard. Ce qui m'a le plus profondément bouleversée, c'est que ces personnes hautement qualifiées m'ont confessé les difficultés qu'elles ont euent à mettre en pratique dans leur propre vie ce qu'elles savaient intellectuellement.

L'une de mes premières erreurs fut de croire que j'allais obtenir des femmes, et d'elles seules, tout ce qu'il me fallait pour écrire mon livre. On peut progresser à cloche-pied, bien sûr, mais pourquoi ne pas se servir de ses deux jambes ? J'avais sollicité un rendez-vous avec une éminente psychiatre pour enfants ; ce fut le Dr Sergay Sanger qui me répondit au téléphone. Je lui objectai assez vertement qu'à mon avis les femmes étaient certainement les plus qualifiées pour parler des femmes et que, par

---

1. *Rashomon*, titre d'un grand classique du cinéma japonais (1950, mise en scène d'Akira Kurosawa). Une jeune femme est violée sous les yeux de son mari. Lors du jugement, les acteurs et les témoins donnent du drame des versions différentes. Chacun, selon son caractère ou ses intérêts, a tendance à s'avantager. C'est également le thème de la pièce de Pirandello : *Chacun sa vérité* (N.d.T.).

conséquent, je préférais attendre le retour de sa consœur. Je bénis le ciel qu'il ne m'ait pas raccroché au nez. C'est à lui et à quelques autres hommes que je dois un grand nombre d'exemples et d'analyses de comportement qui donnent plus de valeur aux pages qui vont suivre. Ils ont des filles, eux aussi.

La première fois que j'ai rencontré le Dr Richard Robertiello, c'était par un après-midi comme les autres. En fait, ce fut l'un des événements les plus marquants de ma carrière et le début d'une série d'entretiens qui se prolongèrent au fil des années, et sans lesquels ce livre aurait été extrêmement appauvri. J'espère que le lecteur, au fur et à mesure qu'il progressera dans le développement du thème que j'ai choisi, comprendra qu'avant d'expliquer aux autres les relations mère-fille, je devais commencer par comprendre celles que j'avais vécues avec ma propre mère. Sans les connaissances prodigieuses et étendues du Dr Robertiello, sa puissance d'analyse, l'originalité de son esprit et son expérience personnelle (il a trois filles), j'aurais renoncé depuis longtemps à écrire ce livre.

Les autorités dont les noms suivent m'ont prodigué leur temps et leur fécond enseignement. Je les en remercie très sincèrement, ainsi que de l'intérêt qu'elles ont accordé à mon livre. Au lieu de les éparpiller dans les pages, j'ai groupé ci-dessous leurs références. Et je les remercie.

Pauline B. BART : professeur adjoint de sociologie appliquée à la psychiatrie, faculté de médecine de l'université de l'Illinois; auteur de *The Student Sociologist's Handbook*.

Jessie BERNARD : sociologue, attachée à la Commission US des droits civils; auteur de *Women, Wives, Mothers : Values and Options, The Future of Motherhood* et de *The future of Marriage*.

Mary S. CALDERONE : médecin, directrice de l'Office d'information et d'éducation sexuelle des États-Unis; auteur de *Release from Sexual Tension*.

Sidney Q. COHLAN : professeur de pédiatrie; directeur adjoint du Service de pédiatrie à l'Hôpital universitaire de New York.

Helen DEUTSCH : médecin psychanalyste; auteur de *The Psychology of Women*.

Lilly ENGLER : psychiatre à New York; correspondante de différentes sociétés de psychiatrie aux États-Unis et à l'étranger.

Cynthia Fuchs EPSTEIN : professeur de sociologie au Queen's College, université de la ville de New York; chef du Service des recherches appliquées à l'université Columbia; auteur de *Woman's Place* :

Options and Limits in Professional Careers, et coauteur de *The Other Half : Roads to Women's Equality.*

Aaron H. ESMAN : psychiatre en chef de la Commission juive de l'adoption, membre de l'Institut psychanalytique de New York; auteur de *New Frontiers in Child Guidance* et de *The Psychology of Adolescence : Essential Readings.*

Mio FREDLAND : professeur assistante de psychiatrie clinique à l'école de médecine de l'Institut Cornell.

Sonya FRIEDMAN : psychologue, conseillère conjugale; coauteur de *I've Had It, you've Had It! Advice on Divorce from a Lawyer and a Psychologist.*

Emily Jane GOODMAN : avocate; coauteur de *Women, Money and Power.*

Amy R. HANAN : directrice du personnel, ATT General Departments.

Elisabeth Hoppin HAUSER : psychothérapeute au Centre de consultation de Long Island, à Forest Hill.

Helen KAPLAN : médecin, psychanalyste et sexologue; professeur adjoint de psychiatrie clinique à la faculté de médecine de l'université Cornell; attachée au Service de psychiatrie de la clinique Payne Whitney à l'hôpital de New York; auteur de *The New Sex Therapy.*

Sherwin A. KAUFMAN : gynécologue et obstétricienne à l'hôpital Lennox Hill, ville de New York; auteur de *Intimate Questions Women Ask, New Hope for the Childless Couple* et de *The Ageless Woman.*

Jeanne McFARLAND : professeur d'économie à l'université Smith.

Gladys McKENNEY : professeur de formation au mariage et à la famille dans un collège du Michigan.

George L. PEABODY : docteur en philosophie, professeur de sciences du comportement appliquées.

Vera PLASKON : responsable du Service du planning familial à l'hôpital Roosevelt à New York; spécialiste clinique des problèmes parents/ enfants.

Virginia E. POMERANZ : professeur adjoint de pédiatrie clinique à l'école de médecine de l'université Cornell et interne au service de pédiatrie de l'hôpital de New York; auteur de *The first Five Years : a Relaxed Approach to Child Care,* et coauteur de *The Mother's and Father's Medical Encyclopedia.*

Wardell B. POMEROY : docteur en philosophie; membre de l'équipe des Rapports Kinsey; auteur de *Boys and Sex* et de *Girls and Sex.*

REMERCIEMENTS DE L'AUTEUR

Jessie POTTER : membre du Programme de la sexualité humaine à l'école de médecine de l'université du Nord-Ouest ; directrice de l'Institut national des relations humaines.

Helen PRENTISS : professeur de psychologie de l'enfant dans une université du Middle West. (Il s'agit d'un pseudonyme, cette personne désirant garder l'anonymat.)

Ira L. REISS : professeur de sociologie à l'université du Minnesota.

Richard C. ROBERTIELLO : médecin, conseiller à l'Institut de santé mentale de Long Island, service de l'éducation ; membre du Conseil exécutif de la Société d'études scientifiques de la sexualité ; directeur de la section psychiatrique du Service d'orientation scolaire de la communauté de New York ; auteur de *Hold Them Very Close, Then Let Them Go,* et coauteur de *Big You, Little You.*

Sirgay SANGER : médecin, directeur du Programme parents-enfants à l'hôpital St. Luke ; moniteur à l'école de médecine et de chirurgie de Columbia ; auteur de *Emotional Care, Hospitalized Children.*

Leah Cahan SCHAEFER : psychothérapeute, membre du Comité de direction du Service d'orientation scolaire de la Communauté de New York et du Comité exécutif de la Société d'études scientifiques de la sexualité ; auteur de *Women and Sex.*

Joan SHAPIRO : professeur d'assistance sociale à l'université Smith.

Marcia STORCH : directrice de la clinique de gynécologie des adolescentes et du planning familial à l'hôpital Roosevelt ; professeur clinique d'obstétrique et de gynécologie à l'école de médecine et de chirurgie de l'université Columbia, hôpital Roosevelt, New York city.

Betty L. THOMPSON : psychanalyste.

Lionel TIGER : professeur d'anthropologie à l'université Rutgers ; auteur de *Men in Groups* et de *Women in the Kibbutz ;* coauteur de *The Imperial Animal.*

J'adresse tout particulièrement mes remerciements à celles dont le nom n'a pas été cité : ces mères et ces filles qui m'ont livré d'elles-mêmes tout ce qu'il leur était possible d'exprimer. Elles reconnaîtront leurs paroles. J'espère qu'elles auront leur part de la vie enrichie que je connais personnellement aujourd'hui, grâce à ce que m'ont appris leur expérience, la mienne et la préparation de ce livre.

Depuis bien des années, je me posais des questions sur le problème de

MA MÈRE, MON MIROIR

l'identité de la femme. Mais, jusqu'à mon mariage, je n'avais écrit que des récits de voyages. Il existe bien des questions que nous n'oserions pas nous poser si nous ne pouvions pas nous appuyer sur quelqu'un. Dans ce livre, comme dans ma vie, ce « quelqu'un » est Bill Manville.

N. F.
New York City
Avril 1977.

Chapitre 1

L'amour maternel

J'ai toujours menti à ma mère; et elle m'a toujours menti. Quel âge pouvais-je avoir lorsque j'ai appris son « langage », pour appeler les choses autrement? Cinq ans... quatre ans, ou moins? Ce refus de tout ce qu'elle ne pouvait pas me dire, de tout ce que sa mère, déjà, ne pouvait pas exprimer, fausse encore nos relations.

J'essaye parfois d'imaginer une petite scène qui aurait pu nous aider toutes les deux... Avec cette manière chaleureuse, gentille, timide, un peu trop modeste qui lui est coutumière, maman me demande de venir dans la chambre où elle dort seule. Elle n'a pas plus de vingt-cinq ans. J'en ai peut-être six. Elle pose ses mains (qu'elle devait cacher, lui disait souvent son père, parce qu'elles étaient « trop grandes pour être belles ») sur mes épaules et me regarde droit dans les yeux, à travers mes lunettes cerclées d'acier : « Nancy, me dit-elle, tu sais que je ne réussis pas tellement bien dans mon rôle de mère. Ce n'est pas ta faute : tu es une enfant adorable. Alors, quand tu as l'impression que je ne suis pas comme les autres mères, essaye de comprendre que ce n'est pas parce que je ne t'aime pas. Je t'aime. Mais je ne sais pas très bien moi-même où j'en suis. Il y a certaines choses que je connais, et je te les apprends. Le reste — la sexualité et tout ça — je suis tout simplement incapable de t'en parler, pour la bonne raison que je ne vois pas très bien où j'en suis moi-même. Nous essayerons de trouver d'autres gens, d'autres femmes qui pourront te parler et combler les vides. Je ne peux pas être, à moi toute seule, la mère dont tu as besoin. D'une certaine façon, je me sens plus près de ton âge que de celui de ma mère. Je n'ai pas en moi cette certitude sereine de déesse-mère qu'elle possédait et que toutes les femmes sont censées avoir.

MA MÈRE, MON MIROIR

Je ne sais pas trop comment t'élever. Mais tu es intelligente, et je le suis aussi. Ta tante t'aime beaucoup et tes professeurs ont déjà une idée de tes besoins. Avec leur aide, avec ce que je peux te donner, nous veillerons à ce que tu aies tout le bagage que tu es en droit d'attendre d'une mère... tout l'amour du monde. Je voulais simplement te dire que tu ne peux pas espérer tout recevoir de moi. »

Cette scène n'aurait jamais pu avoir lieu.

D'aussi loin que je me souvienne, je n'ai jamais voulu du genre de vie que ma mère pensait pouvoir me proposer. J'ai souvent pensé qu'elle n'en voulait pas non plus. Plus je prends de l'âge, plus elle s'éloigne de mon enfance et de son rôle rigide de mère, plus elle devient une femme intéressante. Peut-être n'aurait-elle jamais dû être mère ; ce qui est certain, c'est qu'elle l'a été trop tôt. Maintenant, quand je la regarde, je voudrais, avec tout l'amour et toute la colère dont je suis capable, qu'elle puisse revivre une autre vie, peut-être la mienne. Mais à son époque, les femmes n'avaient pas l'impression d'avoir le choix.

J'ignore à quel moment j'ai commencé à me rendre compte, avec le monstrueux égoïsme que son étroite dépendance impose à l'enfant, que ma mère n'était pas parfaite : je n'étais pas toute sa vie. Est-ce à la même époque que je pris cette terrible décision : elle n'était pas la femme que je désirais être ? Il me semble aujourd'hui que j'ai toujours eu la même opinion sur ces deux points. Cela explique mon sentiment de culpabilité quand je l'ai quittée, et ma colère, du fait qu'elle m'avait laissée partir. Mais je suis certaine qu'elle a toujours su — sans jamais pouvoir le reconnaître, en raison de l'attitude qu'on lui avait inculquée devant la maternité — que ma sœur et moi ne lui suffisions pas. Nous ne lui avions pas apporté cette confirmation de sa féminité que *sa* mère lui avait promise. A une certaine époque de sa vie, le sexe et un homme avaient eu plus d'importance que la maternité.

En fille plus docile que moi, ma mère voulait s'en tenir à l'image de la réalité que lui avait enseignée ma grand-mère. Pour tout ce qui échappait à cette réalité, elle mentait. Elle se détruisait elle-même, en même temps que ses sentiments véritables, ces promesses bourgeonnantes de la grande aventure de la vie, qui commencèrent à se réaliser avec mon père quand elle se laissa enlever par lui, malgré l'opposition de sa famille... Puis, elle avait tout perdu, tout sacrifié au nom de la nécessité d'être une bonne mère. Les règles imposées par sa propre mère avaient toute l'autorité de la culture qui les inspirait. Il n'était pas question d'être une « mauvaise mère » ; il n'y avait que de mauvaises femmes : celles qui affichaient ouvertement leur sexualité, celles qui vivaient selon le principe que ce qui se passait entre elles et leur mari avait tout autant le droit d'exister que leurs enfants. Des femmes qui étaient pauvres en « instinct maternel ».

16

On nous élève dans l'idée que l'amour maternel est différent de tous les autres types d'amour. Il doit échapper à l'erreur, au doute, à l'ambiguïté des affections ordinaires. C'est une illusion.

Il se peut que les mères aiment leurs enfants, il se peut aussi qu'elles ne les aiment pas. La femme qui est prête à se jeter sous les roues d'un camion fou pour sauver son enfant peut très bien refuser le sacrifice quotidien de son temps, de sa sexualité et de son propre développement que l'enfant exige sans s'en rendre compte.

Nos angoisses sexuelles naissent de notre perception de l'insécurité de notre mère — de sa propre angoisse et de ses doutes à l'égard des notions hyper-idéalisées, relatives à la féminité/maternité, qu'elle essaye de nous inculquer. C'est là que nous commençons à nous demander si nous réussirons à être des personnes ayant une identité propre, distincte de celle de notre mère, si nous nous installerons en nous-mêmes en tant que femmes avant d'être mères. Nous luttons pour notre autonomie, pour notre sexualité, mais les sentiments inconscients, les plus profonds, que nous tenons de notre mère ne s'endorment pas : nous ne nous sentirons en paix, sûres de nous-mêmes, que quand nous aurons obéi à l' « instinct » tant exalté, qu'on nous a appris à reproduire à l'image de sa vie : on ne peut être totalement femme que si on est mère.

Il est trop tard pour que je demande à ma mère de revenir en arrière et d'examiner les faux-fuyants qu'elle utilisait en silence, comme toutes les mères, et que j'ai acceptés si longtemps. Elle n'en a d'ailleurs pas du tout envie. C'est moi qui veux changer certaines formes de ma vie, qui sont autant d'impasses. Certains comportements qui, à mesure que je prends de l'âge, me semblent très familiers : je suis déjà passée par là.

L'amour qui nous unit, ma mère et moi, n'est pas sacro-saint au point de ne pas pouvoir être remis en question : si je continue de vivre avec les illusions qui existent entre nous, je ne trouverai jamais l'abri solide où je pourrai me construire moi-même.

Au cours des années que j'ai passées à interroger des femmes, combien m'ont dit et répété : « Ma foi, non... je ne vois rien d'important que j'aurais pu hériter de ma mère. Nous sommes des femmes totalement différentes... » C'est dit le plus souvent avec un petit air triomphant, comme si mon interlocutrice était fière d'avoir su résister à la force énorme qui la poussait à se modeler sur sa mère. Mais si je questionnais la fille, celle-ci me disait avec tristesse : « Je dis toujours à maman qu'elle me traite exactement comme, d'après elle, grand-mère la traitait... c'est-à-dire d'une façon qu'elle n'aimait pas! » Et son mari : « Plus les années passent, plus elle ressemble à sa mère. »

Pour être juste, si je parlais assez longtemps avec ces femmes, elles commençaient à voir certaines similitudes entre leur vie et celle de leur

17

mère. Il fallait d'abord éliminer des différences superficielles : la mère vivait dans une maison individuelle, la femme avec laquelle je parlais, dans un appartement; la mère n'avait jamais travaillé de sa vie, la fille avait une situation. Nous nous accrochons à ces « faits » pour prouver que nous nous sommes créé une vie propre, différente de la sienne. Nous oublions une vérité plus fondamentale : nous avons pris la relève de ses angoisses, de ses peurs, de ses colères; nous établissons le réseau de sentiments qui nous lient aux autres sur le modèle de ce que nous avons vécu avec elle.

Que nous désirions la même vie que celle de notre mère ou non, nous n'échappons jamais à l'image de ce qu'elle était. Cela est surtout vrai en ce qui concerne notre vie sexuelle. Si nous n'avons pas établi notre propre identité sexuelle, quelque chose de solide sur quoi nous pouvons nous appuyer avec autant de certitude qu'autrefois, quand nous nous plaisions à être « la bonne petite fille de sa maman », nous ne nous sentons pas en sécurité. Nous avons des accès de confiance, d'activité, d'exploration sexuelles, mais à la première rebuffade, au premier signe de rupture, à la moindre humiliation, au moindre échec, nous retournons à la formule sécurisante et familière : le sexe est quelque chose de très mal. Il a toujours été un problème entre notre mère et nous. Quand un homme nous semble intelligent et séduisant, nous nous coalisons momentanément avec lui contre les règles antisexuelles de la mère. Mais on ne peut pas faire confiance aux hommes. Nous disons que c'est notre faute : nous passons de la mère aux hommes sans avoir établi entre-temps l'identité de notre moi. Le mariage, au lieu de mettre un terme à l'alliance infantile mère-enfant, devient, par ironie, la plus grande alliance de notre vie. Nous voulions autrefois être de « gentilles petites filles ». Maintenant, nous sommes de « gentilles épouses »... comme maman. Les disputes qui nous opposaient au sujet des hommes sont enfin terminées. Ce qui est le plus difficile à affronter chez la mère, c'est sa sexualité. Et c'est notre sexualité qu'elle a le plus de mal à admettre.

Et voilà deux femmes, chacune cachant à l'autre ce qui la définit le plus exactement en tant que femme!

Si nous ne mettons pas d'un côté l'amour de notre mère et de l'autre sa peur du sexe, nous considérerons toujours que l'amour et le sexe sont contraires et nous transmettrons cette opposition à nos filles. « Ma mère *avait* raison », disons-nous et l'acharnement avec lequel nous refusons à notre fille l'accès à son propre corps est entretenu par la colère, le désarroi et le renoncement que nous avons expérimentés en niant notre propre sexualité.

« Crois bien que je t'aime, en dépit de tout ce que je peux te dire ou te faire », tel est le message qui se cache derrière la madone. « Personne ne t'aimera jamais comme je t'aime. Ta mère t'aime plus que tout au monde, et, pour toi, je serai toujours là. » Bien des mères proposent ce genre d'amour impossible parce qu'elles sont seules et veulent s'attacher leur fille à jamais. Toutes les mères le donnent à entendre parce qu'elles sont elles aussi dans un piège : en dire moins, c'est être une « mauvaise mère ». Le véritable amour qu'elles peuvent avoir pour nous n'a pas le pouvoir d'attachement de l'amour idéalisé et parfait en lequel la mère et la fille ont besoin de croire ; c'est un pacte qu'aucune des deux ne peut refuser.

« Si la mère a des relations sexuelles sincères avec son mari, dit la psychothérapeute Leah Schaefer, tout en faisant croire à sa fille que l'ensemble de la vie érotique doit être subordonné d'une façon ou d'une autre à la maternité, la fille le sent. Elle a l'impression qu'elle ne peut pas faire confiance à sa mère. Au cours de ma pratique psychanalytique, *j'ai constaté sans cesse qu'il s'agit ici du mensonge fondamental.* Les parents disent à leurs enfants : " Non, tu ne dois pas ", mais la petite fille se rend compte que sa mère fait elle-même ce qui est interdit. Il en résulte qu'un certain aspect de la vie et de la personnalité de la mère devient un grand secret pour la fille ; et cependant, la mère veut tout savoir de sa fille. Elle cherche à pénétrer la psyché de sa fille, ne cesse pas de lui dire qu'elles sont de grandes amies, qu'elles doivent tout se confier, mais, encore une fois, la fille sait que sa mère lui cache un grand secret et qu'une partie d'elle est hors de portée. C'est une relation à sens unique, en principe fondée sur la confiance, mais que la fille ressent comme manipulatrice. Et elle en souffre.

« La situation est encore plus difficile pour la fille quand sa mère n'est pas consciente de ses mensonges. La mère rationalise : " Comment pourrait-on parler de *ça* à une enfant! " On peut choisir de taire certaines informations, mais on n'a pas pour autant le droit de mentir à sa fille. Certaines femmes arrivent à se persuader que le seul but du sexe est la maternité. Elles pensent donc ne pas mentir du tout. Elles sont persuadées qu'elles sauvegardent la " moralité " de leur fille. En réalité, elles déterminent chez leur fille une méfiance qui durera toute sa vie, ainsi qu'un sentiment d'isolement et de faiblesse. Le sexe est déjà très déconcertant pour la fille, mais si elle a l'impression que sa mère lui ment à ce sujet, en qui peut-elle avoir confiance? Et la confiance en soi, et en l' " autre ", est le fondement même de la vie, du mariage et de l'orgasme. »

La difficulté de la mère n'est pas nécessairement qu'elle soit une menteuse ou une hypocrite. Elle dit une chose, en fait une autre et, de plus, communique à un niveau très profond qu'elle se sent en réalité totalement différente. La plupart des femmes sont habituées à cette triple cassure chez les gens qu'elles connaissent et à la prendre globalement. En tant que fille, cependant, nous sommes si concentrées sur notre mère que nous la prenons à la lettre et que nous essayons d'intégrer les trois aspects antagoniques qu'elle nous présente. Comme cette confusion imprègne la relation mère-fille et que nous la retrouverons sans cesse dans ce livre, je me permets de distinguer nettement les trois idées :

1. **L'attitude.** C'est ce que nous disons, l'impression extérieure que nous donnons aux gens, l'aspect de nous-mêmes qui peut changer le plus rapidement. C'est souvent le reflet de l'opinion publique, des livres que nous lisons, de ce que pensent nos relations. C'est, par exemple, la mère qui décide que sa fille ne doit pas être élevée, comme elle l'a été elle-même, dans l'ignorance sexuelle; elle lui achète le dernier livre d'éducation sexuelle, tel que *Show Me* [1].

Sa réaction, quand sa fille applique les préceptes du livre, marque la différence entre l'attitude et :

2. **Le comportement.** La mère surprend sa fille en train de toucher, d'examiner son sexe, exactement comme le montrent les photographies du livre. Elle fait la grimace et écarte les mains de sa fille.

Le comportement a beaucoup changé au cours des dernières années, mais ce serait une erreur de croire que nous agissons toujours conformément à nos attitudes du moment. Le Dr Wardell Pomeroy, le chercheur le plus remarquable de l'équipe de Kinsey, m'a dit que les changements de comportement sont en général en retard d'au moins une génération par rapport aux changements d'attitude. Ce conservatisme est fortement influencé, sinon déterminé, par :

3. **Les sentiments les plus profonds (souvent inconscients).** Ces forces ou ces motivations ensevelies, fondamentales, sont habituellement apprises des parents. Elles constituent les aspects les plus rigides de nous-mêmes et sont des héritages du passé qui annulent souvent les deux autres aspects. Elles peuvent être niées, ou « oubliées », mais elles se traduiront quand même souvent par un comportement irrationnel ou déformé. Une mère dit (attitude) à sa fille que le sexe est quelque chose de beau. Dans son comportement, elle prend soin de ne pas « savoir » que sa fille est partie pour le week-end avec un homme. Mais elle trahit ses sentiments les plus profonds quand sa fille, rentrant le lundi à la maison, trouve sa mère irritée, nerveuse et en colère pour des raisons qu'elle est incapable de déclarer à haute voix.

---

1. Will McBride et Helga Fleischauer-Hardt, *Show Me* New York, St. Martin Press, 1975.

En s'exprimant d'une certaine manière à propos du sexe et de la maternité, en éprouvant en même temps des sentiments contraires sur les deux points, la mère présente à sa fille une image énigmatique d'elle-même. Le premier mensonge — nier que la sexualité d'une femme peut être en conflit avec son rôle de mère — bouleverse à tel point les idées traditionnelles relatives à la féminité qu'on ne peut pas en parler. La fille ne peut que percevoir qu'il y a un abîme entre ce que dit sa mère et ce qu'elle fait, et elle découvre les sentiments sous-jacents de sa mère. Aucun de ces sentiments réels ne nous échappe. Notre problème vient de ce que nous essayons de vivre à fond toutes les parties du triple message qu'elle nous transmet, si bien que notre comportement et notre vie ne sont trop souvent qu'un compromis discordant. Nous ne savons que faire. Nous défaisons les premiers boutons de notre robe, puis, très vite, nous nous reboutonnons. On peut en rire. Mais quand, au lit, nous sentons la promesse de l'orgasme et que nos sentiments inconscients et divisés, affirmant leur primauté, nous privent de notre plaisir... alors, là, il n'y a plus du tout de quoi rire.

Les efforts que nous faisons pour voir clairement notre mère sont neutralisés par une sorte de refus. C'est l'un de nos mécanismes de défense les plus primitifs. Les enfants, de très bonne heure, commencent à éviter de savoir que leur mère n'est pas tellement la « mère bonne » qu'elle prétend être. Ils s'y prennent souvent en distinguant deux mères : la *bonne* et la *mauvaise*. La mauvaise, c'est l'autre, ce n'est pas la « vraie ». C'est celle qui est cruelle, qui a des migraines, qui ne nous aime pas. Elle est épisodique. Seule la bonne est réelle. Nous sommes capables d'attendre son retour pendant des années, toujours convaincues que la femme que nous avons devant nous, qui nous oblige à nous sentir coupables, impuissantes et irritées *n'est pas* notre mère. Que de femmes, qui vivent loin de la maison familiale, reviennent périodiquement vers leur mère, à l'occasion de Noël ou d'un anniversaire, avec l'espoir que, cette fois, « tout sera différent »! Devenues adultes à notre tour, nous continuons de chercher, toujours attachées à l'illusion de la mère bonne, de la mère qui est tout amour.

Les enfants pensent que leurs parents sont parfaits et que si quelque chose ne va pas, c'est leur faute, à eux, les enfants. S'ils croient à cette perfection, c'est qu'ils sont totalement dépendants. Comme il ne peut pas se permettre de détester sa mère, l'enfant retourne sa colère contre lui. Au lieu de dire qu'elle est détestable, il dit : « Je suis détestable. » *Il faut* que la mère soit toute sagesse, toute bonté.

L'exemple le plus extrême de ce besoin de croire à la mère aimante se trouve chez les enfants battus. Prenez une petite fille régulièrement injuriée et maltraitée physiquement par sa mère et placez-la chez une nourrice affectueuse. On constate le plus souvent que l'enfant préférera revenir à sa mère naturelle, malgré sa cruauté. Le désir de la petite fille, qui veut perpétuer l'illusion qu'elle a une mère bonne, est plus fort que son envie de ne plus être battue ni insultée, plus fort que la vie elle-même.

En réalité, tout en *désirant* croire que sa mère l'aime sans équivoque, la petite fille peut découvrir qu'il n'en est rien et vivre sur une déception. Ce qui est le plus nécessaire à l'enfant, c'est de sentir que sa mère est réelle, *authentique*. Il vaut mieux apprendre le plus tôt possible que notre mère nous aime, mais que ce n'est pas à l'exclusion de tout le reste, et en particulier des autres personnes. Si l'enfant est encouragée à être la complice de sa mère, à faire « comme si » l'instinct maternel l'emportait sur tout, la mère et la fille seront astreintes par la suite à un mécanisme de refus et de défense qui les coupera de la réalité de leurs sentiments réciproques, sans aucun espoir d'établir entre elles une relation sincère. La fille reproduira cette relation avec les hommes et les autres femmes. Ce tableau de la mère et de la fille qui mentent pour maintenir entre elles une fiction à l'eau de rose peut paraître attendrissante. En fait, le prix qu'il faut payer pour perpétuer le mensonge est énorme. Pour la petite fille battue, il se traduit par des bleus... Est-ce attendrissant?

L'exemple typique de la petite fille jouant à la poupée nous montre très bien comment l'illusion du parfait amour peut être entretenue. Dans son livre *Playing and Reality* le psychanalyste anglais pour enfants, D. W. Winnicott, remarque que le jeu simule l'accomplissement d'un désir. En jouant à la poupée, la petite fille se conduit comme elle aimerait que sa mère se conduise avec elle. Le simple fait de jouer à ce jeu donne à l'illusion une certaine consistance [1].

D'où la fille d'une femme même non maternelle tire-t-elle cette idée d'un amour parfait? De ce que lui dit sa mère, sinon de ce qu'elle fait. La mère se présente toujours comme totalement aimante. Ses paroles disent à sa fille qu'elle ne doit pas douter de cet amour idéal qu'elle ressent. Si maman, actuellement, est si fâchée, si bouleversée, c'est que papa a été très méchant, que l'épicier n'est pas passé, qu'il n'y a pas beaucoup d'argent à la maison ou que la petite fille elle-même a été insupportable. L'enfant finit par comprendre que, quoi qu'il arrive, c'est parce que c'est *elle* qui a été méchante. C'est sa faute si le livreur est en retard, si papa fait des scènes, s'il n'y a pas d'argent, etc.

Les hommes des cavernes dessinaient des antilopes avant la chasse pour faire venir le gibier. Les petites filles recourent au même procédé magique lorsqu'elles jouent les mamans parfaites avec leur poupée, en

---

1. Voir D. W. Winnicott, *Playing and Reality*, pp. 47-52.

espérant que l'incantation magique fera surgir la mère idéale qui se cache dans la femme très imparfaite qui promet et donne si peu.

Avec sa poupée, la petite fille perpétue l'illusion : « Regarde comme je suis aimante avec ma poupée! C'est si facile, si tendre, si intime. Pourquoi ne fais-tu pas la même chose avec moi? » Il y a bien des années que je ne joue plus à la poupée, mais ce qui me sera le plus difficile en écrivant ce livre, ce sera d'abandonner l'illusion que si j'avais simplement dit, ou fait, ou dessiné le truc magique qui convenait, l'illusion du parfait amour entre ma mère et moi serait devenue une réalité!

Dans l'immense majorité, les mères et les filles s'aiment vraiment. Il existe un amour réel entre ma mère et moi. Mais il ne s'agit pas de cette sorte d'amour qu'elle me disait ressentir, celui qui était approuvé par la société, qui me mettait en colère et qui me donnait un sentiment de culpabilité. En colère, parce que je ne le sentais jamais vraiment; coupable parce que je croyais que c'était ma faute. Si j'avais été une meilleure fille, j'aurais été capable d'accueillir cet amour enrichissant qui, d'après elle, était toujours présent. J'ai découvert récemment que je pouvais me mettre en colère contre ma mère sans nous détruire pour autant. La colère qui me séparait d'elle me met en contact avec le véritable amour que j'éprouve pour elle; elle brise la glace qui se dressait entre nous.

Des filles m'ont dit qu'elles n'aimaient pas leur mère. *Jamais* une mère ne m'a dit qu'elle n'aimait pas sa fille. Des psychanalystes m'ont affirmé que leurs malades préfèrent se considérer comme « folles » plutôt que d'admettre qu'elles n'aiment pas leur fille. Elles peuvent être sincères pour tout le reste, mais le mythe qui veut que les mères aiment toujours leurs enfants est si puissant que la fille qui admet elle-même ne pas aimer sa mère affirmera, le moment venu, qu'elle n'éprouve que des sentiments positifs pour ses enfants.

Les difficultés commencent avec le mot « amour » lui-même. La littérature et les rapports humains quotidiens seraient bien meilleurs si le mot n'était jamais utilisé. Il est trop ambigu; nous nous en rendons compte dans nos relations les plus intenses, quand nous prenons conscience de tout le mystère qui entoure sa signification. Mais nous l'aimons pour son ambiguïté, qui lui permet de prendre le sens que nous voulons lui donner. Il n'est pas étonnant que tant de gens affirment qu'ils ne savent pas ce que signifie le mot « amour ».

« Je t'aime! Si je te défends d'aller jouer avec tes amis, c'est pour ton bien! » « Si je ne t'aimais pas tant, ça me serait bien égal que tu portes ces affreux sabots! » « Bien sûr que je t'aime! Et c'est pour ça que je veux que tu ailles camper. Je préférerais que tu restes toujours près de moi, mais un peu d'air frais, en plein été, ça te fera du bien. » Toutes ces explications sont apparemment raisonnables. Nous voulons croire que c'est l'amour

23

qui motive tous les actes de notre mère. Souvent, ce n'est pas l'amour qu'expriment des phrases de ce genre, mais respectivement la possessivité, l'angoisse et la répulsion pure et simple. On ne peut y croire sur le plan cognitif. Mais nous le sentons à un niveau plus profond.

Prendre pour argent comptant toutes les paroles que prononce la mère sur l'amour, c'est déformer tout le reste de notre vie par les efforts que nous faisons pour recréer cette relation idéale. « L'amour, dit le psychanalyste Richard Robertiello, n'est pas un sentiment indivisible. Notre tâche d'adulte est de séparer les éléments contenus dans le gros paquet que nous tenons de notre mère et qu'elle appelait amour, d'y prendre ce qu'elle nous donnait effectivement et de chercher dans le monde réel tous les autres éléments que nous n'obtenions pas d'elle. »

C'est avec notre mère que nous prenons nos habitudes d'intimité les plus profondes; nous reproduisons automatiquement le modèle avec toutes les personnes qui font partie de notre entourage le plus proche. Ou bien nous jouons le rôle de l'enfant que nous étions avec notre mère, et nous faisons de l'autre personne une figure maternelle, ou bien, inversement, nous jouons le rôle de la mère avec l' « enfant » qui est dans l'autre. « Il n'arrive que trop souvent, dit Leah Schaefer, que ce que nous jouons avec cette autre personne n'ait que très peu de chose à voir avec ce que nous sommes ou ce qu'elle est aujourd'hui. » C'est pourquoi les disputes et les frictions qui surviennent dans ce genre de relations ne peuvent jamais être résolues : les partenaires ne réagissent pas à ce qui se passe entre eux, mais à de vieilles blessures non cicatrisées et à des rejets dont ils ont souffert dans le passé.

L'intimité n'est qu'un vieux disque que nous nous rejouons. « D'abord, dit Richard Robertiello, nous *introjectons* — nous prenons en nous — la notion embrouillée de ce qu'est l'amour dans l'esprit de notre mère. Puis nous la *projetons* sur nos amants, nos maris et notre propre fille. »

Notre mère était peut-être très possessive et essayait de vivre à travers nous, mais en même temps, elle nous donnait effectivement beaucoup de caresses, de contacts physiques satisfaisants et d'affection. Il nous est trop facile par la suite d'acheter tout le lot : la dépendance qui nous entrave et la chaleur physique forment ensemble un nœud inextricable qui porte l'étiquette *amour*. Notre mari peut être physiquement affectueux, mais à moins qu'il ne soit en même temps possessif, nous décidons qu'il ne nous aime pas « vraiment »; il manque quelque chose du parfait amour qu'il est supposé éprouver à notre égard.

Un autre exemple est celui de la mère qui dit à sa fille qu'elle l'aime mais qui l'envoie régulièrement vivre avec sa grand-mère, la confie à une nurse ou l'expédie au pensionnat. Rien de surprenant à ce que cette même fille grandisse avec la conviction que les seules personnes qui l'aiment sont celles qui ne désirent pas sa présence.

Nous sommes parfois si meurtries par les sentiments contradictoires de notre mère que nous repoussons tout le lot, les aspects favorables et positifs qu'elle nous présentait, aussi bien que les plus pénibles. Il est inutile de se dire simplement : « Maman ne m'a jamais aimée, elle ne faisait pas pour moi telle ou telle chose. » C'est refuser, dans notre colère puérile, de voir de l'amour là où il y en avait.

Voici ce que dit le Dr Robertiello : « Ce que nous devons faire, c'est fragmenter les composants spécifiques de l'amour maternel, c'est-à-dire analyser exactement sa façon de nous aimer, mais aussi sa façon de ne pas nous aimer. Vous donnait-elle un sentiment fondamental de sécurité? Une structure de stabilité, de protection et d'éducation? Savait-elle vous montrer qu'elle savait vous estimer, vous offrant ainsi le sentiment sincère et légitime de votre valeur? Vous accordait-elle une affection physique chaleureuse en vous caressant, en vous embrassant, en vous tenant dans ses bras? S'intéressait-elle vraiment à ce qui vous arrivait et vous acceptait-elle : " Tu es ma fille, que tu aies tort ou raison. " Tels sont quelques-uns des éléments du véritable amour. »

Aucune mère ne peut avoir dix sur dix sur tous les points. Peut-être votre mère savait-elle très bien vous admirer, vous louer, ce qui vous donnait le sentiment de votre juste valeur... Mais ce qu'elle appelait aussi amour, c'était *son propre* besoin d'être maternée par quelqu'un. S'il en était ainsi, vous pouvez n'avoir que de rares problèmes d'amour-propre, mais vous pouvez souvent ressentir que vous n'avez jamais assez de contacts étroits, intimes avec les autres. Les gens vous laissent toujours tomber. Voici une femme qui est dans ce cas; elle a vingt-sept ans et gravit avec succès les échelons de sa carrière :

« Ma mère me disait toujours : " Vise haut! Ose être différente! " Elle était de ces mères merveilleuses, si rares, auxquelles on peut parler de sa vie sexuelle; mais à partir de six ou sept ans, je me suis sentie très protectrice vis-à-vis d'elle. Je savais que j'étais plus forte qu'elle. Elle me confiait les difficultés qu'elle avait avec mon père, qui était très autoritaire. Même plus tard, en grandissant, je lui tenais tête pour la défendre, comme si elle était une enfant. Le support affectif que me donnait ma mère m'a beaucoup aidée. Je me suis établi une personnalité. Mais je ne fais pas confiance aux hommes. Ils ne peuvent pas comprendre les besoins d'une femme. Ils ne vous soutiennent pas affectivement mais comptent sur vous pour être épaulés. J'ai besoin d'un homme qui ait confiance en lui comme j'ai confiance en moi et sur lequel je puisse m'appuyer. C'est pourquoi, pour le moment, je ne couche avec aucun des hommes que je connais. En dehors d'un énorme support affectif et financier, un homme ne pourrait pas me donner grand-chose, mais je n'ai jamais trouvé le partenaire solide qui pourrait ou voudrait faire cela pour moi. Pour tout le reste, je sais me débrouiller toute seule, mais je sais qu'une relation bien équilibrée avec un homme est ce qu'il y a de plus important dans ma vie. » Cette femme essaye de compenser la protection et la sollicitude qu'elle n'a pas obtenues de sa mère en les obtenant des hommes. Sa politique affective exige que les hommes prennent soin d'elle comme si elle était une enfant tandis qu'elle leur refuse la sexualité qu'ils attendent d'une femme.

J'ai entendu beaucoup de femmes adultes se plaindre encore du fait que leur mère n'était pas à la maison quand elles revenaient de l'école l'après-midi. Elles oublient que leur mère avait dans son travail des obligations draconiennes... et qu'elles ont pu d'ailleurs calquer leur attitude sur la sienne dans leur propre carrière. Tant que la fille devenue adulte a du mal à accepter que sa mère ne soit pas parfaite, sa colère infantile inhibera le libre usage des traits remarquables que sa mère possède effectivement. Pour ces femmes, très souvent, la réussite professionnelle est associée à la « mauvaise mère » qu'elles ne veulent pas devenir elles-mêmes. Elles se marient sur un coup de tête et abandonnent leur carrière avec un soupir de soulagement. Mais leur mariage n'a guère plus de succès : l'épouse essaye de faire de son mari la mère protectrice, pleine de sollicitude, qu'elle n'a jamais eue.

La mère s'est peut-être crue obligée de se présenter comme l'image du parfait amour. En tant qu'adultes, nous devons admettre que nous pouvons vivre sans lui. Nous devons cesser d'en vouloir à notre mère parce qu'elle n'était pas la mère idéale et reconnaître qu'elle excellait en certaines choses; notre vie en sera embellie.

L'amour sincère et spontané admet les erreurs, les hésitations et les défaillances humaines; elles peuvent être corrigées et réparées. L'amour idéalisé nous paralyse, parce que nous savons déjà par intuition qu'il est irréel et que nous avons peur d'affronter cette vérité.

« Je ne dis à ma mère que ce qu'elle a envie d'entendre », disent certaines femmes. Sous-entendu : le mensonge est un fruit de l'amour; la fille traduit simplement en acte son désir de protéger sa mère. En fait, nous nous faisons les protectrices de notre mère non pas parce que nous sommes des filles merveilleuses, mais pour nous protéger nous-mêmes. Quelque part, dans notre psyché, nous sommes encore des enfants qui n'osent pas risquer de perdre l'amour inviolé de la mère, ne serait-ce que le temps d'une dispute. Dire la vérité est un test : c'est la meilleure façon de mettre à nu ce qui existe vraiment entre deux personnes.

« J'ai des relations merveilleuses avec ma mère, m'a dit une femme de trente-huit ans, mais je me demande pourquoi je frise la crise de nerfs chaque fois que je suis avec elle pendant quelques heures. Ce qui est terrible, c'est que ma fille commence à réagir de la même façon à mon égard. » Le fantasme de la parfaite entente est difficile à maintenir quand on se trouve en face de la réalité. Tout est beaucoup plus facile quand on est séparé de l'autre.

Le refus mutuel de se montrer l'une à l'autre son vrai moi, qu'il soit bon ou mauvais, interdit à la mère comme à la fille d'explorer sa vie distincte, sa propre identité. Il y a là une peur inexprimée : si l'une ou l'autre s'en va ou si elle met en question la perfection de l'amour mère-fille en se permettant d'être « différente », toutes les deux seront détruites. Combien de femmes adultes tremblent à l'idée d'être seules, de vivre seules. Il n'y a qu'une chose au monde qui se rapproche de la douleur de se séparer de sa mère, qui soit plus déchirante que de renoncer à l'illusion de son amour absolu, c'est de nous séparer de notre fille, de la laisser partir.

« Par moments, m'a dit la jeune mère d'une petite fille de cinq ans, j'avais tant besoin de ma mère et je l'aimais tellement que je lui disais, quand j'avais huit ans : " Si j'ai un enfant plus tard, je ne pourrai jamais l'aimer autant que tu m'aimes! " Maintenant, je sais que je voulais dire *étouffer* et non pas " aimer ". Le mot amour cache tellement de choses malfaisantes. Ma mère semblait si altruiste, si généreuse. Je me souviens de mes angoisses à l'idée qu'elle pourrait mourir. Mais je ne voulais pas qu'elle me consacre sa vie. Je me sentais trop coupable à l'idée qu'elle pourrait le faire. Et pourtant, je n'osais pas réclamer plus d'espace. Cela m'aurait également donné un sentiment de culpabilité. Quand j'ai eu dix-sept ans, je n'ai pas attendu plus longtemps pour fuir la maison. Je me suis mariée, et lorsque j'ai eu une petite fille à moi, je suis devenue aussi possessive à son égard que ma mère l'avait été avec moi. Comme je travaillais à l'extérieur, je pensais donner ainsi à ma fille l'espace que je n'avais jamais eu. Mais j'ai pris l'habitude de téléphoner à tout bout de champ du bureau à la maison, et quand je rentre chez moi, comme une coupable, je me fais pardonner d'avoir été absente en l'accablant de tendresse, en l'étouffant. Comme ma mère je recouvre du mot " amour " toutes ces choses possessives, surprotectrices que je fais. »

L'instinct maternel suppose que nous sommes toutes des mères en puissance, qu'aussitôt que nous mettons un enfant au monde nous l'aimons automatiquement et naturellement et agissons toujours pour son bien. Si, croyant à l'instinct maternel, vous échouez en ce qui concerne l'amour maternel, vous échouez également en tant que femme. C'est une idée force qui nous tient comme dans un étau.

Je propose d'utiliser le concept « instinct maternel » tel qu'il est expérimenté affectivement par la plupart des femmes. Le terme n'a pas forcément pour nous le même sens que celui que lui donnent les biologistes, les éthologistes et les sociologues. Le concept a autant d'acceptions qu'il y a de savants et certains d'entre eux vous diront que l'instinct maternel n'existe pas. L'anthropologue Lionel Tiger m'a conseillé d'éviter de me servir du terme, même entre guillemets. Il pressentait que je serais critiquée, quelle que soit ma définition. Il n'est pas dans le dessein de ce livre de prouver ou de réfuter la réalité de l'instinct maternel. Mais je ne pense pas qu'une femme qui s'intéresse aux forces et aux choix qui façonnent sa vie puisse éviter de réfléchir à ce que signifient ces mots, non pas sur le plan de la génétique mais sur celui de l'imagination.

Que ce soit ou non par « instinct », la plupart des femmes aiment penser qu'elles auront un enfant, désirent en avoir et en ont. Pour cette majorité, les ennuis commencent non pas avec le fait qu'elles sont mères, mais avec les problèmes affectifs qui sont englobés dans la notion d'instinct maternel : être une bonne mère, c'est aussi naturel, aussi indifférencié pour les humains que pour la louve et ses petits.

Ceux qui aiment tirer cet argument de la nature oublient que si la louve s'occupe instinctivement de ses petits, est prête à les défendre au prix de sa vie et leur apprend à chasser, le même instinct l'amènera à les abandonner sans aucun regret aussitôt qu'ils seront capables de se débrouiller tout seuls. D'autres instincts peuvent très bien la pousser, quand viendra la saison du rut, à s'accoupler avec ses fils.

L'amour maternel, chez les humains, ne jaillit pas spontanément à l'instant où naît l'enfant. « Je dis aux mères dès le premier jour, déclare le pédiatre Sidney Q. Cohlan, que ce n'est pas le fait d'avoir un enfant qui crée la relation, mais la vie et les soins quotidiens. On ne peut pas aimer son bébé vingt-quatre heures sur vingt-quatre, sept jours par semaine. S'occuper d'un bébé pendant les premiers mois, ça peut être un travail pénible et parfois une corvée monumentale. Les récompenses ne viennent qu'à partir du moment où la mère et l'enfant sont passés par une période d'adaptation et de réactions aux besoins de chacun. Mais elle a lu les articles pleins de poésie des magazines, elle s'attend au coup de foudre maternel et elle se croit anormale si elle ne réagit pas comme le voudraient les livres dès le moment où elle pose son regard sur le nouveau-né. Peut-être ne mérite-t-elle pas d'être mère? Comment pourrait-elle expliquer un sentiment négatif, même passager? La société où elle vit ne lui permettrait pas de l'exprimer, si bien qu'il y a une grande part de mensonge inconscient dans la réponse que vous fera une jeune maman si vous lui demandez de vous parler de son sentiment de plénitude : elle vous dira la plupart du temps ce qu'elle a elle-même envie de croire. »

La psychiatre Mio Fredland, qui a une petite fille de trois ans, m'a dit : « J'ai vu beaucoup de mères qui étaient au septième ciel à la naissance de leur enfant, et d'autres qui étaient profondément déprimées. Pour ces dernières, cela veut dire qu'elles étaient en proie à un fantasme. Le fait est que les mères se sentent souvent extrêmement coupables et déprimées parce qu'elles n'aiment pas leur enfant dès le début. L'enfant est comme un étranger. Oui, nous élaborons un fantasme dans la ligne de ce que nous propose la publicité des aliments pour enfants ; c'est le grand mythe américain : toutes les mères doivent aimer leurs bébés. J'ai entendu des femmes dire qu'il leur faut deux ou trois semaines pour commencer à " s'intéresser " vraiment à leur enfant. Il y a ce grand choc quand vous le voyez pour la première fois. Il n'est pas du tout vrai que vous l'aimez automatiquement. »

Telle est la tyrannie de la notion d'instinct maternel. Il idéalise la maternité au-delà des possibilités humaines. Une coupure dangereuse s'établit. La mère *sent* le mélange d'amour et de ressentiment, d'affection et de révolte qu'elle éprouve pour son enfant, mais elle ne peut pas se permettre de le *connaître*.

La cassure qu'il y a entre, d'une part, ce que la mère dit, la façon dont elle se comporte avec son enfant, et, d'autre part, *ce qu'elle ressent inconsciemment au niveau le plus profond,* l'empêche d'être sûre d'elle-même. Voici ce que dit le Dr Robertiello : « Les femmes vivent avec l'impression qu'elles ont quelque chose à cacher, qu'elles sont secrètement " dénaturées " ou de " mauvaises mères ". L'acte de mettre un enfant au monde ne confère pas la capacité d'être mère ; la femme ne se sent pas nécessairement envahie par ce merveilleux " instinct maternel " qui dicte à chaque instant ce qu'il convient de faire à l'enfant. Les femmes doivent se débarrasser de ce mythe, qui les met à la merci d'une société phallocrate. Les hommes sont " certains " que les femmes sont faites pour être mères. Mais chaque femme, du fond du cœur, quand elle a un enfant, n'en est pas tellement " certaine ". Elle devient comme paralysée, compte sur les autres pour lui dire ce qu'il faut faire. La suprématie masculine utilise le mythe de l'instinct maternel pour renforcer sa position de puissance. »

Si on veut offrir aux femmes, sur le plan affectif — et au niveau le plus profond — toutes les possibilités, toutes les options du monde contemporain, il faut amener les deux sexes à croire que certains d'entre nous, hommes et femmes, ont le vif désir de s'occuper de petits êtres, comme le sont les bébés, *et que cela n'a rien à voir avec l'identité sexuelle,* et ne relève pas davantage d'un instinct. Le réflexe qui nous fait prendre dans nos bras, pour le consoler, un bébé qui pleure peut être ou ne pas être inné, mais il peut s'apprendre. « De très nombreuses personnes, y compris des hommes, dit Leah Schaefer, s'intéressent vraiment aux petits êtres dépendants. Au cours de ma pratique clinique, j'en suis venue à croire que ce qui est communément appelé l' " instinct maternel " est tout simplement ce goût de s'occuper des enfants. Certains êtres humains ne l'ont pas du tout. Il ne s'agit pas d'un grand impératif biologique qui, s'il est contrarié, ruinera ou appauvrira la vie de la femme. Chez les humains, l'amour maternel, autrefois, a peut-être été un instinct, continue le Dr Schaefer, qui est mère d'une adolescente, mais la civilisation nous l'a enlevé. Je doute fort qu'une femme puisse naître plus " maternelle " qu'une autre. Je ne serais pas étonnée que les hommes naissent avec à peu près la même capacité que les femmes pour soigner et élever les enfants... mises à part, évidemment, les différences biologiques évidentes. »

Les besoins du bébé humain sont plus importants que ceux du louveteau. Les compétences que nous devons apprendre sont trop complexes pour être abandonnées au seul instinct animal. L'enfance humaine se prolonge bien au-delà de celle de toutes les autres créatures. Par conséquent, alors que l'on peut dire, si on en a envie, que l'instinct maternel joue un rôle dans le maternage de l'enfant humain, il est clair que le seul instinct ne peut suffire à tout. Il doit être complété par les techniques, les arts, les sentiments et les désirs que les humains apprennent des autres humains. Les personnes qui travaillent dans les homes d'enfants constatent que les femmes qui n'ont pas reçu un maternage convenable quand elles étaient petites ignorent ce qu'elles doivent faire en tant que mère et ne tiennent guère à l'apprendre. « Le modèle de l'enfant maltraité, dit le Dr Lionel Tiger, a une origine familiale. Il existe une étroite corrélation entre le fait de battre son bébé et le fait d'avoir été soi-même un enfant battu. »

« Ma mère ne savait pas comment me manifester son amour, m'a dit une avocate de cinquante ans, si bien que quand j'ai eu moi-même une petite fille, je ne savais pas non plus comment m'y prendre. Où donc pourrais-je apprendre ce qu'il faut faire pour dispenser son amour? Certainement pas dans les livres. On ne peut pas grandir dans un foyer où il y a de l'hostilité et ne pas le refléter plus tard. Peut-être n'aurais-je pas dû être mère... Non, je retire ce que j'ai dit. Il fallait que je sois mère parce que je le désirais et que je peux donner à un enfant tout ce dont il a besoin. Mais ma fille tourne le dos à tous les efforts que je fais pour lui montrer mon amour. Je m'y prends sans doute mal. Il aurait fallu qu'on me l'apprenne... il devrait y avoir une forme d'éducation qui permettrait aux gens de savoir comment communiquer leur amour à leurs enfants. Personnellement, quand j'étais petite, je ne savais que faire pour obtenir de l'amour, et maintenant, je ne sais comment le donner... et pour commencer, je ne sais pas comment m'aimer moi-même! »

Le psychologue pour enfants Aaron Esman estime que « pour pouvoir dispenser un bon maternage, il faut l'avoir reçu ».

Tout le monde sait que la notion de « teen ager » n'existait pas avant ce siècle. De même, l'idéalisation de la maternité, de la première enfance et de l'enfance est une invention des Temps modernes. Des livres récents soutiennent que la société n'a pu apporter une quantité suffisante de temps, de sentiment et d'argent au soin des bébés qu'à partir du moment où la lutte désespérée pour la vie a été gagnée sur une échelle suffisamment grande. L'infanticide maternel « était le crime le plus fréquent en Europe Occidentale, du Moyen Age à la fin du XVIIIe siècle », écrit Adrienne Rich [1]. Et Edward Shorter : « ... Les mères traditionnelles n'étaient pas des monstres... S'il leur manquait un sentiment distinct de l'amour maternel, c'est parce qu'elles étaient contraintes, par les circonstances matérielles et par les attitudes de la communauté, de subordonner le bien-être du petit enfant à d'autres objectifs, comme faire marcher la ferme ou aider le mari à tisser les vêtements [2]. »

« Pourquoi tant de femmes se précipitent-elles dans la maternité? se demande le Dr Esman. Ce n'est certainement pas en raison de l' " instinct maternel ". En particulier si elles espèrent tirer de grands avantages de l'expérience en s'identifiant avec leurs propres enfants, identification qu'elles n'ont pas connue quand elles étaient petites; ou si elles décident d'avoir un enfant pour s'accrocher à leur mari, pour sauver leur mariage... ce qui est une raison détestable. Les gens disent : " Tout irait mieux si nous avions un enfant " quand le ménage va mal, ce qui serait la pire des solutions. Je ne cesse pas de voir des femmes qui ont eu une enfance frustrante et qui s'imaginent qu'elles vont faire pour leur bébé tout ce que leur mère n'a pas fait pour elles. Elles veulent revivre leur enfance à travers leur bébé et ce bébé va recevoir toutes les choses qu'elles n'ont pas eues... Alors? L'instinct maternel? Nous n'avons aucune preuve qu'il existe. Les femmes veulent être mères pour une quantité de raisons; cela fait partie de leur condition biologique, elles ont l'équipement nécessaire et c'est l'une des choses que les femmes sont censées faire, mais ce n'est pas ce que j'appelle un instinct, du moins selon ma définition du mot. Et il y a aussi les contraintes sociales : il est convenu que la fille doit grandir, se marier et avoir des bébés; on lui serine cela depuis sa plus tendre enfance, si bien qu'elle est orientée vers ce que les autres attendent d'elle. Mais ce n'est pas l' " instinct maternel ". Toute femme raisonnablement saine désire avoir des enfants pour une série de raisons que l'on peut énumérer ainsi : parce qu'elles ont envie de faire l'éducation de quelqu'un, pour

1. Adrienne Rich, *Of Woman Born*, p. 259.
2. Edward Shorter, *The Making of the Modern Family*, pp. 168-169.

avoir le plaisir de nourrir un enfant et de s'occuper de lui, pour donner à quelqu'un ce que sa mère lui a donné, pour partager un certain type d'expérience avec son mari. C'est une expérience de croissance, d'évolution. »

La première chose que l'on puisse dire au sujet de ce que ressent sincèrement la mère en relation avec son enfant, c'est qu'elle éprouve une sorte d'amour-propre. L'enfant est essentiellement une extension narcissique d'elle-même. Il faisait partie intégrante de son corps, il vivait en elle. Maintenant qu'il est à l'extérieur, il est encore relié étroitement à son corps. Tout ce qui est investi dans son corps est perpétué dans l'enfant. Si l'enfant est bien tel qu'elle l'espérait, elle peut plus facilement se conformer à l'ordre intimé par la société qui veut qu'elle aime son enfant plus qu'elle-même. Mais s'il y a quelque chose du côté de l'enfant — si c'est un garçon au lieu d'une fille, s'il est trop gros, trop maigre, trop indolent — qui lui fait sentir qu'elle est loin d'éprouver l'enthousiasme attendu, elle doit le nier. Toutes les blessures infligées à son narcissisme — cette source d'où jaillissent tous les sentiments maternels — doivent être ignorées, refoulées; la femme n'a pas le droit de les ressentir. Quand il se produit une dépression consécutive à l'accouchement, je suspecte qu'elle commence dans le silence que la femme doit observer si son enfant ne répond pas à son fantasme de béatitude maternelle.

La glorification de la maternité exige que, dès que l'enfant est né, la femme doive renoncer à l'autonomie de ses propres sentiments. Comme ces madones affectées de l'art du début du christianisme, elle est supposée se concentrer uniquement sur son petit. On imagine les lettres enluminées qui suivent le rayon d'or qui va de ses yeux au visage du bébé : AMOUR. Le mot efface son passé affectif, lui ordonne de désapprendre ce qu'elle s'est habituée à penser et à ressentir à propos des gens. Elle doit ignorer sa propre subjectivité, le plaisir réel que lui procure la beauté physique, si son enfant n'est pas joli, l'ennui que lui inspire la bêtise si son enfant est arriéré. Elle ne doit surtout pas tolérer que le sexe de son enfant ait pour elle une importance. Devant l'enfant, elle doit refuser tous les éléments d'information que l'on capte chaque fois que l'on se trouve pour la première fois en présence de quelqu'un et qui colore tous les rapports personnels que l'on aura par la suite avec cette personne. Le jour où on achète la voiture d'enfant, on la décore en rose ou en bleu pour signaler au monde extérieur ce qu'il veut savoir. Seule la mère est supposée être indifférente au fait que son enfant a un pénis ou un vagin.

Et pourtant, en réalité, quand une femme donne naissance à un être humain qui est un autre elle-même, ils sont liés pour la vie d'une façon très particulière. La mère est le premier objet d'amour, le premier attachement pour l'enfant, quel que soit son sexe. Mais c'est leur sexe, leur similitude qui distingue ce qui se passe entre la mère et la fille. Il n'existe pas au monde deux personnes qui aient une telle occasion de se soutenir et de s'identifier l'une à l'autre, et pourtant, aucune relation humaine n'est aussi réciproquement restrictive. Si une mère laisse entendre à sa fille que la maternité n'est pas cette apothéose qu'on lui avait promise, que la vie, bien loin de s'ouvrir devant elle, n'a fait au contraire que se resserrer, c'est comme si elle lui disait : « Je n'aurais jamais dû te mettre au monde. »

Une femme qui n'a pas de fille peut essayer d'explorer les possibilités infinies de la vie. Sa propre mère en avait tant négligé! Mais quand lui naît une fille, des appréhensions qu'elle croyait avoir vaincues depuis longtemps resurgissent. Voilà maintenant qu'il y a une autre personne, qui non seulement dépend d'elle, mais qui est *comme elle,* et donc exposée à tous les dangers contre lesquels elle s'est battue toute sa vie. La progression de la mère vers une sexualité plus étendue est stoppée. Le terrain gagné, que, toute seule, elle aurait pu conserver, est abandonné. Elle bat en retraite et se retranche derrière une position étriquée de sécurité et de défense, qui est bien « féminine ». Ce comportement est celui que doit avoir la mère protectrice, clame la société émue. En réalité, c'est un comportement inspiré par la peur. La mère n'est qu'à demi vivante, mais elle est en sécurité, et sa fille aussi. Elle se définit maintenant non pas comme une femme, mais avant tout comme une mère. La vie sexuelle est laissée de côté, on la cache à la fille qui ne doit jamais penser que sa mère puisse être en danger, c'est-à-dire être sexuelle. La fille devra faire d'immenses efforts pour penser à sa mère en tant qu'être sexuel.

« Je crois que ce qui m'effraye le plus, c'est la vulnérabilité de ma fille, m'a dit une mère d'une enfant de six ans. Je crains moi-même d'être exploitée sexuellement. Je sais que je la surprotège. Mais j'ai si peur qu'elle ait mal un jour, que quelqu'un abuse d'elle. Je la sens tellement sans défense! » Comment cette femme s'y prendra-t-elle pour protéger cette pauvre petite fille, si vulnérable, jusqu'au moment où elle atteindra le havre de sécurité : le mariage? Elle n'en sait absolument rien. Par contre, ce qu'elle sait fort bien, c'est que pour une petite fille — par opposition avec un petit garçon — le sexe est un danger. Il doit être nié, réprimé. Sa fille ne sera pas élevée comme une petite garce dévergondée, mais « comme une dame ». Aucun stimulus érotique ne doit se faufiler dans la conscience de la petite fille, aucune plaisanterie graveleuse; elle ne doit pas porter de vêtements suggestifs, elle ne doit pas se douter que le corps de sa mère a des réactions sexuelles. Si la mère n'y pense pas, n'en parle pas, ne réagit pas, la sexualité s'en ira. Pour détourner l'attention de l'enfant du thème sexuel qui peut l'angoisser, la mère franchit le dernier pas : elle se désexualise.

MA MÈRE, MON MIROIR

« Deux mois après la naissance de ma fille, raconte une femme de vingt-huit ans, j'ai déjeuné avec un homme que j'avais connu pendant des années. " Alors, me dit-il, quel effet ça vous fait de ne plus être sexy? " » La société offre à la mère, sans qu'elle ait à la demander, toute l'aide que requiert sa désexualisation. Récemment, une semaine avant la fête des mères, on a pu voir, dans un magazine, ce titre qui s'étalait en gros caractères au-dessus d'une publicité pour des robes d'intérieur très séduisantes : « Avant d'être mère, elle était une femme! »

Dès ses plus tendres années, la sexualité naissante de la fille sera pour elle un sujet d'anxiété et tout se passe comme si cette sexualité n'allait pas la rendre semblable à sa mère, mais au contraire différente d'elle. Si ma mère refuse sa propre sexualité et réagit à la mienne avec tant de honte et de frayeur, quel énorme enjeu ça doit être! Comme il doit être difficile d'être femme! Il vaut mieux rester enfant, une bonne petite fille!

En essayant de protéger sa fille des périls sexuels, plus ou moins imaginaires, qui l'attendent, la mère commence, dès la naissance de son enfant, par lui cacher sa propre image de femme qui tire du plaisir et de l'orgueil de sa sexualité. La fille est privée de l'identification dont elle a le plus besoin. Chaque effort que fera la fille pour se sentir bien dans sa peau de femme sera une lutte pénible — sinon une trahison — contre cette image asexuée de sa mère. La mère et la fille ont commencé leur petit jeu; un vrai casse-tête qui durera toute leur vie. Faut-il s'étonner si elles ne se lassent pas de s'épier, de s'étudier, comme si elles vivaient un roman policier jamais dénoué; incapables de se donner réciproquement du champ?

Quand j'étudiais l'histoire de l'art à l'université, les efforts que faisaient les grands maîtres pour exprimer le plus grand de tous les mystères, l'Immaculée Conception, me faisaient bâiller. Je mettais mon ennui sur le compte de la monotonie esthétique qui se dégageait de la suavité et de la symétrie si appréciées pendant la Renaissance. Je sais maintenant que ce que nous appelons ennui est souvent une réaction de défense contre l'angoisse; et ce qui m'angoissait, c'était ce Mystère personnifié par la Vierge Marie : comment pouvait-on faire l'amour tout en restant vierge? J'ai fini par perdre ma virginité, mais je n'ai jamais su comment Marie s'y était prise pour garder la sienne. Les filles qui font leurs prières et à qui il arrive néanmoins de desserrer les jambes seront peut-être intéressées par une explication qui m'a été donnée récemment : Marie et Joseph ont bel et bien fait l'amour. Ce qui a permis à Marie de rester chaste, c'est qu'elle ne pensait pas à ce qu'elle faisait. Elle était pure d'esprit et restait toute en Dieu. Donc, ça ne comptait pas.

Je me demande parfois quel genre de modèle peut représenter pour nos filles la Vierge Marie, et je crois que ce modèle n'est pas loin de l'image sexuelle de notre mère, telle que nous la percevons : elle a certainement fait l'amour avec notre père, mais d'après ce que nous savons d'elle, nous ne pouvons pas imaginer une seconde qu'elle y prenait plaisir.

« Ferme les yeux et pense à l'Angleterre », disaient les mères victoriennes à leur fille le soir de ses noces. Aujourd'hui, la plaisanterie nous fait rire. Mais parmi les industries les plus florissantes de notre culture, il faut compter les cliniques du sexe qui passent leur temps à mettre les femmes en contact avec leur sexualité, à les faire penser à l'impensable et à leur faire admettre l'image sexuelle de leur mère.

Du temps où la vie des femmes était réglée sur un modèle immuable, elles pouvaient plus facilement se conformer à ce tableau énigmatique de la féminité. Elles n'avaient pas d'autre choix que de reproduire la vie de leur mère; leurs erreurs et leurs déceptions se limitaient à l'espace de la mère, à sa marge d'erreurs et d'épreuves. Je crois que nos grand-mères, et même nos mères étaient plus heureuses que nous; elles en savaient moins que nous et n'avaient pas nos possibilités; elles avaient moins de raisons d'être malheureuses. La femme peut renoncer à sa sexualité, détester son rôle de ménagère, ne pas aimer les enfants, mais si toutes les autres femmes étaient dans son cas, comment pourrait-elle prendre conscience de sa frustration? Il est certain qu'elle la ressentirait, mais on ne peut pas désirer quelque chose qu'on ne connaît pas. La télévision, par exemple, n'était pas là pour leur donner le sens des espérances frustrées. Aujourd'hui, la vie des femmes évolue à un rythme et par une nécessité qu'on ne peut pas contrôler, à supposer même qu'on en ait envie; nous avons besoin de toute notre énergie pour alimenter ce refoulement. Si nous ne voulons pas nous contenter du rôle traditionnel des femmes, nous ne pouvons pas supporter l'épuisement qui accompagne un refus affectif perpétuel. L' « instinct maternel » n'est pas seul à faire pression sur les femmes. Il y a aussi les exigences économiques et sociales. Même si nous décidons de mener la même vie que notre mère, le fait est que notre fille ne le fera sans doute pas. En ce qui la concerne, nous pouvons continuer, à force de dénégations et de refoulements, à maintenir en vie l'idéalisation de la maternité, mais où cela la mènera-t-elle?

Les femmes qui veulent faire, par exemple, une carrière d'avocate comme leur mère, tout en ayant des enfants, doivent établir une nette distinction entre les deux, entre le métier et la maternité et, de plus, elles doivent différencier un troisième élément, *qui n'exclut pas* les deux autres : leur sexualité. Tandis qu'évolue le monde et la place qui y est réservée aux femmes, les mères doivent sciemment présenter ce choix à leurs filles. La femme peut intégrer les trois options — et même davantage — mais elle doit être capable à tout moment de se dire à elle-même et de dire à sa fille : « J'ai décidé de t'avoir parce que je voulais être mère. J'ai choisi de travailler — de faire une carrière dans la politique, par exemple, ou de jouer du piano — parce que cela me donne un sentiment différent de ma propre valeur, valeur qui n'est pas supérieure ni inférieure à la maternité, mais seulement différente. Que tu décides ou non de travailler, d'être mère, tout cela n'a rien à voir avec ta sexualité. Celle-ci est la troisième option, tout aussi significative que les deux autres. »

« Si la mère a une vie bien à elle, dit le Dr Robertiello, sa fille ne l'en aimera que plus et voudra davantage être près d'elle. Cette femme ne doit pas se définir comme " mère ", elle doit se voir comme une personne qui a un travail à accomplir, comme une personne sexuelle, une femme. Il n'est pas nécessaire d'avoir un métier. Elle n'est pas obligée d'avoir un QI élevé ou d'être présidente de la ligue parents-élèves pour avoir cette dimension supplémentaire. Si elle se contente de rester assise à la maison, de conduire ses enfants à l'école et de cuire des gâteaux, elle donne à ses enfants (et à elle-même) l'impression que leurs vies lui appartiennent. Il est certain que la meilleure chose que puisse faire la mère est d'essayer de maintenir le contact principal avec son mari, et non avec sa fille. »

En réalité, la femme et la mère sont souvent en conflit, dans un seul et même corps. Le Dr Helen Deutsch, dans *Psychologie des femmes,* adopte le point de vue freudien classique en ce qui concerne la « passivité » des femmes; la plupart des analystes actuels ne sont pas d'accord avec cette thèse (moi non plus) mais je pense que l'auteur soulève ici un point intéressant : « Les pulsions instinctuelles primitives et non sublimées de la femme se manifestent de différentes façons. Parmi les attributs caractéristiques de la sexualité féminine figurent l'envie ardente d'être désirée, une forte tendance à la possession exclusive et égoïste, une attitude normalement toute passive à l'égard de la première offensive masculine. Ces attributs sont si fondamentalement différents des manifestations émotionnelles de la maternité que nous sommes contraints d'accepter l'opposition de la sexualité et de l'érotisme d'une part, et de l'instinct de reproduction et de la maternité d'autre part [1]. »

Comme tant de femmes depuis que le monde existe, ma mère ne pouvait pas croire en cette opposition des deux désirs. La tradition, la société, ses parents et la religion elle-même lui disaient qu'il n'y avait pas de conflit; que la maternité était le produit logique et naturel du sexe. Au lieu de croire ce que le corps de chaque femme dit à son esprit, c'est-à-dire, selon le Dr Deutsch, que la sexualité et l'érotisme sont des pulsions « fondamentalement différentes » et « opposées » à la maternité, ma mère

---

1. Helen Deutsch, *The Psychology of Women*, vol. 1, *Girlhood*, p. 151.

acceptait le mensonge. Elle prenait comme un acte de foi l'idée que si elle était une « vraie femme » elle serait une « bonne mère » ; bien entendu, je devais grandir dans la même idée. Si je suivais le même chemin qu'elle, si j'adoptais son modèle de la maternité, cela prouverait que je ne lui reprochais pas sa décision. Je justifierais ainsi ce qu'elle avait fait et je mettrais définitivement sur son choix une estampille de qualité. Cela voudrait dire que son attitude, son comportement et ses plus profonds sentiments étaient cohérents, harmonieux : elle était une femme en parfait accord avec la nature.

Certaines femmes adoptent de bon cœur cette solution. Peut-être sont-elles la majorité, mais ma mère n'était pas de celles-là. Je ne le suis pas non plus... sur ce point, également, je suis bien sa fille. Même si leur mariage est réussi, beaucoup de femmes acceptent mal le rôle de bonne mère de famille, asexué, que leurs enfants les forcent à jouer. Ma mère n'a même pas réussi son mariage ; elle a été veuve de très bonne heure.

Effrayée comme elle l'était devant la vie, aussi dépendante de mon père que nous l'étions d'elle, ma mère n'avait pas d'autre solution que de faire comme si ma sœur et moi étions la partie la plus importante de sa vie ; que ni la peur, ni l'expérience de sa jeunesse, ni son désarroi, sa solitude, ses propres besoins ne puissent ébranler l'amour sans partage qu'elle éprouvait pour nous. Ma mère n'était pas habituée à cette franchise de femme à femme, cette expérience partagée qui aurait pu lui permettre de se battre contre la croyance populaire selon laquelle le simple fait d'être femme confère la sagesse inhérente qui permet d'être mère : ou bien cette sagesse lui était naturelle, ou bien elle échouait en tant que femme.

Pendant toutes les années que nous avons vécu ensemble, il est lamentable que nous n'ayons jamais parlé franchement. Nous ne savions ni l'une ni l'autre que j'aurais pu supporter la franchise, aussi effrayante qu'elle fût. Si elle avait été capable de me parler, j'aurais pu m'accommoder de ses colères, de ses déceptions, de ses ressentiments et de ses angoisses devant un échec possible, tous sentiments dont j'ai rarement été témoin. J'aurais grandi avec l'idée que, malgré tout l'amour que ma mère éprouvait pour moi, d'autres sentiments contrariaient cet amour et j'aurais appris à avoir confiance et à penser qu'avec le temps son amour me reviendrait toujours. Au lieu de cela, je ne pouvais qu'essayer de croire qu'elle avait pour moi cette sorte d'amour parfait dont elle me parlait mais dont je ne cessais de douter. Je ne comprenais pas pourquoi je ne pouvais pas le sentir, malgré tous les mots qu'elle me disait. J'en suis venue à croire que l'amour, que ce soit le sien ou celui de quelqu'un d'autre, n'était qu'un feu follet qui allait et venait pour des raisons qui m'échappaient. Ne sachant jamais quand ni pourquoi j'étais aimée, j'en arrivais à avoir peur de dépendre de cet amour.

MA MÈRE, MON MIROIR

Plus je prends de l'âge, plus je retrouve ma mère en moi. Plus ma vie s'oppose à la sienne, plus ma façon de penser s'éloigne de la sienne et plus je la retrouve dans ma voix, dans les expressions de mon visage, dans mes réactions affectives que je me suis pourtant habituée à reconnaître comme vraiment miennes. Tout se passe comme si, à mesure que j'évolue, je bouclais la boucle. Si je disais que son image a cessé d'être la pierre de touche de ma vie — et mon image pour la sienne — ce serait encore un mensonge. Et j'en ai assez des mensonges. Ils m'ont empêchée, tout au long de ma vie, de me comprendre moi-même. J'ai toujours su que mon mari désirait avant toute chose que j'aie une vie bien à moi. J'ai toujours senti que je l'avais déçu en partie sur ce point; je sais très bien faire semblant. Mon travail, mon mariage et mes nouvelles relations avec d'autres femmes commencent à donner du corps à l'idée que mon mari s'est faite de moi. Ils m'ont permis de me respecter et d'avoir une haute opinion de ma propre sexualité. Ce qui s'interpose encore entre moi-même et la personne que je voudrais être, c'est cette illusion d'un parfait amour entre ma mère et moi. C'est un mensonge que je ne peux plus supporter.

Chapitre 2

Le temps de l'intimité
mère-fille

J'ai grandi dans une maison de femmes. C'est une façon inhabituelle de commencer sa vie, mais je ne me permettais pas de souffrir de la perte de ce père que toutes les autres filles avaient. Plus tard, j'ai théorisé en me disant que, peut-être, le genre d'enfance que j'avais eu avait ses avantages : n'ayant pas le spectacle d'un homme diminué par les exigences abusives des femmes, j'ai grandi dans l'idée que tout était possible entre un homme et une femme. Mais, bien sûr, mon père m'a beaucoup manqué.

Il y a toujours eu quatre femmes dans notre maison : ma mère, ma sœur aînée Susie et moi-même; la quatrième, au début, était ma nurse, Anna. J'aimais tant Anna que je l'ai laissée se glisser hors de ma vie sans souffrir davantage que pour l'absence de mon père. Le jour où elle est partie, je me suis dit que je ne sentais rien. J'avais tout appris sur l'amour et la séparation dès les premières années de ma vie.

Anna n'avait peur de rien, et elle m'aimait d'une façon que je peux encore ressentir. Elle était aussi solide et sûre que ma mère était timide et dépassée par les événements. « Ma pauvre mère »... je me demande pourquoi je pense à elle de cette façon, même aujourd'hui, alors qu'elle vit avec mon beau-père et qu'elle est entourée d'une foule d'amis. De même qu'elle me considère toujours comme une enfant, je la vois encore à vingt ans, veuve avec deux petites filles. Mais quels étaient alors mes sentiments? Avec la terrible injustice des enfants, qui savent qu'en jouant franc jeu ils risquent leur vie, j'attendais d'elle une attention et un amour complets et inébranlables alors qu'elle n'avait rien d'autre à m'offrir que sa vulnérabilité et sa tristesse.

MA MÈRE, MON MIROIR

Entre ce que j'exigeais et ce qu'elle pouvait me donner, je parvenais à vivre. A partir de là, l'enfant que j'étais n'avait qu'un pas à faire pour décider que c'était mes propres exigences qui la rendaient malheureuse. Que j'étais en quelque sorte la cause de son malheur. C'est pour cela que je détestais qu'elle me natte les cheveux : je l'entendais soupirer derrière moi. Sa tristesse me donnait un sentiment de culpabilité. Chaque fois qu'elle me parle de sa propre mère, que je n'ai jamais connue, elle prend un air affligé. C'est pire encore quand elle me parle de mon père. Elle ne le fait que sur ma demande, et j'avais vingt-deux ans quand j'ai osé aborder le sujet pour la première fois. Peut-on supporter la tristesse d'une mère? On croit que si on avait été de meilleurs enfants ou même maintenant, si on pouvait faire ou dire exactement ce qu'il faut, on aurait pu la dissiper. Je ne peux pas souffrir d'être dans la même pièce qu'elle quand son visage passe d'une expression que j'aime à cet air effroyablement triste. Mon intelligence me dit que le sentiment de culpabilité que j'éprouve chaque fois que je lui dis au revoir n'a rien de commun avec ce que j'ai pu faire ou ne pas faire. Tous les gens qui la connaissent diront qu'elle est une femme raisonnablement heureuse; et ma mère dira que j'étais une fille raisonnablement gentille. Mais tant que je n'aurai pas compris mon sentiment de culpabilité, je ne serai pas libérée d'elle.

« Oh! Nancy, a-t-elle coutume de dire, si tu avais connu maman! C'était une femme tellement merveilleuse... » Et sa voix se traîne vers une image lointaine qu'elle aperçoit au-delà de moi, et nous parlons d'autre chose. J'aimerais voir cette image, partager tout ce qui m'en apprendrait davantage sur ma grand-mère... et en même temps sur ma mère et sur moi. Mais les histoires que ma mère me raconte à propos de sa mère, pour aussi adorables qu'elles soient, et bien que je ne me lasse pas de les entendre, sont aussi brouillées par la sentimentalité que les photos jaunies, brumeuses, de l'album qui se trouve dans la maison de grand-père et sur lesquelles je me suis penchée à chaque été de ma vie, comme pour y chercher... je ne sais quoi. Ma mère est l'aînée, mais sur toutes les photos, sa plus jeune sœur, qui a pourtant onze ans de moins, semble être beaucoup plus sûre d'elle qu'elle-même ne l'est. Comme sa tête a dû tourner quand elle a été choisie, à dix-sept ans, par le bel homme qui allait être mon père, elle qui, aux yeux sévères de son propre père, n'était qu'une épine cachée par les roses! Elle s'enfuit avec lui contre la volonté paternelle; mais je me demande parfois si sa fugue n'était pas l'expression de sa soumission silencieuse vis-à-vis de son père : comme elle ne trouvait pas grâce à ses yeux, elle était prête à partir. Combien elle était peu prête à être mère, un an plus tard, et deux ans plus tard, à subir la mort de mon père! Une telle perte, pour une femme qui n'avait jamais eu le sens de sa propre identité!

40

LE TEMPS DE L'INTIMITÉ MÈRE-FILLE

Nous avons pris de l'âge toutes les deux, et je peux voir maintenant combien elle était faite pour être une épouse, comme elle se déplace avec grâce maintenant qu'elle a sa seconde chance et que, ma sœur et moi étant adultes, elle peut négliger son rôle de mère pour mener sa vie de femme. Je suis sûre que la plus grande partie de son talent d'épouse lui vient de sa mère et il en est de même pour moi; elle ne cesse de me parler de la forte influence que sa mère a exercée sur tous ses enfants, si bien que cette femme a pris dans mon imagination une importance presque mythique. Mais ma grand-mère est morte soudainement et mystérieusement d'une maladie incurable, une encéphalite léthargique, quand ma mère avait seize ans... *La maladie du sommeil...* Il m'a semblé toute ma vie que c'était bien la fin romantique qui convenait à cette femme qui semblait sortie d'un conte de fées. « Je me souviens, me raconte ma mère, du jour où je suis rentrée de l'école et où j'ai couru dans toute la maison en criant " maman! maman! " avant de comprendre qu'elle n'était plus parmi nous. »

Tout en désirant que ma mère réussisse à aller au-delà des jolies images de sa mère (« si belle, si bonne ») et de mon père (« si beau, si plein de charme ») j'ai fini par comprendre qu'elle avait besoin de se protéger elle-même des frustrations et de la douleur. Elle ne voit dans ses premières années que ce qui peut l'aider à vivre.

Ma mère et moi, aujourd'hui, parlons beaucoup plus que nous n'avions coutume de le faire. Tout a commencé avec mon mariage, qui semble nous avoir revigorées toutes les deux. Cette clarification de ce qui restait inexprimé entre nous a été progressive, mais je pense qu'elle a autant envie que moi de parler. Le refoulement consume son énergie, tout comme la mienne. Je ne suis pas la seule à me sentir coupable. Il y a quelques années, mon mari Bill et moi sommes allés voir ma mère et mon beau-père, Scotty. Nous venions tout juste d'entrer dans la bibliothèque pour l'apéritif de bienvenue quand elle m'a tendu une lettre fanée. C'était comme si elle avait impatiemment attendu de me la donner, comme si elle ne pouvait plus attendre que je la lise, moi aussi.

C'était une lettre qu'elle avait reçue de sa mère, quand elle avait quatorze ans. Ma grand-mère venait de quitter mon grand-père et elle était partie pour la Floride avec le plus jeune de ses cinq enfants. Pour l'époque, c'était quelque chose d'ahurissant. J'ai souvent contemplé le portrait qu'elle a fait d'elle-même et qui est maintenant accroché dans ma salle de séjour, en me demandant comment, furieuse comme elle l'était contre mon grand-père, elle avait pu abandonner ses enfants... qui tous, aujourd'hui, ne peuvent parler d'elle sans manifester leur adoration et leur tendresse. Mais à l'époque, étant donné ce qu'était mon grand-père, je l'aurais probablement épousé, moi aussi, et je l'aurais également plaqué.

MA MÈRE, MON MIROIR

Sur les portraits de lui peints par ma grand-mère, il ressemble à F. Scott Fitzgerald jeune; et il était au moins deux fois plus difficile à vivre. Ils se sont connus dans une troupe de théâtre d'amateurs et, un jour, elle a carrément refusé de jouer avec cet homme qui avait les cheveux roux. Elle-même était rouquine. Ils ont quand même joué ensemble. Jamais, m'a-t-on dit, il n'avait aimé une femme autant qu'elle, mais ils n'ont jamais arrêté de se faire des scènes.

Mon grand-père avait fait sa fortune dans les aciers spéciaux, à Pittsburgh, l'avait perdue pendant la grande crise de 1929 et l'avait reconstituée par la suite. Il aimait la puissance, les chevaux, les trophées et les jolies femmes. Il n'a jamais pardonné à ma mère de ne pas être une. Elle est devenue belle trop tard. Quand j'étais petite fille, j'aimais m'attarder dans la pièce où se trouvaient les coupes d'argent remportées par mon grand-père, les rubans rouge et bleu, l'espadon empaillé, les photos de yachts et de chasse au renard et je m'imaginais, souverainement belle, gagnant pour lui tous ces trophées. Les soirs où il dînait avec les Mellon [1] et les Carnegie, ma grand-mère, paraît-il, faisait des spaghetti pour ses amis artistes qu'elle recevait dans son studio, au dernier étage de la maison.

Ma mère, ses trois sœurs et son frère ont aimé et redouté mon grand-père jusqu'à sa mort, survenue il y a quelques années. Les sentiments qu'ils éprouvent pour leur mère sont totalement dépourvus d'ambiguïté. J'ai pu les voir souvent, les uns et les autres, se tourner vers nous, les petits-enfants, en disant : « C'est extraordinaire comme tu viens de ressembler à maman! » C'était toujours le plus grand des compliments. Il contenait plus que la promesse de la beauté, une sorte de secret intérieur qui obligerait les gens à nous aimer à jamais, comme ils l'aimaient, elle. Les histoires qu'ils m'ont racontées à son propos m'ont laissé l'image d'une femme dont tous les enfants pourraient rêver; très belle, avec de grands yeux, elle écrivait des pièces pour ses enfants, se costumait avec eux et était aussi capable de pénétrer dans leur monde que de prendre bien soin d'eux. Elle était aussi romantique et sensible devant la vie que mon grand-père était ambitieux et incapable de manifester l'amour qu'il éprouvait pour ses enfants. Si j'aime les tableaux qui emplissent ma maison, c'est qu'ils ont été peints de la main de ma grand-mère.

Quand elle écrivit cette lettre, je doute fort qu'elle ait eu l'intention de revenir vivre près de mon grand-père. Je ne pense pas que sa fuite fût une fausse manœuvre, c'était plutôt une solution ultime et désespérée. La séparation était sa seule perspective et elle voulait certainement donner à

---

1. Andrew W. Mellon était un homme d'affaires américain, ministre des Finances de 1931 à 1932 (N.d.T.).

sa fille aînée quelque chose qui pourrait remplir le vide causé par son départ. De tous les documents mémorables que ma mère avait trouvés dans les dossiers de mon grand-père après sa mort, cette lettre était le seul qu'elle voulait me montrer. C'était, bien sûr, un message que lui avait adressé sa mère, mais je pense que c'était aussi pour elle le moyen de me communiquer quelque chose en silence :

> *Jane chérie,*
>
> *Quand tu liras cette lettre, je voudrais que tu ouvres ton cœur tout grand. Oublie tout ce qu'on a pu te dire, tout ce que tu as pu penser et essaye de ne te souvenir que des meilleurs, des plus beaux moments de la vie. Maintenant que je ne suis plus près de vous, ton devoir sera de tout faire pour aider les petits à se former le jugement. Essaye de les guider dans le droit chemin. Tels sont ta tâche et ton devoir.*
>
> *La maternité a été pour moi ce qu'il y a eu de plus beau dans ma vie. Je ne cesse pas de m'en émerveiller, de voir les bébés vulnérables que vous étiez se transformer en grands enfants solides, d'observer l'évolution de votre esprit au fil des années et de penser qu'un jour vous serez des adultes. C'est bouleversant.*
>
> *Pendant toute mon enfance, j'ai pensé au moment où j'aurais des petits bien à moi; malgré mes prétendus talents et toutes les forces qui me poussent vers d'autres choses, il y a en moi cette étincelle, toujours prête à produire de belles flammes. Et quand je te tenais dans mes bras, toi, Jane, mon premier bébé, j'éprouvais la plus forte émotion que j'aie jamais connue. Je me sentais presque sainte, comme si j'étais vraiment entrée au paradis; et je sais maintenant que chaque fois qu'une mère reçoit un nouvel enfant, elle accède véritablement au paradis. La vie ne peut rien offrir de comparable. Quiconque reçoit une telle bénédiction peut en remercier éternellement le ciel.*
>
> *Je te dis tout cela, Jane, pour que tu comprennes bien mon amour et tout ce que j'éprouve pour toi. Ne l'oublie jamais, et, quand tu auras pris de l'âge, pense à moi de temps en temps en essayant de comprendre tout ce que j'essaye de te dire ici.*
>
> *Mille années ne suffiraient pas pour écrire tout ce qui remplit mon cœur. Aimez-vous les uns les autres et soyez gentils avec papa pour qu'il prenne bien soin de vous. En vous quittant, je vis le moment le plus dur, le plus cruel de ma vie, mais il m'est impossible d'agir autrement. Mes larmes m'aveuglent. Que Dieu vous bénisse tous,*
>
> *Maman.*

MA MÈRE, MON MIROIR

Je crois volontiers que ma grand-mère se sentait aux portes du ciel quand elle a tenu ma mère pour la première fois dans ses bras, mais j'ai l'impression que ce qui donnait le plus de valeur à cette lettre aux yeux de ma mère, c'était que sa propre mère pouvait aussi éprouver d'autres sentiments. Ma mère ne se souvient pas d'avoir lu cette lettre quand elle avait quatorze ans. Son père la lui avait peut-être cachée; mais quelles qu'aient pu être ses explications au sujet du départ de sa femme, l'absence de celle-ci ne pouvait être ressentie par ses enfants que comme une terrible frustration, une douleur intolérable que personne ne pourrait accepter. Sans doute cette lettre était-elle pour ma mère la confirmation de quelque chose qu'elle avait toujours voulu ressentir : que non seulement sa mère l'aimait profondément, mais aussi que son départ, quand elle jugea l'arrogance de mon grand-père trop humiliante pour qu'elle puisse la supporter davantage, était la preuve que, tout en étant mère, elle était avant tout femme. Elle n'acceptait pas de passer toute sa vie — qui allait être si courte — à célébrer l'abnégation et les sentiments maternels. Elle aimait d'autres idées, d'autres personnes en dehors de ses enfants. Elle était leur mère mais ne voulait pas être une martyre à cause d'eux — et c'était pour cette raison, entre autres, qu'ils l'aimaient tant. Je n'ai jamais entendu de la bouche de ma mère, de mes tantes et de mon oncle une seule parole qui aurait pu laisser croire qu'ils se sentaient coupables à cause d'elle. S'ils l'avaient idéalisée, pour masquer la peine et la colère que sa perte leur faisait éprouver, cette lettre confirmait certainement, du moins pour ma mère, ce qu'elle avait tant besoin de savoir, non pas seulement au sujet de ses relations avec sa mère, mais en tant que mère de ses propres enfants. Le fait de me montrer cette lettre revenait à me dire : « Comprends bien... si je n'étais pas aussi présente, aussi proche, maternelle et tendre que l'étaient les autres mères avec leurs enfants, ce n'était pas du tout parce que je ne t'aimais pas. Ma mère m'aimait, et cependant, elle était absente, elle aussi. »

La vie de ma mère ne ressemble pas à celle de sa mère, mais les sentiments, sous la surface, sont communs à l'une et à l'autre d'une façon hallucinante. Ma mère, elle aussi, a choisi un homme qui ne pouvait pas lui procurer la sécurité affective dont elle avait tant besoin. Elle a découvert, elle aussi, que sa vie de femme créait des exigences qui s'opposaient à son rôle de mère; elle a abandonné ce rôle comme l'avait fait sa mère, s'est séparée affectivement de ses enfants parce que, en l'absence de mon père, plongée dans l'amertume de sa propre frustration, il ne lui restait que peu de chose à donner à ma sœur et à moi-même. Dans sa lettre, ma grand-mère essayait de faire face au ressentiment et au désarroi inévitables de ses enfants en leur parlant du parfait amour qu'elle éprouvait pour eux et qui venait de cette partie d'elle-même qui était leur mère. Incapable de me parler en personne, mais faisant écho du dedans d'elle-même à mon sentiment d'avoir en quelque sorte été désertée quand j'étais petite, comme elle l'avait été elle-même, ma mère se servait des propres mots de sa mère adorée pour me dire qu'elle était consciente de ma colère, qu'elle m'avait toujours aimée, quoique imparfaitement, et pour me demander de lui pardonner, comme elle avait pardonné à sa mère.

Nous sommes le sexe aimant; les autres comptent sur nous pour être réconfortés, pour se sentir entourés d'une chaleur protectrice. Notre amour, toujours disponible, donne de la cohésion au monde, tandis que les hommes, poussés par leur appétit de puissance, le déchirent à belles dents. Sans l'homme, nous nous sentons incomplètes, seules, inadaptées; si nous ne nous marions pas, nous nous sentons dévaluées; sans enfants, nous restons sur la défensive. Nous sommes élevées pour aimer, mais quand l'amour vient vers nous, aussi agréable qu'il puisse être, il se révèle pourtant beaucoup moins satisfaisant que nous ne le rêvions. Nous sommes aimées pour le rôle que nous jouons, pour la place que nous tenons dans une relation, mais non pour nous-mêmes.

Il nous invite à dîner, mais dès que le téléphone est raccroché, encore toutes chaudes de plaisir, nous nous demandons à qui il a bien pu s'adresser avant nous. Tandis qu'il nous tient dans ses bras, nous avons déjà un peu peur qu'il nous oublie demain. Le jour où il nous épouse, nous lui demandons une fois de plus : « Tu m'aimes vraiment? »

Les hommes ne nous disent pas : « Grimpe sur la plus haute montagne et attrape-moi la lune, prouve-moi que tu m'aimes pour que je puisse le croire. » Quand nos enfants sont nés, nous croyons enfin à l'amour, au nôtre et au leur. Ces êtres, nos enfants, ne cesseront jamais de nous aimer, jamais! L'amour! Nous ne connaissons rien d'autre, mais nous ne lui faisons pas confiance.

L'origine de notre incrédulité remonte à notre premier amour, à une époque dont nous ne pouvons pas nous souvenir. Les leçons que nous avons apprises de notre mère en ce qui concerne sa façon de nous aimer et de s'aimer elle-même nous accompagneront tout au long de notre vie.

Je ne peux jamais penser sans ressentiment à la tyrannie de la première enfance, à l'idée que mon comportement d'adulte a été déterminé à une période de ma vie dont je ne me souviens pas, qui fait partie du passé et que je ne peux donc ni changer, ni regretter, ni contrôler. Les expressions bourrées de rhétorique psychiatrique, telles que « désir oral »,

« envie de pénis », « omnipotence infantile » me font friser la colère. Qu'est-ce que tout ce jargon a à voir avec ma vie? Je croyais qu'on se formait par l'expérience, qu'on pouvait se fabriquer soi-même avec tous les matériaux qui nous sont présentés; qu'on pouvait modifier sa vie, si on en avait la force. Est-ce que je ne connaissais pas mes peurs et mes angoisses? N'avais-je pas appris à les contrôler? J'étais fière de ma maîtrise de moi et je me sentais furieuse à l'idée qu'un docteur pourrait fouiner dans mes petites armoires affectives, si bien rangées.

Forte... le mot m'a toujours semblé fascinant, mais également trompeur. S'il signifie quelque chose, c'est certainement cette faculté d'être efficace, de faire quelque chose pour soi-même et par soi-même, de faire appel à ses ressources personnelles sans s'appuyer sur quiconque. Mais il y a un mystère : comment se fait-il que certains aient cette force intérieure alors que d'autres en sont privés? Dire d'une personne qu'elle est « forte », c'est lui adjoindre un qualificatif, c'est simplement lui mettre une étiquette. On ne sait pas pour autant d'où lui vient cette force.

Si je suis « forte », pourquoi y a-t-il tant d'angoisse dans ma vie? Pourquoi suis-je obsédée par la peur que mon travail ne soit pas assez bon? Les succès d'hier ne signifient pas grand-chose; demain, la « réalité » reprendra le dessus et j'échouerai, ou je serai devinée. Et surtout, pourquoi suis-je incapable de croire avec plaisir mon mari et mes amis quand ils me disent qu'ils m'aiment? Pourquoi mes rêves sont-ils hantés par la peur d'être abandonnée par les autres? Pourquoi en suis-je inquiète pendant la journée? D'aussi loin que je me souvienne, j'ai toujours été une « gagneuse »... j'étais bonne élève, j'étais une bonne sportive, les gens m'aimaient, j'abattais vraiment beaucoup de travail. Alors, comment se fait-il que j'éprouve encore ce sentiment d'insécurité?

Combien de fois ai-je entendu les femmes que j'interrogeais exprimer mes propres rationalisations, mes propres défenses! Avec quel entêtement nous résistons pour la plupart à ce qui me semble être maintenant du simple bon sens! A mesure que passaient les années, le « jargon » des psychiatres dont les noms figurent dans ce livre ont pris une puissance qu'il m'est impossible de nier plus longtemps : oui, c'est au tout début de notre vie que se trouve notre essence.

Nous tirons notre courage, le sens de notre identité, la faculté de croire en notre valeur, même si nous sommes seules, d'accomplir notre travail, d'aimer les autres et de nous sentir *aimables,* de la « force » de l'amour qu'éprouvait pour nous notre mère quand nous étions de petits enfants... de même que tout ce qui est énergie sur Terre tire son origine du Soleil.

La plupart d'entre vous ne seront jamais psychanalysées. Je ne l'ai pas été moi-même. Comme moi, vous avez sans doute élaboré une défense intrinsèque qui vous empêche de revenir à l'endroit où a commencé votre manque de confiance en vous-même. Les premières impressions de la vie sont les plus profondes. Elles gravent les sillons du caractère par lesquels nous vient l'expérience ; et si tel ou tel sillon se déforme, tel ou tel sentiment se bloque ou se déforme à son tour. Intellectuellement, nous comprenons cela très bien. Mais nous ne pouvons jamais l' « intégrer ». Certains modèles de comportement qui nous viennent du passé lourdement chargés d'ambivalence, de rejet et d'humiliation nous tiennent comme dans un étau. Le processus de maturation exige, pour que l'énergie amassée par le refoulement puisse être lâchée, que nous commencions par comprendre notre histoire. On triche avec soi-même, tout d'abord, par lassitude ou par un effort d'intelligence : « Oh! Je sais tout sur ma mère et sur moi! » Mais en réalité ce n'est pas vrai. Ou bien : « Toute cette affaire entre ma mère et moi, c'est fini depuis des années. » Mais ce n'est pas vrai : ce n'est pas du tout fini.

Nous ne manquons pas d'informations qui nous disent qu'une relation non résolue avec sa mère place l'esprit de la femme dans certains modèles non autonomes, l'enferme dans la peur de certaines expériences, lui interdit souvent de se diriger vers ce qu'elle attend de la vie, ou, si elle trouve ce qu'elle veut, l'empêche d'en tirer les satisfactions dont elle a besoin.

Si, pendant notre première enfance, nous n'avons pas obtenu le genre d'intimité et d'amour satisfaisants qui donne au tout-petit la force de se développer, nous n'évoluons pas affectivement. Nous prenons de l'âge, mais une partie de nous demeure infantile; nous cherchons cette intimité protectrice, sans jamais croire que nous l'avons; ou, si nous l'avons, sans jamais croire que nous la garderons.

Freud, Horney, Bowlby, Erikson, Sullivan, Winnicott, Mahler, tous ces grands interprètes du comportement humain, peuvent être en désaccord sur certains points, mais ils font bloc en ce qui concerne nos débuts dans la vie; nous ne pouvons pas quitter la maison familiale, nous ne pouvons pas évoluer sainement, en êtres distincts et indépendants, s'il n'y a pas eu quelqu'un qui nous aimait assez pour nous donner une identité avant de nous laisser partir. Tout commence avec le contact de la mère, son sourire, son regard : il y a quelque part dans le monde extérieur quelqu'un qu'elle aime toucher, qu'elle aime regarder. Et ce quelqu'un, c'est moi. Et je me sens bien!

On avait coutume de croire que la femme qui aime trop son enfant ne réussit qu'à le gâter. Nous savons maintenant que nous ne pouvons jamais être trop aimés... du moins dans le début de la vie. C'est dans les profondeurs de cette première intimité avec la mère que se construisent les assises de notre amour-propre sur lesquelles nous établirons, pour le reste de notre vie, les sentiments positifs que nous éprouverons vis-à-vis de nous-mêmes. Le petit enfant a besoin d'une intimité presque étouffante avec ce corps qu'il vient de quitter avec tant de répugnance. Le mot technique, pour cette intimité, est « symbiose ».

Il est particulièrement important que les femmes comprennent la signification de ce mot car, pour beaucoup d'entre elles, la symbiose sera pendant toute leur vie leur façon de se mettre en relation. Le jeune garçon, de très bonne heure, est habitué à se débrouiller tout seul. A être indépendant. La petite fille, elle, est formée à apprécier sa propre valeur en fonction des relations qu'elle établit. A se mettre en état de symbiose.

Dans les premiers temps de la vie, la symbiose est positive et de toute première importance pour les deux sexes. Elle commence comme un processus de croissance qui libère l'enfant de la peur d'être vulnérable et abandonné et lui donne le courage de se développer. Si, au début de notre vie, nous avons une symbiose suffisante, nous nous souviendrons plus tard de ses joies et nous serons capables de la chercher chez les autres; de l'accepter et de nous y plonger quand nous la trouvons, et d'en sortir *quand nous en sommes rassasiés,* en sachant très bien que nous pourrons la rétablir. Nous ferons confiance à l'amour et nous en tirerons plaisir, nous le prendrons pour une partie du banquet de la vie... sans nous croire obligées d'en dévorer chaque miette de peur qu'il ne revienne plus jamais. Si nous n'expérimentons pas cette première symbiose, nous la chercherons toute notre vie, mais même si nous la trouvons, nous ne lui ferons pas confiance; nous nous y accrocherons si désespérément que nous étoufferons l'autre personne, nous l'assommerons avec nos jérémiades : « Tu ne m'aimes pas! » jusqu'à ce que notre angoisse devienne réalité.

La première signification de la symbiose se trouve dans la botanique : deux organismes, l'hôte et le parasite, ne peuvent vivre l'un sans l'autre. Dans le monde animal, elle définit un type de relation légèrement différent; l'oiseau qui se nourrit en nettoyant obligeamment les dents de l'hippopotame est le partenaire d'une symbiose. En termes humains, le sens se déplace une fois de plus. La symbiose la plus classique est celle du fœtus et de la matrice. Ici, nous avons un exemple qui réunit les deux types de symbiose.

Le fœtus se trouve en symbiose *physique* avec la mère; il est absolument incapable de vivre sans elle. La mère (la plupart du temps) est en symbiose *psychologique* avec l'enfant à naître. Elle peut vivre sans lui, mais la grossesse lui donne le sentiment d'une vie plus riche. De cette façon, le fœtus la nourrit. Chacun des deux partenaires trouve son compte dans cette symbiose mère-enfant.

A notre naissance, nous ne savons pas qu'il existe un monde qui nous est extérieur. Nos yeux, incapables d'accommoder, ne peuvent différencier les formes, nous ne savons pas où commence et où finit notre mère. Quand nous tendons la main, elle est là, à portée de notre toucher. Quand nous pleurons, elle nous donne le sein ou le biberon, ou elle nous prend dans ses bras. Nous sommes les maîtres du monde! Il n'est donc pas étonnant que nous mettions si peu d'empressement à quitter notre mère; elle maintient en nous ce merveilleux sentiment de puissance totale, d' « omnipotence infantile ». Dans un certain sens, nous continuons d'être physiquement reliés à elle, de même que la mère, psychologiquement, nous ressent toujours un peu comme une partie de son corps; nous sommes son prolongement narcissique. La symbiose est mutuellement complète et satisfaisante.

Peu à peu, nos yeux deviennent capables d'accommoder. Les objets, les gens, sont près ou loin de nous. Nous devenons conscients qu'une autre personne est là — la mère — mais elle est si proche qu'elle nous semble encore confondue avec nous, indistincte. Elle est différente de tout ce que nous apercevons, choses et gens. Elle est encore nous, nous sommes encore elle.

A ce stade précoce de la symbiose, la bonne mère subordonne totalement ses besoins à ceux de son enfant. Les deux y gagnent : le petit enfant est rendu capable, grâce à un réconfort progressif, de s'accoutumer à l'idée de son impuissance, qui ne lui apparaît pas comme vraiment effrayante : sa mère est toujours près de lui pour tout arranger. Quant à la mère, sachant ce que veut l'enfant, comme si la peau, les yeux, les oreilles et le ventre du tout-petit étaient les siens, elle éprouve un sentiment quasi mystique d'union; elle se sent indispensable. C'est une expérience de transcendance.

A l'étape suivante, nous commençons à distinguer notre corps de celui de la mère, mais nous ne pouvons pas séparer nos pensées des siennes. Quand nous sommes mouillés, elle nous change. Avons-nous faim? Elle le sait presque en même temps que nous, et la nourriture arrive aussitôt. Mais, maintenant, l'angoisse fait son apparition quand la mère n'est pas dans les parages, quand la couverture n'est pas remontée, quand le sein ou le biberon se fait attendre. Notre pouvoir commence à s'éroder. Nous surveillons notre mère. Si elle n'est pas loin, tout va bien. Sinon, nous pouvons mourir. Si son amour est ferme et constant, nous pouvons nous habituer peu à peu à nous passer de sa présence pendant des périodes de plus en plus longues. La confiance est en train de naître.

Au lieu de s'accrocher à sa mère de peur qu'elle s'en aille, le petit enfant, maintenant, la laisse partir, tranquillisé par l'idée qu'elle reviendra toujours quand il aura besoin d'elle; en attendant, il y a tous ces jouets multicolores avec lesquels il peut jouer. Mais si, tout à coup, il a peur que sa mère puisse ne pas revenir, ou négliger ses besoins, ou ne plus s'intéresser à lui, alors le progrès s'arrête. L'enfant cesse d'être attiré par les couleurs vives, les jouets qui sont dans son berceau. Son moi a été absorbé par la peur. Il ne peut plus penser qu'à une chose : que sa mère ne doit plus jamais partir. Il ne veut plus rester seul. La base de toute une vie d'incertitude vient d'être posée.

Le mot qui correspond au stade suivant de développement est *séparation*. La petite fille, plus ou moins en sécurité dans l'amour symbiotique de sa mère, commence à sentir qu'elle peut très bien en avoir un tout petit peu moins. Elle a envie de s'aventurer dans le monde. De même qu'il était important pour la mère de se mettre en symbiose avec sa petite fille quand celle-ci ne comprenait rien d'autre, autant il est important, maintenant, qu'elle commence à lâcher son enfant, à laisser sa fille s'avancer dans sa propre vie en accord avec sa programmation psychique. La longue marche vers l'individualité et la confiance en soi a commencé.

La progression de la symbiose et les premiers temps de la séparation ne se réalisent pas comme sur un plan incliné vers le haut, parfaitement lisse. Il y a, bien sûr, des hauts et des bas. Et chaque absence de la mère, quand sa petite fille a besoin d'elle, ne provoquera pas inévitablement un traumatisme. *La mère n'est pas obligée d'être parfaite.* Il suffit qu'elle soit simplement une « assez bonne mère », selon l'expression du psychanalyste anglais D. W. Winnicott [1], pour que l'enfant grandissant ait le sentiment d'une « confiance fondamentale [2] », c'est-à-dire qu'il comprenne que, dans l'ensemble, il vaut mieux faire confiance aux choses, aux gens et à la vie elle-même. Nous savons tous combien le petit enfant se remet rapidement de ses émotions quand l'événement qui le bouleverse ne dure pas trop longtemps et ne revient pas trop fréquemment.

Si tout se passe bien, le sens de l'identité commence à apparaître aux environs du troisième mois; la petite fille manifeste clairement qu'elle réagit à certains faits, à certains visages : elle sourit. Vers huit mois, elle peut faire la différence entre sa mère et un étranger. A un an et demi (l'enfant sait prendre et donner) le processus d'éloignement par rapport à la mère s'accélère. La petite fille se sépare d'elle de plus en plus, *elle désire cette séparation.* Le monde est si beau, si passionnant, et il y a tant de choses, en dehors de la mère, à voir, à mordre, à toucher, à palper! Le moi devient de plus en plus conscient.

1. D. W. Winnicott, *The Maturational Processes and the Facilating Environment.*
2. Erik H. Erikson. La théorie de la confiance fondamentale est développée dans l'ensemble de l'œuvre d'Erikson. Voir *Childhood and Society,* 1950. Également, *Psychological Issues* (1959), pp. 55-56 : « Comme premier élément d'une personnalité saine, je citerai le sens de la confiance fondamentale. »

Le processus fascinant qui amène l'enfant à s'éloigner de sa mère pour devenir une personne à part entière est décisif entre dix-huit mois et trois ans, une période de la vie que le Dr Margaret Mahler a appelée « séparation-individualisation [1] ». A trois ans, trois ans et demi, s'il a de la chance et si sa mère s'est montrée aimante, l'enfant a le sentiment d'exister en tant que personne distincte; il est toujours aimé par sa mère, mais il a une vie bien à lui qu'elle a cessé de posséder. Les heures innombrables d'attention qu'elle nous a consacrées, le sacrifice de son sommeil et la plupart de ses heures de veille sont devenus une partie de nous. La mémoire s'est développée et nous pouvons sentir, comme un bras tutélaire posé sur nos épaules, sa tendre sollicitude qui nous suit partout.

« La première manifestation de la confiance sociale chez l'enfant, dit Erik Erikson dans *Childhood and Society,* est l'aisance de ses sentiments, la profondeur de son sommeil et la relaxation de ses entrailles [2]. » L'enfant a commencé à faire confiance à sa mère, à se détendre; il peut dormir sur ses deux oreilles, il n'est pas obligé de rester éveillé de peur qu'elle s'en aille. « Le premier accomplissement social de l'enfant, continue le Dr Erikson, est le fait qu'il accepte de perdre sa mère de vue sans angoisse ni colère injustifiées, parce qu'elle est devenue une certitude intérieure [3]... »

Ce besoin d'une confiance fondamentale en la vie est primordial pour les garçons comme pour les filles. Mais en raison de la relation inévitable mère-fille, où la seconde prend modèle sur la première, nous ne sommes pas seulement marquées à vie par le sentiment de confiance fondamentale qu'elle nous a ou qu'elle ne nous a pas donné : nous sommes aussi fixées sur son image en tant que femme, sur *son* sentiment de confiance fondamentale, qui lui a été donné par *sa* mère. Le garçon, lui, grandira, et, suivant l'exemple de son père, quittera la maison, gagnera sa vie et fondera une famille. Sa vie ne sera pas forcément une réussite. Son succès dépendra en grande partie du sentiment de confiance fondamentale que sa mère lui aura donné. Il n'établira pas ses relations sur la base de celles qu'il entretenait avec elle (à moins qu'il ne soit un homosexuel d'un certain type).

1. Margaret Mahler est une pionnière de la psychologie du moi et du développement de l'enfant. Sa théorie de la nature de l'attachement de l'enfant à sa mère (symbiose) et la rupture progressive de cet attachement (séparation-individualisation) a constitué l'une des contributions à la théorie psychanalytique les plus importantes de ces dernières décennies. Cette théorie a été exposée dans *On Human Symbiosis and the Vicissitudes of Individuation,* vol. 1, *Infantile Psychosis,* 1968. Elle a récemment écrit *The Psychological Development of the Human Infant,* 1976, qui développe sa théorie en détail.
2. Erik H. Erikson, *Childhood and Society,* p. 247.
3. *Ibid.*

Mais la fille qui n'aura pas reçu ce sentiment de confiance fondamentale, quand bien même elle quitterait la maison de sa mère, exercerait un métier, se marierait et aurait des enfants, ne sera jamais vraiment bien dans sa peau, ne sera jamais tout à fait maîtresse de sa propre vie. Elle reste anxieusement attachée à sa mère par toute une partie de son être. Elle ne fait pas confiance aux autres, ni à elle-même. Elle ne peut pas croire qu'il existe une autre façon d'être, parce que sa mère était comme cela. D'ailleurs la plupart des autres femmes ne sont pas autrement. Si notre mère n'est pas un être indépendant, nous ne pouvons pas nous empêcher d'adopter ses angoisses et ses peurs, son besoin de se mettre en symbiose avec quelqu'un. Si nous ne l'avons pas vue absorbée par son travail, tirant toute seule des satisfactions de quelque chose, nous ne pouvons pas penser qu'il est possible d'avoir une activité, d'éprouver des plaisirs sans les partager avec quelqu'un. Nous dénigrons tout ce que nous faisons seules; nous disons : « C'est bien plus drôle quand on est avec quelqu'un! » Combien de femmes adultes disent en plaisantant : « Je ne sais pas ce que je ferai quand je serai grande. » Combien de femmes appellent leur mari « père » ou « papa » et pensent « *ma* fille », au lieu de Betsy ou Jane, quand il s'agit de leurs enfants?

Encore attachées affectivement à la mère, tout aussi craintives qu'elle, nous répétons le même processus avec notre propre fille. C'est une lamentable histoire, une façon de devenir femme que notre société s'est étrangement gardée de contester. Il faut être faible et gentille, s'accrocher de toutes ses forces à quelque chose... c'est devenu notre méthode de survie, et notre ultime défaite.

Il est important de comprendre que ce n'est pas seulement le total des heures que sa mère lui a consacrées qui assure à l'enfant les sensations précoces de chaleur symbiotique dont il a besoin. « Il est préférable, dit le Dr Robertiello, que l'enfant n'obtienne pas toute l'attention de sa mère, plutôt que d'avoir une mère déconcertante qui aimerait mieux être à son bureau ou dîner avec des amis. Tout comportement insincère, surtout s'il se déguise en amour, crée les pires problèmes. » L'habitude est prise pour toute la vie : l'amour ne peut être que feint, instable, et, au mieux, il n'est accordé qu'à contrecœur.

Seule compte la *qualité* de l'attention que nous obtenons de notre mère. L'enfant se sent frustré s'il a froid ou faim et qu'elle ne le remarque pas; si elle le regarde en pensant à autre chose, et que, par conséquent, il ne peut pas voir sur son visage un sourire aimant. Un nuage couvre le soleil. « Je pensais toujours à tant de choses, j'avais tant d'idées et d'ambitions quand mon enfant était petit, m'a dit le Dr Helen Deutsch, que mon petit garçon m'attrapait par le menton pour m'obliger à concentrer sur lui toute mon attention. Il savait que je pensais à autre chose. »

Une symbiose incomplète, insuffisante ou interrompue marque une femme pour la vie. Il nous a manqué quelque chose de notre mère ; nous sommes désemparées, sur la défensive, et nous avons appris de bonne heure une façon fausse de nous protéger : ne pas trop attendre du monde qui nous entoure. Même quand notre amant nous tient dans ses bras, nous ne pouvons pas croire qu'il ne nous abandonnera pas. Notre mari se plaint que nous l'étouffons : « Qu'attends-tu encore de moi ! » s'écrie-t-il. Nous ne pouvons pas lui donner un nom, mais nous sentons qu'il y a un fossé entre lui et nous. Nous nous tournons vers notre fille, nous nous accrochons à elle : « Passe-moi un coup de fil quand tu seras arrivée, quelle que soit l'heure. »

La vie, pour la femme qui n'a pas eu suffisamment d'intimité symbiotique quand elle était enfant, se passe à jongler avec la sécurité et le plaisir. Nous épousons le premier candidat venu, de peur qu'il ne s'en présente pas d'autres ; nous choisissons un poste de fonctionnaire de toute sécurité au lieu de courir le risque d'une carrière indépendante. « Si la petite fille n'a pas vécu une période symbiotique réussie avec sa mère, dit le Dr Robertiello, elle reste fixée sur cette chaleur qui lui a manqué. Chez les bébés que nous observons, cela se traduit par un manque d'énergie qui les empêche de dépasser le désir ardent d'explorer le son et la signification des mots prononcés par la mère ou d'aller au-delà de l'espace restreint où elle lui permet de se déplacer. Chez les adultes, également, la symbiose insatisfaite s'exprime souvent en termes de basse énergie. Ils sont trop fatigués pour faire ceci, ne s'intéressent pas à cela, ne croient jamais suffisamment en eux pour essayer de tirer le maximum de tous les aspects nouveaux et fascinants que la vie leur présente. Mais s'ils réussissent à atteindre la séparation par une thérapie, nous voyons alors se produire un changement spectaculaire. Une explosion d'énergie et de créativité modifie brusquement leur comportement dans leur vie, leur travail et leur sexualité. »

Nous connaissons tous des gens, par ailleurs, qui ont été affectivement frustrés pendant leurs premières années, mais qui réussissent assez bien leur vie adulte. Tout n'est donc pas perdu s'il nous a manqué une symbiose précoce. Mais il est peu probable — la plupart des psychiatres diront que c'est impossible — que ces personnes jouissent au maximum de leurs succès et profitent en toute sécurité affective de ce qu'ils apportent. Ce sont ces gens-là qui disent : « Je possède tout ceci ou j'ai réalisé tout cela, mais ça m'avance à quoi ? » Affectivement appauvris lorsqu'ils étaient tout petits, ils le restent au sein de leur réussite sociale.

MA MÈRE, MON MIROIR

La société nous joue un mauvais tour en nous appelant le « sexe aimant ». Le compliment est destiné à nous rendre fières de notre faiblesse, de notre incapacité d'être indépendantes, de notre besoin impératif d'appartenir à quelqu'un. On nous limite à être indispensables et à élever les enfants, tandis que l'amour érotique est réservé aux hommes. L' « amoureux transi » met les gens mal à l'aise parce que son état l'affaiblit, met en danger sa virilité, diminue sa productivité. Mais la femme qui ne peut pas penser clairement, qui rêvasse sur ses manuels de droit, qui maigrit et s'avance dans la vie comme entre deux murailles de brique, éveille chez tout le monde des sentiments chaleureux. Les hommes et les femmes savent les uns et les autres combien il est agréable de « tomber amoureux », mais il faut bien que quelqu'un pense aux choses matérielles. Comme la femme ne sait pas très bien où aller et comme elle éprouve la nécessité d'encourager l'homme à travailler pour deux, il se trouve que le romanesque lui-même apporte de l'eau au moulin de l'économie.

Il nous fera la cour au clair de lune et au son des violons mais, quand viendra le matin, il prendra une douche, se rasera, enfilera ses vêtements et se précipitera au bureau, à la poursuite de ses « véritables » intérêts. Dans presque tous les romans que vous lisez et les films que vous voyez, l'amour est un désastre pour l'héroïne; il la prive d'initiative, de courage, du sens de l'ordre et la fait basculer dans le masochisme et la perte d'elle-même.

Les entreprises modernes qui embauchent des diplômés en psychologie comme chefs du personnel profitent des peurs féminines et les exploitent systématiquement pour le plus grand bien des affaires. Souvent appelées entreprises « patriarcales » parce qu'elles sont dirigées par des hommes, elles ressemblent, psychologiquement, beaucoup plus à des mères géantes, des refuges de symbiose qui attendent la main-d'œuvre féminine : les secrétaires, les dactylos, les chefs de bureau, les assistantes, toutes ces femmes qui travailleront loyalement, qui feront partie de la « grande famille » que constitue l'entreprise, pendant vingt-cinq années de travaux fastidieux, routiniers, mais sécurisants; victimes consentantes des petits malins du service du personnel qui savent très bien qu'elles préfèrent les joies faciles du « pot » du service des ventes et du voyage annuel de l'entreprise, plutôt que de claquer la porte de leur plein gré (quitter la mère) pour aller chercher ailleurs un meilleur salaire. Des milliers, des millions de femmes ne se séparent jamais du patron qui a tant « besoin » d'elles et font joyeusement des heures supplémentaires parce qu'elles sentent symbiotiquement que sa carrière est la leur, qu'elles font partie intégrante de lui. Mais quand il est augmenté, le patron ne partage pas. Que ce soit dans la vie sexuelle ou dans la vie professionnelle, la symbiose coûte cher.

La bonne mère estime qu'il est cruel de laisser bébé tomber sur son nez quand il fait ses premiers pas, mais elle sait bien que c'est la seule façon de lui apprendre à marcher. Le petit garçon essaye de se sauver à quatre pattes, veut descendre les escaliers et écarte même sa mère lorsqu'elle intervient, parce qu'il est poussé par une terrible envie de progresser. Elle tremble pour lui, mais elle sait qu'elle doit lui apprendre à être courageux. Avant d'aller au jardin d'enfants, les petits garçons ont appris à écarter les petites filles qui veulent un baiser. Maman l'empêche d'ailleurs de s'accrocher à elle, bien qu'ils désirent tous les deux le contraire. « Ne le traite pas comme un bébé ! » lui dit son mari. « Donnez-lui du champ », conseille la culture. Le petit garçon émerge de la symbiose pour se plonger dans les délices de la séparation. Le monde s'ouvre devant lui. Par l'expérience, la pratique et la répétition, le garçon apprend que des accidents peuvent arriver, mais qu'ils ne sont pas mortels, il sait que le fait d'être rabroué de temps en temps ne l'empêchera pas de vivre. Son moi est en route.

La petite fille, de son côté, reçoit une éducation opposée. Le grand impératif la paralyse : Rien ne Doit Jamais Faire Souffrir ma Petite Fille ! Toutes les expériences lui sont refusées, sauf celles qui sont enveloppées de cellophane. Quand elle se risque dans la cour et se fait mal, sa mère, contrairement à ce qu'elle ferait avec son fils, ne l'encourage pas à recommencer. Elle serre sa petite fille dans ses bras, elle a peur pour deux, car elle est passée par là ; elle a eu mal, elle a eu des angoisses et sa vie lui faisait peur. « J'étais sûre que ça arriverait ! » dit la mère, répétant à sa fille un avertissement qui lui a été familier toute sa vie, lui inculquant la notion que les femmes sont des êtres tendres, fragiles, facilement et irrémédiablement blessés par la vie.

D'autres éléments de la relation mère-fille inhibent le goût de l'aventure chez l'enfant : elle cherche les baisers mais s'attend à être repoussée. La mère s'efforce pour la première fois, et en général inconsciemment, de régler les problèmes de rivalité qui l'opposent à sa fille et lui apprend à ne pas attendre trop d'affection physique de la part de son père : « Va-t'en ! Papa a un travail important à faire. » Elle lui apprend que les hommes n'ont pas « notre » besoin d'amour.

Le message adressé à la petite fille est très clair : il n'y a qu'une seule personne au monde qui ne l'abandonnera jamais, qui aura toujours du temps à lui consacrer. Si la mère ne lui donne pas de baisers, ce n'est pas parce qu'elle ne l'aime pas. Si seulement la petite fille était plus obéissante, si seulement la mère avait plus de temps, si, si, si...

Nous oublions le comportement défectueux. Nous sommes séduites par la promesse que nous pourrons disposer de l'amour maternel la prochaine fois. Les frères, les sœurs, les amis... impossible d'avoir confiance en eux. Seule maman sera toujours fidèle.

« On conçoit fort bien qu'une petite fille puisse s'accrocher à sa mère parce qu'elle se sent menacée par le monde extérieur, dit le Dr Robertiello, mais il faut comprendre que la mère n'est pas une ogresse qui opprime la petite fille par pure méchanceté. Elle a des peurs réelles, et également des besoins, et elle essaie d'y répondre en se maintenant en symbiose avec son enfant. Il arrive trop souvent que la mère ne se soit jamais séparée de *sa* propre mère; quand celle-ci vieillit et que la mère ressent la perte de ce lien sécurisant, elle le remplace par un lien qui la rattache à sa fille. Elle redoute par-dessus tout de se retrouver seule, sans personne pour lui dire ce qu'il faut faire. Elle veut être une " prisonnière de l'amour ".

« A cause de ce lien primaire et inconscient qui l'attache à sa propre mère, l'épouse/mère n'a jamais eu la liberté de se livrer avec loyauté à quiconque, y compris à son mari. Oh! bien sûr, elle a sans doute eu un élan d'indépendance quand elle s'est mariée, une merveilleuse bouffée de sexualité pendant quelque temps. Mais, trop souvent, dès que sa fille est née, elle retombe dans ces sentiments, moins excitants mais bien connus et sûrs, qu'elle éprouvait avec sa mère... et elle se tourne maintenant vers sa fille. Elle renonce à son indépendance, réduit sa sexualité, sa vie intellectuelle; elle n'est plus une jeune femme, mais une matrone, une mère de famille. Maintenant, elle est à jamais en sécurité. Elle a pris une assurance contre le risque d'être seule un jour, pour le reste de sa vie, parce que sa fille est destinée à lui survivre. »

Et on s'étonnera que les adieux entre mère et fille dans les gares et les aéroports soient si chargés de culpabilité!

Pour expliquer la séparation, le passage à une identité propre, il nous faut revenir une fois de plus à la symbiose, au moment où la toute petite fille qui apprend à être indépendante continue de revenir vers sa mère. Le besoin pressant qui pousse le bébé, pris de panique parce qu'il constate qu'il est tout seul, à courir à quatre pattes pour voir si maman « est là », si « tout va bien », est aussi inéluctable que la loi de la gravitation.

En termes techniques, on dit qu'il s'agit du « stade du rapprochement », mais je préfère l'expression plus familière utilisée par les psychologues pour enfants : « Faire le plein ».

Ayant repris contact avec maman, ayant ainsi « fait le plein », la petite fille retrouve sa confiance et repart pour de nouvelles aventures. La bonne mère comprend ce retour angoissé, mais elle ne s'en sert pas pour mettre l'enfant en garde et l'empêcher de repartir; au contraire, dès qu'elle constate que l'enfant a refait le plein, elle l'encourage à reprendre le large.

56

La mère possessive amplifie les peurs de l'enfant : « Mon pauvre bébé! Comme tu devais avoir peur, là-bas, toute seule! Reste avec maman! »

Une mère comme celle-là est si peu séparée de sa fille qu'elle est incapable de dire s'il s'agit de sa propre angoisse ou de celle de sa fille. En fin de compte, cela n'a pas d'importance : la petite fille prendra conscience de la peur de sa mère et l'intégrera. Le monde extérieur devient menaçant, hostile. Quand elle sera grande, chaque fois qu'elle quittera la maison, elle aura peur de n'avoir pas fermé le gaz, elle pensera que quelqu'un est malade ou sur le point de mourir. Par-dessus tout, elle n'aime pas faire quoi que ce soit toute seule. Elle veut se sentir *connectée* tout le temps, à n'importe quel prix.

Je me souviens de l'expression qu'une femme que j'ai bien connue répétait chaque fois qu'elle passait une soirée avec des amis. Elle avait été danseuse dans la troupe de Martha Graham et avait mené avec succès une vie indépendante. A l'époque où j'ai fait sa connaissance, elle était mariée et mère de deux enfants. Donc, quand un ami disait, par exemple : « Cette soirée est formidable! Si nous la terminions par une omelette au jambon et un irish coffee? » elle se tournait vers son mari : « Il est temps de quitter le chemin des écoliers et de rentrer au bercail! » Expressions puériles, émotions puériles. Je pense que cette anecdote illustre toute sa vie depuis qu'elle avait décidé, quelques années plus tôt, d'abandonner la danse parce que les voyages par la route la « rendaient trop nerveuse ». Son besoin de rentrer au bercail — de ne pas se séparer d'une notion idéalisée de sécurité — la faisait partir en courant vers sa maison alors que tous ses amis étaient prêts à prolonger la soirée.

En expliquant comment le goût de l'aventure d'une petite fille peut être étouffé dans l'œuf, le Dr Robertiello parle de l'angoisse de la mère : « Elle est la première à avoir peur quand elle se rend compte qu'*elle* est seule, sans sa petite fille. Elle décide alors que son enfant a besoin d'elle ou se trouve en danger. La petite fille peut très bien être dans le jardin à jouer dans les marguerites, mais voilà que sa mère, alarmée et inquiète, lui dit de rentrer dans la maison, la récupère *avant* que l'enfant n'éprouve le besoin de revenir " faire le plein ". C'est ainsi que la petite fille acquiert le sentiment que, même si elle s'amuse bien, quelque chose peut aller mal à la maison. »

Cependant, chaque action provoque une réaction égale et opposée. A partir de quatorze ou dix-huit mois, et jusqu'à la troisième année, l'enfant commence à tenter de résister aux injonctions de sa mère. Cette tentative d'auto-affirmation est marquée par l'usage presque constant du mot « NON ».

C'est là une expérience très importante pour l'enfant; elle fait la différence entre ce qu'elle a envie de faire — même si elle n'est pas encore très décidée — et ce que sa mère veut la contraindre à faire. « *Nous* allons nous promener au parc », dit la mère en se servant du pronom symbiotique comme le ferait une reine. « Non! » répond le petit garçon qui marque ainsi un premier point vers l'individualité et la séparation. « *Je* n'ai pas envie. » Tous ceux qui l'ont entendu applaudissent, même sa mère. « Un vrai petit homme! s'exclame-t-elle. Il sait ce qu'il veut, comme son père. » Les petites filles sont traitées de façon contraire.

Sirgay Sanger, qui est psychiatre pour enfants, déclare à ce propos : « Les petits garçons ont la vie plus facile à cette époque parce que la mère se dit : " Après tout, je ne sais pas grand-chose sur les garçons, autant le laisser tranquille ". » Il existe aussi un préjugé culturel contre les mères qui gardent leur fils dans leurs jupons. Mais si son enfant est une fille? Là, alors, elle sait absolument tout sur les filles. Elle est experte en la matière. Et elle accorde à sa fille moins de latitude, moins de chances de progresser. Elle passe l'individualité de sa fille au rouleau compresseur. « Viens, lui dit-elle. Tu adores faire des courses avec moi. Nous y allons! » La petite fille, d'emblée, perd de son assurance, de son esprit d'initiative. Cela commence de bonne heure, dès la première ou la seconde année.

La séparation, c'est-à-dire le dépassement d'un degré de symbiose inadapté au degré de développement, ne se produit pas d'une façon nette, bien tranchée. Théoriquement, la séparation devrait être terminée à trois ans, trois ans et demi. « Mais, dit le Dr Robertiello, je pense qu'elle dure toute la vie. Jusqu'ici, je n'ai jamais rencontré personne, homme ou femme, pour qui elle était terminée. Nous sommes tous très reliés à notre mère ou à son substitut. Je crois que cet attachement est particulièrement intense pour les femmes parce que la petite fille ne peut jamais échapper à l'image constante de sa mère. » Essentielle pendant les premières années de la vie, la symbiose entre la mère et la fille, si elle se prolonge au-delà de la troisième année, peut être qualifiée de malsaine. C'est un problème d'autant plus difficile que notre culture confond symbiose et amour. *Mais plus tard, la symbiose et le véritable amour s'excluent mutuellement.* L'amour suppose une séparation. « Je t'aime » ne peut avoir de sens que s'il y a un « je » qui aime un « toi ».

Dans une relation symbiotique, l'un ne se soucie pas vraiment de l'autre. Il n'existe qu'un besoin intense d'être en relation, au risque d'être destructif. On croit souvent que le mariage est l'occasion pour la fille de relâcher le lien symbiotique qui l'attache à sa mère. En réalité, elle ne fait que reporter la symbiose sur son mari. Maintenant, il doit l'entretenir, lui donner vie, il doit faire en sorte qu'elle se sente bien dans sa peau. A moins que la séparation d'avec la mère n'ait eu lieu bien avant le mariage, il est pratiquement impossible d'établir une relation saine avec un homme.

La meilleure définition de l'amour que je connaisse est du psychanalyste Harry Stack Sullivan : l'amour signifie que l'on s'intéresse presque autant à la sécurité, à la tranquillité, à la satisfaction d'un tiers qu'aux siennes propres. J'estime cette définition très réaliste ; *on ne peut pas* aimer quelqu'un plus que soi-même. La mère vraiment aimante est celle dont l'intérêt, le bonheur, est de voir en sa fille une personne et non pas seulement une possession. Cela suppose tant de générosité, tant d'amour qu'elle renoncera à certains de ses propres plaisirs et même à sa propre sécurité pour aider sa fille à se développer. Si elle est vraiment sincère, elle souscrit à coup sûr une assurance-amour. Elle aura quelqu'un qui l'aimera à jamais, d'un amour sans culpabilité ni rancune : une fille qui lui donnera librement son amour.

Quand j'ai rencontré pour la première fois la psychiatre Mio Fredland, dans le cadre de cette enquête, en avril 1974, elle m'a dit : « Un amour authentique entre la mère et la fille ? Je pense qu'il suppose que chacune des deux respecte l'autre et admette son indépendance. En ce qui concerne la fille, elle doit commencer par aimer sa mère pour pouvoir plus tard s'aimer en tant que femme ; devenue adulte, elle peut alors rendre à sa mère son amour. Mais pour sortir de la première enfance comme personne distincte, elle doit d'abord intégrer sa mère, en tant que " bonne mère ".

« Mes sentiments vis-à-vis de ma fille ? Je la considère comme un don du ciel. C'est bien elle que j'attendais. Je rêvais d'elle quand j'étais enceinte, et elle est exactement telle que je la voyais dans mes rêves. J'avais bien des raisons de vouloir une fille. Entre autres, parce que je voulais compenser par ma relation avec elle ce qui avait manqué à ma relation avec ma mère. Ma mère n'était pas vraiment là. Elle m'aimait et faisait de son mieux pour être une bonne mère, mais elle s'effrayait tellement de tant de choses ! Ma fille est exactement ce que j'ai espéré toute ma vie. »

Il est intéressant de noter que les sentiments du Dr Fredland avaient changé quand je l'ai revue un an plus tard, en avril 1975 :

« Comment j'évite de voir en ma fille une extension narcissique ? Ma formation de psychiatre m'aide à la voir objectivement, bien sûr, mais je pense aussi que mon attitude s'est modifiée depuis notre entretien de l'année dernière. Comme elle a grandi et s'est affirmée en tant que personne, je me sens plus détachée d'elle, ce qui ne veut pas dire que je l'aime moins... je l'aime d'une façon différente. Je la vois tout à fait distincte de moi. Je me rends compte de ses possibilités, de ses inclinations et de ses lacunes. Si on permet à l'enfant de se détacher de soi, c'est *elle* qui tracera les limites, c'est *elle* qui indiquera à sa mère l'espace vital dont elle veut disposer. »

MA MÈRE, MON MIROIR

Ces deux témoignages de Mio Fredland me plaisent beaucoup. Ils montrent un réel progrès de l'amour mère-fille. Le premier date d'une époque où elle voyait en sa fille un prolongement narcissique d'elle-même. Un an plus tard, elle voit sa fille de l'extérieur, se concentre sur *sa* séparation, sur son évolution.

La plupart du temps, il est très difficile de savoir où nous en sommes avec notre mère parce qu'il n'y a pas assez de distance entre nous. Est-elle une « mauvaise mère »? Sommes-nous une « mauvaise fille »? Les deux questions sont si *brûlantes,* si affectivement lourdes, que nous ne pouvons pas y répondre d'une façon raisonnable. Leur difficulté vient en outre de leur contexte moraliste. Elles sont mal posées. La vraie question est celle-ci : Nous sommes-nous aimées pendant les premières années et nous sommes-nous séparées pendant les années suivantes de telle sorte que nous nous donnons réciproquement assez d'espace, assez d'air, assez de liberté pour perpétuer cet amour?

Ces coups de téléphone à la mère viennent-ils d'un véritable amour ou du besoin de prolonger la symbiose? Si nous l'appelons avec plaisir, volontairement, parce que ça nous fera du bien de lui parler, alors oui, il est question d'amour. Si nous nous approchons du téléphone — même quotidiennement — avec un sentiment pénible de contrainte, comme s'il s'agissait d'un devoir, poussées par un besoin anxieux que ces appels semblent ne jamais calmer, s'ils nous laissent les larmes aux yeux, en colère, sur la défensive ou coupables, alors, bien que la culture puisse juger que nous vivons une relation mère-fille aimante (ne serait-ce qu'au vu de la note de téléphone) je dirai qu'il n'en est rien.

Il existe un autre domaine où nous pouvons chercher des indices qui nous montrent que nous sommes restées trop attachées à notre mère : c'est dans nos relations avec les hommes, avec les autres femmes et avec notre travail. Le besoin de s'accrocher, la peur de perdre, l'impossibilité où l'on est d'aller de l'avant, d'entrer en compétition, ne sont pas des modèles de comportement acquis à partir du moment où nous avons décidé de quitter la maison pour voler de nos propres ailes. Non, il s'agit de façons d'agir et de réagir apprises à la maison pendant les années de formation passées avec la mère.

J'ai connu des femmes qui, avant de quitter la maison familiale, avaient été aimées pour elles-mêmes par leur mère. Leur caractéristique commune était la cohérence de leur comportement. Elles ne jouaient pas les caméléons, en ce sens qu'elles ne changeaient pas en fonction des personnes et des situations qu'elles rencontraient. Quand elles bavardaient avec leur mère, elles se conduisaient en femmes adultes et ne retombaient pas dans un parler enfantin, des tons querelleurs et des réponses évasives.

Si on leur demandait ce qu'elles pensaient, elles répondaient sans équivoque, sans craindre de vexer leur interlocuteur par leur franchise. Étant en présence d'une situation affective difficile, elles n'étaient pas forcément capables de la résoudre tout de suite, mais leur première impulsion n'était pas de chercher à deviner la réaction que les autres attendaient d'elles. Elles se posaient cette question : Qu'est-ce que je veux, qu'est-ce que j'en pense? Elles étaient très sûres d'elles.

Les femmes qui manquent d'assurance, de leur côté, transforment souvent leurs appréhensions en réalités. L'une d'elles m'a dit : « Dès le début, je savais que ça ne durerait pas. Savez-vous ce qu'il m'a dit quand il m'a quittée? " Je n'en peux plus et j'en ai assez de t'entendre me demander si je t'aime et de constater que tu ne me crois pas quand je te dis que oui! " » L'insécurité se cache souvent derrière son contraire. Le fait que le macho, par exemple, est souvent un homme qui doute de sa virilité, n'a rien pour nous surprendre. De même, on accuse souvent les femmes d'être vaines, de se complaire dans l'autosatisfaction; en réalité, nous n'avons aucune certitude quant à notre apparence.

L'une de mes amies, qui a un très beau corps, se plaint constamment de ses hanches « énormes ». Elle me dit que j'ai bien de la chance de ne pas avoir de soucis de cet ordre. Elle a la même taille que moi. Finalement, je lui ai demandé son tour de hanches. Je lui ai dit que je la battais de cinq centimètres. « Mais ce n'est pas possible! s'écria-t-elle. Tu as un corps magnifique, et tes hanches ne peuvent pas être plus fortes que les miennes! » Si, aujourd'hui, nous refusons les évidences, c'est qu'autrefois, à une époque dont nous ne nous souvenons pas, une certaine image nous a été imposée par quelqu'un qui savait tout. Si nous passons tant d'heures devant la glace, ce n'est pas par vanité, parce que nous sommes amoureuses de nous-mêmes. C'est à cause de notre angoisse. Quelque chose va de travers dans notre narcissisme fondamental.

Jusqu'à une époque récente, le narcissisme était considéré comme une sorte de condition pathologique; c'était un mot malsonnant aussi bien pour le psychiatre que pour le grand public. Pour Freud, c'était une régression, un retrait de l'intérêt porté aux autres et à la réalité, une concentration morbide de la libido (l'énergie) sur le moi. Aujourd'hui, on fait une nette distinction entre ce sentiment défectueux du moi, appelé « narcissisme secondaire », et le narcissisme primaire qui, lui, est sain [1].

Le narcissisme secondaire est pathologique parce qu'il tend à combler

---

1. Le Dr Heinz Kohut pratique la psychanalyse à Chicago. Il est l'un des théoriciens psychanalytiques les plus importants dans le domaine du narcissisme. Son livre, *The Analysis of the Self*, présente le développement du narcissisme comme un processus sain qui est indispensable à la formation d'une image positive de soi.

un vide dans l'image saine de soi avec une préoccupation intense du moi. Cela peut se traduire par un souci excessif de l'apparence, ou par des symptômes physiques et affectifs (hypocondrie). La personne qui est dans ce cas essaye de compenser un manque d'attention pendant l'enfance — surtout pendant la première année — en consacrant à elle-même cette attention exagérée dont elle avait besoin à ce stade de développement et que sa mère lui a refusée. Le narcissisme secondaire est répétitif et marqué par l'angoisse. Comme il n'est qu'un substitut inefficace, il harcèle sa victime. Par ironie, il s'agit de ces femmes que l'on qualifie en général de vaniteuses, parce qu'elles ne cessent de se porter aux nues, de se mettre en vedette et de s'attirer des compliments.

Elles prouvent magnifiquement — mais à rebours — que ce qui « gâte » les enfants, ce n'est pas d'être trop admirés, mais de ne pas l'être assez. Tous les éloges du monde ne peuvent les aider, les nourrir, s'ils en ont été privés en temps voulu. Les compliments ne les atteignent pas, comme s'ils étaient destinés à quelqu'un placé derrière eux.

Il est habituellement facile à la mère de satisfaire nos besoins narcissiques pendant la période qui suit la naissance. Aux premiers stades de la symbiose, nous sommes encore si intimement mêlées à elle, si peu différenciées qu'en nous aimant elle s'aime elle-même. Mais tandis qu'en grandissant nous nous éloignons d'elle, il faut que son amour soit éclairé, adulte et désintéressé pour qu'elle accepte que les besoins de son enfant ne soient pas toujours les siens. La mère doit elle-même progresser pour donner de l'espace à l'enfant et satisfaire ses désirs même s'ils entrent en conflit avec les siens, au risque de se sentir lésée ou déçue. Au début de l'apprentissage de la propreté, par exemple, le bébé, fier de son travail, peut en recueillir le produit pour l'offrir à sa mère en gage d'amour. Si ce geste, chez la mère, entre en conflit avec l'image d'une jolie petite fille proprement ficelée dans ses rubans roses, de sérieux ennuis peuvent s'ensuivre. Elle doit nous laisser nous couper d'elle suffisamment pour que nous puissions évoluer à notre propre allure et non à la sienne. Elle doit nous aimer pour ce que nous faisons, pour nos besoins, et pas seulement quand nous correspondons à l'image qu'elle se fait du bébé idéal.

« Le jour où j'ai vu pour la première fois ma petite fille Katie, m'a dit le Dr Leah Schaefer, elle était énorme... œdémateuse, gorgée d'eau. " Seigneur! ai-je pensé, je ne vais tout de même pas être affligée d'un affreux enfant obèse! " Soudain, je me suis vue très chic, élégante, la ravissante maman des magazines de mode, entrant dans un grand magasin en traînant mon petit monstre de huit ans, espérant contre toute vraisemblance trouver des vêtements à la mesure de son embonpoint! Trois jours plus tard, j'étais en train de me coiffer devant ma glace quand je me suis dit : " Peut-être ne sera-t-elle pas contente d'avoir une mère plus vieille que celles de ses amies. Peut-être préférerait-elle avoir une mère qui la promènerait dans les parcs plutôt qu'une mère qui a un métier. *Peut-être ne m'aimera-t-elle pas!* " Tout en pensant cela, je garantissais à ma fille sa future liberté. De même que je m'étais permis de penser qu'elle ne serait peut-être pas le bébé de mes rêves, je la laissais libre de m'approuver ou pas. Ce fut une expérience extraordinaire qui devait marquer profondément nos futures relations. »

Quelle mère n'a pas rêvé de mettre au monde une créature idéale? A l'origine de l'amour symbiotique qu'elle éprouve pour nous, et étroitement mêlé à lui, se trouve l'amour d'elle-même. Elle commence à nous aimer parce que nous sommes l'incarnation de son propre corps, de son propre esprit — le prolongement narcissique de son être. Nous sommes et nous serons tout ce qu'elle attendait de la vie.

« Mais le rêve ne dure que quelques mois, dit le Dr Sanger. Le bébé ne peut pas donner à la mère tout ce qu'elle attend de lui : qu'il fasse de ses rêves à elle une réalité. Et la réalité survient à grands pas. Le bébé fait comprendre à sa mère qu'il ne va pas satisfaire tous ses fantasmes. Il a des coliques. Il pleure et il vomit. Il est évident qu'il a une vraie vie bien à lui. » C'est un premier indice de la séparation. Certaines mères prennent très mal ces symptômes qui montrent que l'enfant lutte pour affirmer son moi. Elles souffrent ou sont déçues. Leur adoration est mise en veilleuse. Quand la petite fille regarde le visage de sa mère, elle ne se voit plus dans un miroir d'amour et de bonté; elle n'est plus « la plus jolie petite fille du monde ». « Le visage de la mère cesse d'être empreint d'adoration, poursuit le Dr Sanger, parce qu'elle sent que le bébé ne réagit pas assez à elle. Elle le prend comme une accusation. Elle a une vision très forte, très personnelle, du comportement que l'enfant devrait avoir vis-à-vis d'elle, et cet idéal ne se réalise pas. Tout simplement, la mère se détourne une fois de plus. » La mère, incapable de permettre à l'enfant une vie authentique, distincte de la sienne, rompt ainsi dès le début la relation mère-fille.

Le narcissisme primaire, sain, est enraciné dans l'enfance. La première voix « objective » que nous entendons est celle de la mère; son visage est notre premier miroir. Dès que nous sommes nées, elle ne se lasse pas d'entendre les choses merveilleuses que l'on dit de nous. Elle se délecte des compliments des parents et des amis qui minaudent et bêtifient à propos de notre beauté, notre taille et notre éveil surprenants. Et notre mère nous transmet son plaisir comme de la chaleur. A ce stade, elle est à bon droit si attachée à nous qu'elle ne sait pas où finissent les louanges qui nous sont adressées et où commence l'admiration qui lui revient pour avoir mis au monde un bébé aussi miraculeux. Elle alimente notre narcissisme et nous alimentons le sien. C'est le point culminant de la symbiose dans ce qu'elle a de meilleur; le narcissisme primaire peut s'exercer convenablement. Notre moi est en train de naître.

Tout cela est excellent pour la formation de l'identité. Il en résultera une personne qui se fera une bonne image d'elle-même. Une femme qui sera capable d'entrer dans une pièce sans être inutilement intimidée, qui croira que les autres l'aiment, qui acceptera comme légitimes les compliments qu'on lui adressera pour son travail, qui se verra agréable dans les yeux des autres et qui sourira à l'image que lui renvoie son miroir. Quand un homme lui dira « Je t'aime », elle sera heureuse au lieu de se laisser empoigner par le doute et la peur.

Est-ce votre portrait, mesdames, ou celui de femmes que vous connaissez? Que s'est-il passé? Qu'est-ce qui est allé de travers, même si la vie a commencé avec les fortes satisfactions du narcissisme primaire? Pourquoi ne continuons-nous pas de les rechercher plus tard; et, si nous le faisons, pourquoi n'y prenons-nous pas plaisir, n'en tirons-nous pas de quoi alimenter notre amour-propre?

« Il y a cinq ans, dit le Dr Robertiello, nous ne savions pas exactement ce qu'était le narcissisme. Maintenant, nous savons qu'un narcissisme sain est normal et indispensable à la croissance. Nous essayons donc de mettre les gens en contact avec leurs besoins. Par exemple, pendant les séances de thérapie de groupe, je mets les participants tour à tour sur la sellette; je leur demande de se mettre en valeur, de prononcer leur propre panégyrique, comme s'ils venaient de mourir. Malgré cette autorisation explicite — c'est même un ordre — de dire sur eux quelque chose de positif, ils ont la plus grande peine du monde à s'exécuter. Il leur serait beaucoup plus facile d'ôter tous leurs vêtements.

« La raison pour laquelle ils sont si bouleversés à l'idée de rechercher les compliments et de se savoir favorablement acceptés par les autres, c'est que, pendant leur première enfance, ils n'ont pas été assez admirés par leur mère. Les mères de ce type sont celles qui condamnent avec sévérité les enfants " prétentieux ". Si bien que quand la petite fille, d'une façon saine et normale, tente d'obtenir un compliment, la mère non seulement la rabaisse, mais l'humilie en l'accusant d'être prétentieuse. Ces bébés deviendront des adultes incapables de rechercher les compliments et d'y croire s'ils en reçoivent. Nous essayons aujourd'hui d'aider les gens à se débarrasser de ce sentiment qui les poussent à avoir honte d'un désir pourtant normal. Nous les encourageons à aller au-devant des personnes qui peuvent leur donner franchement et directement les compliments dont ils ont besoin. »

La scène qui suit vous est certainement familière : une mère, qui jusque-là ne se lassait pas d'entendre les louanges décernées à sa petite fille, se met soudain à dire à ses amies pleines d'admiration, quand l'enfant a quatre ou cinq ans : « Ça suffit comme ça! Elle reçoit déjà assez de compliments de son père. Nous ne voulons pas d'une petite vaniteuse. » C'est la fin des satisfactions narcissiques primaires.

Que s'est-il passé pour que la mère mette un terme aux compliments et rende la petite fille gênée d'en rechercher et incapable de les accepter quand on lui en fait? C'est que la mère a commencé à projeter sur son enfant sa propre peur de paraître irrationnellement imbue d'elle-même. Maintenant que nous ne sommes plus des bébés, d'adorables, muets et passifs objets d'admiration, mais des êtres actifs, notre mère s'identifie à nous. Elle sait ce qu'elle éprouverait si elle recevait elle-même ces éloges extravagants. *Elle se projette dans notre esprit parce qu'elle n'est pas encore séparée,* et en même temps nous apporte *son* propre narcissisme détérioré, *son* impossibilité à croire aux compliments, *sa* peur d'avoir la tête enflée si elle se permet de penser, ne serait-ce qu'une seconde, qu'ils sont mérités. Quand nous étions bébés, elle partageait les compliments réconfortants que nous recevions. Maintenant que nous sommes des personnes — sa propre image — elle projette sur nous sa propre confusion. Ce n'est pas autrement que *sa* mère a commencé à saper son narcissisme sain, à en faire quelque chose de gênant, de honteux. Et maintenant, elle agit de même avec nous.

Telle est la substance de la chaîne de mépris de soi et de renoncement qui lie les femmes à travers les générations : si la mère empêche l'enfant de développer son identité, *si elle ne se sépare pas,* elle ne pourra pas s'empêcher d'être angoissée par les compliments que l'on déverse sur son enfant. Vous est-il arrivé de voir, au cours d'une réunion, l'une de vos amies, dénuée de talent, se lever pour pousser la chansonnette? Vous souvenez-vous d'avoir eu la chair de poule tellement vous étiez gênée pour elle? Vous sentiez en vous son besoin évident d'accaparer l'attention des autres, d'être acceptée; vous pressentiez son humiliation quand elle ne rencontrerait que froideur. En vivant cette expérience, vous vous êtes identifiée à votre amie. Combien plus profond est le sentiment qu'éprouve une mère pour sa petite fille quand l'enfant, confiante, naïve, innocente se précipite vers un étranger pour quêter un sourire encourageant; la mère rougit, embarrassée, et détourne l'attention de l'enfant.

La graine a été semée : si nous n'apprenons pas à repousser de nous-mêmes ces compliments, nous ne sommes pas de gentilles petites filles. Nous sommes de mauvaises filles, pas du tout comme notre mère. Celle-ci doit certainement voir en nous des imperfections que nous ne soupçonnon pas et que l'étranger décèlera dans une seconde. Nous rougissons de la bêtise qui nous fait croire que nous sommes dignes d'être aimées.

La honte que notre mère éprouve pour nous exprime les efforts qu'elle fait pour nous protéger. Nous faisons nôtre son angoisse, nous refusons le sourire de l'étranger — l'approbation du monde extérieur — et nous nous replions sur notre mère. L'absence de séparation est renforcée de part et d'autre. Cela même (l'admiration et les éloges des autres) qui nous aurait donné le courage de progresser en nous-mêmes, d'établir une frontière bien nette entre les activités qui gênent peut-être notre mère mais qui ont sur nous un effet totalement différent et bénéfique, tout cela a été effacé.

Il est impossible de donner à un bébé trop de compliments, trop d'amour, trop d'adoration, *pour autant que s'amorce* en même temps la séparation. Si ma mère ne relâche pas les rênes, ne me laisse pas être moi-même, si nous continuons toutes les deux à nous confondre dans la symbiose, alors tous les compliments du monde ne *me* serviront à rien, car il n'y a plus de « moi ». Je ne peux pas me faire une image distincte de mon identité. Il n'y a qu'un « nous », et tout ce qu'on dira de favorable à mon sujet me mettra mal à l'aise, parce que je suis une extension de ma mère. Si je suis digne d'éloges, c'est seulement parce que je suis une partie d'elle. Par moi-même, c'est tout juste si j'existe.

Combien de mères avez-vous entendu dire à leur fille, quel que soit son âge : « Je te trouve vraiment très bien » sans qu'elles ajoutent un « mais », un « cependant » ou une petite phrase de ce genre : « Mais pourquoi mets-tu tant de fard sur tes paupières? » Vous rappelez-vous la dernière fois que votre mère vous a dit : « Ce que tu as fait là est vraiment parfait, ma chérie! » avec cette sincérité absolue d'une personne qui en admire une autre?

« Dès la naissance, ou presque, dit le Dr Sanger, nous voyons des mères qui font comprendre à leur fille qu'elle n'est jamais assez gentille. La mère s'affaire beaucoup moins autour de son fils, mais elle est constamment en train d'ajuster, d'arranger, de perfectionner cette miniature féminine d'elle-même de la même façon qu'elle fignole sa propre apparence toujours imparfaite à ses yeux. Elle ne peut pas s'empêcher de faire voleter ses mains inquiètes autour de sa fille. Ça commence dès le berceau : " Allons! Nous allons arranger cette petite mèche!... " Il viendra un moment où la fille apprendra que cette sorte d'attention est une manière de critique. Elle est persuadée qu'il n'y a rien à reprocher à son apparence, mais à l'instant où sa mère pose sur elle son regard, elle sait qu'elle se trompait. »

A un moment donné, la fille peut apprendre à se dérober aux mains ou aux yeux culpabilisants de sa mère. Elle peut même se mettre géographiquement hors de sa portée; ou se lier à elle par une relation maussade, à demi réticente, à demi dépendante, sans cesser de chercher et d'espérer cet amour imprécis que sa mère lui promettait mais qu'elle n'a jamais *ressenti*. De toute façon, la mère qui ne nous a jamais accordé son approbation totale nous enchaîne à jamais. Nous continuerons de solliciter cette approbation parce que nous ne renoncerons jamais à croire, comme des enfants, qu'un jour peut-être, ne serait-ce qu'une fois, si nous faisons quelque chose de bien, elle nous admirera totalement, de cette façon toute simple que nous avons toujours souhaitée sans pouvoir bien la définir.

Mais la mère en est incapable. Comme elle ne se sent pas séparée de nous, elle prend *à son compte* la moindre de nos défaillances. Quand quelque chose va mal, elle dit : « Comment as-tu pu me faire ça à moi ? Que diront les voisins ? » Nos désirs, nos sentiments, nos actions et même nos échecs ne nous appartiennent pas.

La mère qui se sent peu séduisante ou qui a l'impression d'avoir raté sa vie peut facilement projeter ces sentiments négatifs sur sa fille et lui faire sentir qu'elle est une ratée, elle aussi. Elle peut s'estimer en rivalité avec sa fille ou la pousser à devenir la belle créature qu'elle aurait voulu être elle-même. Les combinaisons, les permutations sont innombrables : deux personnes, chacune avec son histoire physique, intellectuelle, affective et caractérielle sont en perpétuelle interaction. Si une mère, chaque fois qu'elle présente son fils à quelqu'un, ne manque pas de préciser qu'il est médecin, ingénieur ou polytechnicien, le fils peut se sentir gêné, mais il n'est pas le prolongement de sa mère. Les psychiatres appellent cela « porter son enfant »; cette mère porte son fils comme un bijou.

Une femme de vingt-huit ans m'a dit : « Quand mon enfant est né, et que je l'ai vu dans les mains du docteur, j'ai cru apercevoir un pénis et j'ai poussé un cri. Dieu merci, je me suis vite rendu compte que c'était une fille ! » Ce désir ardent d'avoir un enfant du sexe féminin vous fait-il envisager avec optimisme l'avenir de la petite fille ? Pour moi, c'est certainement un mauvais présage. Une mère qui désire une fille à ce point entretient à son égard des espérances que l'enfant ne pourra jamais satisfaire et l'enfant restera fixée à sa mère qui ne voit en elle qu'un objet de plaisir. Tant qu'elle est « la petite fille à sa maman », les compliments ne lui manqueront pas. Si elle essaie d'évoluer et de s'éloigner, l'approbation, qui est devenue l'une de ses raisons de vivre, s'arrête net. *Sans la séparation, les satisfactions narcissiques sont un piège.* Les compliments qui concernent directement la petite fille sont excellents. Ceux qui profitent à l'autosatisfaction de la mère interdisent à l'enfant de croire qu'elle vaut quelque chose par elle-même.

Les filles qui ont une mère de ce genre évoluent souvent d'une façon paradoxale : « Ma mère m'aime, elle m'a tout donné. Elle se fait du souci pour moi, s'intéresse à tout ce que je fais. Nous nous écrivons souvent, nous parlons souvent, nous allons souvent nous voir, et s'il m'arrive d'avoir besoin de me confier à quelqu'un, je sais que je peux compter sur elle. Mais c'est curieux... j'ai souvent l'impression qu'il manque quelque chose à ma vie. » Les filles qui ont essayé de réaliser les rêves maternels finissent souvent avec un moi atrophié. Les succès, la beauté, le mariage, la richesse n'affectent pas leurs sentiments parce qu'elles ont toujours été un prolongement de leur mère et non pas des personnes à part entière.

La plupart des femmes peuvent plus ou moins se reconnaître dans ce tableau. Nous passons notre vie à nous demander : « Pourquoi ai-je refusé d'aimer cet homme extraordinaire? Pourquoi n'ai-je pas profité de cette occasion? Pourquoi n'ai-je pas fait cette chose passionnante? » Nous nous sommes abstenues parce que c'est ce qu'aurait fait notre mère à notre place. Nous écartons de notre vie tout ce qui pourrait aider notre moi à se réaliser, tout ce qui pourrait nous individualiser parce qu'elle aurait fait la même chose; *et pourtant, si nous avions outrepassé l'interdit maternel, nous aurions renforcé la séparation.*

« La cause de la plupart des défauts qui sont étiquetés " féminins " remonte le plus souvent à la naissance, dit le Dr Sanger à propos des recherches sur les relations mère/enfant qui ont actuellement lieu à l'hôpital Saint-Luke à New York. La privation subtile des démonstrations physiques d'affection dont souffrent souvent les petites filles de la part de leur mère rend les femmes plus exposées à manquer de confiance envers l'affection des autres. Dès le début, elles ne se sentaient jamais en sécurité. Ces femmes ont une forte tendance à s'accrocher, même à des hommes qui les maltraitent; elles sont plus possessives, plus jalouses que les autres pour la moindre parcelle d'amour dont elles peuvent disposer.

« Cette privation dont souffrent les petites filles commence très tôt sans qu'il y ait forcément de la part de la mère un parti pris ou une volonté de nuire. Quand le petit garçon fait quelque chose de charmant ou de méritoire, sa mère le récompense d'une caresse, d'un contact affectueux, d'une expression physique d'approbation sur lesquels il ne peut se méprendre. Mais si la petite fille agit de même, nous remarquons souvent qu'elle ne récolte, pour toute récompense, qu'un sourire du bout des lèvres ou un compliment purement verbal. Aucun des deux enfants, bien sûr, n'est capable de faire la différence; tous les deux diraient qu'ils ont une mère qui les accepte, qui les encourage. Mais grâce à la forte sensation d'approbation physique qu'il obtient de sa mère, le petit garçon — avant même qu'il soit capable de parler — commence inconsciemment à se garantir pour la vie un capital de confiance en soi. Quant à la petite fille, l'absence de contact physique — le message de sécurité et d'approbation le plus direct qu'une mère puisse adresser à son enfant —

signifie qu'elle sera beaucoup plus pauvre en autonomie et en amour-propre. »

Et le Dr Sanger conclut : « Il viendra peut-être un moment où la petite fille aura le sentiment que si sa mère la caresse si peu, c'est parce qu'elle n'est pas assez gentille, parce qu'elle ne le mérite pas. Ce qui aggrave les choses, très souvent, c'est que le genre de contact qu'elle obtient de sa mère — elle la pomponne, l'arrange, la fignole — est d'ordre négatif. L'enfant comprend qu'en elle quelque chose ne va pas, manque ou est insuffisant. »

Bien que les travaux du Dr Sanger soient appuyés sur des films et un ensemble de preuves objectives, la plupart des mères avec lesquelles j'ai discuté de ces constatations refusent d'admettre que les contacts physiques qu'elles accordent à leur fille soient à l'opposé de ce qu'elles consentent à leur fils. La seule idée les révolte. La vieille croyance populaire, selon laquelle les mères préfèrent les garçons et les pères les filles, peut très bien faire sourire une femme avec un certain attendrissement; mais si on essaie de traduire cette idée en termes personnels — c'est-à-dire qu'elle a embrassé et serré contre elle son fils beaucoup plus que sa fille — alors elle se sent offensée. Mais il n'y a ici aucun grand mystère psychologique. Le bon sens et l'expérience nous disent que les femmes embrassent, touchent plus facilement les hommes que les femmes et qu'elles estiment qu'il est tout à fait « naturel » qu'il en soit ainsi.

Ce fait quotidien a de graves conséquences pour la vie psychologique des femmes. « C'est comme le jeune arbre, dit le Dr Robertiello; si vous faites une petite entaille sur son écorce, elle deviendra une grande cicatrice quand il aura toute sa hauteur. Plus les choses arrivent de bonne heure, plus fort est leur impact. Ce n'est pas irréversible, mais c'est une question de temps. Si vous n'avez pas eu une mère qui vous adorait littéralement pendant la première année et qui vous le prouvait par son visage et par l'attitude de tout son corps, une mère qui vous aimait assez pour vous-même pour vous relâcher à la fin de la troisième année, il sera terriblement difficile plus tard, quoi qu'il arrive, de combler cette lacune. »

En fait, lorsque l'enfant a atteint environ dix-huit mois, il est habituellement destructif d'essayer de lui faire rattraper le retard d'intimité qui s'est accumulé depuis sa naissance. Voici comment une femme, qui a aujourd'hui trente-sept ans, se souvient de ce qui est arrivé quand sa mère a tenté de lui donner, quand elle était petite fille, le genre d'amour dont elle avait eu vraiment besoin bébé :

« J'ai une photo qui me représente en robe de baptême et dans les bras d'une énorme nourrice. Plus tard, quand j'ai demandé à ma mère pourquoi elle ne se trouvait pas sur la photo, " Ah oui... je me souviens, me répondit-elle, je faisais la tournée des antiquaires. " Je n'avais pas encore trois ans quand elle m'a expédiée à l'école maternelle. Je me rappelle très bien que ça ne me plaisait pas du tout; mais ma mère m'a raconté que je suis partie avec un biberon sous un bras et des couches de rechange sous l'autre et que quand je suis arrivée à l'école, j'ai brandi mon biberon en disant : " Salut les copains! " Elle pensait que l'école était une merveilleuse solution. Quand ma jeune sœur est morte — j'avais cinq ans — tout a changé. Ma mère est devenue terriblement possessive à mon égard. Évidemment, je répondais à tout l'amour qu'elle m'offrait — j'en étais si avide! — mais j'en ai souffert pendant des années. Auparavant, je ne me sentais peut-être pas en sécurité, mais j'avais trouvé en moi le moyen de remédier à cette situation. Quand ma mère est arrivée avec cet amour étouffant, toute la sécurité que je m'étais assurée par mes propres moyens s'en est allée. Je me rappelle que mes angoisses, mes sentiments d'insécurité datent en réalité de cette époque. Tout aurait été mieux pour moi si elle avait continué à me laisser à l'écart. »

Le premier principe est qu'une mère ne peut jamais se tromper si, à partir d'un an et demi, elle encourage son enfant à s'individualiser et à se séparer le plus possible. Si elle n'était pas tout à fait la bonne mère qu'elle aurait dû être, elle doit surmonter son sentiment de culpabilité et ne pas essayer de surcompenser; sa place est à l'écart du moi, en plein développement, de l'enfant. La symbiose doit cesser.

Par souci de justice, et aussi de réalisme, laissez-moi ajouter à ce chapitre comme à l'ensemble du livre un post-scriptum important : si nous nous retournons pour voir ce que notre mère, il y a tant d'années, a pu faire ou ne pas faire, nous nous emprisonnons dans le passé. « Elle a fait telle chose, bien sûr, mais je n'y peux rien. » *En nous en prenant à elle, nous restons passivement attachées à elle.* Cela nous aide à éviter nos propres responsabilités.

Tout ce que peut faire une mère, c'est agir ae son mieux. Elle n'a pas à être parfaite, mais simplement une « assez bonne mère ». Malheureusement, les enfants ont des critères plus absolus que ceux des adultes. « Les enfants, dit le Dr Sanger, dépendent tellement de leurs parents que le moindre manquement, la moindre imperfection de leur part semblent menacer leur existence. Ils se disent : " Si maman a oublié ce petit détail ou ne lui accorde aucune importance, peut-être que la prochaine fois elle sera tout à fait incapable de s'occuper de moi. " Pour l'enfant, cette réaction est étroitement liée à sa survie. »

Ces complications échappent sans doute à la compréhension de l'enfant, mais en est-il de même pour les adultes? La mère est comme un dieu pour l'enfant, à tel point qu'il ignore qu'elle est soumise comme tous les êtres humains aux difficultés de la vie. La famille était peut-être pauvre. Le père buvait peut-être ou courait les femmes. La petite fille avait peut-être elle-même certains traits de caractère qui la poussaient à se développer d'une façon que la mère était incapable de modifier.

« L'une des principales résistances que je rencontre dans mon travail analytique, dit le psychiatre pour enfants Aaron Esman, tient à la notion suivante : " C'est la faute de ma mère. " Les malades refusent de voir leurs propres responsabilités, si bien qu'ils accusent leur mère. Dans notre monde postfreudien, c'est très à la mode ; mais le fait de blâmer sa mère signifie qu'on n'a pas à étudier son propre moi, à affronter ses propres problèmes. En accablant de reproches les parents et en particulier la mère, on dépense une énergie qui pourrait être beaucoup mieux utilisée à examiner les mauvais choix qu'on a pu faire soi-même. » A force de remâcher les injustices passées, on se prive de sentiments qui pourraient nous permettre de construire un avenir meilleur.

Celles d'entre nous qui ont eu des mères froides ou qui les repoussaient sont souvent attirées par des hommes qui ont le même caractère. Nous essayons de leur arracher un peu de chaleur. Nous ne faisons que répéter le passé. Nous ferions mieux de renoncer au réconfort amer des récriminations et de trouver quelqu'un qui n'a pas besoin d'être cajolé et qui nous donnerait facilement et avec joie du réconfort. Notre tâche d'adulte est de comprendre le passé, d'enregistrer ses leçons et de ne plus s'occuper de lui. Blâmer sa mère, ce n'est qu'une façon négative de s'accrocher encore à elle.

Chapitre 3

Le temps de la séparation

Au fil des années, j'ai récolté dans les greniers familiaux une histoire couleur sépia de la jeunesse de ma mère. Mon grand-père photographiait tout. J'ai accroché les photos dans leurs cadres originaux, très ornementés, dans le hall d'entrée de ma maison et les invités ne manquent jamais de s'y arrêter. « Qui est-ce? » demandent-ils en pointant le doigt sur une jeune femme penchée entre ciel et terre sur l'encolure d'un cheval. « C'est ma mère, au concours hippique de Pittsburgh. » « Et ceux-là, qui sont-ils? » Je leur dis que la femme qui est assise au piano à queue est encore ma mère et que les autres sont ses sœurs et son frère. La plupart de mes amis, évidemment, ne connaissent pas la famille de ma mère; mais ils regardent de tous leurs yeux, comme s'ils la connaissaient très bien. Les vieilles photos de famille, même celles des autres, ont quelque chose de fascinant; nous y cherchons tous des indices de quelque chose.

L'expression du visage de ma mère est toujours la même : inquiète. Qu'elle soit à cheval, planant au-dessus d'une haie d'un mètre quatre-vingts, ou tranquillement assise devant un piano, les mains croisées sur ses genoux, son visage anxieux semble attendre que son père lui dise... de cacher ses mains qui ne sont pas belles. Mais comment peut-on jouer du piano en cachant ses mains? Et comment ma mère, qui aujourd'hui serait incapable de conduire une auto à plus de soixante à l'heure, faisait-elle pour monter ces chevaux d'obstacle? Je me souviens de lui avoir demandé quand j'étais petite : « Je voudrais bien te voir sauter à cheval, comme sur les photos! — Mon Dieu, Nancy, me dit-elle avec un petit rire nerveux, c'était il y a si longtemps! » Il n'y avait pas plus de six ou sept ans, mais je pouvais voir que ma mère, pour tout l'or du monde, ne serait jamais remontée à cheval maintenant qu'elle avait quitté la maison paternelle. Je ne l'ai jamais vue faire de l'équitation.

Quelques années plus tard, en farfouillant selon mon habitude dans un grenier, je suis tombée sur une malle de paquebot pleine des merveilleux équipements de chasse et d'hippisme que je pouvais voir sur les photos que j'aimais tant. J'enfilai les bottes de ma mère, mais mes pieds étaient déjà plus grands que les siens. Les lourds habits de cheval étaient trop inconfortables même pour une petite fille de huit ans à la recherche de sa personnalité. Heureusement, j'ai eu dès ma naissance un autre modèle de courage. On m'a dit que j'ai été confiée aux bras de ma nurse Anna le jour même où je suis allée de la clinique à la maison.

Anna avait deux passions : les cigarettes Camel et les romans policiers. Comme moi, elle préférait les films d'horreur et les westerns aux films romantiques que ma sœur Susie réclamait à cor et à cri. Elle me préférait à ma sœur. Pourquoi? Je n'en sais rien; peut-être se rendait-elle compte du lien qui existait entre ma mère et ma sœur; peut-être était-ce notre similitude de caractère mais, sans aucun doute, elle avait un faible pour moi. C'est grâce à elle que je devins la championne de la tartine trempée dans le café au lait. Je me sentais chez moi dans sa cuisine, en sécurité dans son giron; mes journées commençaient avec ses mains rudes dans mes cheveux, quand elle les tressait. Elle faisait le meilleur pain de viande du monde et me le donnait souvent cru, assaisonné d'oignons et de poivre vert, à même la jatte. Quand venait l'heure d'aller à la fête de l'État, elle me préparait des sandwichs au jambon de campagne et aux pickles; je me souviens de leur arôme et aussi d'Anna me vantant les joies du scenic railway tandis que nous roulions vers la foire. J'avais quatre ans, et j'aimais le scenic railway parce qu'elle était tout près de moi.

Le soir où Susie, entendant un bruit de pas, cacha derrière le rideau de la fenêtre la bougie interdite et mit ainsi le feu à notre chambre, ce fut Anna qui écarta les autres femmes qui ne savaient que crier, et qui éteignit l'incendie. Avant d'être envoyée au jardin d'enfants, j'avais conclu un pacte avec elle : quand je serais grande, nous partirions toutes les deux pour le Texas où nous élèverions des chevaux. En attendant, nous étions d'accord pour protéger la maison, c'est-à-dire ma mère. Anna m'apprit dès mes premières années à cacher à ma mère tout ce qui aurait pu lui donner des inquiétudes. Je ne me souviens pas très bien de ma mère à cette époque. Je ne me suis jamais bien entendu avec ma sœur quand nous étions petites. J'ai l'impression que j'étais toujours en colère contre Susie, prête à me battre. Même toute petite, elle était si douce! Pour moi, c'était une mollassonne, qui partait toujours perdante dans tous nos jeux. « Laisse-moi tranquille! lui disais-je quand elle me faisait des mamours, je n'aime pas toute cette sensiblerie! » Avec Anna, ça m'était égal. J'avais pour alliée une gagnante, et la première fois que je suis montée dans un avion, en même temps que les émotions procurées par la vitesse et la puissance, je retrouvai *la sécurité* que j'avais connue à quatre ans quand Anna m'avait emmenée au scenic railway.

Et pourtant, je suis encore et toujours la fille de ma mère. Je vois dans sa vie le prologue étrange et réconfortant de la mienne. Elle sautait avec les chevaux de son père à quatorze ans, assez casse-cou pour remporter des coupes d'argent... et pourtant, il a fallu que je me marie à Rome pour qu'elle se décide à prendre l'avion. Ce courage intrépide que j'avais quand j'étais petite (les arbres dans lesquels je grimpais n'étaient jamais assez hauts, assez dangereux) a bien diminué maintenant que je suis adulte. Je peux très bien monter en téléphérique au sommet de la plus haute montagne, mais ma descente à ski sera très prudente, toujours contrôlée. Aujourd'hui, je préfère le train et le bateau à l'avion. Les peurs que j'éprouvais dans la maison où j'ai grandi m'ont quittée lorsque j'en suis partie, mais il en reste encore quelque chose. On dirait qu'elles se tiennent à l'affût, et maintenant que j'ai une maison à moi, je les sens de temps en temps remuer dans mes entrailles. Je me demande jusqu'à quel point je revivrais les angoisses de ma mère si j'avais une fille. Si, fermant les yeux, je m'imagine avec une petite fille dans les bras, je ne connais que trop la réponse : ce serait effrayant.

Anna avait un petit ami qui s'appelait Shorty. Il avait l'habitude de ranger sa Chevrolet cabossée derrière la maison, là où Anna m'avait dit qu'en creusant très profond je trouverais la Chine... mes premiers efforts pour quitter la maison! Je revois encore Shorty debout dans l'encadrement de la contre-porte de la cuisine dont le sol était recouvert de linoléum; il avait l'air de se demander si Anna allait le laisser entrer ou l'envoyer promener. Après dîner, ils fumaient tous les deux une quantité incroyable de Camel qui tachaient leurs doigts du même brun jaunâtre que celui qui se trouvait sur leurs paquets de cigarettes.

Ma mère fumait des Chesterfield qu'elle tirait d'un paquet aux couleurs froides, blanc et or, et ses doigts n'étaient jamais jaunis. Je savais que l'homme qui lui apportait de délicieux chocolats fourrés l'aimait beaucoup plus qu'elle ne l'aimait. Le dimanche soir, il nous emmenait dans un restaurant où il y avait de la musique douce et où, au dessert, on servait aux enfants des ice-creams entourés de biscuits qui représentaient des animaux en train de marcher. A cause des ice-creams, nous grelottions quand nous nous retrouvions dans la rue et il nous enveloppait de couvertures très douces sur le siège arrière de sa grosse voiture. Je ne savais pas ce que voulait dire l'amour, mais je me sentais désolée pour lui; jamais je n'ai vu de cadeaux aussi joliment enveloppés que ceux qu'il offrait à maman...

MA MÈRE, MON MIROIR

Un jour, Shorty nous emmena, Anna, ma sœur et moi, chez des amis qui habitaient un bourg de campagne. Je n'ai jamais su s'ils étaient des relations d'Anna ou de Shorty, mais ce qui est sûr, c'est qu'ils étaient très différents de nous. Dans leur maison, il y avait du linoléum partout. Et tous les enfants étaient baignés dans un énorme tub, au milieu de la cuisine. Jamais je n'avais vu autant de gens nus. Je ne me souviens pas d'avoir rougi de pudeur. Je vois encore la buée et je me souviens de mes joyeuses émotions au milieu de toute cette nudité de bonne compagnie. A la maison, il n'y avait que des femmes, ce qui ne veut pas dire qu'on laissait ouverte la porte de la salle de bains. Aujourd'hui, je n'hésite pas à me déshabiller devant des amis, mais je suis toujours très prude en présence de ma mère. Chez les autres, je suis toujours très ennuyée si le verrou de leur cabinet de toilette ferme mal, même si je ne suis venue que pour me donner un coup de peigne. J'imagine leur gêne s'ils me surprenaient. Mais j'ai un souvenir très précis d'Anna installée sur le siège des waters, fumant une cigarette et lisant *Le Retour des pilleurs de tombes*.

Il n'y avait aucun problème de porte chez les amis d'Anna et de Shorty : il n'y avait pas de portes. Il n'y avait pas non plus de salle de bains. Sur le palier, au sommet des marches, il y avait un seau, un pot de chambre commun où tout le monde venait faire pipi la nuit. Je ne sais pas où nous sommes allés nous promener pendant la journée; il n'y a place dans mes souvenirs que pour la nuit et pour ce seau plein à ras bord, sur le lino, entouré d'une flaque. Je m'en approchais sur la pointe des pieds dans l'obscurité et ça sentait mauvais. C'est un souvenir tenace, où se mêlent la peur et une vive émotion. Mais tout allait bien, puisque j'étais venue là avec Anna.

J'ai raconté récemment cette petite histoire à un psychiatre que j'interviewais. « Vous avez certainement eu de la chance d'avoir quelqu'un comme Anna, me dit-il. Le fait qu'elle était de " classe inférieure " et très terre à terre vous a aidée à accepter votre sexualité. » Ces paroles peuvent paraître plutôt simplistes, mais sur le moment j'ai senti qu'il avait raison. J'ai toujours su que je devais beaucoup à Anna. Je n'aime pas l'expression « classe inférieure » appliquée à quelqu'un que j'ai aimé; mais je sais que le sexe est différent de l'amour, et si je suis capable de goûter les deux aujourd'hui, c'est grâce à Anna qui m'aimait et m'a laissée partir. Je suis certaine d'une chose : nous n'avons jamais parlé à ma mère de ces bains à la Breughel dans la cuisine, ni du seau de pipi. Je suis sa fille, et je suis aussi celle d'Anna. Chaque fois que j'ai fini de me maquiller, j'essuie soigneusement le lavabo avec un kleenex, mais je suis également capable de faire pipi debout sans mouiller mes chaussures, aussi adroitement que quand j'avais cinq ans.

Cette première escapade, avec Anna et Shorty, me donna du goût pour les maisons des autres; je connaissais celles des voisins aussi bien que la mienne et les trottoirs de Pittsburgh étaient une perpétuelle tentation. Je n'allais pas encore à l'école le jour où j'ai racolé mon premier vieux ménage sympathique. Ils promenaient leur chien. Je les ai suivis jusque chez eux et ils m'ont offert une soupe de tomate bien crémeuse et des sandwichs au beurre de cacahuète. J'appris ainsi toute la sagesse du voyageur : que les choses sont bien meilleures chez les autres. J'appris aussi qu'il y a toujours une place à table pour une gosse qui sait faire du charme. Finalement, Anna renonça à appeler la police, puisque je revenais toujours. Il le fallait bien. Je ne savais pas faire mes tresses toute seule.

Quatre ans plus tard, je ne le savais toujours pas; c'était déconcertant et gênant, et j'étais incapable de répondre à ma mère quand elle me demandait pourquoi je ne disais pas à Anna de m'apprendre à me coiffer. Une grande fille comme moi, qui n'avait peur de rien! Mais Anna, elle, savait : tous les matins j'allais la trouver, mon peigne à la main, et chaque soir elle enlevait mes élastiques sans me tirer les cheveux et, assise sur son lit, elle me lisait *Le Shérif solitaire*. Je n'ai jamais appris à me natter les cheveux.

J'avais cinq ans quand nous quittâmes Pittsburgh pour Charleston, en Caroline du Sud. Anna nous accompagna, mais elle n'aimait pas le Sud. Peut-être Shorty lui manquait-il. Quand j'eus neuf ans, elle nous quitta pour remonter dans le Nord. Je ne me souviens pas de lui avoir dit au revoir. Je n'ai pas une dernière image d'elle. Mais je me souviens très bien des nuits qui ont suivi son départ, de l'angoisse des autres qui m'entouraient comme un cercle protecteur. Je dormais dans la chambre de ma mère, ce qui ne m'était encore jamais arrivé. Je ne me rappelle pas avoir souffert de son absence pendant cette période-là. Il y avait un tel vide affectif autour de son départ que j'ai dû faire machinalement ce que font les enfants quand la douleur est trop pénible : dès qu'elle s'en est allée, j'ai tout effacé, Anna et son amour.

Pendant quelque temps, j'ai reçu des livres pour enfants à l'occasion de mes anniversaires; bien que ma mère fût très stricte en ce qui concerne les lettres de remerciements, je ne me souviens pas d'avoir écrit à Anna. Des années plus tard, l'une de mes tantes me dit qu'elle croyait avoir vu Anna nettoyer au balai-brosse le sol de la gare de Pittsburgh. J'ai parlé d'autre chose. De même que je n'avais pas été capable d'accepter son abandon, le jour où elle m'avait quittée, de même j'étais incapable d'accepter ce sentiment de culpabilité qui venait du fait que je l'avais abandonnée à ce triste sort. Jusqu'à mon mariage, je n'ai pu penser qu'à une chose : gagner de l'amour, des prix, des coupes... gagner, gagner, *gagner*... gagner quelque chose que le monde n'accordait pas facilement.

MA MÈRE, MON MIROIR

Ce n'est que le soir venu, quand je fermais les yeux, que la séparation d'autrefois et mes sentiments de culpabilité venaient me hanter. J'en suis encore là aujourd'hui.

J'interroge une jeune mère, à Detroit. Notre entrevue durera cinq heures. Très à son aise, elle me raconte comment elle élève sa fille pour qu'elle devienne une « personne à part entière ». Elle ne se sert jamais du mot « séparation » et je me demande si elle comprend ce que j'entends par ce vocable ou si elle est simplement à des années-lumière d'en accepter l'idée. Au moment où nous allons nous quitter, je lui demande : « Vous ne pensez donc pas que les mères puissent avoir des problèmes en ce qui concerne leur séparation d'avec leur fille? » Elle rit nerveusement : « La première fois que vous avez dit ce mot, j'ai eu la chair de poule sur les bras... » Séparation... le mot semble si radical, si chargé d'idées de perte, d'isolement et de culpabilité que les mères préfèrent ne pas en parler.

En tant que filles, nous n'envisageons pas sereinement un acte si terrible vis-à-vis de notre mère. Nous esquivons le sujet, nous prenons le mot non pas dans son sens affectif mais d'une façon plus froide, plus pragmatique : la séparation, c'est quelque chose de si simple que, pour *nous,* elle ne pose aucun problème. « Mon Dieu! je suis séparée de ma mère depuis que j'ai quitté la maison pour m'installer à Chicago, il y a cinq ans! » me dit une jeune femme. Inutile d'affronter les remous affectifs de l'affaire. Il suffit de prendre un billet d'avion pour que le problème soit résolu.

Ce n'est pas notre problème; c'est uniquement celui de notre mère. « J'aime ma mère, m'a dit une autre jeune femme, mais elle n'a pas l'air de comprendre que je suis devenue adulte. Elle me traite encore comme si j'avais douze ans. » Elle repousse l'idée que cette attitude maternelle n'est peut-être pas tellement mal accueillie, qu'elle comporte encore des notions ambiguës de sécurité et de dépendance. Pour mieux montrer que nous avons bien dépassé le besoin de la mère, nous sommes nombreuses à dire en souriant que nous avons renversé les rôles : dans la relation, c'est la mère, maintenant, qui est l' « enfant ». *C'est ignorer le fait que le lien de dépendance est toujours là.* Ce n'est pas parce que nous nous posons en protectrices de notre mère que nous en sommes séparées. Avant que les recherches qui ont précédé ce livre m'aient fait dépasser les aspects superficiels de l'idée de séparation, je vous aurais dit que j'étais réellement et totalement séparée de ma mère. J'ai appris depuis que les liens qui me rattachent à elle imprègnent tous les aspects de ma vie de femme adulte sous des formes aussi multiples et aussi mystérieuses que peuvent le faire les liens d'amour.

« Laisser partir » est peut-être une façon plus aimable d'évoquer l'idée de séparation. L'expression implique de la générosité, qualité dont la mère a un immense besoin. Se séparer, ce n'est pas perdre une personne qu'on aime, ce n'est pas se couper d'elle. C'est accorder sa liberté à l'autre pour qu'elle puisse devenir elle-même avant qu'un lien trop étroit ne la rende rancunière, bloquée, étouffée. La séparation n'est pas la fin de l'amour. Elle crée l'amour.

Il est dur pour les femmes de « laisser partir ». Nous sommes des collectionneuses-nées. Nous vivons parmi les pièces et les morceaux du passé que nous préservons comme un trésor. Les mères gardent précieusement les objets mémorables du passé de leurs enfants, par exemple, les petits chaussons qui datent de l'époque où elles possédaient au maximum leur bébé. Des femmes adultes collectionnent des boîtes d'allumettes ou des menus qui leur rappellent certains soirs où elles se blottissaient dans les bras d'un homme, où elles se sentaient possédées; après quoi, comme mortes, elles comptaient les heures qui les séparaient du moment où un coup de téléphone les rappellerait à la vie. Une femme et un homme échangent des cartes à la Saint-Valentin; il ouvre la sienne, sourit, embrasse la femme et jette la carte dans une corbeille à papier. « Tu ne vas pas la garder! » s'écrie-t-elle. Elle a conservé toutes les cartes qu'elle a reçues depuis qu'elle avait treize ans. Mais les hommes n'ont que faire de nos collections. Leur avenir peut leur paraître incertain, mais ils sentent qu'ils ont un rôle à jouer dans son élaboration. Ils ne dépendent pas du passé. Si nous coupons nos cheveux, notre mère s'écrie : « Comme ça te change! » Ce n'est pas un compliment; elle ne rend pas hommage à nos progrès vers l'indépendance : elle a peur de notre infidélité, de ce pas vers la séparation. C'est comme si elle nous disait : « Tu me quittes! »

Quand une mère refuse de laisser grandir sa fille, elle retarde ses propres progrès. Dans une symbiose trop prolongée, les deux partenaires souffrent. A propos des différents déguisements sous lesquels la symbiose peut se cacher, le Dr Fredland parle de ce qu'on a traditionnellement appelé « la phobie de l'école ». « L'enfant ne souffre pas de phobie par rapport à l'école, dit-il. La phobie de la petite fille vient du fait qu'elle doit quitter les jupons de sa mère. » On l'a conditionnée pour qu'elle pense qu'en quittant sa mère elle se coupe de l'amour. « Je ne veux pas aller à l'école aujourd'hui, dit l'enfant. J'ai un rhume! » Ou bien : « Les autres jouent comme des brutes! » La mère, qui se sent seule, qui a aussi peur de la séparation que sa fille, prend toutes ces excuses à la lettre. En tournant le dos à la réalité, en entrant dans les fictions de sa fille, elle fait de l'enfant sa propre geôlière. « Je suis une bonne mère », dit-elle pour s'excuser de ne rien faire de sa propre vie.

La maternité est également une bonne excuse pour renoncer au sexe. La mère a trop de choses « plus importantes » à faire pour pouvoir s'occuper de ces émotions qui l'ont tentée, et également inquiétée, pendant toute sa vie. Elle cesse de se considérer comme une femme sexuelle. « C'est en général inconscient, dit l'éducatrice Jessie Potter, qui est une femme mariée de trente-quatre ans, mère de deux petites filles. La mère peut en réalité avoir été une partenaire sexuelle intéressante jusqu'à la naissance de son enfant; mais maintenant, elle est trop fatiguée, trop occupée, elle dit que ses enfants accaparent toute son attention. C'est culturellement induit, mais il en résulte que la mère enterre sa sexualité jusqu'à ce que ses enfants soient grands. Quant à la fille, elle grandit en ayant sous les yeux l'exemple d'une mère qui n'a pas de vie sexuelle. »

Et on s'étonne que l'amour physique prenne un aspect si effrayant pour les petites filles. « Si la mère cesse d'avoir une vie sexuelle, dit le Dr Fredland, elle transmet à la petite fille des ondes néfastes. Quand l'enfant posera des questions, en général vers quatre ou cinq ans, sa mère dénigrera le sujet ou communiquera sa gêne à l'enfant. La petite fille ne tardera pas à penser que ses propres sensations et ses fantasmes sexuels sont quelque chose de mauvais. »

Personne ne connaît aussi bien une mère que sa fille. La mère dit que le sexe est quelque chose de merveilleux. Si ses paroles prennent une certaine direction et la musique une autre, c'est la musique que sa fille écoutera. « Il est extrêmement important, dit Wardell Pomeroy, que la petite fille de cinq ans puisse se rendre compte qu'il se passe quelque chose de très chaleureux, de très particulier entre sa mère et son père. Certaines études montrent que les plaintes des adolescents portent principalement non pas sur le refus d'informations sexuelles techniques de la part de leurs parents, mais du fait qu'ils n'ont jamais eu l'image d'une affection physique entre le père et la mère. » D'après l'image que s'en fait la petite fille, le sexe n'est pas quelque chose vers quoi tend la croissance, une expérience souhaitable, mais quelque chose de redoutable.

Quand la désapprobation tacite et menaçante de la mère enveloppe de couleurs sombres la sexualité naissante de la fille, cette peur commence à s'érotiser sous des formes particulières, comme le masochisme, l'attrait de l'homme brutal, les fantasmes de viol... le frisson de tout ce qui est le plus interdit. Mais ce n'est pas le violeur, ce n'est pas l'homme qui s'enfuit après nous avoir engrossées que nous redoutons (contrairement à ce que nous pouvons dire quand nous nous efforçons de donner corps à nos fantasmes d'angoisse). En réalité, nous pouvons apprendre à nous protéger contre les hommes de cette trempe; mais même après des années de psychanalyse, les praticiens constatent que les femmes ne peuvent pas ou n'osent pas mentionner la racine réelle de leur angoisse sexuelle. Nommer la mère serait faire face à notre colère contre elle et ce serait la perdre, elle qui la première a installé l'angoisse en nous.

L'apparition de notre sexualité réveille chez la mère tout l'orgueil qu'elle a pu éprouver pour son corps, pour son sexe, mais, en même temps toute la honte, tous les sentiments de culpabilité, toutes les angoisses, le dégoût pour une chose considérée comme sale et que l'on repousse. Devenues des femmes adultes, nous nous demandons pourquoi, au lieu d'attirer la main ou la bouche de notre partenaire vers notre sexe nous avons un réflexe instantané de rigidité quand il nous caresse. Nous désirons, nous voulons jouir de notre vie sexuelle, notre esprit nous dit que nous sommes libres de le faire. Nous fouillons sans relâche nos angoisses et nous nous interrogeons : notre inhibition vient-elle de nous ou de lui? Ou de notre système social qui favorise la guerre des sexes? En réalité, on ne peut être sexuel à l'égard d'une autre personne que si on s'accepte soi-même. Ce n'est pas l'autre qui fait de vous un être sexuel. Souvent, avec les meilleures intentions du monde — pour nous protéger — la mère nie notre sexualité, chargeant ainsi le sexe d'une angoisse qui nous pousse à nous accrocher encore davantage à elle. Nous recevons le message tacite : nous ne pouvons trouver notre sécurité que dans une association, une fusion, un mariage semblables à ce qu'elle a elle-même vécu. Masochisme? Viol? Comme tout ce qui est sexuel, ces idées se tiennent beaucoup plus entre nos oreilles qu'entre nos jambes.

« Quand je regarde ma fille, m'a dit la mère de jumeaux de cinq ans, un garçon et une fille, je ressens toutes les peurs, toutes les angoisses qui m'ont hanté toute ma vie. Je traite mon fils comme je le ferais avec un homme et ma fille comme je le ferais avec une femme. Non... comme je me traiterais moi-même. Je suis consciente d'agir ainsi, et je le suis depuis sa naissance. Par exemple, je laisse mon fils aller tout seul à la boutique du coin, mais je n'accorderais pas une seconde de confiance à ma fille. Elle se perdrait, ou elle oublierait ce que je lui ai demandé d'acheter. Je les traite de cette façon en toutes choses, tout en sachant très bien que je projette mes propres angoisses sur ma fille. » Élever une fille pour qu'elle devienne une personne autonome, nantie de son identité sexuelle, est une tâche pour laquelle très peu de femmes sont équipées parce qu'elles n'ont jamais réussi à s'affirmer de cette façon dans leur propre vie. C'est pourquoi les problèmes mère-fille n'en finissent jamais. Quand un homme dit : « Ça, c'est une vraie femme! » toutes celles qui l'entendent se demandent ce que peut bien être une « vraie » femme.

MA MÈRE, MON MIROIR

La sexualité est l'une des principales forces qui nous permettent de forger notre identité. A quatre, cinq, six ans, les enfants traversent une grande période de poussée sexuelle et de besoin de séparation. « Mais quand je le tiens dans mes bras, c'est pratiquement un bébé! » s'écrie le chœur des mères. Il y a une certaine logique inconsciente chez les adultes qui refusent d'admettre le contenu sexuel de ces années œdipiennes; nous savons intuitivement que sans séparation il ne peut y avoir de véritable sexualité.

« Une sorte de programmation innée, dit le Dr Aaron Esman, amène l'enfant, vers cinq ou six ans, à une polarisation sexuelle. Les petits garçons disent qu'ils veulent épouser leur mère. Les petites filles deviennent extrêmement féminines et aguichantes vis-à-vis de leur père. Mais la mère, tout en se rendant compte de l' " aventure romanesque " que vit son fils avec elle et tout en en tirant même un certain plaisir, niera le flirt évident qui rapproche la petite fille de son père. Ce refus peut prendre diverses formes. " Arrête d'embêter papa! " D'autres mères s'esquivent. Elles feignent d'ignorer ce que fait la petite fille quand elle parade toute nue devant papa, quand elle danse pour lui ou quand elle prend devant lui des attitudes de séduction qu'elle a observées à la télé ou qu'elle copie tout simplement sur maman. »

Cet intérêt précoce pour le papa est une répétition puérile mais très significative; c'est une attitude réservée au seul homme qui nous aime assez pour applaudir la petite personne que nous devenons. A ce stade, c'est tout ce que nous désirons; nous pouvons nous comporter comme si nous voulions vraiment le prendre à maman, mais nous nous contentons avec plaisir de son sourire, de son baiser affectueux, de tous ces signes réconfortants qui nous prouvent que nous ne sommes pas loin d'être la plus mignonne petite fille qu'il ait jamais vue. Mais s'il ignore notre joyeuse danse des sept voiles, ou si, ce qui est pire, il nous écarte d'un air gêné, la répétition cesse prématurément. Le rideau ne se lèvera jamais sur le vrai spectacle. Une personnalité craintive, froide, est en train de naître. « Les femmes de ce type se marient souvent de bonne heure, dit le Dr Sanger. Ayant été, en pleine période œdipienne, repoussées par leur père, elles ont peur de prendre des risques. Elles épousent le premier prétendant venu. »

Il est important, quand vient la puberté, que la petite fille sente qu'elle dispose d'une certaine intimité qui lui est accordée par sa mère. Elle a besoin d'une place psychique bien à elle pour se familiariser avec les désirs tumultueux, les fantasmes, les angoisses et les signaux physiques inhabituels qu'elle sent s'accumuler en elle. Elle veut pouvoir sentir qu'elle peut mettre une porte entre sa mère et elle, mais en même temps elle a le désir apparemment contradictoire de savoir que, de l'autre côté de la porte, sa mère l'approuve. Pour le moment, elle ne veut pas avoir avec sa mère une conversation qui entrerait dans les détails. Elle ne voit pas encore assez clair dans ses sentiments. S'ils étaient exprimés par des mots, ils deviendraient trop réels, trop concrets, trop menaçants. C'est pourquoi les filles « oublient » si souvent les réponses qu'on a pu fournir à leurs questions d'ordre sexuel.

La petite fille veut sentir que sa mère reconnaît et approuve tous les signes de sexualité qu'elle peut manifester. Si elle peut réagir sans sentiment de culpabilité à sa propre expérience, à sa vie, à son corps, elle peut apprendre à accepter avec plaisir et avec fierté son moi sexuel. Mais la fille qui demeure liée symbiotiquement recueille la peur ou le dégoût du sexe éprouvés par sa mère. Elle appréhende de prendre plaisir à ces nouvelles sensations; elle se marquerait comme *différente* de sa mère, elle se séparerait de la seule source d'amour sur laquelle, lui a-t-on appris, elle peut compter.

Par peur de perdre leur mère en ayant l'air de préférer exprimer les sentiments nouveaux et bourgeonnants qu'elles éprouvent pour leur papa, bien des petites filles ignorent ce dernier. Même s'il n'y a pas d'homme à la maison — la mère peut être veuve ou divorcée — l'enfant a encore mille et une façons de reconnaître et d'accepter sa sexualité. Si la mère la nie ou lui donne d'autres noms, la petite fille fait marche arrière. Un pacte est signé : « Nous sommes deux, toi et moi, contre le monde entier, maman chérie! »

C'est tout à l'honneur de l'esprit humain que, malgré toutes nos appréhensions, nous ne renoncions pas au sexe. Tout se passe comme si la nature, connaissant toute la séduction et toute la puissance de la symbiose, avait créé dans le sexe une force antagoniste encore plus puissante.

A quatre mois, nous savions déjà que nous pouvions nous procurer une sensation merveilleuse en nous caressant entre les jambes. Si la maman, en changeant les couches de son bébé, touche par mégarde ses organes génitaux, le petit enfant, quel que soit son sexe, éprouve du plaisir. La petite main se dirige tout naturellement vers la source de ce plaisir; et la mère, automatiquement, écarte la menotte. C'est ce qu'elle fait, que l'enfant soit de sexe masculin ou féminin, mais la façon dont elle le fait — et derrière son geste il y a des sentiments profonds et sans doute inconscients — sera déjà différente suivant le sexe de l'enfant.

Quatre ans plus tard, l'éveil sexuel de son fils pourra l'inquiéter ou l'effrayer, mais, après tout, que sait-elle de la sexualité masculine? Elle répugne à se mêler de ces problèmes masculins, craint peut-être de provoquer des inhibitions dont il souffrira quand il sera adulte. Elle peut même, sans se l'avouer, être très émue par cette apparition d'un homme qui, tout en étant si différent d'elle, n'en est pas moins le fruit de son propre corps. Dans son hésitation, elle donne à son fils de l'espace. Tout cela est ressenti inconsciemment par le petit garçon et ne peut que l'aider précocement à étayer son orgueil d'appartenir au sexe masculin.

Elle hésite beaucoup moins à transmettre ses sentiments à sa fille. Sans que notre mère ait prononcé un seul mot, nous savons déjà, à quatre ans, que si nous nous touchons, nous déclenchons sa colère. « Que de fois j'ai entendu des femmes s'exclamer : " Mais non, je ne me suis jamais masturbée! " dit le Dr Fredland. L'expérience clinique nous apprend qu'une pulsion naturelle incite l'enfant à se masturber. Alors, je leur demande : " Vous rappelez-vous pourquoi vous ne le faisiez pas? Vous l'interdisait-on? Étiez-vous menacée de punition si vous le faisiez? " La réponse unanime était : " Oh non! On ne m'a jamais rien dit! " »

« Il est évident qu'on leur a dit quelque chose, dit le Dr Fredland, mais tout a été refoulé. C'était peut-être quelque chose d'anodin, du genre : " On ne fait pas ça quand on est une petite fille comme il faut! " Mais cela suffit, si l'enfant a peur de perdre l'amour de sa mère, pour qu'elle se sente humiliée, effrayée. »

Au cours d'une réunion de parents d'élèves et de professeurs, j'ai entendu l'histoire suivante : une mère présente son petit garçon à un pédiatre. Le bébé n'a que six ou sept mois et la mère le tient sur ses genoux. Comme l'enfant commence à jouer avec son pénis, la maman prend sa main et la garde dans la sienne jusqu'à la fin de la consultation. Alors, le docteur dit : « Et que faites-vous quand votre bébé joue avec ses parties génitales? » La mère le regarde droit dans les yeux et dit : « C'est quelque chose que mon enfant ne fait jamais, docteur! » En entendant cette anecdote, toutes les mères qui assistaient à la réunion eurent un rire nerveux. Leurs propres enfants avaient entre cinq et huit ans. Elles essaient timidement de discuter des problèmes de masturbation qu'elles ont pu avoir avec leurs fils. *Il n'a jamais été question de leurs filles.*

« Ce que la mère attend de son fils est très différent de ce qu'elle attend de sa fille, m'a dit le professeur qui dirigeait la réunion. Il est convenu que la petite fille doit être plus propre, plus sage, qu'elle doit avoir plus de tenue et mieux travailler à l'école. Elle est " respectable " par définition, et une petite fille respectable ne se masturbe pas! Les mères de ces petites filles prennent leurs désirs pour des réalités. »

Les petites filles peuvent être très sournoises en ce qui concerne la masturbation. Nous apprenons d'ailleurs très vite à être hypocrites pour tout ce qui est sexuel. La fillette peut, par exemple, remuer avec un mouvement de va-et-vient sur son fauteuil en regardant la télé et se masturber ainsi sous le nez de tout le monde. Quand elle est arrivée à ses fins, c'est un vrai petit triomphe. Sa sexualité apparaît comme si peu importante que personne ne se méfie d'elle. Le problème, tout comme notre anatomie, est bien caché en nous. La répression achève ce que la nature a commencé en dissimulant si bien notre clitoris que beaucoup de femmes ne parviennent jamais à le découvrir!

« Qu'elles se masturbent ou non, dit le Dr Schaefer, toutes les femmes que j'ai approchées au cours de mon enquête sur les femmes et la sexualité étaient angoissées par le sujet. Certaines d'entre elles ont reconnu qu'elles se masturbaient sans savoir que c'était bel et bien ce qu'elles faisaient. Dès qu'elles ont mis le mot en relation avec leur action, elles ont cessé de le faire [1]. »

D'où vient ce sentiment de culpabilité? Nous ne l'avions certainement pas en nous en naissant. Il est le résultat d'une introjection, l'identification avec la mère (ou le père) répressive que nous ne pouvons pas nous permettre de laisser en plan, de détester; nous ne pouvons pas hasarder de nous mettre en colère contre elle. Nous risquerions de la perdre. Au lieu de cela, nous introjetons la mère répressive et nous la portons en nous, sous la forme de ses impératifs répressifs, pendant tout le reste de notre vie. Nous retournons contre nous la colère qu'elle nous inspire. Ce n'est plus elle qui nous frustre pour ceci, qui nous dit non pour cela. Nous nous l'infligeons nous-mêmes, et si nous enfreignons n'importe laquelle de ses règles, même si elle n'en sait rien, notre conscience, qui s'affiche rigoureuse, nous punit à sa place par un sentiment de culpabilité.

La mère d'une petite fille de six ans m'a dit un jour combien elle était résolue à élever sa fille à l'abri de ces sentiments de culpabilité si caractéristiques des femmes. « Le pouvoir que j'ai sur ma fille, me dit-elle, m'effraye littéralement. » Quelques heures plus tard, elle m'apprenait que, pendant l'été précédent, elle avait hébergé l'une des petites camarades de sa fille. Vers minuit, elle alla dans la chambre des enfants pour voir si tout allait bien. « Je les ai trouvées toutes les deux sous les couvertures sans pantalon de pyjama. J'étais trop fatiguée, trop irritée pour réagir conformément à ce que nous apprennent les livres. Je leur ai dit : " Puisque c'est comme ça, enfilez vos pantalons de pyjama et que chacune aille dans son lit. " Je les ai mises à dormir dans des chambres différentes sans leur dire qu'elles avaient fait quelque chose de mal. Mais depuis, chaque fois que j'appelle ma fille, elle sort de sa chambre en courant, avec un air effrayé, coupable, comme si elle *savait* que j'allais la sermonner. Je ne peux pas m'empêcher de pleurer chaque fois que je me dis que c'est cela qu'elle pense de moi. »

1. Leah Schaefer a terminé son doctorat en 1964 à l'université Columbia. Sa thèse est intitulée : *Expériences et réactions sexuelles d'un groupe de trente femmes, telles qu'elles ont été relatées à une psychothérapeute.* Cette enquête a servi de base à son livre, *Women and Sex,* éd. Pantheon, 1973.

MA MÈRE, MON MIROIR

Dans son esprit, cette mère n'a jamais dit à sa fille quoi que ce soit qui puisse lui donner un sentiment de culpabilité à l'égard du sexe. Elle n'a jamais dit qu'il s'agissait de quelque chose de répréhensible. Mais la petite fille a très bien capté le message affectif inconsciemment lancé par la mère et qui remplit l'enfant de peur et la fait sortir de sa chambre avec un air coupable, comme si la mère pouvait savoir ce qu'elle y faisait. Évidemment, la mère n'en sait rien. « Mais la petite fille a introjecté sa mère restrictive, explique le Dr Robertiello. La mère antisexuelle est là, dans la chambre, dans la conscience de l'enfant; elle sait donc ce que la petite fille est en train de faire ou se propose de faire. Cette mère en a peut-être voulu à *sa propre mère* d'avoir été sexuellement répressive. Au lieu d'exprimer ouvertement sa colère, elle a intériorisé sa mère répressive, elle en a fait une partie intégrante de son conscient. Maintenant elle répète le même modèle vis-à-vis de sa propre fille. » D'après les réactions empreintes de culpabilité de la fille, alors qu'en réalité personne ne pouvait savoir ce qu'elle faisait ou pensait dans sa chambre, il est évident que cette enfant a docilement introjecté, elle aussi, le sentiment de culpabilité de sa mère. Quand elle sera adulte, peut-on douter qu'elle le transmettra à son tour à sa propre fille?

« Le tabou qui interdit de regarder et de toucher son sexe, dit le Dr Schaefer, est directement associé au tabou de la masturbation, de l'autosatisfaction. On apprend aux filles que le plaisir pour le seul plaisir est mauvais en soi. Quand on se masturbe, on ne peut pas enjoliver ce qu'on est en train de faire en se disant qu'on aime éperdument quelqu'un, ou qu'on le fait parce qu'on veut être une bonne épouse, une bonne mère. Il faut affronter la réalité : on le fait pour soi-même, sans autre but que son propre plaisir. La plupart des gens sont incapables de voir en face cette réalité. Vous ne me croirez pas si je vous dis que j'ai attendu d'avoir vingt-sept ans pour savoir que les femmes *pouvaient* se masturber! »

Comme le sexe, maintenant, est affiché, et abondamment discuté, on tend à supposer que « tout est différent ». Nous embrouillons nos attitudes libérales toutes neuves et nos sentiments les plus profonds et souvent inconscients. Des enquêtes, sur le plan national, indiquent que les gens, aujourd'hui, ont des opinions sexuelles beaucoup plus libérales qu'autrefois. Libérales vis-à-vis des *autres*. « J'ai appris quelque chose de très intéressant, dit le Dr Schaefer; c'est que les attitudes sexuelles des gens en dehors de la famille sont différentes de ce qu'ils pensent de la sexualité dans leur cadre familial. »

Une mère peut lire un livre ayant trait à la sexualité et fort bien accepter intellectuellement la masturbation, mais si sa petite fille se boucle dans sa chambre, elle est au supplice à l'idée de ce qui peut se passer derrière la porte. On peut très bien assister avec attendrissement à l'éclosion, dans un film, d'un grand roman d'amour entre deux personnes âgées, mais s'il s'agit de sa propre mère, qui a soixante-quinze ans, on est effaré : « Vous vous rendez compte, à son âge! » Les gens n'ont pas forcément conscience d'avoir ces deux catégories d'attitudes.

Les mères sont étrangement persuadées que si elles ne nous apprennent pas telle ou telle chose, nous ne les saurons jamais, qu'elles sont notre unique source de savoir. Le prolongement de cette façon sclérosante et symbiotique de penser est l'hypothèse de la femme adulte qui estime que *ses* sentiments de honte et de gêne sont également ressentis par l'enfant. Ce qui était prévu se réalise automatiquement : la fille qui se dresse contre sa mère en faisant ce qui est interdit n'échappe pas aux sentiments d'angoisse de sa mère. Actuellement, quand je me masturbe, mes fantasmes tournent autour de l'attrait du fruit défendu... je vais être prise sur le fait; cette angoisse, ma mère ne l'a jamais exprimée à haute voix. Des psychiatres m'ont dit que les femmes, quand elles se masturbent, ont presque toutes le même fantasme : elles imaginent que leur mère va les surprendre.

Les découvertes autosexuelles sont les seules à ne pas être applaudies pendant la petite enfance et l'enfance. Le jour où le bébé mange pour la première fois avec une cuiller, tout le monde s'exclame : « N'est-ce pas merveilleux? Elle est formidable! Vite, allons chercher l'appareil photo! » Mais le jour où la petite fille découvre qu'elle a un vagin, personne ne dit : « Elle est en avance de six mois! Comme elle est précoce, notre petite chérie! »

Au cours de ses recherches, le Dr Leah Schaefer a constaté que les mères qui se masturbent, qui y prennent plaisir et qui, disent-elles, espèrent que leur fille les imitera (des femmes sexuellement orientées, souvent des universitaires), sont elles-mêmes incapables d'aborder le sujet avec leur fille. « Comment pourrait-on parler d'une chose pareille à une enfant! » disent-elles. Et le Dr Schaefer, qui a une petite fille de treize ans, leur demande : « Et pourquoi pas? » Tout se passe comme s'il existait deux sortes de vérités : une pour les adultes, l'autre pour les enfants.

« Selon une théorie qui était très en vogue chez les psychanalystes, dit le Dr Sanger, les pulsions sexuelles de l'enfant disparaissent pendant la période de latence (entre huit et dix ans) pour réapparaître pendant l'adolescence. Au cours des vingt dernières années, nous avons été amenés à penser que les pulsions sexuelles continuent à croître sans interruption. Ce qui se passe, c'est que la petite fille, quand elle arrive à sept ou huit ans, s'est assez socialisée pour apprendre à faire taire sa sexualité, à en avoir peur et pour la cacher à sa mère, afin d'éviter de la bouleverser. »

Pour avoir une chance de devenir une femme épanouie, nous devons combattre la personne qui est la plus proche de nous. Le brin d'herbe sait faire son chemin à travers le ciment pour atteindre le soleil. Nous devons nous aussi compter sur une énergie aveugle, non apprise. Mais même si nous réussissons à devenir enfin des femmes sexuelles, combien d'entre nous sortent infirmes de la lutte!

Quand on apprend à une petite fille à ne pas se toucher, on la rend passive, on la prépare à être une femme qui attendra des autres qu'ils l'éveillent sexuellement et, aussi, qu'ils la prennent en charge. En nous laissant ignorantes (on dit plutôt « innocentes ») on nous empêche d'apprendre à être responsables de notre sexualité. Nous nous opposons à une compréhension intelligente de la réalité de notre corps, notre vagin reste une chose innommable. Nous n'utilisons pas de contraceptifs et nous devenons enceintes. Nous apprenons à tricher avec nous-mêmes bien avant que cette attitude devienne la règle avec les hommes : nous leur disons « non » quand nous pensons « oui », nous feignons d'éprouver des choses que nous ne ressentons pas, nous simulons l'orgasme, nous jouons avec nos nerfs et avec les leurs, non pas parce que nous ne voulons pas, mais parce que nous ne savons pas que c'est ce que nous voulons.

Quand notre gorge nous démange, la chose la plus naturelle du monde est d'avaler un verre d'eau. Quand un petit garçon est sexuellement excité — même s'il n'est pas vraiment conscient de ce qui se passe — son corps lui envoie un message tout aussi réel qu'un gratouillement de gorge : il a une érection. Et ainsi, l'excitation sexuelle se présente à lui comme tout à fait « naturelle ». Il n'y est pour rien. C'est arrivé malgré lui. Il fait les gestes qui satisferont ce nouveau désir dont son corps l'a informé.

L'anatomie de la fille jeune ne lui dit pas qu'elle a une vie sexuelle. Quand elle lit un livre, quand elle a un fantasme, quand elle voit un film excitant ou la photo d'un homme nu, aucun signal physique ne lui permet de relier ses sentiments confus à la vie de son corps. « Comme c'est romantique! » dit-elle, à défaut d'autres mots et d'un signe manifeste de son désir; elle met ce qui se passe en sécurité dans un coin de son esprit, à l'abri de son corps qu'elle a appris à ne jamais toucher.

L'idée qu'elle pourrait se stimuler, donner une expression physique à ses sentiments intimes est beaucoup trop dangereuse. Maman ne ferait jamais une chose pareille! Le sexe ne devient pas l'expression « naturelle » de la vie de son corps mais se place sous la dépendance de sa volonté. Si elle veut relier ce qui se passe dans sa tête à sa sexualité, elle doit accomplir l'action, surmonter la sécurité qu'elle trouve dans la passivité, prendre ses responsabilités, renoncer à l'excuse puérile : « C'est pas ma faute, j'ai rien fait! » Ce serait trop nous demander. Au lieu d'agir, nous bâtissons des fantasmes lourds de désir. Ils expriment ce que nous attendons des hommes et ce que, à notre idée, ils attendent de nous;

l'érotisme est si étroitement relié à ce qui est interdit que le sexe, la peur et le besoin de protection s'entremêlent et se fondent entre eux.

Pendant l'adolescence, quand la sexualité à deux (le coït) entre dans notre vie, le tableau devient plus embrouillé que jamais. L'éducation des hommes les met à l'abri de nos angoisses. Le sexe, pour eux, n'est pas relié à l'idée de la perte de la mère. Quand nous sommes dans les bras d'un garçon, il n'éprouve pas le besoin de s'interrompre. C'est nous qui nous croyons obligées de mettre le frein, non seulement pour nous-mêmes, mais aussi pour lui. Nous en sommes là : d'un côté les garçons, applaudis pour leur audace sexuelle ; de l'autre les jeunes filles, toutes pleines des fadaises romantiques apprises dans les magazines et dans les films et qui valent « mieux », qui sont plus délicates (et certainement plus acceptables pour la mère), nous a-t-on dit que tout acte sexuel.

Si nous avions appris l'ABC de la masturbation avant que les garçons ne surviennent dans nos vies, nous aurions pu explorer notre sexualité et nos fantasmes et nous habituer à ce nouvel univers érotique. Nous aurions pu apprendre que les hommes peuvent nous apporter bien des choses, certaines d'ordre sexuel, d'autres romantiques, d'autres encore affec-tueuses, amicales, etc. Nous aurions pu apprendre à faire confiance à nos sentiments et à nous laisser guider par eux en sachant, tantôt que c'est du sexe que nous voulons (faire l'amour), tantôt que c'est le réconfort de l'amour-sentiment (être dans ses bras). Il y a une différence entre l'amour et le sexe ; quand ils sont mélangés, c'est merveilleux, mais ce n'est pas indispensable. On peut avoir l'un sans l'autre, et en tirer du plaisir.

Notre maîtrise de la réalité, de nos sentiments, de notre identité sexuelle est loin d'être renforcée par l'ambiguïté du langage codé qu'on nous a appris à utiliser quand il est question de sexe ou de sentiments. Notre vie échappe à notre pouvoir si nous ne sommes pas capables d'appeler les choses par leur nom. (Rien d'étonnant à ce que nous ayons été si longtemps le sexe silencieux.) Si vous ne pouvez pas appeler un vagin « vagin », c'est que votre corps vous pose des problèmes. Dans la Bible, la menstruation est considérée comme une « malédiction » ; la passivité est vantée comme qualité féminine, alors que l'autonomie est masculine ; la compétition, la possessivité et la colère sont tenues pour des signes d'amour et le plaisir charnel se dit « fleur bleue ». Et nous nous étonnons d'avoir été incapables de répondre à la question de Freud : « Que veulent les femmes ? »

Nous demandons à maman : « Je peux sortir ? », « Non », dit-elle. Et elle nous fait sentir que c'est pour notre bien, alors qu'en réalité elle nous empêche de sortir parce qu'elle se sent seule, qu'elle a peur ou qu'elle est furieuse contre papa. Il est plus facile de dire « non » que de dire « oui ».

MA MÈRE, MON MIROIR

Quand elle nous dit qu'il ne faut pas prononcer certains mots qui ne sont pas « convenables », nous lui disons : « Pourquoi? » Si elle nous dit ce qu'elle veut nous faire croire au lieu d'exprimer ce qu'elle ressent réellement, nous apprenons nous aussi à nous exprimer par sous-entendus. « Arrête! », disons-nous au garçon qui commence à nous caresser. Nous voulons dire : « Continue! », mais il est supposé agir contre notre volonté, malgré nous, et nous lui retirons notre confiance s'il ne comprend rien à notre message.

« Une dame comme il faut ne parle pas d'argent », dit maman. « Alors, pourquoi tu en parles? » a envie de répondre une partie de nous; mais l'autre partie, qui est attachée à la mère, refoule tout indice qui pourrait laisser croire que l'argent nous intéresse. Nous nous déformons l'esprit pour lui plaire. A partir de là, il n'y a qu'un pas à faire pour tromper les autres. Ces confusions de langage, ces contradictions dues aux angoisses de la mère nous font hésiter à prendre pied dans une réalité autre que la sienne. « Mais *pourquoi* m'aimes-tu? », demandons-nous quand nous sommes petites. Nous avons besoin d'une réponse précise qui nous aidera à savoir qui nous sommes. Voici ce que dit à ce propos Leah Schaefer : « Quand une bouffée de tendresse me fait dire à ma fille : " Katie, il faut que je te dise que je t'aime! ", elle me demande toujours pourquoi, comme elle me demanderait pourquoi je suis fâchée. Je ne pense pas qu'il suffise de dire : " Je t'aime parce que tu es ma fille. " Cela signifierait : " Personne ne peut t'aimer, sauf ta mère. " Mais si je lui dis que je l'aime parce qu'elle est pleine de vie, parce qu'il est très agréable d'être avec elle, ou parce que nous avons passé un après-midi merveilleux, alors, *elle sait*. Elle y gagne une sorte de puissance. Elle sait qu'elle peut être tout cela pour quelqu'un d'autre, elle sait qu'elle peut s'attirer l'amour des autres... Elle est une personne tout à fait capable d'être aimée, et pas seulement parce qu'elle est ma fille. Je ne me souviens pas d'avoir demandé à ma propre mère pourquoi elle m'aimait, ni pourquoi elle était en colère. Son amour était comme un don mystérieux qu'elle pouvait m'accorder ou me retirer. »

Pour nous protéger des dangers réels et de ceux, imaginaires, qu'elle redoute encore davantage, la mère nous fait comprendre clairement qu'elle sait tout. « Ce qui est effrayant, m'a dit une mère, c'est que tout semble échapper à notre contrôle. Il y a toujours cette angoisse : est-ce que je serai ou ne serai pas à la hauteur? » Comme elle ne peut pas contrôler le monde de telle sorte qu'il n'arrive rien de fâcheux à sa petite fille, la mère manipule l'enfant pour la placer dans le seul endroit sûr qu'elle connaisse : la fausse sécurité de la symbiose. L'enfant fait un pari : si je reste près de maman, si je l'écoute bien, si je fais ce qu'elle dit, elle m'aimera toujours. C'est un pari très séduisant, parce que l'amour de notre mère est ce que nous désirons le plus au monde. Mais cela va plus loin que l'amour, plus loin que le besoin de nous contrôler : c'est de la manipulation.

« Dès le début, dit le Dr Sanger, les mères apprennent à leur fille à se laisser conduire, à être de bonnes cavalières. Elles lui disent : " Je sais quel genre de fille je veux que tu sois. Je vais te montrer : laisse aller tes bras, c'est moi qui vais les bouger. " Comme une marionnette au bout de sa ficelle. La mère se croit autorisée à manipuler sa fille parce que, elle, la mère, est une femme. Elle sait s'y prendre. Elle est experte en femmes. La fille n'a qu'à exécuter ce qu'elle lui dit de faire. Plus tard, devenue adulte, la fille se tourne vers un homme et lui dit : " Maintenant, remue mes bras, dis-moi ce que je dois faire, comment je dois être. " Par transfert, elle attend des hommes ce qu'elle a attendu de sa mère qui entendait lui donner toute la règle du jeu.

« Quelle ironie! dit encore le Dr Sanger. Une femme demande à un homme ce qu'elle doit faire pour être femme et, après le mariage, elle lui reproche d'en avoir été incapable. Cela peut expliquer le pouvoir d'attraction des hommes mûrs qui peuvent être de meilleurs instructeurs ou qui peuvent tout au moins favoriser l'enfant qui sommeille dans la femme. S'il ne réussit pas à faire en sorte qu'elle se sente femme, avec lui, du moins, elle aura l'impression d'être une enfant chouchoutée. »

L'amour manipulateur de la mère ne nous fournit pas la sécurité dont nous avons besoin. Il entretient notre angoisse et refoule le véritable moi dans des profondeurs sombres et secrètes. Si la mère connaissait notre « moi secret », nos fantasmes, nos désirs et toutes les choses que nous faisons ou auxquelles nous pensons derrière son dos, elle ne nous aimerait plus. On peut déduire de tout cela une leçon pleine d'ironie : pour garder l'amour de la mère, nous apprenons à la manipuler.

Cette leçon reste valable pendant toute notre vie. Grâce à la manipulation, nous pouvons faire notre chemin, vaincre notre mère, garder nos amis, obtenir un travail, séduire les hommes. Mais nous ne sommes pas sûres du lendemain. La victoire ne nous renforce pas. Dans cette robe noire collante que nous avons enfilée, sommes-nous vraiment la vamp qui, nous a-t-on dit, est le type de femme qu'il préfère? Que se passera-t-il demain quand il aura découvert que ce n'est pas vraiment nous? Pour le retenir un peu plus longtemps, jouerons-nous la pauvre petite chose fragile qui a besoin d'être dorlotée? Et s'il nous voit sans nos faux cils, sans notre chignon postiche, sans notre soutien-gorge... allons-nous nous déshabiller dans l'obscurité? Nous ignorons pourquoi il nous aime parce que nous n'avons pas la moindre idée de ce que nous sommes.

Nous le manipulons pour le garder tout en nous sentant pour le moins coupables, persuadées que nous mourrons s'il nous abandonne. De même notre mère nous a persuadées qu'elle mourrait si nous la quittions. Si, finalement, il s'en va pour de bon, nous souffrons, mais nous ne sommes pas étonnées : sachant que nous l'avons trompé, dupé, en lui faisant aimer une personne que nous n'étions pas, comment pouvions-nous croire que son amour durerait?

Parfois, aux grandes crises de notre vie, quand ces méthodes manipulatrices destinées à nous procurer ce que voulions n'ont pas fonctionné, nous nous retournons vers notre mère, en colère, les larmes aux yeux. « Ma fille s'est mise brusquement à déballer toutes ces histoires du passé, s'exclame une mère. La dernière fois que nous nous sommes vues, elle m'a pratiquement mise en accusation : " Pourquoi es-tu partie pour l'Europe avec papa quand j'avais quatre ans? " Vous vous rendez compte! Quand on pense qu'elle a trente-huit ans! »

Il nous arrive de faire des retours en arrière qui couvrent des milliers de kilomètres et toute une vie de séparation physique. « J'ai téléphoné hier soir à ma mère, dans le Wisconsin », me raconte une femme qui a trois filles. Nous sommes installées à la terrasse d'un restaurant, dans le sud de la Floride. Je demande, étonnée : « Pourquoi l'avez-vous appelée ? » Cette femme m'avait dit et répété qu'elle ne s'était jamais bien entendue avec sa mère. Elle avait perdu sa virginité à quatorze ans et, à partir de là, était bien décidée à aller le plus loin possible. « Parce que... commence cette femme de cinquante-trois ans qui s'enorgueillit d'avoir " baisé " — alors que sa mère n'avait eu que des " rapports sexuels " — parce que je voulais qu'elle me dise ce que signifient toutes ces histoires qu'on fait autour de cette sacrée féminité! »

Bien que ces retours à la mère soient souvent désastreux, la pulsion qui les inspire a quelque chose de très logique. Pour pouvoir comprendre les angoisses qui empoisonnent aujourd'hui notre vie, nous devons découvrir à quel moment de notre enfance elles ont commencé à nous assaillir. Il nous faut faire la part de nos peurs réelles et de celles qui ne sont que le prolongement de l'angoisse lointaine qu'éprouvait la mère pour sa petite fille si vulnérable.

Au début, la mère ne peut que trembler pour son enfant. La petite fille est une projection d'elle-même et elle l'aime autant qu'elle s'aime. Et elle voit dans sa fille ses propres appréhensions, comme à la loupe. Il s'ensuit que la qualité de la protection maternelle sera déterminée par la valeur qu'elle accorde à ce qu'elle protège. En fin de compte, pour toutes les femmes, c'est la sexualité.

Nous débouchons ici sur un paradoxe. On nous a élevées dans l'idée que le sexe est quelque chose de mauvais, dangereux et sale, mais aussi qu'il est notre valeur d'échange la plus importante. Nous protégeons ce que nous avons entre les jambes mais en gardant nos distances : c'est quelque chose que nous n'aimons pas; nous n'avons pas de mot tendre, facile à employer, pour en parler. Et pourtant « tout » dépend de cette chose. C'est un joyau mystérieux, empoisonné, mais le grand jeu a commencé : nous devons faire croire aux hommes qu'il s'agit du calice en or de la vie. Pour rien au monde nous n'y porterions la main, mais nous devons faire croire à l'homme que, pour le posséder, il ne doit pas hésiter à laisser tomber les autres femmes et à se tuer de travail toute sa vie pour nous entretenir. Nous offrons notre sexe, mais sous toutes réserves. C'est de la manipulation, encore et toujours.

Nous offrons notre corps à un homme à condition qu'il nous épouse; ensuite, nous nous sentons déroutées parce que, maintenant qu'il est « à nous », la sexualité nous intéresse moins. Ce que nous voulions depuis toujours, ce n'était pas le sexe, mais l'intimité. *Notre mère nous récompensait par un maximum d'amour symbiotique quand nous ignorions notre sexualité.* Le sexe, malgré ses plaisirs infinis, devient simplement le moyen d'en venir à nos fins; rien n'est plus doux que la symbiose. Devenues adultes, nous constatons qu'à force de nous manipuler nous-mêmes nous nous sommes dégagées de notre propre sexualité.

Pendant les années œdipiennes, en dehors de l'éveil de l'identité sexuelle, la personnalité s'affirme de plus en plus dans toutes les directions; la séparation et l'individualisation font de grands progrès. Nous voulons nous renseigner sur la sexualité, savoir d'où viennent les bébés, mais nous voulons aussi explorer le monde en général. L'exhibitionnisme et les effets de charme d'une petite fille de quatre ans sont aussi bien un moyen de s'affirmer — « Me voici! », dit-elle au monde — qu'un clin d'œil adressé à papa.

La mère, qui est elle-même surmenée, angoissée, craintive, estime que sa fille a trop de vie, qu'elle manque de prudence. La vitalité est considérée comme dangereuse, et cela n'a rien d'étonnant. Une mère peut très bien accepter un petit garçon turbulent. « Les garçons sont comme ça! » Mais les filles sont différentes. « Avant même que la petite fille soit en âge de comprendre ce qu'on lui fait, dit le Dr Sanger, sa mère commence à serrer le frein. Elle limite l'enfant. " Tu t'énerves trop... Tu manges trop... Tu cours trop vite... Tu en fais trop... Tu vas te fatiguer! " Je préfère la mère qui encourage sa fille à sentir qu'une tâche accomplie peut amener un surcroît d'énergie. N'est-ce pas merveilleux pour une petite fille quand elle peut voir en sa mère quelqu'un qui est capable de s'enthousiasmer pour quelque chose, quand elle dit, par exemple : " Maintenant que j'ai expédié toutes les cartes de Noël, je me sens mieux! J'ai envie de faire quelque chose que j'aime. J'ai une idée : allons patiner sur l'étang du parc! " Ce n'est pas parce qu'on a atteint un certain niveau de satisfaction qu'on doit se relaxer et récupérer... on peut aller vers un niveau d'excitation encore plus grand. J'aime les mères qui montrent à leur fille qu'elles ne se contentent pas de dire qu'elles ont envie de faire quelque chose, mais *qui le font* sur-le-champ. Il y a école demain matin? Une fois de temps en temps, ce n'est pas une heure de sommeil perdue qui tuera la petite fille! »

Un autre facteur intervient pour rendre les femmes plus dociles, plus complaisantes que les hommes. Comme le montrent les travaux du Dr Sanger à l'hôpital Saint-Luke, les bébés de sexe masculin reçoivent de leur mère plus de preuves directes et physiques d'amour et d'approbation que les petites filles, qui doivent se contenter de paroles et de sourires. Cette différence de traitement est très grave, car une caresse physique n'a pas besoin d'être interprétée, ne comporte aucune condition. Elle est offerte spontanément, et spontanément acceptée, presque sans passer par les centres cognitifs du cerveau. Mais un sourire, un mot gentil doit être interprété; on doit y réfléchir. Les signaux verbaux et les expressions faciales ont des sous-entendus, peut-être une ombre d'ambiguïté. Dès les premiers mois, la petite fille apprend ainsi qu'elle doit interpréter, avant d'être approuvée, ce que les autres attendent d'elle; et cette approbation elle-même ne peut pas être prise immédiatement pour argent comptant. C'est la première leçon de complaisance que reçoit la petite fille. « Le contact physique avec mon petit garçon est plus facile, plus naturel qu'avec ma fille, m'a dit une mère. D'une certaine façon, je me sens plus proche d'elle, mais nous avons moins de contacts physiques. »

Dans les jardins d'enfants, l'adulte sait très bien ce qu'il doit faire avec un petit garçon énervé. « Il suffit de le toucher pour le calmer », dit le Dr Sanger. Mais tandis que la petite fille qui est près de lui a tout autant envie de caresses et d'étreintes, elle a déjà appris à réagir principalement aux signaux verbaux des autres. Et c'est ce qu'elle reçoit. Par ironie, c'est à cause de cette frustration que les petites filles, plus tard, font de meilleures études que les petits garçons. « Leurs organes de perception à distance, dit le Dr Sanger — les yeux et les oreilles — ont été mieux entraînés. Les filles ne naissent pas plus " intelligentes " et plus verbales, pas plus qu'elles ne naissent plus passives que les petits garçons. » C'est ainsi que nous avons été socialisées, mais le prix psychique qu'il faut payer est très élevé.

A l'école maternelle, les premières structures construites par les petites filles sont des enclos, et celles des petits garçons, des tours. Cela peut être interprété strictement selon la ligne freudienne, mais il n'est pas nécessaire de passer par là pour comprendre ce que l'enfant exprime. L'enclos représente quelque chose de sécurisant, intime, protecteur. La tour monte à l'assaut du ciel et signifie l'effort et l'aventure. Dans une société libre, non sexiste, étant donné que ces deux types de comportements sont légitimes pour les deux sexes, on serait en droit d'imaginer que certaines petites filles construiraient des tours et certains petits garçons des maisons basses. Mais les pressions normatives de notre société sont si draconiennes que la ligne de démarcation sexuelle continue d'être très stricte. Maman n'est pas seule à féliciter sa petite fille de jouer tranquillement à la poupée en respectant les limites qui lui sont imposées, à lui montrer qu'elle est mécontente de l'entendre imiter les voitures de pompiers ou lancer des cris rauques : « Chérie, ne fais pas ça avec ta bouche ! » dit le père, « Qu'est-ce que fait donc ma petite poupée jolie ? Elle joue au méchant Indien ? »

La passivité n'est pas toujours un masque derrière lequel se dissimule une personne plus active — souvent colérique — et plus sûre d'elle-même. Des questions de tempérament peuvent intervenir. Pour certaines, la tranquillité, la passivité peuvent être génétiques. De nombreuses petites filles naissent avec des dispositions léthargiques. « Ce n'est pas tellement grave, dit le Dr Sanger. Elles sont détendues, elles manquent d'assurance. Mais il y en a tant d'autres qui, sous cette passivité apparente, sont en perpétuelle ébullition. Une personnalité très belle voudrait se manifester, mais elle n'émergera pas. Elle attend... elle attend toujours qu'on lui adresse la parole avant de parler ; pour agir, elle attend qu'on le lui demande ; elle attend qu'on lui passe le sorbet ; elle attend, attend, attend. Si on oublie de lui donner sa part de gâteau, elle s'en passe. » Cette petite fille, à l'école, reste tranquillement à sa place, comme un petit robot. Personne ne s'en inquiète ; après tout, elle ne jette pas des cailloux dans les vitres, comme le font les petits garçons. Mais sa perturbation interne peut être aussi grande, le problème qui se cache derrière son comportement peut être le même.

« Entre cinq et dix ans, dit le Dr Sanger, il existe une période critique, au moment où la passivité et le sous-développement de la petite fille sont trop souvent acceptés comme normaux. Pendant ces années, qui sont si importantes pour le développement des modèles de vie, elles perdent des connaissances techniques essentielles. Je vois professionnellement dix garçons pour une fille de ce groupe d'âge. Les petites filles ne sont pas moins perturbées que les petits garçons, mais les mères acceptent plus facilement l'idée que ces derniers aient des problèmes. Le comportement le plus " agressif " des petites filles de cet âge consiste à être très garces, très jalouses à l'égard des autres petites filles. En dehors de cela, elles se comportent d'une façon passive. »

Le terme « passif », à propos des femmes, a tellement été mis à toutes les sauces qu'en fin de compte il n'est pas loin de définir la féminité. Et pourtant, il est toujours entendu péjorativement. Le problème est aggravé

95

par le fait qu'il n'est pas toujours facile de distinguer ce qui est passif de ce qui est actif.

En ce qui concerne la sexualité, par exemple, on pense en général que la femme est passive parce que l'homme se place sur elle et que c'est lui qui est censé faire la plus grande partie du « travail ». Mais même dans la position dite « du missionnaire » il se peut que la femme soit loin d'être passive. Elle peut être même plus active que l'homme. Beaucoup de femmes m'ont dit que les hommes, bien loin de considérer comme vraie cette blague de *Playboy :* « La fille la plus excitante est une nymphomane dont le père tiendrait une boutique de vins et spiritueux », estiment beaucoup plus excitante l'image de la femme à moitié endormie. L'homme veille tard, en principe pour terminer son travail. Quand il décide de se coucher, il trouve la femme dans un état passif, somnolent; elle n'attend rien, ne demande rien. L'homme, ainsi, peut satisfaire ses désirs sexuels en toute sécurité. En effet, il se sent excité parce qu'elle semble moins active, moins puissante, moins menaçante. Le contact de leurs corps est une aide, mais l'attitude de passivité symbolique de la femme est tout aussi importante.

L'acte sexuel a lieu. Mais, dans le couple, qui est actif? Qui est passif? Qui a pris l'initiative? La femme qui, couchée sur le dos, apprécie certaines pratiques sexuelles — qu'elle a peut-être sollicitées par son attitude — n'est certainement pas une partenaire passive. Et c'est elle, en réalité, qui a pris l'initiative de l'événement.

Ce n'est pas simplement jouer sur les mots. Si vous et moi nous utilisons des mots différents pour exprimer la même chose, nous accorderons des valeurs différentes à ce qui se passe. Par exemple, la mère a dit à sa fille : « Je veux que tu sois plus tard une femme qui ait une personnalité bien à elle, qui sache ce qu'elle veut et qui se débrouille toute seule. » Mais dès que nous essayons de nous comporter selon ses principes, elle nous reproche de n'en faire qu'à notre tête. Autre exemple, nous disons à notre amant « Je voudrais que tu sois sexuellement très agressif », et en même temps : « Les hommes entreprenants me font peur. » Il ne sait plus sur quel pied danser, comme nous ne le savions pas à l'égard de notre mère. Nous adoptons deux positions contradictoires, qui s'éliminent réciproquement, ce qui le paralyse. C'est lui qui décidera ce qu'il convient de faire. Mais c'est nous qui déterminons la qualité de la relation.

Cette analyse sommaire nous permet de voir que les mots *actif* et *passif* sont trop rigides et trop chargés d'affectivité. Dans notre société, les hommes pour pouvoir affirmer leur « virilité » ont besoin de nous voir sous un jour passif. Si nous voulons changer ces idées limitatives de la masculinité et de la féminité que nous impose la tradition, nous devons renoncer aux avantages ambigus de la passivité. Voici ce que dit le

Dr Sanger : « Il faut que les femmes apprennent à dire : " J'aime vraiment cette partie de mon corps et, sacré nom! je vais sérieusement m'en occuper! J'aime qu'on joue avec mes seins, avec mon clitoris. J'en ai vraiment, vraiment envie, et maintenant, tu sais ce qu'il te reste à faire! " Si elle constate que son partenaire refuse, elle en trouvera un autre qui s'exécutera. »

Certains hommes aiment les femmes sexuellement actives et autonomes. Les femmes ont tendance à dire qu'ils sont difficiles à trouver. Nous devons nous demander si nous n'en sommes pas à demi responsables. Nous lui demandons de nous laisser nous mettre sur lui, de caresser nos seins, d'adorer notre clitoris — *de prendre l'initiative* — mais nous continuons à nous accrocher à l'image qui nous représente dépendantes, vulnérables, mesquines, fragiles et passives. L'homme, perplexe, se détourne de nous pour chercher une partenaire plus traditionnelle, sinon encore plus refoulée. Les deux sexes y ont perdu; le petit jeu paralysant qui consiste à jouer un rôle se perpétue.

La petite fille, à quatre ou cinq ans, affronte deux séparations difficiles. Elle quitte physiquement la maison pour la première fois, pour aller à l'école. Elle fait également face à la nécessité pénible de se séparer psychologiquement de sa mère pour régler les rivalités et les compromis œdipiens; sa mère, en cela, ne peut pas l'aider.

Elle ne peut pas davantage attendre beaucoup d'aide ni beaucoup d'encouragements de la part de papa. « Dans notre culture, dit le Dr Robertiello, la plupart des hommes peuvent se sentir flattés de voir que leur petite fille est très attirée par eux, mais le tabou de l'inceste leur fait ignorer la sexualité de l'enfant. »

La petite fille reste sur l'impression que la compétition avec la mère est inachevée. Mais en même temps qu'elle désire prendre sa place, elle est angoissée à l'idée que sa mère la punira d'être jalouse. Rien de tout cela n'est exprimé, presque tout se passe dans l'inconscient. Comment la petite fille pourrait-elle se mettre en colère si sa mère fait comme s'il ne se passait rien? Mais quelque part au fond de son esprit, l'enfant a changé; sa mère est devenue l'ennemie et elle voit maintenant d'un œil différent ce travail d'apaisement auquel se livre sa mère. Sous l'angle de la situation compétitive œdipienne, l'ancienne relation avec la mère semble maintenant beaucoup moins parfaite, moins agréable, moins limpide.

Quand quelqu'un nous apprend à nous asseoir bien droites sur nos mains, à moduler notre voix, à contrôler notre humeur, à modérer notre enthousiasme, à nous mordre la langue, à contrôler, contrôler et toujours contrôler la moindre bouffée de spontanéité — à moins d'être nées ainsi, à moins d'être génétiquement d'une nature, d'une constitution, tranquille et complaisante — nous ne pouvons que nous révolter contre la personne qui nous réprime. Même si, par peur d'être abandonnées, nous ne pouvons pas nous permettre d'exprimer notre colère, si nous la nions, elle est pourtant toujours là. L'une des premières réactions de la petite fille pour maîtriser sa révolte contre une mère dominatrice est de se créer certains fantasmes, de s'inventer un roman. Quand elle rencontre des petites filles qui ont une mère moins manipulatrice, elle se dit : « Je ne suis pas née de ma mère, il y a certainement eu une substitution d'enfants à la maternité. *Je ne veux pas de cette mère-là !* Elle n'est qu'une baby-sitter qui m'a volée à ma vraie maman. »

La colère est un sentiment humain. Quel que soit notre sexe, nous l'avons connue, ressentie quand nous étions tout petits en comprenant que nous ne pouvions pas contrôler notre mère, qu'elle *ne se confondait pas avec nous,* mais qu'elle pouvait en fait s'en aller en nous abandonnant. Les travaux de deux pionniers de la psychiatrie infantile, comme John Bowlby[1] et Margaret Mahler[2], nous apprennent que les premières manifestations de colère ont lieu vers le huitième mois et qu'elles font normalement partie du développement, quel que soit le degré d'amour que nous recevons.

C'est parce qu'ils ont peur d'être abandonnés que les bébés mordent leur mère et lui tirent les cheveux. Cette peur est « normale » et fait même partie de la croissance. Si notre mère ne nous élève pas de telle façon que nous nous sentions en sécurité en nous-mêmes, à avoir une identité et un sentiment de notre valeur indépendants d'elle, nous aurons toujours peur de la colère que nous éprouvons à son égard. A cause de cette colère, nous risquons de la perdre, alors que nous avons encore besoin d'elle.

Et pourtant, si nous apprenons que nous pouvons manifester notre colère sans qu'elle cesse pour autant de nous aimer, nous pouvons alors commencer à accepter nos rages et à les contrôler. La mère a ici un très beau rôle à jouer; en butte à nos tempêtes, elle doit avoir la force de ne pas les retourner contre nous. Si elle est incapable de nous permettre de suivre cette évolution, si elle nous refuse son contact affectueux, si la formation de notre identité séparée n'a pas lieu, nous pouvons rester à jamais des enfants apeurées, jamais en sécurité, toujours exposées à des bouffées de rage.

1. John Bowlby est un psychanalyste anglais dont les livres sont considérés comme des classiques des problèmes de l'attachement et de la séparation. Il a centré ses travaux sur les effets sur l'enfant de sa séparation d'avec ses parents. Il soutient que l'attachement étroit à la mère est à la base de la stabilité affective ultérieure, et que l'angoisse est provoquée par la peur de perdre l'attachement à la mère. Voir *Attachment and Loss,* vol. 1, *Attachment;* et *Attachment and Loss,* vol. 2, *Separation.*
2. Margaret Mahler, *On Human Symbiosis and the Vicissitudes of Individuation,* vol. 2.

Effrayées par ces colères contre une mère que nous ne pouvons pas nous permettre de perdre, nous entrons dans ce qu'il est convenu d'appeler la *période de latence,* pendant laquelle nous cachons nos conflits œdipiens aussi bien à notre mère qu'à nous-mêmes. C'est le moment, souvent, où nous ressortons nos poupées; nous nous rejetons vers une période antérieure plus facile; nous imposons une trêve à nos conflits sexuels et nous nous rapprochons de notre mère. Mais ce refus de notre corps, de nos aspirations, de notre indépendance n'est pas fondé sur notre amour pour notre mère. Il s'agit d'une formation réactionnelle qui nous pousse à dissimuler ce que nous éprouvons vraiment et à exprimer le contraire. C'est une sorte de protestation excessive : « Mais non, mais non, je ne suis pas du tout en colère contre maman parce qu'elle m'empêche de me rapprocher de papa, ni parce qu'elle me dit que ce que je ressens dans mon corps est mauvais et dangereux. En réalité, maman est la personne auprès de laquelle je veux rester toute ma vie! » La rivalité et la colère ne sont pas résolues, elles ne sont que niées et refoulées.

Cette période (vers sept ou huit ans) est souvent marquée par un intérêt passager pour le petit garçon qui est assis près de nous à l'école. Mais nous remarquons rapidement que ce comportement nous attire l'antagonisme des autres petites filles; elles ont renoncé à leurs luttes œdipiennes et, par solidarité avec leur mère, elles font bloc, et le sexe masculin est exclu de leur clan. Si bien que, par peur d'être châtiées par les autres filles (par ostracisme) nous renonçons nous aussi au petit Johnny.

Cette colère qui vient du fait que nous restons dociles, et qui est d'autant plus forte que nous ne pouvons pas l'exprimer, peut ne jamais sortir. « Quand mes amis reprochent à ma mère d'être trop sévère, m'a dit une petite fille de huit ans, je ne les écoute pas. Quand ils veulent que je sorte avec eux et que je sais que ma mère ne me le permettra pas, je ne le leur dis pas. Je leur dis que c'est moi qui ne veux pas. Je ne peux pas supporter qu'on dise quelque chose contre ma mère. » C'est encore une *formation réactionnelle* : ces remarques négatives contre sa mère sévère suscitent chez cette fillette un tel sentiment de culpabilité qu'elle ne peut pas souffrir de les entendre. Tout au fond d'elle-même, elle se rend compte que les autres expriment à haute voix les colères qu'elle éprouve mais qu'elle a peur de laisser éclater.

Les colères cachées peuvent bouillonner comme des volcans sous la surface ou sortir sous un aspect déformé, déguisé. Il y a un an, une femme m'a téléphoné de Californie. Je l'avais interviewée pour ce livre six mois plus tôt. Elle a vingt-sept ans. C'est l'une des femmes les plus douces que j'ai jamais rencontrées et elle occupe un poste de responsabilité dans une banque. « Depuis notre entrevue, m'a-t-elle dit, j'ai beaucoup réfléchi à la question que vous m'aviez posée : en quoi ressemblais-je à ma mère, et que m'avait-elle appris? Il y a six mois, je vous ai dit que je ne voyais aucune ressemblance. Cela vous a paru étrange, et à moi aussi. Mais récemment, j'ai eu des douleurs d'estomac, et le docteur a diagnostiqué un ulcère. Il m'a demandé si j'avais conscience de refouler mes colères. En essayant de répondre à cette question, je me suis rendu compte que ma mère m'avait appris à ne jamais exprimer mes sentiments négatifs. Je devais être polie, jamais en colère. Je n'ai jamais vu ma mère se révolter contre mon père. Elle jouait les martyrs et j'ai grandi avec l'idée que mon père était un ogre. Maintenant je vois clair dans ce rôle de victime irréprochable qu'elle jouait; c'est ce qui me faisait croire que mon père devait être un homme terriblement difficile à vivre. En même temps, d'autres souvenirs me sont revenus, dont je n'avais jamais soupçonné l'importance. Je devais avoir cinq ans lorsque, un jour, je suis allée avec ma mère dans une épicerie qui se trouvait tout près de notre maison. Un vendeur remarqua que je regardais un grand bocal de bonbons et il voulut m'en offrir un. " Non! ", dit ma mère, et je l'ai frappée. Je n'ai jamais oublié cette petite scène qui m'a toujours fait éprouver un sentiment de culpabilité. C'est la seule fois de ma vie où j'ai frappé quelqu'un, et c'était ma mère... »

Ces colères rentrées sont à l'origine d'une quantité de problèmes physiques et psychologiques que les femmes peuvent avoir. « Souvent, dit le Dr Sanger, une partie de la colère d'une petite fille de sept ou huit ans vient de ce qu'elle comprend la raison d'être des reproches, des manipulations, des intrusions de sa mère : celle-ci ne l'aime pas pour elle-même; elle l'aime pour qu'elle devienne une petite maman, à son image. " Si c'est comme ça, pense la petite fille, nous allons voir! " La lutte commence, mais sous une forme qui empêchera l'enfant de s'individualiser. Vingt ans plus tard, c'est la même lutte qui continue entre elles. Malgré sa colère, la fille ne peut pas s'empêcher de revenir, bien qu'il n'y ait entre elle et sa mère que des disputes stériles. Elle continue à chercher des miettes de l'affection maternelle. »

Le stade œdipien, l'adolescence, les affaires de cœur, le premier emploi, le mariage, la naissance de nos propres enfants... ce sont autant de rites de passage qui marquent les stades importants de notre vie. Pourquoi sont-ils si souvent accompagnés de peurs, d'angoisses ou de dépressions? Nous vivons ces moments d'une façon incomplète, nous nous sentons incapables de nous montrer à la hauteur de nos tâches, parce qu'il manque quelque chose : le sens de notre moi, qui nous permettrait de faire confiance à nos sentiments. « C'était mon anniversaire... ils m'ont dit d'être heureuse », dit Muriel Rukeyser [1] dans un poème. Ce n'est pas par

1. Citation du poème « Effort at Speech Between Two People », extraite du livre *Waterlily Fire, Poems 1935-1962*, de Muriel Rukeyser, p. 3.

accident, à mon avis, que ce poème, où il est question de l'aliénation des sentiments d'une enfant qui est sommée de faire semblant d'être heureuse alors qu'elle ne l'est pas, ait été écrit par une femme.

Dans son livre *L'Orgasme féminin*, le psychologue Seymour Fisher constate que chez les femmes les difficultés orgasmiques sont en relation avec leur peur d'être abandonnées par l'homme. Il n'attache que peu de place à la technique érotique. La capacité de « se laisser aller », chez la femme, remonte aux sentiments qu'elle éprouvait pour son père quand elle était petite. Si elle a eu « confiance » en lui, si elle a su qu'il ne l'abandonnerait pas, elle sera plus tard capable de faire confiance à l'homme qui est au lit avec elle et d'avoir un orgasme [1].

La relation avec le père est sans aucun doute extrêmement importante. Il est notre premier modèle, celui qui nous permet de savoir ce qu'on peut attendre des hommes. S'il nous a acceptée, s'il s'est montré heureux de nous voir, nous attendrons la même attitude de la part des autres hommes. S'il a ignoré notre sexualité, nous ne la vivrons pas sans angoisse. Mais qui donc a serré le frein sexuel pour commencer? Qui a écarté nos petites mains bien avant que nous nous intéressions à papa pendant la période œdipienne? Qui a violé notre intimité? Et surtout, qui donc, par les attitudes de son corps, par ce qu'elle a ou n'a pas dit, nous a donné une image permanente de ce que doit être une femme? Qui a dit : « Une petite fille comme il faut ne fait pas ça! » Je pense avec le Dr Fisher que la confiance nous permet de nous laisser aller, qu'elle est à la base de l'orgasme, de l'amour et de la vie elle-même; mais qui, plus que le père et avant quiconque, nous empêche d'être capable d'avoir confiance en nous?

« Pourquoi me critiques-tu toujours? », demandons-nous; et notre mère nous répond tranquillement : « Tu as mis trop de rouge à lèvres. »

1. Voir Seymour Fisher, *The Female Orgasm.*

Chapitre 4

L'image du corps et la menstruation

C'est « Daddy Colbert » (il était encore jeune et ne voulait pas que nous l'appelions « grand-père ») qui décida que ma mère déménagerait de Pittsburgh à Charleston, vers le Sud, où il construisait une aciérie, sur les bords de l'Ashley. Il avait une âme de patriarche et aimait avoir toute sa famille autour de lui; il pensait aussi que, pour ma mère, ce serait l'endroit idéal pour nous élever, ma sœur et moi. Il avait raison.

Nous avions une grande maison rose, avec des volets bleu pâle et un balcon en fer forgé. Je me souviens de ma première promenade, de la tranquillité des rues étroites. Si j'avais tourné à gauche, je serais arrivée à la crique, et j'aurais vu Fort Sumter. J'ai tourné à droite et j'ai fini par trouver ce que je cherchais... une épicerie où j'ai acheté une boîte de mes caramels préférés avec de la monnaie que j'avais trouvée dans la poche d'une veste, dans la penderie de l'entrée. Cette petite épicerie minable était au coin de ce que Gershwin a appelé la « ruelle du poisson-chat » et, quelques années plus tard, c'est là que j'ai trouvé mon premier job, pour deux dollars et demi par semaine. Ma mère ne l'a su que le jour où une de ses amies lui a dit qu'elle m'avait vue en train de balayer le seuil dans mon uniforme de scout-girl. Je ne lui avais pas parlé non plus de cette première promenade. Je ne lui ai pas dit que je m'étais perdue et que j'avais eu peur. J'avais cinq ans, mais je connaissais le pacte mère-fille : si tu ne restes pas près de moi, ce n'est pas la peine, après, de venir me demander que je te console.

Je n'avais vraiment frôlé que deux fois le danger. C'était à Pittsburgh. Je me souviens de cet homme et de cette femme qui m'ont fait signe, de l'autre côté de la rue, de monter dans leur voiture; ensuite, il y a

103

eu ce petit marchand de journaux qui a ouvert sa braguette et m'a montré cette chose surprenante! Les deux fois, je me suis enfuie en courant comme une folle. Mais Charleston était beaucoup plus sûr pour nous tous. Je suis certaine que ma mère s'y est sentie au paradis après les années malheureuses de Pittsburgh.

Les personnes que je vois dans mes rêves sont celles avec lesquelles j'ai grandi à Charleston. Les maisons avaient trois étages et leur façade élégante donnait sur la rue; les vérandas étaient derrière, à angle droit. Toute ma vie, j'ai apprécié la beauté des autres villes par comparaison avec Charleston où, de la rue, on ne pouvait pas voir les jardins. Il fallait être invité.

Notre maison penchait légèrement à droite. Quand on était dans le salon, on inclinait automatiquement la tête, selon la pente des murs. Il y avait des poutrelles métalliques sous les plafonds. « C'est en prévision des ouragans de la fin de l'été », m'a dit quelqu'un. Mais rien ne s'est jamais écroulé à Charleston. Et personne ne partait jamais. J'ai grandi en permanence avec du monde autour de moi, un monde chaleureux et généreux, qui promettait de ne jamais disparaître.

J'avais terriblement envie d'appartenir à ce monde. La société avait ses règles très strictes. Il fallait vivre « en deçà de Broad Street », avoir un fort accent du Sud et des générations de parents dans les environs de la maison. Notre adresse était la bonne; j'appris à dire « mirruh », comme dans le Sud, au lieu de « mirror », mais ni l'argent de grand-père ni l'école privée pour jeunes filles que je fréquentais ne pouvaient changer le fait que nous étions des Yankees. J'étais bien accueillie dans toutes les maisons, je me suis toujours sentie aimée des mères supplémentaires que je trouvais un peu partout dans toute la ville, mais je savais que je n'étais pas intégrée. Même mon nom, « Friday », était différent; plus tard, je me suis habituée à aimer sa rareté, comme je me suis habituée à être très grande, mais à dix ans, quand on me demandait comment je m'appelais, je me faisais toute petite, et je disais simplement : « Nancy ».

Si je n'avais pas grandi un peu à l'écart de la sécurité dont jouissaient les authentiques citoyens de Charleston et des règles strictes qu'imposait cette société fermée, je suis sûre que je serais très différente de ce que je suis aujourd'hui. Je n'aurais peut-être jamais épousé Bill, ni écrit des livres sur la sexualité féminine. Ma vie aurait suivi une ligne bien droite, rassurante, toujours dans la même tonalité; la vie d'une femme qui ne remet jamais en cause ses convictions. Mais il faut croire que je n'étais pas faite pour la ligne droite, sinon je ne m'en serais pas si souvent écartée et je serais restée éternellement « en deçà de Broad Street ». J'ai préféré vivre avec ma vieille peur d'être exclue plutôt que de me laisser engloutir à jamais par Charleston. Mais je sais que c'est grâce à ce que j'ai trouvé que je suis capable aujourd'hui de vivre plusieurs vies, de manier les abstractions, de modifier ou d'accepter les conséquences de mes actes. Quand je risque un pied dans l'inconnu, l'autre reste planté dans un passé solide.

Aujourd'hui, ma mère vit à plus de mille kilomètres de Charleston, dans une ville où elle a des racines et des amitiés aussi profondes que les anciennes. Elle s'étonne du peu d'empressement que je mets à me « stabiliser », mais nous avons la même nostalgie de ces années où nous pouvions presque croire que nous appartenions à une communauté qui veillait à préserver tout ce qui était beau... les vieilles maisons, les hymnes du XVIIIe siècle et, surtout, la famille. Je n'ai pas besoin de savoir où je serai l'année prochaine, mais j'ai un besoin intime de continuité. Je le satisfais avec les gens, et non pas avec les maisons. Si j'ai la chance d'avoir découvert cela, c'est à la confiance fondamentale apprise à Charleston que je le dois : si j'exprime mon besoin d'amour, je peux trouver de l'amour chez les autres. C'est seulement dans mes rêves que les autres me repoussent.

Une fille nommée Sophie est venue s'installer dans notre rue quand j'avais dix ans. Sa famille venait d' « au-delà de Broad Street », ce qui la rendait plus étrangère encore que si elle était yankee. Ce n'est pas parce que Sophie avait un an de plus que moi que je suis devenue son esclave. Avant son arrivée, c'était moi qui prenais le commandement. Quand une amie venait passer la nuit à la maison, c'était moi qui décidais de tendre entre nos deux lits une ficelle attachée à nos gros orteils, si bien que nous étions sûres de nous réveiller au moindre mouvement. Nous nous levions sans faire de bruit, nous enfilions nos vêtements, nous descendions les trois étages sans réveiller ma mère au passage et nous nous enfoncions dans les rues sombres de Charleston. C'était moi qui décidais d'aller jouer dans les entrepôts interdits du bord de la rivière, de monter clandestinement sur les bateaux du port, de grimper dans les fourgons tirés par des chevaux, avec lesquels des Noirs livraient encore les blocs de glace dans cette partie de la ville. Mais jamais je n'ai contesté l'autorité de Sophie.

Elle me semblait aussi étrangère qu'une martienne. Elle avait mené cette vie déclassée d' « au-delà de Broad Street » qui me fascinait presque autant que la société Sainte-Cécile qui m'était refusée à jamais parce que j'étais yankee. C'est Sophie qui m'a appris d'où venaient les bébés; ce n'était pas « comme il faut », mais ça m'était égal. Jamais je n'aurais pensé qu'on pût avoir une telle conversation. Il y avait, en fait, dans mon groupe un niveau d'ignorance sexuelle stupéfiant qui ne fit d'ailleurs aucun progrès pendant notre adolescence. Au cours de toutes ces années

105

de rêves brûlants, de bavardages interminables dans des autos aux vitres embuées, personne ne parlait du sexe. Nous parlions d'amour.

Même la maison de Sophie était différente. Les maisons de Charleston étaient tenues impeccablement par des bonnes qui faisaient partie de la famille depuis toujours. Le désordre qui régnait chez Sophie me disait qu'il y avait dans la vie des choses plus importantes que le silence bien élevé des salons. Les cendriers vidés sur le tapis, les tasses du petit déjeuner encore collées à midi sur la table dans leur mare séchée de café renversé, tout cela m'excitait beaucoup; c'étaient les indices révélateurs — mais quand même mystérieux — d'un sens de la vie différent, secret et exubérant, qui m'attirait plus vers la famille de Sophie que vers la propreté.

Chez Sophie, il n'y avait pas d'heure pour les repas, pas d'heure pour rentrer à la maison, pas de règles. Quand un adulte entrait, j'étais seule à bondir sur mes pieds. Le mystère s'épaississait dans les étages. Les trois grandes sœurs de Sophie partageaient une pièce immense qui avait des allures d'atelier de femmes. Il y avait de la poudre de riz dans l'air; les sœurs, en combinaison, se mettaient des couches de rouge à lèvres devant leur table à maquillage. Un jour, elles mirent du rouge sur mes joues. Elles contemplèrent le résultat, poussèrent un soupir et me dirent de ne pas m'inquiéter, « j'avais de la personnalité »... Tous les soirs, des cadets de la citadelle venaient enlever les sœurs de Sophie et les emmenaient dans la nuit comme des trophées de guerre. Un soir, Sophie se cacha avec moi derrière un divan où l'une de ses sœurs faisait ses adieux à son amoureux. Elle était si excitée qu'elle en a fait pipi par terre.

Elle m'apprenait à danser. J'aimais les rythmes rapides. Apprendre à bouger mon corps était presque aussi passionnant que d'escalader les murs ou de courir après les garçons. (Les autres filles ne couraient pas, ne grimpaient pas : ça ne les intéressait pas.) L'un de nos jeux favoris consistait à nous cacher dans la véranda de la maison de Pete, ou de celle de Henry, et d'attendre leur retour. Couchées dans la poussière, nous entendions tout ce qu'ils se racontaient sans savoir que nous étions là, et c'était à la fois une torture et une joie indicibles. Ce fut le bouquet quand ils nous découvrirent et nous pourchassèrent sur les terrasses, dans les ruelles et les rues caillouteuses de Charleston. Un jour, les garçons nous rattrapèrent et embrassèrent Sophie. C'est à ce moment-là que j'ai compris qu'il ne lui était pas indifférent de danser avec tel garçon ou d'être poursuivie par lui. Le plus important, c'est que ni Pete ni Henry ne m'embrassèrent. J'en fus remplie d'inquiétude. J'étais entrée dans un jeu où je ne pouvais pas gagner.

Un soir que j'étais restée dormir chez Sophie, elle prit ma main et la posa sur sa poitrine. Elle m'apprit à sucer ses bouts de sein. J'aurais suivi

Sophie dans les flammes! Quand elle s'enfonça dans le lit et mit sa bouche entre mes jambes, je connus un plaisir que je n'aurais jamais pu imaginer. Mais quand elle me demanda de lui faire la même chose, je trichai. Je me servis de mon pouce.

Le soir, Sophie passait une robe, tandis que je restais en jean. Pendant les derniers jours déroutants où nous avons joué ensemble, j'essayai désespérément de la suivre, pour ne pas la perdre. Quand j'allais chez elle, j'arrêtais mon vélo juste après avoir dépassé notre grande grille, je me penchais au-dessus du guidon et, la tête cachée dans la sacoche, j'écrasais le bâton de rouge sur mes lèvres. Les poches de mon blue-jean étaient gonflées des accessoires indispensables à mes deux vies : mes bâtons de rouge et mes canifs. On ne me prendrait pas au dépourvu!

Mais rien ne pouvait me préparer à être abandonnée par Sophie. J'étais toujours sur ses talons et sur ceux de ses nouvelles amies, des filles de son âge. Quand elle s'est inscrite pour le camp de vacances des grandes, j'ai triché sur mon âge; je l'ai suivie avec enthousiasme dans les montagnes pour passer les trois semaines les plus affreuses de ma vie, bourrant mon maillot bleu vert de faux seins qui crevaient les yeux dès qu'ils étaient mouillés. Le soir, assise toute seule sous un arbre, je voyais les couples disparaître dans les bois. Un matin, la division des petits, en route vers le lac, passa près de moi; parmi eux se trouvaient les filles avec lesquelles j'avais grandi, mes meilleures amies, jusqu'à l'apparition de Sophie. J'aurais donné n'importe quoi pour être avec elles.

Combien de mois, d'années plus tard, ai-je essayé de revivre cette nuit passée dans le lit de Sophie? Une amie dormait avec moi... j'ai roulé sur elle et je me suis frottée à son corps. Il ne s'est rien passé. Il n'y avait pas de quoi rougir de honte... ce n'était pas amusant, c'est tout. Nous n'avons pas insisté et nous sommes allées embêter ma sœur, Susie. Elle était enfermée à clé dans sa chambre, mais nous pouvions entendre Frank Sinatra chanter *Night and day*. Nous avons crié : « Frankie! Oh, mon Frankie! » en remuant la poignée de la porte avec un rire hystérique.

Ma mère s'entête à ne pas jeter à la poubelle les souvenirs de mon enfance. Ils emplissent son grenier. Je suis tombée récemment sur un bracelet d'identité terni. C'était la grande mode à une certaine époque : les garçons les offraient aux filles avec leurs deux prénoms gravés recto verso. Sur le mien, il y avait « Nancy » d'un côté et, de l'autre, deux prénoms : « Pete » et « Henry ». Je me l'étais offert toute seule, pendant ce terrible été, quand j'avais dix ans.

Le jour où j'ai eu mes règles pour la première fois, il pleuvait. C'était un samedi paralysant, baigné d'une chaleur étouffante, et je me demandais si la pluie n'allait pas annuler ma leçon d'équitation. L'odeur du magnolia, devant la fenêtre de ma chambre, me rappelait avec insistance que si je ne me levais pas pour mettre à l'abri ma bicyclette qui était rangée sous l'arbre, la selle serait tellement gorgée d'eau que, le lundi matin, je serais obligée d'aller jusqu'à l'école debout sur les pédales. J'étais également agacée par cette sensation désagréable qui tenaillait mon bas-ventre. Quelque temps auparavant, j'avais persuadé ma mère qu'il était inutile de me faire enlever l'appendice... je pensais secrètement que l'opération m'aurait fait rater toute une saison de basket-ball. Et maintenant, c'était l'été qui était menacé! Quand je vis les petites taches brunes sur mon slip, je poussai un soupir de soulagement. Ce n'était donc que cela! La pluie s'arrêta. Je pouvais aller au manège. L'été était à moi!

Mes amies et moi n'ignorions rien des boîtes bleues et blanches que nous pouvions voir dans la chambre de nos mères. Le jour où j'avais changé de maison, mon amie Joanne et moi avions failli étouffer de rire quand un déménageur nous demanda en brandissant une boîte de tampons qu'il avait trouvée dans une armoire de la salle de bains : « On emporte aussi les bougies? » Combien de fois j'avais rembourré ma culotte avec une serviette de ma mère en pensant, tout en marchant, qu'un jour j'en porterais une pour de vrai. Nous étions des filles très au courant... nous ne savions absolument rien!

Seule ma mère pouvait m'apprendre à me mettre sérieusement une serviette. Ma sœur était au pensionnat. Si je n'avais pas été attendue par mon cheval, je serais sans doute restée au lit, préférant être saignée à mort plutôt que d'aller demander à ma mère un secours aussi intime. Elle avait été occupée depuis le matin avec un ouvrier qui installait un signal d'alarme à sa fenêtre. Charleston était en alerte à cause d'un cambrioleur que les journaux avaient appelé « l'amoureux »... un nom qui montrait bien que les gens de Charleston poussaient la condescendance jusqu'à penser que les cambrioleurs eux-mêmes savaient se tenir. « L'amoureux » entrait dans le lit de ses victimes féminines et n'osait jamais aller plus loin. Quand j'entrai dans la chambre de ma mère, l'ouvrier était en train de disposer l'interrupteur à portée de main sur l'oreiller. Je bredouillai quelque chose et elle me suivit dans ma chambre. Je me souviens encore du malaise inexprimable qui nous étreignait toutes les deux.

Elle alla me chercher une ceinture élastique rose et me montra comment on la fixait avec les crochets métalliques. Je rentrai le ventre pour l'éloigner le plus possible de ses doigts et, brusquement, j'interrompis les explications qu'elle me donnait patiemment : « Ça va, ça va, j'ai compris! Je saurai le faire toute seule! » J'étais impatiente de sortir de la maison. Pour moi, ces premières règles signifiaient deux choses : le soulagement de savoir qu'il ne s'agissait pas de l'appendicite, et la honte de devoir passer par ce rite d'initiation. Je ne parlai pas à ma mère de ma

108

douleur dans le bas-ventre et elle n'annula pas ma leçon d'équitation. J'avais pris l'habitude de lui en dire le moins possible et de me débrouiller toute seule. Des années plus tard, j'allais lui reprocher son indifférence... Les mères partent toujours perdantes!

Le lendemain, alors qu'elle me conduisait en voiture à la maison d'une amie, une voix que je ne lui connaissais pas me fit sursauter : « Alors, quelle impression cela te fait-il d'être une femme? » Je ne pouvais pas supporter la bienveillance que voulait exprimer cette petite phrase ampoulée. Je me penchai le plus possible par la portière. Ma natte volait au vent. Ma réponse fut emportée fort à propos par la bourrasque. Ce furent les dernières paroles que ma mère prononça à ce sujet.

La menstruation ne me causait pas d'inquiétude. Je m'y attendais, mais peut-être pas si tôt. Par ironie, j'étais la première de mon groupe à avoir mes règles mais la plupart de mes amies portaient un soutien-gorge tandis que j'étais toute plate et que je n'avais pas encore de poils. Je crois bien que je n'en ai parlé à personne, jusqu'au jour où l'une des filles me dit qu'elle venait d'avoir ses premières règles. « Oh, là là! dis-je. Il y a belle lurette que je les ai! » Mais pour rien au monde je n'aurais parlé à ma mère de ce « genre de choses ». Et je me moquais éperdument d'être une « femme ». J'avais onze ans.

Je me demande encore quelle impression ça fait d'être une femme. Mais je n'ai jamais compris tout ce mystère dont on entoure la menstruation.

Les femmes vivent dans un état de ségrégation qui dément le tableau qu'elles présentent au monde. Nous cancanons, nous papotons, nous déballons entre nous tous les détails de nos vies, nous étalons nos sentiments, nous nous disons des choses que nous cachons à nos amants, sous l'effet d'une compulsion que nous ne comprenons pas. Le monde hoche la tête d'un air entendu; on fait semblant de ne rien remarquer, même pas nos expériences précoces dans le domaine de l'homosexualité : « Les filles sont comme ça... »

Nous nous sentons proches les unes des autres, aimantes, tendres, intimes, mais nous ferions mieux d'établir ces mêmes liens avec les hommes : nous nous trahirons les unes les autres quand un homme nous les offrira. Les hommes sont décevants; ils n'ont pas le même besoin que nous de relations intenses. Ils ne parviennent pas à nous convaincre qu'ils nous aiment. Le leitmotiv de notre vie est que nous échouerons avec les hommes et que nous nous lierons à d'autres femmes. Mais ce lien n'est pas celui qui unit deux amies qui s'aiment. Il vient de ce que nous sommes mutuellement gardiennes d'un secret innommable... qui est notre sexualité.

« Les femmes qui s'enorgueillissent excessivement de leur amour pour leur propre sexe (mises à part les lesbiennes qui doivent créer leur propre idéal d'amour), écrit Germaine Greer dans *La Femme eunuque*, ont d'habitude d'étranges relations avec les femmes, intimes à un degré extraordinaire, mais déloyales, instables et chargées de tension, quels que soit le degré d'intimité et la durée de ces relations... Elles ne savent rien de l'amour de leur semblables. Elles sont incapables de s'aimer d'une façon détendue, simple, spontanée, parce qu'elles ne peuvent pas s'aimer elles-mêmes [1]. »

Quand nous étions petites, nous savions que notre mère avait un secret. Même si nous nous sentions très proches d'elle, même si elle nous disait qu'il fallait tout nous dire et même si elle nous connaissait bien, nous savions qu'elle nous cachait une partie d'elle-même. Elle niait qu'il y eût dans sa vie quelque chose de « plus » que ce que nous pouvions voir et imiter, mais nous n'en pensions pas moins. Nous attendions notre heure. Nous renoncions de bon cœur à tout ce que pouvaient faire les garçons, tout en enviant leur agilité, leur rapidité, leur audace; notre mère n'avait-elle pas renoncé elle-même à tout cela? N'était-elle pas d'accord pour que papa soit seul à quitter la maison pour aller travailler, à sortir tout seul le soir et à s'occuper des questions d'argent? Il était évident que le fait d'être une femme comme maman promettait une merveilleuse récompense, en relation avec ce qui se passait entre eux quand ils étaient seuls. Ils se procuraient l'un à l'autre des émotions, des tensions, des colères, des joies qui faisaient vibrer des cordes dans notre propre corps : des résonances profondes qui nous faisaient redouter, envier et anticiper le secret maternel. Tout cela nous serait révélé un jour; ce n'était qu'une question de temps, de patience.

Et nous avions l'habitude d'attendre.

Vous est-il arrivé de savoir qu'il se passe quelque chose alors que tout le monde le nie? Une partie de vous n'a pas vraiment envie de savoir, si bien que vous l'ignorez, vous aussi. Puis, soudain, vous découvrez ce que c'est et vous vous rendez compte que vous le saviez depuis longtemps... tout en pensant que vous auriez préféré ne pas le savoir. C'est exactement cela, les femmes et la sexualité.

A l'époque où nous sommes encore petites, les leçons les plus importantes que nous recevons à propos de notre corps nous sont données par la personne qui nous limite, nous élève, nous discipline. Votre mère

---

1. Germaine Greer, *La Femme eunuque*, éd. Robert Laffont, collection « Réponses ».

donne une fessée à votre frère qu'elle a surpris en train de jouer au docteur. Il se sent peut-être coupable, mais il tient des autres garçons et des hommes ses attitudes envers son corps et son sexe. « Non ! » dit la mère si vous touchez vos organes sexuels. « Non ! dit-elle encore quand nous courons après les garçons. Attends d'être plus grande ! » « Laisse papa tranquille », dit-elle quand nous découvrons que nous aimons être sur ses genoux. Nous obéissons. Plus tard, nous pouvons nous masturber, désirer les hommes, mais quels sont nos sentiments profonds ? Bien avant les sermons, le livre laissé sur notre table de nuit, les films d'éducation sexuelle projetés à l'école, nous avons appris quelque chose sur notre sexualité par les dénégations de notre mère, ses échappatoires et sa relation à son propre corps.

« Il peut y avoir une période critique où la petite fille apprend l'art d'être maman, m'a dit l'anthropologue Lionel Tiger. Si elle ne l'apprend pas à ce moment-là, elle risque de ne jamais s'initier. Benjamin Spock, par exemple, pensait que les petites filles apprennent à être mères entre trois et six ans, quand elles jouent à la poupée et regardent leur mère faire un gâteau au chocolat. Elles mettent de côté toutes ces informations pendant un certain temps et, à vingt ans, ou quand elles se marient, elles empoignent les ustensiles de cuisine. » Puis il ajouta une idée parallèle mais différente : « Il y a toute raison de croire que la petite fille apprend très tôt ses rôles sexuels. »

Ces déclarations peuvent paraître banales à moins que nous examinions de près la distinction qu'il convient d'établir entre le rôle maternel et le rôle sexuel. (Le fait qu'ils soient appris à la même époque accroît la confusion.) La première partie, le rôle maternel, nous plaît beaucoup ; devenues adultes, nous reconnaissons volontiers, et avec beaucoup de gratitude, que nous tenons de notre mère nos qualités hors pair de maîtresse de maison. Nous n'avons pas oublié que nous l'observions dans sa cuisine, qu'elle s'occupait à merveille des choses et des gens de la maisonnée. Nous l'aimons pour tout cela ; et même, ce qui est beaucoup plus important, nous *voulons* l'aimer. Le moindre accès de colère ou d'aversion provoque chez nous un malaise qui nous ronge. C'est pour cette raison que nous n'aimons pas penser que cette même mère, qui nous a appris à être de bonnes mamans, nous a également appris à être de lamentables partenaires sexuelles. Nous ne « voyons » jamais en elle le modèle d'après lequel nous nous sommes habituées à avoir peur de notre corps, aussi naturellement que nous avons appris à apprécier la propreté de nos cheveux ; nous ne mettons pas l'angoisse que nous éprouvons quand notre amant nous touche « là » en relation avec cette même angoisse qu'éprouvait notre mère quand, toute petite, nous le faisions nous-mêmes. Nous allons la voir chez elle, pleines de bonnes intentions,

111

résolues à exprimer notre amour et notre gratitude, avec le pressant besoin de renforcer le lien qui nous unit à elle, mais la plupart du temps il y a de l'orage dans l'air et, quand nous lui donnons le baiser d'au revoir, nous nous sentons coupables.

Pourquoi? Qu'est-ce qui ne va pas? Même les femmes qui disent : « Je ne m'entends pas bien avec ma mère » ne citent jamais les tensions sexuelles parmi leurs griefs. Nous ne pouvons pas regarder en face le fait que nos angoisses sexuelles d'aujourd'hui sont héritées de notre mère.

C'est un lieu commun en pédiatrie que les enfants ont une façon autoprotectrice d'apprendre ce qui concerne la sexualité. Nous n'intégrons pas plus d'informations que ce que nous pouvons maîtriser sur le moment. « Je pensais avoir très bien expliqué à mes filles comment se faisaient les bébés et comment ils naissaient, m'a dit la mère de deux petites filles de sept et neuf ans, jusqu'au jour où, après un spectacle de télévision, l'une d'elles m'a dit : " Les bébés naissent parce que papa et maman font un vœu en regardant une étoile filante; ils vont au jardin, et s'ils voient un chou bleu, ce sera un garçon, ou une fille si c'est un chou rose. " J'ai dit alors à mon aînée : " Tu sais mieux qu'elle, non? " " Évidemment, dit-elle avec un haussement d'épaules, tout le monde sait qu'on ne sort pas des choux, mais des roses! " »

Cette histoire rassure les mères. Sur un certain plan, elle leur dit que leurs petites filles, de toute façon, ne veulent rien savoir sur le sexe. Les mères ont donc raison de remettre à un an ou deux le moment où elles parleront du sexe et de la menstruation. En outre, la mère n'en a que plus envie de croire qu'elle peut contrôler tout ce qui arrive à sa fille : « Elle ne saura que ce que je lui dirai. »

« C'est une façon fort commune chez les mères de prendre leurs désirs pour des réalités, dit le Dr Schaefer : c'est un excellent exemple de l'irréalisme des modèles de pensée symbiotiques. Les mères ne savent pas où elles finissent et où commence leur fille. Si elles voient dans leur fille leur propre prolongement, elles ne peuvent pas imaginer qu'elle ait des pensées et des sentiments différents des leurs. La mère part de ce principe : si la sexualité me gêne, me trouble, il en est naturellement de même pour ma fille. Cette prévision est encore une façon de prendre ses désirs pour une réalité. »

Les femmes qui ont dépassé la vie limitée de leur propre mère, qui s'estiment libérées sexuellement et qui considèrent qu'elles ont les idées larges, sont ahuries de constater que leur fille n'a pas « entendu » leur nouveau message, pourtant si courageux. « C'est comme si je ne lui avais rien dit du tout, m'a déclaré la mère d'une fille de seize ans. Pourquoi n'a-t-elle pas mis un diaphragme? On dirait que ce n'était pas moi qu'elle écoutait, mais ma propre mère, qui souffrait d'un complexe de culpabilité. » On trouve ici un exemple du retour de flamme conservateur que l'on constate si souvent chez les enfants dont la mère se prétend sexuellement libérée : la fille absorbe beaucoup moins les bavardages à la mode et guillerets de sa mère à propos de la liberté sexuelle qu'elle ne se conforme aux sentiments profonds et souvent inconscients qu'éprouvait sa mère sur le sexe quand elle était petite. Il faut plus d'une génération pour changer les leçons que nous apprenons de nos mères.

« Personnellement, je pense que plus la fille est intime avec sa mère, plus elle réagira d'une façon naturelle vis-à-vis de son corps », dit le Dr Fredland, qui sent elle-même que ses propres attitudes ont suffisamment évolué pour qu'elle puisse communiquer à sa fille un message différent de celui qu'elle a reçu de la part de sa mère. « Ma petite fille, qui a quatre ans, aime regarder ses organes sexuels. De temps en temps, quand je sors de la douche, elle s'allonge sur le tapis de la salle de bains, me regarde d'en bas et me dit : " J'aime bien voir à quoi ressemblent ton vagin et ton anus ", et je réponds : " Vas-y, regarde bien. " Quand elle était plus jeune, elle aimait que je place une glace devant elle pour qu'elle puisse se voir et connaître la fonction de telle ou telle partie de son sexe. Cette aisance à propos de son propre corps *peut* être acquise grâce à une intimité réelle avec la mère. »

Je n'arrive pas à m'imaginer allongée sur le tapis de la salle de bains de ma mère et souriant à son vagin... Et, certainement, c'est encore moins imaginable pour ma mère, et sans doute pour la vôtre. L'aisance, le naturel du comportement du Dr Fredland avec sa petite fille semblent être une façon utopique d'élever son enfant. Mais le Dr Fredland est médecin et psychiatre; elle a été analysée et a réfléchi à ces problèmes, professionnellement et personnellement, beaucoup plus que n'importe laquelle des mères que j'ai interviewées. Elle serait la première à vous dissuader de l'imiter, *à moins que vous ne croyiez dur comme fer que vous acceptez votre sexualité comme vous voulez le faire croire à votre fille.*

Rien ne nous déroute plus, en ce qui concerne le sexe, que les messages à double sens. Si la mère ne se comporte pas d'une façon naturelle depuis la naissance de sa fille, la réalité sexuelle ne peut pas être communiquée « naturellement ». Après six ou dix années de silence, si la mère, rassemblant tout son courage, respire profondément et soudain, annonce, dans l'attitude du colosse des films d'Arthur Rank frappant le gong : « Le Sexe est la Chose la plus Naturelle du Monde! » elle nous accable de contradictions. « La mère a lu tous les livres, dit l'éducatrice Jessie Potter, et elle sait ce qu'elle est censée dire. Mais sa fille a vécu toute sa vie dans cette maison et n'ignore pas que le sexe ne constitue pas une partie heureuse de la vie de ses parents.

« L'expérience que j'ai acquise à l'école et en parlant à des centaines de parents me dit que les gens — parents ou professeurs — qui, grâce à leur éducation, se sentent à l'aise dans leur sexualité, sont très rares et très particuliers. Si bien que quand les autres — la majorité — pensent ne communiquer à leurs enfants que des faits, c'est leur malaise qu'apprend l'enfant. »

Voici ce que m'a dit une femme de vingt-deux ans : « On nous a appris que si nous nous masturbons nous ne nous intéresserons jamais aux hommes... à part cela, mon seul souvenir des cours d'éducation sexuelle est la pudibonderie, l'air guindé de notre professeur. »

La mère n'est pas obligée d'être parfaite, il lui suffit d'être en harmonie avec elle-même. Si c'est le cas, nous pouvons nous sentir assez en sécurité pour nous identifier à elle, pour nous placer quelque part près d'elle ; elle nous permet de connaître notre point de départ. Elle nous a donné sa loyauté pour modèle. Elle nous a libérées. Nous pouvons accepter sa timidité, sa gêne en ce qui concerne le sexe parce qu'elle nous est toujours apparue sous ce jour. Mais si elle nous transmet des messages à double sens, elle nous apprend à douter de ce que nous percevons comme réel.

« Ne faites rien à contrecœur, conseille le Dr Fredland. Si la mère se sent mal à l'aise, ce qu'elle a de mieux à faire, c'est de déléguer auprès de sa fille une personne que les thèmes sexuels ne gênent pas. » C'est aussi, de la part de la mère, avouer franchement ses sentiments : il vaut mieux que nous soyons informées des faits sexuels par un étranger plutôt que par elle. En agissant ainsi, elle mettra sans doute un peu de distance entre elle et nous ; elle peut en souffrir. Mais nous dire une chose alors qu'au fond d'elle-même elle en pense une autre, cela fait encore plus mal. En réalité, beaucoup de femmes reconnaissent volontiers que leur mère a très bien fait de ne pas essayer de leur parler de la sexualité.

« Ma mère ne m'a jamais rien dit, ni en bien ni en mal, m'a dit une femme de trente ans. On dit souvent que c'est une mauvaise solution, mais en ce qui me concerne, je pense que les résultats ont été positifs. Je n'avais pas de préjugés. Ce sont les autres filles qui m'ont fait découvrir la sexualité. Je ne me suis pas masturbée avant d'approcher de la trentaine, et je n'ai pas eu d'orgasme avant mon second mariage mais, en même temps, la sexualité ne m'a jamais mise mal à l'aise. Je me sentais toujours libre de demander ce que je voulais savoir, et j'étais satisfaite, même si je savais que j'étais en retard sur les autres. Je pense que la seule vraie leçon que ma mère m'a donnée, en ce qui concerne le sexe, m'a été transmise sans qu'elle ait dit un mot, mais elle ne m'a pas échappé : c'est que mon père et elle vivaient une relation très belle, très chaleureuse. »

Tous les psychiatres et tous les éducateurs vous diront que les enfants, même devenus adultes, n'aiment pas imaginer papa et maman faisant l'amour. Mais la leçon qui dépasse tout ce qu'on peut dire ou lire est résumée dans la dernière phrase de cette même femme : « Comme mes parents s'aimaient vraiment beaucoup et que, nous les gosses, nous le savions, je me suis dit que tout ce qui se passait entre les hommes et les femmes ne pouvait être que très bien. »

Quand nous désespérons d'apprendre la vérité de la bouche de notre mère, nous nous tournons vers les autres petites filles. Elles promettent le genre d'intimité dont nous avons encore besoin mais que nous ne pouvons pas nous procurer du côté de notre mère. Quand nous dormons les unes chez les autres, nos murmures sont la confirmation de ce que nous suspectons : maman n'a jamais vécu ce que nous sommes en train de vivre. C'est pour cela qu'elle ne nous en parle jamais, et non parce qu'elle ne nous aime pas. S'il lui est jamais arrivé de ressentir ce que nous ressentons, c'était il y a bien longtemps, bien avant qu'elle soit maman, à une autre époque, excessivement moralisante, antédiluvienne. Nous devons nous protéger nous-mêmes — et en même temps sa pudeur — en lui cachant ce que nous savons d'elle. En décidant d'agir sans son approbation, en cachette, non seulement nous l'empêchons de nous aider à découvrir notre sexualité « interdite », mais encore nous nous chargeons d'une responsabilité qui lui appartient. Le sexe fait peur à maman. Nous la protégeons par notre silence. Et pourtant, si grand que soit notre amour pour elle, nous avons l'impression d'être trahies : si elle nous aime, pourquoi ne nous dit-elle pas qu'être une femme, c'est quelque chose de plus que d'être une mère?

Nous essayons de rétablir avec les autres filles la meilleure part de ce que nous avons connu avec notre mère, une ambiance chaude et intime où nous pouvons « tout » dire, « tout » partager. En révélant nos secrets les plus profonds, nous espérons nous attacher à jamais notre meilleure amie, mais la main invisible de la mère nous poursuit. « Il y avait entre ma sœur et moi autant d'intimité qu'il peut y en avoir entre deux filles, m'a dit une femme. Nous parlions de tout... sauf de ce qui était vraiment très intime. Je pense que cela venait de l'influence de notre mère. »

Longtemps après que nous avons quitté la maison familiale, même après la mort de notre mère, elle reste incorporée au système « moral » féminin qu'elle nous a appris; c'était le domaine particulier que nous partagions avec elle et dont étaient exclus notre père et nos frères. Il ne suffit pas de formuler un slogan ou de lire un nouveau livre pour nous débarrasser de la pruderie qu'elle nous a transmise, pour nous libérer de la peur qu'elle nous a inculquée comme une sorte de protection. Bonnes ou mauvaises, ses angoisses nous sont léguées, elles nous rendent solidaires d'elle. Supprimer radicalement sa surveillance perpétuelle, sa méfiance sexuelle, c'est tuer la partie d'elle qui survit en nous sous la forme de la conscience maternelle. C'est pourquoi il est si difficile d'agir sexuellement alors que notre esprit nous dit *oui, oui!* Il faudrait que nous prenions nos décisions toutes seules.

Déjà, quand nous étions petites filles, nous avons commencé à projeter ce surmoi féminin sur nos amies. C'est pour cette raison que nous ne pouvions pas faire confiance aux autres filles. Nous nous donnons de tendres rendez-vous, nous nous faisons mille gentillesses, nous nous creusons la tête pour découvrir de nouveaux secrets à partager... mais nous en gardons un. « Est-ce que tu t'es déjà touchée là, en bas? » risquons-nous, en ayant déjà peur d'être allées trop loin. « Oh, non! s'exclame-t-elle, confirmant nos craintes. Et toi? — Oh, non! » Nous nions tout, de peur qu'elle ne nous aime plus. Ce que nous désirons plus que tout, c'est d'être, *de nous forcer à être* comme toutes les autres filles.

Nous sommes beaucoup plus à l'aise quand nous pensons au moment où nous serons mamans que lorsque nous voyons en nous un être sexuel. Il vaut mieux nous taire plutôt que de donner un nom à nos organes génitaux; et, plus tard, même si nous aimons qu'il nous touche « là, en bas », nous ne croirons jamais qu'il puisse aimer le faire. Le rôle que nous avons appris à jouer avec nos poupées a bouclé la boucle, et nous n'avions que douze ans; quand nous avions trois ans, nous nous sommes peut-être demandé pourquoi nos poupées n'avaient pas de papa, mais quand vient le moment où nous apprenons d'où viennent les bébés, nous nous sentons beaucoup mieux sans les hommes. Maman n'a-t-elle pas abandonné pour nous sa vie sexuelle?

Notre besoin d'être acceptées par les femmes est déjà plus fort que le besoin sexuel que nous aurons des hommes. Dans la prison où les femmes sont enfermées, il importe peu qu'elles soient prisonnières ou geôlières; c'est la même chose. Notre sexualité nous semblera toujours être un défi lancé aux autres femmes. Le mariage, au lieu d'être le signal d'une vie sexuelle sans culpabilité, devient vite une promenade sur le sentier des souvenirs : nous revenons à papa et à maman. Quand nous sommes mères à notre tour nous protégeons d'instinct nos filles en leur cachant notre propre sexualité. Nous mettons notre mari de côté, comme le faisait notre mère avec notre père quand nous avions trois ans et que nos poupées et la fabrication des gâteaux étaient tout ce que nous savions de l'amour conjugal. Au mieux, le sexe est une affaire angoissante. Maintenant que nous sommes mariées, le centre de la vie se déplace; il va du vagin, si embarrassant, à la maison, à l'église, à la famille. Nous menons une vie agréable. Mais pourquoi donc avons-nous l'impression qu'il y a en elle un grand vide?

Si tant de femmes renoncent aux hommes après avoir couru après eux toute leur vie, ce n'est pas seulement parce qu'ils les ont déçues. Nous ne valons peut-être pas mieux qu'eux. Nous leur reprochons de nous plaquer une fois qu'ils nous ont baisées, mais dès que nous avons fait de l'un d'eux le père de nos enfants, est-ce que nous ne nous désintéressons pas du pénis qui a rempli une fonction que nous jugeons essentielle?

« On peut réprimer et régenter une fille jeune à propos de ses organes génitaux à un point tel qu'elle ne les découvrira jamais, dit Jessie Potter. Même si elle y parvient, elle aura reçu tant de messages négatifs qu'elle sera anesthésiée entre les genoux et le nombril. Après lui avoir appris que cette partie de son corps est si affreuse qu'il est impossible de lui donner un nom, qu'elle sent mauvais et qu'elle ferait mieux de ne même pas la regarder, voilà que nous lui disons qu'elle doit la conserver précieusement pour l'homme qu'elle aimera. Il faut pardonner aux femmes de manifester si peu d'enthousiasme pour un tel cadeau! »

Le petit garçon est en contact avec son sexe de très bonne heure; en fait, chaque fois qu'il urine. Quand il est excité, son érection apparaît « naturellement ». Quand il campe, il se joint à ses camarades pour éteindre les feux en faisant pipi dessus. C'est à celui qui enverra son sperme le plus loin, qui pissera le plus loin : c'est un test de maîtrise, de contrôle, la preuve d'une saine virilité.

Mais les femmes sont si astucieusement fabriquées, qu'on dirait que c'est une mère qui a dessiné la maquette de leurs organes génitaux. Quand nous urinons, nous ne nous voyons pas. Nous ne pouvons pas diriger le jet. On ne nous permet de nous toucher que quand c'est inévitable : au moment où nous nous essuyons. La première grande difficulté que rencontre notre mère dans notre éducation est l'apprentissage de la propreté. Son rôle de « bonne mère » est en jeu et elle portera sur elle-même un jugement favorable si elle peut très tôt annoncer sa victoire à ses amies et à ses voisines. Si nous la décevons, c'est : « Comment peux-tu me faire ça, à moi! » un refrain que nous entendrons toute notre vie. Si nous faisons caca dans notre culotte, c'est sa honte!

Voici ce que dit à ce propos une pionnière de l'éducation sexuelle, le Dr Mary S. Calderone : « Les mères ont tendance à s'interposer entre le corps et le moi de l'enfant parce qu'elles se sentent propriétaires de ce corps. Elles commencent par exiger des fèces à un moment précis et d'une certaine façon : " Fais comme je te dis. Pousse bien, pour me faire plaisir. Si tu me le donnes, ici, dans ce pot, tu seras une gentille petite fille. " Puis elles exigent l'urine de la même façon. Ensuite elles s'interposent entre l'enfant et son besoin de sucer son pouce. Enfin elles s'insurgent entre la petite fille et son envie de toucher ses organes génitaux. Ce faisant, nous oublions que le corps de l'enfant ne nous appartient pas. Son corps *est à elle* et nos efforts doivent se limiter à socialiser son propre contrôle de son corps. Un apprentissage prématuré et strict pose les premières pierres d'une assise qui, plus tard, obligera la petite fille à penser que tout est

117

mal, tout est vice : la sexualité, le plaisir physique, la masturbation, le coït ! »

Après un tel dénigrement du vagin, est-il surprenant que tant de petites filles regardent leur frère avec envie ? Il a dans cette zone du corps quelque chose qu'elles n'ont pas. « L'autre nuit, m'a dit une mère, ma petite fille m'a appelée : " Je ne peux pas dormir... je n'arrête pas de penser aux pénis. J'en veux un. Oh ! je veux bien être une fille, mais j'aimerais avoir un pénis pour le tenir dans ma main et le faire aller où je veux. " Et la mère a ajouté : " Ma fille est de ces enfants qui aiment diriger. " »

Qui n'a pas envie de contrôler son corps ? Comme le pénis doit paraître utile à la petite fille qui a eu tant de mal à contenter sa mère sévère pendant l'apprentissage de la propreté ! « Le petit garçon semble avoir tout ce qu'il faut pour s'attirer les compliments de sa mère, dit le Dr Robertiello. Il a une sorte de tuyau, quelque chose qu'il peut orienter à sa guise, aussi familier, aussi simple, aussi facile à comprendre qu'un robinet de lavabo... on l'ouvre, on le ferme, et c'est tout. Et c'est propre. C'est à l'extérieur du corps, si bien que le petit garçon n'est pas obligé de s'essuyer quand il a fait pipi. Il est évident que la petite fille aimerait avoir un tuyau comme celui-là, qu'elle pourrait contrôler, qui serait toujours bien propre, pour plaire à sa mère. Mais extrapoler, à partir de ce désir tout simple, pour affirmer que la petite fille préférerait être un garçon, c'est verser dans le mythe. »

L'apprentissage de la toilette concentre toute notre relation avec notre mère sur cette zone extrêmement importante qui se situe entre nos jambes. Parce que nous sommes faites à son image, la mère transfère chez nous ce qu'elle ressent au sujet de ses propres organes génitaux, beaucoup plus qu'elle ne le fait avec notre frère. En se souvenant de ses propres difficultés, de ses humiliations, sa réaction de défense est d'inculquer à sa fille cette notion de répulsion. Et la petite fille, naturellement, se demande à un niveau très profond : « Que peut-il y avoir en elle de si honteux pour qu'elle doive se protéger avec tant de rigueur contre ce quelque chose ? » Le terrain où se développeront nos angoisses est tout préparé ; et nous ne sommes que deux !

J'ai grandi sans père ni frère, et pourtant, à quatre ans, j'essayais déjà de faire pipi debout pour contrôler cette fonction primordiale. On peut se demander comment j'ai pu avoir cette idée, alors qu'il n'y avait dans la maison aucun représentant du sexe masculin que je puisse voir à l'œuvre ; ni surtout envier. Cela signifie-t-il que je n'ai jamais vu le petit garçon du voisin en train de faire pipi avec assurance contre un arbre ? L'envie de pénis naît, non pas du désir spécifique d'être un mâle, mais du désir de résoudre le problème du contrôle, de l'angoisse et de la honte propres à notre mère et qui sont aussi devenues les nôtres.

La psychiatre Clara Thompson écrivit en 1943 un article intitulé « Les femmes et l'envie de pénis », qui modifia d'une façon importante le courant de pensée psychanalytique. Elle soutenait que l'envie de pénis est avant tout symbolique, une rationalisation du sentiment d'infériorité qu'éprouvent les femmes dans une société patriarcale. « Les facteurs culturels, écrivait-elle, peuvent expliquer la tendance des femmes à considérer leur sexe comme inférieur et, par conséquent, à envier les hommes... L'attitude appelée " envie de pénis " est analogue à celle qu'adopte tout groupe défavorisé envers ceux qui détiennent le pouvoir[1]. »

Dans une société régie par l'homme, le pénis est considéré comme le symbole du sexe le plus privilégié. Dans une société matriarcale, le symbole de la puissance pourrait être le sein ou le ventre fécondé. Un enfant de Boers qui serait élevé dans une tribu africaine aurait envie d'avoir la peau noire. Chez nous, la femme peut envier les belles boucles de son amie Louise, *mais elle ne désire pas être Louise*. De même, nous pouvons envier le pénis — ce « quelque chose de plus » évident que possèdent les garçons — sans pour cela avoir envie de changer de sexe. L' « envie de pénis » est tout simplement ce qu'expriment les mots, sans la surcharge que Freud a imposée à l'expression : c'est une envie *anatomique*, ce n'est pas une envie de *genre*.

« Malheureusement, dit le Dr Schaefer, la formule continue d'angoisser les femmes. Malgré notre refus, nous avons peur que ça puisse être vrai, avec cet affreux contexte de la " femme castratrice ", qui est le corollaire de l' " envie de pénis ", même si, aujourd'hui, seuls les freudiens les plus stricts prennent au pied de la lettre l'idée de leur maître. Nous savons maintenant que le sentiment d' " infériorité " de la femme est dû à la société en général, et à la mère en particulier, qui n'attribue pas la même valeur au sexe de sa fille qu'à celui de son fils. La constellation de l'autodépréciation appelée " envie de pénis " n'est pas biologiquement acquise mais constitue un fragment appris du comportement social. »

Alors que je crois que Clara Thompson a raison de penser que l'envie de pénis vient en partie de l'importance accordée au statut culturel des hommes, je sens du plus profond de moi-même que le problème commence plus tôt et plus près du foyer familial, quand la petite fille perçoit que son anatomie provoque chez sa mère des difficultés qui n'existent pas avec les petits garçons. Mais en fin de compte, ça n'a pas

1. Clara Thompson, « Penis Envy in Women », *Psychiatry*, vol. 6, 1943, pp. 123-125.

d'importance. Les deux idées œuvrent ensemble pour provoquer chez la femme un bas niveau d'amour-propre.

Dans ce contexte, l'envie de pénis peut être considérée chez la petite fille comme faisant partie de sa recherche d'une idée d'elle-même et de la réalité. « C'est moins une question d'envie, dit le Dr Sanger, que de perfectionnisme. La petite fille a envie d'un pénis mais aussi d'un vagin, elle veut fumer la pipe comme papa et voudrait bien avoir une queue comme Black Beauty dans les films. »

Quand la petite fille regarde sa mère, elle constate qu'elle a des seins, alors qu'elle-même n'en a pas, ni aucune des marques visibles de la sexualité adulte. Quand notre mère promet que nous aurons toutes ces choses en grandissant, c'est difficile à imaginer. Pour le petit garçon, la promesse est moins abstraite. Il regarde son père et il pense : « Bon! c'est toujours un début! La mienne est plus petite, mais elle grandira en même temps que moi! » Le Dr Sanger propose cette comparaison : « C'est comme si on vous donnait les clés d'une voiture en vous disant qu'elle sera à vous dans vingt ans. Du moins, vous possédez les clés, une promesse tangible qui vous permet d'attendre. »

La petite fille, d'autre part, n'a que la promesse de sa mère; un pénis n'est pas plus enviable qu'un vagin et, quand elle sera grande, elle sera contente d'avoir un vagin. Cette conviction est l'une des choses les plus importantes qu'une mère puisse donner à sa fille; mais, pour qu'elle ait toute sa valeur, il faut que la petite fille se rende compte que sa mère lui dit vraiment ce qu'elle ressent elle-même. L'enfant ne demande qu'à croire sa mère et si l'envie de pénis ne pose pas de problème à celle-ci, la petite fille l'oubliera bien vite.

« Quand ma petite fille a eu deux ans et demi, dit le Dr Fredland, elle a commencé à s'intéresser au pénis. Elle disait qu'elle voulait faire pipi debout, comme les garçons, ce qui est universel. Je lui ai dit que le pénis c'était très bien, mais qu'elle avait un beau vagin. " C'est vrai? Alors, c'est bien. Montre-le-moi? " Je l'ai tenue en face d'une glace. Cela l'a satisfaite, mais elle a bientôt voulu avoir un bébé. Quand elle a admis, à trois ans et demi, qu'elle ne pouvait pas en avoir un, elle m'a dit : " Alors, si tu en as un, tu me le donneras. " Elle a commencé par dire qu'elle le nourrirait au sein, puis qu'elle lui donnerait le biberon. " Pourquoi le biberon et pas le sein? " lui ai-je demandé. Elle m'a regardée très en colère et avec dédain, et m'a dit : " Tu sais très bien que je n'ai pas de seins. " Elle était très malheureuse. Et bientôt, évidemment, elle a désiré avoir des seins. Les stades se succèdent naturellement. »

Aujourd'hui, la fille du Dr Fredland veut avoir des poils sur son pubis... Et demain, qui sait? La petite fille ne peut pas s'empêcher de désirer quelque chose jusqu'au moment où elle sait ce qu'elle veut. Après le pénis, les seins, les poils sur son sexe, avec un peu de chance elle tournera son attention vers l'extérieur; elle enviera des gens qui ont le respect d'eux-mêmes et du courage, des aviateurs ou des philosophes... Si sa première éducation ne l'a pas amenée à se sentir vulnérable de l'intérieur, et si elle a résolu les problèmes que posait la maîtrise de son corps, elle aura toute l'énergie qu'il lui faut pour affronter la réalité.

En fin de compte, la mère doit gagner, et elle gagne effectivement la bataille du pot de chambre. Il n'en résulte que trop souvent, à notre grand dommage, que, pour nous, la source de notre plaisir et celle de nos déchets ne sont qu'une seule et même chose. L'enseignement déroutant de la mère a instauré une phobie du type lady Macbeth : nous n'arriverons jamais à laver la souillure (à la grande joie des fabricants de douches vaginales et autres tristes produits chimiques dont nous inondons nos bidets).

Je n'ose pas vous dire à quel âge j'ai appris que les tampons dont je me servais depuis des années n'étaient pas introduits dans l'orifice par lequel j'urinais! Je m'étais toujours demandé comment il se faisait que le tampon ne bloquait pas l'urine... *mais jamais au point de poser la question.*

Cette façon de penser porte un nom qui qualifie très bien les femmes qui, comme moi, ont résisté pendant longtemps à localiser leurs orifices et à comprendre leurs fonctions : c'est le « concept du cloaque ». Comme le mot « symbiose », ce terme a résonné en moi avec des significations à différents niveaux quand je l'ai entendu pour la première fois. C'était le résumé émotionnel d'années d'expériences dont on ne parlait jamais, l'explication de l'avilissement culturel du « cloaque » vaginal, comparé au pénis, plus propre et plus estimable.

Le cloaque est l'orifice commun des voies excrémentielles et sexuelles chez les animaux inférieurs, comme les vers de terre et les oiseaux. Bien des petites filles ont l'idée, jamais formulée — l' « impression » — qu'elles urinent et défèquent par le même trou et que c'est aussi par lui, peut-être, que sortent les bébés. Plus tard, cette confusion s'étend pour inclure l'idée que le sexe lui-même est en rapport avec cet orifice unique, ce qui nous amène à penser que nos organes sexuels sont sales, honteux, de la même façon que nous avons appris, pendant l'apprentissage de la propreté, à ne pas être tellement fières de la fonction de l'anus. « Beaucoup de mères ont des idées extrêmement confuses sur leur anatomie, dit le Dr Robertiello. A l'époque où elle met son premier enfant au monde, la femme, en général, a appris à faire la différence entre l'urètre, le vagin et l'anus, mais il y a un abîme entre la compréhension intellectuelle et la croyance affective. Pendant l'apprentissage de la propreté, elle peut transmettre à sa fille la notion confuse que ces trois orifices n'en font qu'un, lorsqu'elle dit, par exemple : " Là, en bas ", ou " ton derrière ". »

« Quand j'étais petite, m'a raconté une femme de trente-cinq ans, qui avait été major de sa promotion universitaire, une fille m'a dit que les bébés naissent par où on fait pipi. J'ai repoussé cette idée sans hésiter; tout le monde peut voir que le nombril est comme le cordon d'une bourse : quand le moment est venu, on ouvre le cordon, on sort le bébé et on n'a plus qu'à refermer le cordon. Je n'ai vraiment rien appris sur le sexe avant ma deuxième année d'université. Mais je n'ai jamais aimé qu'un homme me touche là, en bas. Jamais! »

Les hommes, eux aussi, ont des problèmes avec les images qu'ils se font de leur corps : ils grandissent à l'ombre de l'homme macho que l'on peut voir sur les affiches des cigarettes Marlboro. Mais, finalement, ils ont d'autres chats à fouetter. Ils sont destinés à être jugés sur leurs actes. Ils peuvent être gênés d'être trop petits, ou trop maigres, mais les plus laids d'entre eux peuvent réussir à trouver des femmes. En ce qui nous concerne, l'importance accordée par notre culture à la beauté féminine n'explique pas par elle-même pourquoi les femmes les plus ravissantes sont incapables de croire à leur beauté. C'est presque risible : complimentez une femme sur son visage, ou ses jambes, et elle vous dira en soupirant : « Si seulement j'avais plus de poitrine! » Rien n'est jamais parfait, il y a toujours quelque chose qu'il faudrait changer.

Nous n'y comprenons rien nous-mêmes. Nous montrons à une amie une photo qui a été prise de nous deux l'été dernier; elle est svelte, très belle avec son bikini. « Quelle photo affreuse! » s'écrie-t-elle, et elle la déchire en ajoutant : « Je vais suivre un régime! » Rien ne peut la persuader qu'elle est déjà mince et élancée. Les magazines féminins savent très bien qu'il y a un titre de première page qui marche à coup sûr : « Elizabeth Taylor ne veut pas croire qu'elle est belle! » Aussi incroyable que cela puisse paraître, nous achetons le magazine parce que nous savons que c'est vrai : après tout, Elizabeth Taylor est une femme, non?

Nous avons toutes quelque chose à cacher. Sinon, pourquoi la société construirait-elle des cabines et des boxes fermant au verrou pour nous déshabiller et uriner, alors que les hommes peuvent faire la même chose dans un grand vestiaire commun ouvert à tous les vents? Et dans ces vestiaires, ils se douchent ensemble, qu'ils soient gros, maigres ou cagneux; ils se battent par jeu, se chipent leurs serviettes; si leurs corps se touchent, ça n'a aucune importance; ils urinent côte à côte et, pendant ce temps, le pénis à la main, ils se racontent des histoires sexuelles. Cette promiscuité ne les gêne pas, à part quelques-uns qui font des efforts pour avoir l'air décontracté. Pourquoi, sur ce point, les femmes sont-elles différentes?

« Je ne me souviens pas d'avoir connu une femme à qui sa mère ait dit quelque chose de positif à propos de ses organes génitaux, dit le Dr Fredland. Au contraire, elles ont toutes été mises en garde contre la promiscuité, pour le moins, et menacées du pire si elles se masturbent ou s'intéressent trop aux garçons. La plupart des femmes sont incapables de se toucher et elles ne peuvent pas imaginer que quelqu'un puisse éprouver un plaisir quelconque à caresser leur sexe. C'est ce qu'un psychanalyste de mes amis appelle plaisamment " l'absence d'amour-propre vaginal ". »

Quand vient le moment, pendant nos études secondaires, où le professeur déploie en classe les planches anatomiques et passe les films d'éducation sexuelle, nous sommes devenues incapables de distinguer l'urètre du vagin; un voile invisible trouble notre vision, aussi réel que le linge que nous serrons d'une main crispée sur notre corps quand nous consultons le gynécologue. Nous sommes devenues si myopes que nous ne pouvons pas « voir » le moulage en plâtre d'une vulve qui est posé sur notre bureau. J'ai demandé à Vera Plaskon, qui a vingt-huit ans et qui enseigne l'éducation sexuelle à des adolescentes à l'hôpital Roosevelt de New York, si cette attitude correspondait à son expérience. Elle a éclaté de rire : « Si j'ai vu des jeunes filles réagir de cette façon? Je suis moi-même passée par là! Je me disais : Ce n'est pas possible! Ça ne peut pas être moi! Ces moulages de vulve ont l'air si inhumains! Les femmes savent qu'elles ont deux bras, deux mains, deux jambes, une langue, mais elles se sont coupées de leurs organes génitaux, surtout des organes internes. " Ne regarde pas, ne touche pas! " Tout ce qui se trouve dans cette zone est sale. Notre travail, à l'hôpital Roosevelt, consiste à fournir aux jeunes filles des informations. Mais aussi, et surtout, à les aider à se sentir bien dans leur corps. A six ou huit ans, l'image que nous nous faisons de notre corps est si consternante! »

« L'ignorance des femmes en ce qui concerne leur corps est un comportement appris, m'a dit la gynécologue Marcia Storch. On habitue les petites filles à avoir peur de leur corps, à ne pas se sentir en sécurité avec lui. A l'opposé, nous avons la Grande Reine Sexuelle, qui est présentée comme quelque chose de très exceptionnel. Comme vous ne pouvez pas atteindre cette altitude, vous êtes honteuse du corps qu'on vous a donné. Les jeunes filles sont ainsi sollicitées des deux côtés; elles sont obligées d'aspirer à quelque chose qu'elles savent hors de leur portée. »

Pourquoi ne sommes-nous jamais satisfaites? Pourquoi cette importance incroyable attachée à nos grosses cuisses ou à nos petits seins? Pourquoi ne pouvons-nous penser qu'à nos défauts et si rarement avec plaisir à ce que nous avons de beau ou de joli? Pourquoi ce transfert de notre attention, de notre *moi* à notre corps... comme si nous n'étions qu'un corps?

MA MÈRE, MON MIROIR

Parce que ces inquiétudes obsédantes sont bel et bien des transferts!

Nous n'arrivons jamais à nous débarrasser de nos soucis de tour de taille et de poids parce qu'ils ne sont pas la racine réelle, indicible et impensable de nos préoccupations. En nous plaignant de nos chevilles ou de notre peau, nous détournons notre attention de cette autre zone de notre corps dont notre mère ne parlait jamais, qui n'avait pas de nom et qui lui faisait faire une grimace de dégoût si nous la salissions. Nous disons que ce sont nos cuisses, nos seins qui sont laids; nous avons peur que ce soit notre vagin.

S'il nous arrive d'exprimer notre sexualité, nous le faisons en aveugles. Nous fermons les yeux quand nous nous masturbons. Nous nous enivrons pour que le lendemain matin nous puissions feindre l'ignorance et fuir la responsabilité de notre plaisir. « Je ne me souviens absolument pas de ce que j'ai pu faire! » Quand un homme qui nous aime nous embrasse entre les jambes, plutôt que de l'accepter dans cette attitude, nous préférons imaginer qu'il s'agit d'un inconnu que nous ne reverrons sans doute jamais. Nous avons peur qu'il ne soit pas assez expert pour découvrir notre clitoris, si secret; et, s'il y arrive, nous faisons une prière pour qu'il surmonte son ennui et son dégoût assez longtemps pour que nous puissions vaincre notre propre répugnance, acquise pendant notre enfance. L'homme que nous adorons le plus n'est-il pas celui qui, finalement, nous fait comprendre qu'il connaît notre secret et qu'il l'aime?

Les entreprises de mode et de produits de beauté ne sont pas à l'origine du fait que les femmes ne sont pas satisfaites de leur corps. Elles se contentent d'exploiter une vieille angoisse, de chiffrer en dollars notre espoir qu'un jour nous pourrons trouver un produit qui nous permettra de sentir bon, d'avoir bon goût, de nous sentir bien dans notre peau. Ceux qui voudraient encourager les femmes à se débarrasser de ces soucis futiles pour se consacrer à leur vrai problème, qui est l'égalité des sexes — et sans leur expliquer d'abord l'angoisse très significative qui sous-tend cette préoccupation —, ne feraient que placer les femmes sur un terrain tout aussi instable. On ne peut pas construire une acceptation solide de soi-même sur une dénégation aveugle. Pourquoi dépensons-nous tant d'argent à nous habiller, tant d'heures à nous maquiller? Parce que nous ne pouvons pas croire que quelqu'un puisse nous accepter telles que nous sommes. Persuadez une femme que ses organes sexuels sont beaux, et elle aura tout ce qu'il lui faut pour être une personne « égale ». C'est ce que je crois de toutes mes forces.

Notre attitude envers la menstruation est un exemple frappant du pouvoir que nos sentiments détiennent sur notre intelligence. Ma mère

124

avait certainement envie de me donner toutes les informations qu'elle possédait. J'avais le plus grand besoin de ces informations. Je suis sûre qu'elle a essayé, mais nos sentiments contraires ont fait barrage. Quand je repense à cette période si importante de nos vies, j'ai l'impression que nous jouions la comédie universelle qui met en scène ces deux personnages : la mère et la fille. Elle ne pouvait pas me présenter les faits sous une forme qui me les aurait rendus assimilables; comme il m'était difficile de l'écouter, elle se repliait de plus en plus sur elle-même. Les conséquences sont les mêmes pour la plupart d'entre nous; devenues adultes, que ce soit à vingt-cinq ou à quarante-cinq ans, nous nous sentons mal à l'aise à propos de cette fonction qui, plus que toute autre, résume ce que nous avons inconsciemment appris : cette partie de notre corps n'est pas belle.

Tout au long de mon enquête sur la relation mère-fille, c'est la menstruation qui m'est apparue comme le sujet le plus dominé par les contradictions, les trous de mémoire, les confusions et les mensonges. C'est le comportement dont nous parlons avec le plus d'aplomb, mais c'est aussi celui que nous pouvons le moins contrôler.

A la décharge des mères en général et de la mienne en particulier, voici ce que dit le Dr Sanger : « Il est souvent impossible de parler à un enfant de quelque chose qui n'a pas encore eu lieu. On bavarde souvent de n'importe quoi, sauf de ce qui est important. Et il en va de même pour celui ou celle qui écoute. On est en général angoissé d'avoir à affronter quelque chose de nouveau. L'étudiant qui est incapable d'ouvrir un livre avant la nuit qui précède l'examen est dans la même situation que la fillette qui est incapable d'écouter ce que lui explique sa mère sur la menstruation avant le début de celle-ci. »

Bien avant d'avoir onze ou douze ans, nous nous sommes rendu compte que maman saigne une fois par mois... c'est vraiment quelque chose qu'il est difficile d'ignorer dans n'importe quel foyer. (Si, par extraordinaire, notre mère s'est arrangée pour nous le cacher, cela nous en dit encore plus long que n'importe quoi.) Quand nous atteignons la puberté, nous savons déjà ce que pense notre mère de *tout* ce qui concerne la sexualité. Si elle aime son corps, si elle le soigne bien, si elle en est fière, nous pouvons être fières à notre tour de devenir femme. Si elle se plaît en la compagnie des hommes, si, quand elle en est entourée, elle ne devient pas quelqu'un que nous ne reconnaissons pas, si le jour de nos premières règles, elle nous emmène déjeuner à l'extérieur en nous disant que nous commençons la plus belle partie de notre vie de femme, alors nous pouvons la croire. « A la voir grandir, quitter l'école pour le collège, j'ai éprouvé un mélange d'émotions, m'a dit la mère d'une fillette de onze ans prémenstruelle. Je suis fière d'elle, mais je sais qu'un jour elle me quittera. Oui, mes sentiments sont très ambigus... je sais qu'elle va bientôt avoir ses règles, qu'elle va entrer dans une nouvelle phase de sa vie. Je vois que c'est ma propre vie qui va changer. »

La gynécologue Marcia Storch m'a parlé d'une fille de onze ans qui venait d'avoir ses règles et qui refusait de porter une serviette hygiénique ou tout autre moyen de protection. Après avoir vu la fille, elle vit la mère, une femme intelligente qui militait dans un parti politique. Elle comprit aussitôt l'origine profonde du problème : « Le message fondamental que cette mère transmettait à sa fille était l'angoisse, m'a dit le Dr Storch; en effet, elle m'a dit d'emblée qu'elle était bouleversée à l'idée que son " bébé " pouvait avoir ses règles. Si bien que l'enfant essayait de cacher ce qui avait provoqué les frayeurs de sa mère. Cette histoire n'a rien d'exceptionnel. Une quantité de filles font comme si elles n'avaient pas commencé à être réglées, à cause des sentiments négatifs de leur mère. »

Et voici ce qu'en dit une psychiatre, le Dr Lilly Engler : « Si tant de mères refusent d'affronter la menstruation de leur fille, c'est que l'événement signifie que l'enfant est devenu un être sexuel. La mère se sent tout à coup " vieillir ". J'ai connu des mères qui désiraient vraiment préparer leur fille, qui croyaient même l'avoir fait, alors qu'il n'en était rien. Nous n'aimons pas nous l'avouer, mais c'est souvent une affaire de jalousie. »

De l'autre côté de la porte œdipienne, « la menstruation oblige la fillette à penser, même si elle désire le nier, que sa mère a une vie sexuelle, dit le Dr Schaefer. Une jeune fille de quatorze ans s'est un jour présentée à ma consultation. Elle ne pouvait pas comprendre pourquoi elle répugnait tant à parler de la menstruation avec sa mère. L'idée que sa mère, tout à coup, était mêlée à " toutes ces histoires " lui faisait " horreur ". Le fait qu'elle se sentait moins près de sa mère la rendait angoissée, coupable ».

Quand vient l'époque de la menstruation, nous avons déjà pris nos distances par rapport à notre mère. Nous nous identifions à elle, mais nous ne sommes pas comme elle. C'est une sorte de liberté. Ce fossé nous permet d'ignorer les faits de sa vie que nous ne voulons pas encore regarder en face. Nous posons des questions, nous ouvrons des portes, mais si nous nous heurtons à des faits pour lesquels nous ne sommes pas encore prêtes, nous refermons la porte, nous oublions ce que nous venons de voir ou d'entendre et nous revenons à nos jeux puérils. Mais quand nous commençons à avoir nos règles, nous ne pouvons plus regarder ailleurs. Sa vie est aussi la nôtre. Obligées de comprendre ce que signifie pour la mère le cycle périodique, nous ne pouvons plus refuser d'admettre que maman n'est pas seulement cet être bon, « pur », totalement non sexuel, que nous avions toujours supposé, mais que, d'une façon tout aussi irrationnelle, elle est aux prises avec les mêmes désirs sexuels que les nôtres. Elle éprouve les mêmes sentiments que nous, les mêmes excitations physiques. C'est dérangeant. D'obscurs conflits œdipiens sont agités. Elle n'est pas seulement notre mère, elle est aussi une femme. Et une rivale.

J'ai interviewé il y a deux ans une fillette de onze ans. Elle était très impatiente d'avoir ses règles. « Je trouve bizarre, m'a-t-elle dit, que les filles plus âgées, qui les ont déjà, n'aiment pas en parler. Mais nous avons décidé, mes copines et moi, d'organiser une grande fête pour la première d'entre nous qui aura ses règles. J'espère que ce sera moi! » Je me suis dit que les temps avaient bien changé! Six mois plus tard, j'ai revu la même fillette. « Alors? lui ai-je demandé, et cette fête? — Ah, oui!... » Elle a haussé les épaules et a changé de sujet. Elle n'avait pas l'air gêné. Ça ne l'intéressait pas, c'est tout. Puis j'ai pu questionner la mère de cette enfant. « Le jour de ses règles, j'ai proposé d'aller célébrer l'événement en famille au restaurant, mais elle a dit : " Oh, non! je t'en supplie, il ne faut pas le dire à papa! " »

La joie d'être une « grande fille comme les autres » disparaît rapidement. Le fait de devenir une femme n'est pas un rite de passage qui vous introduit dans un monde nouveau et passionnant. Il n'y a rien de changé : il faut encore et toujours attendre d'être invitée pour aller quelque part, on ne peut rien faire sans permission, on dépend toujours des autres. Et la tension avec la mère s'accroît; elle nous observe avec une nouvelle angoisse. Être une femme, ça veut dire être « moins ». La petite fille qui se dandinait avec, entre les jambes, une serviette hygiénique empruntée à sa mère, trouve qu'il est beaucoup moins amusant de devoir maintenant s'en mettre une pour de bon. La sensation d'avoir accompli quelque chose d'important et le sentiment d'identité sexuelle qui accompagnent la menstruation sont bien vite atténués par le réveil de vieux souvenirs; comme autrefois, la fille à l'impression que cet « endroit » est sale.

En réalité, la menstruation pose à toutes les femmes un problème qui se présente sous le double visage de Janus : elle nous fait plonger inexorablement dans la féminité; et en même temps, elle nous fait régresser, sans que nous nous en rendions compte, vers cette époque ancienne où nous étions incapables de maîtriser notre corps. Nous retrouvons soudain des émotions que nous n'avions pas ressenties depuis des années, la honte primitive qui accompagnait les draps mouillés, les mauvaises odeurs, les vêtements salis. L'humiliation des excrétions involontaires ou inopportunes a été tellement enfoncée en nous par des années d'un apprentissage impitoyable de la propreté que, pour essayer de l'éviter, nous avons acquis un contrôle absolu, un contrôle de fer, un contrôle si strict qu'aucun de nos sphincters n'ose se relâcher spontanément, même quand nous dormons. Et, brusquement, voilà que nous nous retrouvons au milieu de tout cela!

L'ennemi fonce sur nous dans la nuit. Nous nous éveillons avec le sentiment écœuré qu'il n'y a aucun moyen de cacher les preuves. Le retour de ces vieilles émotions est si humiliant que nous nous cachons d'elles, nous les refoulons, bien déterminées à ne jamais penser à la menstruation autrement que d'une façon très conventionnelle. Est-il étonnant que, plus tard, le refoulement ait si bien fonctionné que nous oublions de parler à nos filles de ce côté « sale » de la menstruation? Cela n'a rien de surprenant : nous en sommes encore honteuses nous-mêmes.

Toutes les femmes se souviennent du premier jour de leurs règles : « Je portais le pyjama de ma sœur, et quand j'ai vu le sang... » « Ma mère m'a donné un livre d'éducation sexuelle; la couverture était bleue et beige... » « Nous voguions vers l'Europe sur le *Queen Elizabeth*; j'ai pensé que c'était le mal de mer qui me faisait saigner... » Ces détails sont gravés dans notre cerveau, comme un écran derrière lequel nous pouvons cacher tout ce qui peut par ailleurs être associé à la menstruation. « Je me souviens... il y avait une vache et son veau sur la couverture du livre », dit une femme vingt-cinq ans plus tard, mais si on lui demande ce que sa mère lui a dit ce jour-là, elle répond : « Ma mère? Elle ne m'a rien dit du tout. » Et si vous demandez à sa mère : « Je lui ai tout dit! » Rashomon!

« Et que pensez-vous aujourd'hui de la menstruation? » ai-je demandé à cette même femme. Elle m'a regardée en souriant : « Faut-il en penser quelque chose? » Le vide.

« Quand je lui ai montré mon linge taché de sang, ma mère m'a giflée. » Tel est le souvenir qu'a gardé de ses premières règles une avocate deux fois divorcée qui est plusieurs fois grand-mère. Sa voix vibrait encore d'indignation. J'ai partagé sa colère jusqu'au moment où, des mois plus tard, quelqu'un m'a dit qu'une coutume juive veut qu'une mère frappe sa fille au visage dans cette circonstance. L'avocate, au lieu de me faire comprendre le rite, avait préféré me faire partager son ressentiment. Faut-il penser que la mère de cette femme a pris prétexte du geste rituel pour exprimer sa propre colère de se trouver devant une situation qu'elle était incapable d'assumer? Ou la colère de l'avocate est-elle une façon de transférer sur sa mère les déceptions qu'elle a rencontrées dans sa sexualité? Tout au long de notre entrevue, la colère était son sentiment dominant, qu'il s'agisse de son sexe, de sa mère, des hommes, de ses propres filles ou de la féminité en général.

A l'opposé, voici ce que m'a raconté une autre femme : « J'étais si heureuse, le jour où ça a commencé! J'avais onze ans. Jusqu'alors, j'avais l'impression d'être un phénomène. J'étais en avance de deux ans sur mes camarades de classe qui avaient en moyenne treize ans. Elles étaient réglées depuis longtemps. Comme je savais que toutes ces choses intimes mettaient ma mère mal à l'aise, je suis allée me confier à mes meilleures amies. C'était merveilleux. Pour la première fois de ma vie, je me sentais comme toutes les autres filles. »

Le souvenir que nous avons du début de la menstruation est largement déterminé par la façon dont nous ressentons aujourd'hui notre sexualité. Si, dans notre vie d'adulte, elle ne nous fait éprouver aucune gêne, nous nous souviendrons de l'embarras, de la honte, de la peur que nous éprouvions à cette époque avec un petit sourire attristé. Si le sexe, aujourd'hui, est pour nous un problème, c'est au moment de nos premières règles que sont apparus les premiers symptômes de nos traumatismes. Pendant notre entrevue, il m'apparut clairement que cette femme aimait sa sexualité. Elle voulait ressembler à sa mère. Celle-ci était timide et ne l'avait pas préparée, mais ce qui était vraiment important, c'est qu'elle était tout d'une pièce. En ne mentant pas à sa fille, en ne faisant pas semblant d'être sûre d'elle-même, elle la laissait libre d'aller chercher ailleurs de l'aide. Telle était sa mère. Et ce qui est vrai pour la menstruation l'est aussi pour la perte de la virginité, le mariage et la naissance du premier enfant. Tout cela n'est qu'une seule et même chose.

Il existe peut-être des mères qui ont conscience de n'avoir pas su préparer leur fille à la menstruation. J'en ai rarement rencontré. Elles diront à la rigueur : « Je ne vois vraiment pas pourquoi je lui en aurais parlé. Elle en savait plus que moi. Elles se renseignent auprès de leurs amies. » Mais je pourrais compter sur les doigts d'une main les femmes qui estiment qu'elles étaient elles-mêmes préparées... non pas avec une provision de serviettes ou de tampons, mais par une compréhension intelligente, tolérante et affective de leur corps. Je suis d'accord avec la gynécologue Marcia Storch : les meilleurs professeurs qu'une fille puisse trouver en ce qui concerne le sexe et la menstruation sont certainement les camarades de son âge; la plupart des mères sont encore trop pénétrées affectivement des attitudes négatives de leur propre génération pour pouvoir éviter de transmettre à leur fille des messages contradictoires. Mais le fait subsiste : que nous ayons été informées par l'école ou par nos amies, nous sommes marquées par les attitudes sexuelles de la femme qui nous a élevées. « Qu'elles le veuillent ou non, dit le Dr Mary Calderone, ce sont les mères qui fournissent à l'enfant la première éducation sexuelle et la plus tenace. Bonne ou mauvaise, positive ou négative, *elle est inévitablement leur fait*. »

Le Dr Fredland met en relief un point important : « Il y a une sorte de régression dans les relations mère-fille. La mère tend soit à reproduire l'attitude de ses parents, soit à l'inverser, à faire exactement le contraire, ce qui est parfois aussi nocif. Par exemple, la femme qui a eu elle-même une mère très refoulée, qui ne lui a rien dit sur la menstruation, peut être résolue à mieux préparer sa fille. Mais que fait-elle? Elle dépose un livre sur la table de nuit de sa fille. *C'est tellement plus que ce que sa mère a fait pour elle* qu'elle a l'impression d'avoir " tout dit " à sa fille sur le sujet. »

La menstruation est l'élimination d'un produit devenu inutile. Aucune femme n'y échappe. Pourquoi, alors, ne serait-elle pas quelque chose que nous partageons, une expérience commune qui établit un lien entre toutes les femmes? A propos d'un livre paru récemment sur la menstruation, voici ce qu'a écrit un critique littéraire : « Si les hommes avaient des règles, ils trouveraient probablement le moyen d'en être fiers. Ils considéreraient sans doute qu'il s'agit d'une éjaculation spontanée, d'un excès de force vitale. La coupe déborde, leur sexualité devient exubérante; ce sang qu'ils " versent " n'est qu'un trop-plein évident. Le sang, après tout, est généralement considéré positivement. Les sports où le sang coule sont réputés les plus virils; dans les sociétés primitives, le jeune garçon, après avoir réussi sa première chasse, est rituellement " saigné ". Tout cela est inversé quand c'est la femme qui saigne. Son saignement est considéré comme un indice d'infirmité, d'infériorité, de malpropreté et d'irrationalité [1]. »

« L'une des premières choses que j'ai découvertes en m'occupant de la santé féminine, dit Paula Weideger, auteur de *La menstruation et la ménopause,* c'est que toutes les femmes, sans exception, quel que soit leur aspect extérieur, pensent qu'elles ont quelque chose de laid. A mon avis, cette façon de penser est étroitement liée à l'idée qu'il y a, *au centre* d'elles-mêmes, une chose qui ne va pas, et cette chose, c'est la menstruation. »

« Ma fille est devenue si pudique que je ne l'ai pas vue nue depuis plus d'un an, m'a dit la mère d'une fillette de treize ans. Elle est toujours inquiète d'elle-même, n'arrête pas de se baigner, de se laver les cheveux. Et maintenant, tout à coup, voilà qu'elle veut suivre un régime. Elle a un très joli petit corps, mais elle n'en est jamais contente. » Tout semble arriver d'un seul coup à la puberté. Comment nous sentirions-nous bien dans notre peau? Évidemment, nous avons besoin d'intimité. Puis, en même temps que les poils du pubis, le gonflement des seins, la rondeur des cuisses, survient la menstruation. Nous sommes incapables de faire face à la source réelle de notre malaise. A la place, nous commençons une vie de régimes, une vie où nous serons malheureuses d'avoir un corps. Mais nous

1. Citation extraite d'une critique d'Anatole Broyard à propos du livre *The Curse : A Cultural History of Menstruation,* de Janice Delaney, Mary Jane Lupton et Emily Toth. Critique parue dans *The New York Times,* 21 septembre 1976.

ne pouvons pas nous débarrasser de notre vagin par un régime, et nous ne pouvons pas le rendre perpétuellement propre à force de le laver. Nous ne pouvons pas accepter l'idée que cette insatisfaction physique commence avec ce qu'on nous a appris à ressentir à propos de nos organes génitaux.

Nous faisons semblant de nous désintéresser d'une fonction qui se met en marche au jour et à l'heure qu'elle a elle-même choisis, qui nous rend irritables, qui peut nous infliger des douleurs, nous faire honte en public, qui peut nous faire repousser sexuellement l'homme que nous aimons ou nous donner l'impression qu'il nous rejette. Je n'arrête pas de mettre en garde mon mari contre ma mauvaise humeur pendant les jours qui précèdent mes règles; je sais combien c'est vrai... mais seulement après le début de ma période, après la querelle. Quand j'avais dix-sept ans, ma meilleure amie — comme tant d'autres jeunes mariées — a fixé le jour de ses noces en fonction de son cycle menstruel. Ses calculs étaient certainement justes. Or, elle s'est mise à saigner, inexorablement, au moment même où elle enfilait sa robe de mariée... Les demoiselles d'honneur — dont j'étais — se figèrent autour d'elle, horrifiées.

Des recherches médicales ont montré que le cerveau a une influence sur le cycle menstruel. Il peut même le contrôler. Nous savons aussi que ce qui se passe sur le plan hormonal au moment des règles a une répercussion sur le cerveau. Mais aucun médecin ne peut vous expliquer le pourquoi et le comment des choses. Le degré d'influence que la menstruation peut avoir sur nos vies est en effet si profond, affectivement et physiquement, que nous ne pouvons que la subir en silence, et faire semblant de l'ignorer. Nous nous aspergeons de parfums... *contre quelle odeur?* Nous avons la hantise des dessous propres, impeccablement propres... *contre quelle souillure?* Après m'avoir raconté l'histoire du jour de leurs premières règles, un souvenir encore bien vivant, chargé d'orgueil, de colère, de plénitude, ou de bien d'autres choses encore, toutes les femmes que j'ai questionnées, y compris des femmes médecins, m'ont dit : « Est-ce vraiment un sujet à discuter? C'est comme les ongles, les cheveux, ça vient tout seul. C'est l'une des réalités de la vie. Que sommes-nous supposées devoir ressentir? » Chaque histoire des premiers jours de la menstruation peut être différente des autres, mais nous sommes toutes tacitement d'accord pour estimer qu'il n'y a rien de plus à dire, ce qui signifie qu'il ne faut surtout pas en parler. « Tout un livre sur la menstruation! ont dit des femmes à Paula Weideger au début de son enquête. Que trouverez-vous à écrire sur un sujet pareil! »

Ignorée! une fonction qui a donné matière à des mythes, des spéculations, des mystères et des tabous depuis que le monde est monde, une fonction qui est unique dans la vie de chaque femme et qui, un beau jour, disparaît comme elle est apparue : sans prévenir. Nous préférons la superstition au savoir. « D'après mon expérience, dit Jessie Potter, soixante-quinze pour cent des femmes de ce pays (et c'est certainement une estimation fort modeste) seraient incapables d'expliquer le cycle menstruel à une gosse de sixième. Elles ne savent pas comment il se produit, elles n'ont pas la moindre idée de ce qui se passe dans leur corps. »

Et Paula Weideger, à propos de ce qu'elle a pu observer en enseignant l'hygiène féminine : « Il était convenu que je ne donnerais aux femmes que des informations techniques sur l'ovule et l'utérus, un point c'est tout. » Son livre, publié en 1976, était le premier à paraître sur la menstruation, chez un éditeur qui visait un large public. Mais quand on commença à en parler à la télévision, les présentateurs avaient invariablement fait glisser le débat sur la ménopause, pour esquiver la menstruation. Parce que, ont-ils dit, leurs auditeurs « s'intéressaient surtout à l'hygiène ». Qu'est-ce à dire? Que la menstruation, à leur avis, n'a rien à voir avec l'hygiène?

« Une journaliste venue m'interviewer, poursuit Mme Weideger, m'a dit qu'elle n'ignorait rien de ce qu'elle avait besoin de savoir sur la menstruation. " Par conséquent, me dit-elle, votre livre ne peut rien m'apporter. " Mais, tandis que notre entretien continuait, elle revenait sans cesse sur le même sujet. " Vous pourrez peut-être me dire pourquoi il m'arrive d'être si gênée quand j'achète des tampons? " Je lui ai parlé des notions initiales de honte, de saleté, etc., qui, dans notre société, sont si souvent liées à la menstruation. " Alors, là! dit-elle, certainement pas moi! Ce n'est pas du tout mon cas! " Et elle répéta : " Mais, dites-moi, pourquoi suis-je toujours honteuse quand j'achète mes tampons? " »

Une femme m'a parlé récemment d'un événement de sa vie qui la remplit encore de confusion, bien qu'il ait eu lieu il y a douze ans. Elle était amoureuse d'un homme très beau qui, un jour, l'invita enfin à sortir avec lui. Ils finirent par coucher ensemble, mais, à sa grande horreur, quand elle se réveilla avant lui de bon matin, elle constata que ses règles avaient commencé. « J'ai su tout de suite ce qui me restait à faire, me dit-elle. Je me suis levée avec mille précautions, j'ai enfilé mes vêtements et je suis sortie comme une voleuse de son appartement. Il m'a relancée très souvent par téléphone, mais je n'ai jamais plus voulu sortir avec lui. » Elle se sentait si humiliée qu'elle était incapable de regarder cet homme en face, et pourtant, elle l'aimait. (Ou parce qu'elle l'aimait?)

Tandis que je préparais ce chapitre, j'ai écouté une dernière fois l'enregistrement de mon entretien avec le Dr Sanger. Je me suis entendue éclater de rire au moment où elle m'a dit : « C'est quand même lamentable de voir que la plupart des femmes sont incapables de constater la beauté de leur cycle menstruel. Comment se peut-il qu'une femme n'ait pas envie de savoir ce qui se passe dans son corps? La beauté des ovaires, le travail fantastique des trompes de Fallope... » Sur la bande magnétique, ma voix l'interrompt, change de sujet. Avez-vous, vous aussi, un petit sourire contracté en lisant ses commentaires? Que faut-il en conclure en ce qui nous concerne, nous, les femmes?

La menstruation nous met tellement mal à l'aise que nous ne pouvons même pas supporter qu'on en parle d'une manière positive. Nous croyons qu'il s'agit de formules flatteuses, vides de sens. Seuls les imbéciles acceptent les flatteries!

Les hommes sont toujours prêts à faire les clowns. Si un petit garçon pète en classe, c'est peut-être gênant pour certains, mais c'est surtout rigolo. Si une petite fille pète, il n'y a pas de quoi rire. C'est épouvantable!

Quand les hommes passent par une expérience humiliante, ils peuvent se mettre en colère, jurer, ou se battre. Puis ils boivent un verre, s'en tirent avec une plaisanterie et passent à autre chose en riant. « Vous connaissez ces pénibles émissions de télé où un groupe d'hommes mettent sur le gril une vedette et se moquent d'elle, m'a dit une femme. Eh, bien! la semaine dernière, ils ont eu une femme pour invitée d'honneur. Quand ils ont commencé à la harceler, à lui dire qu'elle était laide, à critiquer son corps, à se moquer de sa coiffure, je me suis sentie terriblement mal à l'aise. » Si une femme, devant nous, est insultée, moquée, si elle se soûle ou tache sa robe, nous détournons les yeux. C'est trop pénible; ça fait mal. L'habitude de nous sous-estimer, enracinée dans la notion que notre corps a quelque chose d'anormal, nous rend plus exposées que les hommes aux sentiments d'humiliation. Nous n'avons aucune chance de nous en tirer par une plaisanterie lancée d'un cœur léger.

L'humiliation est sans doute la plus persistante de nos émotions. Avec le temps, nous oublions nos sentiments les plus passionnés, le visage des gens que nous avons aimés. Nous rions de nos colères passées. Le temps cicatrise même le souvenir de nos souffrances physiques. Mais les vieilles humiliations ne nous quittent jamais. Elles nous réveillent au milieu de notre sommeil le plus profond et nous font même rougir de honte et de colère quand nous sommes seules. « Les malades qui ont un problème d'humiliation, dit le Dr Robertiello, sont les plus difficiles à traiter. » L'humiliation est si puissante qu'elle nous fait désirer notre propre annihilation : notre moi se contracte et, sur le moment, tend de toutes ses forces à ne plus exister. « J'aurais voulu que le sol s'ouvre sous mes pieds et m'engloutisse! » Les sentiments d'humiliation les plus puissants, d'après tous les psychothérapeutes que j'ai consultés, sont ceux qui sont liés à l'acte de se souiller en public, à la perte du contrôle corporel. En fin de compte, c'est peut-être là l'obstacle le plus difficile qui nous empêche d'accepter la menstruation : nous n'avons aucun contrôle sur cette nouvelle fonction physiologique. Le pire, c'est que personne ne nous a mis en garde contre cet aspect du problème.

Peut-être, trop bouleversées par toute l'excitation qui entoure cet événement attendu, ne nous sentons-nous pas honteuses le premier jour où nous saignons. Mais le sentiment de honte finit par faire surface. Alors que nous entendions tant de discours émerveillés sur notre « féminité » fraîchement acquise, pourquoi personne ne nous a-t-il jamais mises en garde, par exemple, contre l'odeur? Puisque personne n'en parle, cette odeur doit être la plus terrible de toutes! Notre surprise, notre solitude quand nous la découvrons, notre sensation d'être mises à l'écart quand nous pensons que c'est nous, nous seules, qui polluons l'air environnant, tout cela ne fait que redoubler notre honte.

Personnellement, ce qui m'a plu dans la pilule, c'est qu'on connaît à coup sûr le moment où arriveront les règles, et aussi le fait que le flux est atténué, ainsi que les crampes. La psychologue Karen Page établit un rapport direct entre l'abondance du flux et une forte tension menstruelle. Ses études [1] tendent à montrer que les femmes qui sont enclines à manifester le moins d'anxiété, le moins de mauvaise humeur pendant la menstruation et qui ont tendance à ignorer les vieux tabous antisexuels (elles se baignent quand même, etc.) saignent généralement moins que les autres. Elle voit dans les tabous culturels l'origine de l'angoisse qui accompagne la menstruation : la femme qui a ses règles n'est pas propre. Les autorités psychanalytiques tendent à accorder plus d'importance aux expériences précoces de l'enfance : un apprentissage exagérément sévère de la propreté et, par conséquent, la honte qui accompagne toute perte du contrôle du corps. A mon avis, c'est une question de nuance; il n'y a pas de doute que les deux facteurs interviennent. Quelle qu'en soit l'origine, le fait important est que cette humiliation existe.

« Mais, direz-vous, je n'ai aucun sentiment de honte en ce qui concerne la menstruation! »

« Les sentiments qui sont difficiles à maîtriser, comme l'est la honte relative à une fonction physiologique, répond le Dr Robertiello, tendent à être refoulés. Nous les " oublions ". »

Les psychiatres disent que quand nous sommes petites nous pensons que tous les autres, quand ils défèquent, produisent des ice-creams. Nous sommes seules à faire un gâchis nauséabond. Si personne (et en particulier la mère) ne parle de la gêne qui accompagne la perte du contrôle du corps

1. Les enquêtes de Karen Page ont eu lieu en 1971 et 1973. Elle a publié ses conclusions dans un article : *Women Learn to Sing the Menstrual Blues; Psychology Today,* septembre 1973, pp. 41-46. Karen Page est professeur de psychologie à l'université de Californie, à Davis, où elle poursuit ses recherches sur le même thème.

pendant la menstruation, c'est certainement parce que les autres femmes ne saignent pas comme nous : elles s'humectent simplement d'essence de rose. Il n'y a que nous pour faire sourdre d'une région mystérieuse de notre corps des flots de sang sombre, souvent caillé. Qu'avons-nous à voir avec ces femmes merveilleusement belles, habillées par Givenchy, qui sortent d'une limousine dans les pages de publicité où l'on peut lire ce titre : « C'est grâce aux tampons X ! »

Avec une habileté infernale, les annonces de ce genre vont à la racine même de notre malaise. Les instituts de sondages spécialisés dans les études de marché savent très bien que, pendant ses règles, la femme se sent peu séduisante et se demande avec anxiété ce qu'elle va se mettre sur le dos; les fabricants de produits périodiques fondent leur publicité sur les femmes les plus belles et les mieux habillées qu'ils peuvent trouver. Ils nous disent que ce qu'ils vendent est l'antidote des sentiments qui nous viennent de notre narcissisme blessé. Mais ils me pardonneront si, tout en rendant hommage à leur diagnostic, je n'accorde aucune valeur au traitement qu'ils proposent.

Ce qui peut le mieux nous protéger contre les sentiments d'humiliation relatifs à la menstruation, c'est d'avoir une mère qui, pendant nos premières années, croit en la valeur de la formation du narcissisme positif, qui nous récompense avec amour, qui nous félicite d'apprendre à contrôler les fonctions de notre corps. Au lieu de nous sentir dégoûtées et honteuses si nous ne lui donnons pas satisfaction, nous y aurions gagné un sentiment de maîtrise, d'affirmation de soi. Mais, pour qu'elle puisse agir ainsi, il faudrait sans doute qu'elle ait été élevée de la même façon par sa propre mère, étant donné que les idées qui sont les plus difficiles à changer sont celles qui sont en rapport avec un faible amour-propre. Si elle n'éprouvait pas envers son corps des sentiments aussi positifs que ceux qu'elle affichait devant nous, nous aurions capté le vieux message contradictoire : « N'aie pas les mêmes sentiments profonds que moi, mais seulement ceux que je fais semblant d'avoir. »

La menstruation — la grande réalité de la vie que partagent la mère et la fille — devient le secret honteux qui nous éloigne l'une de l'autre. « J'ai eu dans mon cabinet, dit le Dr Robertiello, des femmes qui se berçaient d'illusions. Elles n'arrivaient jamais à entretenir des relations suivies parce que l'ami ou l'amant devait croire également à ces illusions. L'absence de réalisme crée à elle seule trop de tension et la relation se brise. » La mère dit que la menstruation est une belle chose, mais la fille sait, d'après la vie de sa mère, que c'est un mensonge.

L'âge des premières règles s'abaisse de plus en plus. On peut aimer l'idée de la libération sexuelle (« Je regrette de n'avoir pas connu cette liberté quand j'étais jeune ! »), mais on n'aime pas penser que des gosses de neuf ans vont consulter le gynécologue. « Il n'y a pas de livre, aucune information convenable pour les filles qui se situent entre huit et dix ans », dit la gynécologue Marcia Storch.

« La première raison que m'avancent les mères qui ne veulent pas que leur fille utilise des tampons, dit Jessie Potter, est qu'ils rompront l'hymen. Mais, en réalité, elles sont incapables de donner à l'enfant l'occasion de se pencher, de regarder son vagin, de le toucher, d'y enfoncer ou d'en enlever quelque chose. Il existe même des médecins, pourtant avertis, qui conseillent encore aux mères d'attendre que leur fille ait grandi avant de leur faire utiliser des tampons. Nous voulons encore empêcher les filles d'entrer en contact avec leurs organes génitaux, nous mettons une distance entre elles et leur corps. Nous pourrions dire aux femmes qui répugnent à avoir des relations sexuelles pendant leurs règles qu'elles peuvent mettre un diaphragme pour retenir le sang, mais nous ne le faisons pas, alors qu'il s'agit d'un élément d'information extrêmement simple. »

Les jeunes vous diront que, maintenant, tout est différent, que la menstruation n'est pas « la grosse affaire qu'elle était autrefois ». Alors qu'elle parlait avec un groupe de filles de douze à quatorze ans, Paula Weideger a constaté qu'elles étaient moins gênées que celles de sa propre génération; « mais elles m'ont raconté en riant combien il leur était facile de décider un professeur à les laisser rentrer chez elles en lui faisant comprendre qu'elles avaient des crampes. Elles *exploitent* leur menstruation ». Elle leur demanda également s'il leur arrivait d'en parler aux garçons. Elles répondirent en chœur : « Oh, non! »

Une romancière très célèbre de vingt-sept ans qui, à l'entendre, était l'une des femmes les plus sexuellement libérées que j'aie connues, m'a parlé avec enjouement d'un homme dont elle fréquente la maison de campagne. « Je n'ai pas envie de baiser avec lui, m'a-t-elle dit, si bien que chaque fois que je vais me reposer chez lui, je lui dis que j'ai mes règles. Il doit penser que ce sont les plus longues de l'histoire! » Si on se sert de la menstruation assez efficacement pour en faire une barrière — contre le sexe, le travail, ou n'importe quoi — on en vient vite à croire que cette barrière existe réellement.

A l'opposé de cet alibi inventé par la romancière, il est certain que, pour beaucoup de femmes, l'activité sexuelle soulage les crampes. Avant et pendant la menstruation, surtout, elle garde les muscles dans un état de souplesse qui élimine la crampe. C'est quand même plus agréable que les cachets antispasmodiques ou un coussin chauffant! On pourrait croire que tous les médecins du pays conseilleraient aux femmes d'essayer, pour voir... Mais des sexologues m'ont dit que la plupart des gynécologues sont trop timides pour parler sexualité avec leurs clientes. J'ai pu constater personnellement que les rapports sexuels sont plus agréables quand j'ai mes règles, quand mon corps a le minimum de séduction. Je sens intensément que je suis aimée, et aucun « je t'aime » ne pourrait me donner la même impression.

Les hommes nous offrent une chance unique de faire disparaître les sentiments négatifs que nous éprouvons au sujet de notre corps et que nous avons hérités de notre mère. Ce qu'ils pensent de la menstruation est donc très important. J'ai demandé au Dr Robertiello son avis sur la question : « L'attitude des hommes vis-à-vis de la menstruation est inspirée par les femmes. C'est un secret qu'il faut éviter le plus possible. Les femmes peuvent en effet pousser jusqu'à l'extravagance leur désir de cacher aux hommes qu'elles ont leurs règles. L'explication analytique est qu'elles voient dans l'homme la mère qui va leur reprocher d'être " une petite fille très sale ". Même en dehors de toute idée de menstruation, les femmes estiment que l'organe sexuel masculin est plus propre que le leur. Par exemple, la femme qui a ses règles essayera de cacher la preuve de ses " pertes ". Au lieu de laisser sa serviette hygiénique dans la poubelle bien propre qui se trouve dans la salle de bains de son amant, elle l'enveloppera dans du papier, et la laissera dans son sac en attendant de pouvoir la jeter dans sa propre boîte à ordures. C'est pour la même raison que la plupart des femmes ne veulent pas avoir de rapports sexuels avec les hommes à ce moment-là. Comme l'homme ne partage pas avec elle cette malpropreté, la femme est persuadée qu'il la regardera avec le plus grand mépris. Elle projette sur l'homme cette mère maniaque qui est restée dans son inconscient depuis l'apprentissage de la propreté : il ne peut que voir en elle un être sale, répugnant, inacceptable. »

Rentrée chez moi, j'ai repensé à ce que m'avait dit le Dr Robertiello. Tout était certainement très juste. Mais j'avais l'impression qu'il devait y avoir quelque chose de plus. Je lui ai téléphoné : « Ne croyez-vous pas que les problèmes que les hommes rencontrent au sujet de la menstruation puissent être dus non seulement à cette gêne que leur communiquent les femmes, mais aussi à des sentiments qui leur sont propres? »

Ce que j'aime chez le Dr Robertiello, c'est qu'il est toujours prêt à remettre en question n'importe laquelle de ses idées, même s'il y est attaché depuis longtemps, même si elle est profondément ancrée dans la théorie psychanalytique traditionnelle. Il m'a écoutée, puis : « Vous me rappelez que, quand j'étais petit garçon, m'a-t-il dit, la menstruation me semblait être quelque chose de très mystérieux. Et on a tendance à être effrayé par ce qu'on ne comprend pas. Aujourd'hui même, malgré ma connaissance médicale des faits physiologiques, malgré ma connaissance psychanalytique de la psychologie de la menstruation, elle me paraît encore mystérieuse. »

MA MÈRE, MON MIROIR

Il poursuivit : « Oui, il doit y avoir chez les hommes, en ce qui concerne la menstruation, une angoisse que sentent très bien les femmes. Cette angoisse ne vient pas seulement du fait que la menstruation est un mystère en rapport avec l'anatomie féminine. Ce mystère féminin en appelle un autre, du même ordre mais quand même différent : le pouvoir de donner la vie. Les hommes n'ont pas ce pouvoir, ce qui les irrite. Et, finalement, les pouvoirs mystérieux de la femme réveillent chez eux une autre angoisse inconsciente : à une certaine époque, une femme a été toute-puissante dans sa vie : quand il était bébé. De par le sexe auquel elle appartient, elle a barre sur lui. Devenu adulte, croyez-vous qu'il ait oublié toutes ces humiliations? Certainement pas dans son inconscient. D'autre part, comme c'est à son sexe qu'elle doit d'avoir eu barre sur lui, est-il possible que ça ne se reproduise pas? Les hommes ont alors jugé que le meilleur parti était de ne jamais donner aux femmes l'occasion de reprendre le pouvoir. Et ils ont visé au cœur même des sentiments d'identité les plus forts : le pouvoir d'une acceptation et d'une liberté sexuelle totales. »

Du temps de nos grand-mères — ce n'est pas loin —, le pouvoir des femmes était censé reposer sur leur sexualité dévorante. Vers le milieu du XIXᵉ siècle, certains chirurgiens se sont rendus célèbres en mettant au point des instruments et des techniques opératoires destinées à enlever aux femmes leur clitoris, source obscure de leurs appétits sexuels. La femme, qu'on avait déifiée en tant que créatrice de la force morale et gardienne de la moralité familiale et même nationale, menaçait maintenant de perdre les hommes forts. Ces excisions chirurgicales furent exécutées au nom de l'équilibre des forces. Une mesure inique et inspirée par la peur masculine, d'accord... mais ce sont les femmes qui montent la garde autour des femmes, c'est la mère qui nous coupe, non seulement de notre clitoris, mais aussi de notre vagin. Ce que les femmes, par peur, ont l'impression de devoir protéger et nier, elles peuvent aussi apprendre à le libérer.

La menstruation ne m'a jamais empêchée de faire quoi que ce soit, de cette promenade à cheval, le jour de mes premières règles, aux activités sexuelles d'aujourd'hui. Mais quand j'ai commencé à écrire ce chapitre, mes règles sont arrivées (avec une semaine d'avance) et, après des années de tranquillité, j'ai eu les pires crampes que j'aie jamais connues. Il manquait toujours quelque chose aux premières phrases que j'écrivais; elles me semblaient superficielles, rien n'était en résonance avec mes convictions intimes les plus profondes. Je ne me disais jamais : « C'est bien, c'est exactement ça! » J'ai dû par deux fois abandonner ma machine à écrire, presque tremblante d'angoisse et j'ai traversé Central Park dans le soleil d'avril pour reprendre un entretien avec le Dr Robertiello.

Quand il avait insisté sur les sentiments de honte et d'humiliation que les femmes cachent derrière une attitude froide et décontractée vis-à-vis de la menstruation, j'avais écarté le problème avec un haussement d'épaules. J'avais décidé que ses opinions étaient trop marquées par les contacts qu'il avait eus avec des femmes qui étaient venues lui demander de les aider. Je m'étais identifiée beaucoup plus solidement au Dr Schaefer et à la majorité des femmes qui m'avaient dit que la menstruation ne leur inspirait aucun sentiment particulier. « C'est quelque chose d'inévitable, c'est tout. » Mais, intriguée par cette résistance inexplicable, je compris que je n'avais pas facilement répondu à cette question que le Dr Robertiello m'avait posée au cours de notre dernière entrevue : « Très bien, Nancy... Alors, dites-moi pourquoi vous éprouvez tant de difficulté à écrire ce qui, d'après vous, n'est qu'un chapitre sans détours sur l'une des réalités les plus simples de la vie? »

Avoir des crampes, c'est extrêmement désagréable; tacher ses vêtements, être surprise en train de saigner alors qu'on ne s'y attendait pas, c'est très humiliant. Mais j'aime mieux saigner plutôt que de ne plus avoir mes règles. Je me rappelle combien j'étais bouleversée quand la pilule m'a fait sauter toute une période. Les médecins m'ont dit de ne pas m'inquiéter. C'était normal. Mais je m'inquiétais quand même. J'en avais besoin, du sang, de tout. Quand je lis que certaines tribus primitives éprouvent une terreur mystique à l'idée qu'une femme peut saigner une fois par mois et ne pas mourir, quelque chose, en moi, fait écho à leurs sentiments. « Non, je ne ressens personnellement aucune émotion forte en ce qui concerne la menstruation, m'a dit le Dr Schaefer. Mais je suis contente d'avoir encore mes règles. » Elle est au début de la cinquantaine. Bien que plus que toute autre femme que je connaisse, elle refuse le mythe qui voudrait que la vie sexuelle s'arrête en même temps que la menstruation, je suis sûre qu'elle éprouvera « quelque chose » quand elle atteindra la ménopause.

La menstruation n'explique pas à elle seule les complexes féminins de honte... pas plus que les difficultés que j'ai éprouvées à écrire ce chapitre ne sont uniquement en rapport avec mes angoisses inconscientes. Nos sentiments sur la menstruation reflètent la position de la femme dans la culture où nous vivons. Tandis que la menstruation et la hantise de révéler la preuve de la perte de notre contrôle corporel offrent aux femmes des occasions d'humiliation que les hommes ne connaissent pas, il est tout aussi humiliant de faire partie du sexe dont la voix et la présence ont moins d'importance que celles du sexe opposé. Il est humiliant de prononcer les mêmes paroles qu'un homme et de constater que les siennes sont écoutées et que les nôtres ne le sont pas. Il est humiliant d'avoir l'impression d'être invisibles, alors que Dieu nous a donné un corps aussi réel que celui de l'homme. Il est humiliant de voir qu'on n'accorde que peu de dignité aux femmes, à moins qu'elles ne soient mariées. Nous écrasons ces humiliations, bien sûr, et nous disons qu'il est merveilleux d'avoir un homme qui se bat à notre place, qui nous met sur un piédestal, qui s'occupe de nous. Oui, c'est merveilleux, à condition d'aimer dépendre de quelqu'un.

Il existe d'autres sentiments aussi secrets que la honte qui entoure la menstruation : ceux qui nous poussent à vivre, qui nous rappellent que nous pouvons répandre de la vie autour de nous, que nous sommes encore bien vivantes, jeunes, sexuellement capables de nous reproduire. Il est difficile de parler à une fille de onze ans de ce tumulte complexe et informe où se mêlent la sexualité, la vie et la mort, et avec lesquels elle devra vivre. Comment expliquez-vous la terreur qui a toujours environné la reproduction, le mystère et les émotions qu'un tel don (le pouvoir de se reproduire) et une telle malédiction (saigner une fois par mois) doivent éveiller chez ceux qui ne les partagent pas avec nous?

Oui, comment se fait-il que vous soyez incapables de trouver une explication?

Chapitre 5
La rivalité

Sans que je m'en rende compte à l'époque, ma mère embellissait. Ma sœur était une vraie beauté. Jamais nous ne fûmes plus éloignées les unes des autres que pendant mon adolescence.

J'ai une photo qui date de mes douze ans. Nous sommes toutes les trois, ma mère, ma sœur Susie et moi, sur un grand canapé recouvert d'indienne; chacune a son coussin et nous nous tenons à l'écart les unes des autres, en laissant une grande distance entre nous. J'ai grandi animée par l'esprit de famille, qui me plaisait beaucoup et dont je ressentais le besoin, avec des tantes, des oncles, des cousins, tous groupés sous le parapluie tout-puissant de mon grand-père. « Tous pour un et un pour tous », disait-il aux réunions d'été et personne ne prenait la formule plus au sérieux que moi. Je serais partie en guerre pour n'importe lequel d'entre eux et je croyais qu'ils étaient tous prêts à faire la même chose pour moi. Mais au sein de notre petit noyau, notre trio était à part : nous n'avions guère de contacts entre nous.

Aujourd'hui, quand je demande à ma mère pourquoi il en était ainsi, elle pousse un gros soupir et me dit que c'est sans doute à cause de son éducation. Je me rappelle comment je me dérobais à son baiser parfumé à la crème de nuit Elisabeth Arden, en murmurant sous les couvertures que oui, oui, je m'étais brossé les dents. Ce n'était pas vrai. J'avais mouillé ma brosse, dans le cas où elle serait allée vérifier, et j'avais l'impression que je me vengeais d'elle. Me venger de quoi? Plus nous nous éloignons toutes les deux du temps de mon enfance, plus nous essayons des deux côtés de nous montrer physiquement affectueuses. Mais après tant d'années, nous nous sentons encore mal à l'aise.

MA MÈRE, MON MIROIR

J'ai eu un épanouissement tardif, comme ma mère. Mais ma mère a eu le sien si tard — sans doute à cause d'une forte gelée précoce — qu'elle y a cru encore moins que moi quand mon heure est arrivée. Quand elle était une adolescente de seize ans couverte de taches de rousseur, qui s'asseyait sur ses fâcheuses mains pour essayer de les cacher, sa jeune sœur était déjà célèbre pour sa beauté. Leur relation en est restée là. Elles sont grand-mères toutes les deux ; aux yeux de ma mère, ma tante est toujours la reine du bal, aux cheveux resplendissants, l'amazone rayonnante de beauté. Elles peuvent discuter jusqu'à 2 heures du matin pour savoir si oui ou non, jadis, l'un ou l'autre des soupirants de ma tante avait invité ma mère à sortir avec lui. Ma mère n'a jamais été capable de raconter sur elle-même une anecdote flatteuse. Je doute même qu'elle ait écouté les compliments que lui adressaient les hommes depuis qu'elle était devenue la jolie femme qui me sourit sur les photos de famille. Mais elle s'efface toujours devant ma tante ; et je suis sûre qu'elle est revenue, après la mort de mon père, à la vieille image qu'elle se faisait d'elle-même. Cet homme merveilleusement beau l'avait choisie entre toutes, mais sa mort, quelques années plus tard, a dû être ressentie par ma mère comme une punition pour avoir osé croire pendant un moment que son propre père s'était trompé : était-il possible que quelqu'un ait envie d'elle ? Elle rougit encore quand on lui fait un compliment.

Je pense qu'elle était au summum de sa beauté vers la fin de la trentaine. J'avais douze ans, et j'étais au plus bas de la mienne. Ses cheveux, qu'elle coiffait en arrière en souples ondulations, avaient pris une teinte auburn ravissante. Sur cette photo, assise entre elle et Susie qui avait des cheveux de jais, mais tout aussi somptueux, j'ai l'air d'une orpheline adoptée par la famille. Mais je savais déjà me défendre contre mes maigres avantages physiques. Ils n'avaient pas d'importance. La distance que je mettais entre le miroir et moi était proportionnelle à celle, grandissante, qui était entre les deux autres femmes de la maison et moi. Les succès que remportait le personnage que je m'étais fabriqué étaient bien la preuve que je n'avais pas besoin d'être belle. Mes titres scolaires, mes prouesses et mes trophées renforçaient tellement la bonne opinion que j'avais de moi-même que, avant d'écrire ce livre, je croyais certainement avoir grandi en éprouvant pour ma sœur des sentiments de pitié. Quelles chances pouvait-elle avoir à côté de la Grande Championne, la Fille la Plus Populaire du Monde ! J'avais tellement l'impression de l'éclipser que je finissais par ressentir un complexe de culpabilité. De l'instinct de survie à l'état pur ! Mon sourire radieux empêchait l'observateur le plus critique de me comparer aux fillettes ravissantes avec lesquelles je grandissais. Je renversais la règle du jeu : ne regardez pas mes cheveux plats, mon mètre quatre-vingts, ne prêtez pas attention à mon œil droit qui diverge bizarrement (l'oculiste disait pourtant qu'il était inutile que je porte des lunettes); regardez-moi faire des claquettes, gagner des courses, laissez-moi vous rendre heureux! Quand je parle à ma mère de ce que j'étais à cette époque, elle me dit en riant : « Oh, Nancy! tu étais une petite fille si adorable! » Mais je n'étais plus une petite fille.

Je pense que ma sœur, Susie, est née belle, réalité qui nous affectait toutes les deux, ma mère et moi, mais de façon différente. Mais ça n'a guère eu d'importance jusqu'à son adolescence. Alors elle est devenue si éblouissante qu'on en avait mal aux yeux. Ses photos me rappellent l'Elisabeth Taylor jeune de *Une place au soleil*. Devant une telle beauté, on a envie de détourner le regard. Tant de beauté effrayait ma mère. Ce qui avait pu se passer entre elles jusqu'alors atteignit un paroxysme qui n'a jamais disparu. Leurs perpétuelles frictions me déterminèrent à fuir cette maison de femmes, d'échapper à la mesquinerie de ces rivalités féminines pour vivre sur une plus grande échelle. J'ai fini par quitter la maison, mais je n'ai jamais pu me détacher de l'idée qu'il doit être merveilleux pour une fille d'être si belle que sa mère ne peut pas s'empêcher d'avoir les yeux sur elle, ne serait-ce que pour la critiquer.

Je me souviens d'un vide étrange de sentiments à l'égard de ma sœur unique, avec laquelle j'ai partagé une chambre pendant des années, qui avait les mêmes vêtements que moi jusqu'à mes dix ans... à part des mouvements d'énervement quand elle essayait de se blottir contre moi quand j'avais quatre ans, des bouffées de colère qui m'amenaient à déclencher des batailles à coups de poing quand je gagnais à tous les jeux, à dix ans. En dehors de ça, c'est le vide, l'indifférence, une froideur calculée qui a eu une triste, terrible conséquence : ma sœur allait toujours rester absente de ma vie.

Mon mari m'a dit que sa sœur était le seul enfant auquel son père ait jamais fait attention. « Tu t'es comportée avec Susie comme moi avec ma sœur : tu l'as rendue invisible. » Moi, jalouse de Susie, qui n'a jamais remporté un seul trophée, qui n'a jamais eu autant d'amis que moi? Oui, j'étais certainement folle de jalousie.

Je n'ai laissé apparaître que deux fois cette jalousie, pendant cette douzième année, quand mes défenses habituelles n'ont pas pu résister aux contre-courants affectifs de l'adolescence. Quand je sortis mes griffes en ces deux occasions, ce ne fut pas du tout glorieux; pas de joute verbale, avec des mots bien choisis; ça n'avait rien, par exemple d'un élégant règlement de comptes sur un court de tennis. Personne n'a jamais su que c'est moi qui ai versé du vernis à ongles sur le devant de la nouvelle robe du soir, blanche et toute brodée, que Susie devait porter le jour de sa première apparition au bal du Yacht Club. Quand j'ai volé les économies qu'elle avait faites en prévision de l'été et jeté son portefeuille dans l'égout,

143

ma mère a blâmé Susie pour sa négligence. Je ne quittais pas des yeux ma sœur qui encaissait les reproches avec une résignation digne de celle de sa mère et je me sentais soulagée des sentiments rancuniers qui m'étouffaient.

Quand Susie partit en pension, je fis des plaisanteries du genre « bon débarras! » C'était notre première séparation. Des pulsions contradictoires, des révoltes, des envies fonçaient sur moi de toutes les directions. Il ne me restait rien pour m'aider à affronter l'état d'abandon où m'avait laissée son départ. Ce fut l'été où je fus tourmentée par ce que j'appelais « mes pensées ».

J'ai dévoré tous les livres de la maison pour me défendre de ces « pensées ». Si je laissais mon cerveau oisif pendant une seule minute, j'avais peur d'être submergée par elles. J'avais peut-être peur que ce fût déjà trop tard. Cet éloignement de ma sœur n'était-il pas l'accomplissement des désirs meurtriers que je nourrissais contre elle? Dans mon premier et unique journal, j'ai noté : « Reviens à la maison, Susie! Je t'en supplie, reviens vite! Je regrette tellement, tellement! »

Quand j'eus dépassé l'âge des romans à l'eau de rose qui récompensaient mon assiduité au catéchisme du dimanche, et les badges de scout-girl qui indiquaient, par exemple, que c'était moi qui avais eu le mérite de vendre au porte à porte le maximum de mort-aux-rats, je m'élevai d'un degré en remportant le prix de la meilleure comédienne du groupe théâtral du quartier. Le concours d'éloquence intitulé « Je plaide pour la démocratie » m'a valu un réveil-radio en plastique. J'ai été capitaine de l'association athlétique, présidente de la république des élèves et j'avais eu le rôle principal dans la pièce de la classe, tout ça dans la même année. Et j'avais même écrit la pièce. Un tel cumul aurait pu être gênant, mais personne ne briguait ces honneurs. Battre des records à la course et avoir dix sur dix en classe, ce n'était pas des ambitions qui figuraient en bonne place sur la liste des priorités de mes amies. (Le Sud est imbattable pour former des femmes non compétitives.) Dans les rares cas où personne ne reconnaissait mes mérites, j'avais un encouragement à nul autre pareil : les applaudissements de mon grand-père. C'était pour lui que je courais!

Je ne me souviens pas d'avoir jamais entendu mon grand-père dire à ma mère : « Bravo, Jane! » Ni ma mère dire à ma sœur : « Bravo, Susie! » Et je n'ai jamais donné l'occasion à ma mère de me le dire. Elle était la dernière à connaître mes prouesses et, quand il lui arrivait d'en être informée, ce n'était pas par moi, mais par une de ses amies. Se rendait-elle tant soit peu compte que je la laissais à l'écart? Souffrait-elle au point de faire comme si elle se moquait éperdument de mon attitude? Celles de mes camarades de classe qui remportaient un second prix, ou même pas de prix du tout, invitaient leur famille à assister à la cérémonie de fin d'année. Moi, qui collectionnais les premiers prix, toujours, j'allais les chercher sans être applaudie par la mienne. Est-ce que je faisais mal à ma mère? En tout cas, je sais que je me faisais mal à moi-même. Rien ne m'aurait rendue plus heureuse que de savoir qu'elle était là; rien ne pouvait me décider à l'inviter. C'est un petit jeu que je devais jouer plus tard avec les hommes. Je leur criais : « Va-t'en! » et quand ils tournaient le dos, je me faisais suppliante : « Comment peux-tu me faire tant souffrir? »

Si je ne lui donnais jamais l'occasion de me féliciter, elle, de son côté, ne me critiquait jamais. Critiquer, c'était pour elle le seul moyen d'exprimer les relations qu'elle avait avec ma sœur. Quoi qu'elle fît, Susie le faisait de travers... aux yeux de ma mère. Bien qu'il soit difficile d'imaginer que ma mère puisse être une personne compétitive à l'égard de quiconque, comment aurait-elle pu ne pas l'être devant les quatorze ans éclatants de beauté de Susie? Ma mère entrait dans la période où s'épanouissait sa maturité, mais cela, sans doute, ne la rendait que plus sensible au fait que Susie connaissait simultanément la même bouffée sexuelle. Un an plus tard, ma mère s'est remariée. Aujourd'hui, à part le fait qu'elles ont déménagé dans une autre ville, rien n'a changé : les disputes reprennent dès qu'elles sont dans la même pièce. Et elles sont souvent dans la même pièce. Jamais elles n'ont été aussi proches l'une de l'autre.

La table où on prend les repas familiaux se transforme souvent en champ de bataille. Quand j'ai fait la connaissance de Bill, il n'y avait, dans son grand appartement de célibataire, aucune table autour de laquelle on aurait pu s'asseoir. Dès que tout le monde se retrouvait à table, son père ouvrait les hostilités, c'était le seul moment où la famille se trouvait réunie. A Charleston, le déjeuner était servi à 2 heures. J'ai gardé cette image des repas de midi : Susie à ma droite, mère à ma gauche et moi-même avec l'impression que Ruth, notre cuisinière, avait dressé cette jolie table pour moi toute seule.

Personne d'autre que moi ne semblait s'intéresser à la citronnade jaune d'or, au poulet croustillant, au grand pichet d'argent plein de thé glacé. Pendant que je m'apprêtais à dévorer tout ce qui se trouvait sur la table, Susie et ma mère commençaient : « Susie, ton rouge à lèvres est trop foncé... Est-il vraiment nécessaire que tu t'épiles les sourcils?... Pourquoi as-tu acheté ces souliers à hauts talons et à bouts ouverts, alors que je t'avais dit de choisir des mocassins?... Avec ce soutien-gorge qui fait saillir ta poitrine, tu as l'air d'une, d'une... » Mais ma mère était incapable de prononcer le mot. A ce moment-là, l'une d'elles quittait la table en larmes et l'autre, quelques instants plus tard, désespérée, sursautait quand claquait la porte de la chambre. Pendant ce temps, je réfléchissais à mon problème : dans quelle maison irais-je jouer cet après-midi ? J'avalais leurs deux parts de dessert et j'étais partie avant que Ruth ait desservi. J'exagère ? Cela n'arrivait qu'une fois par semaine ? Peut-être, mais qu'est-ce que ça change ?

J'ai eu bien de la chance d'échapper à ces batailles meurtrières. « Nancy ne m'a jamais causé d'inquiétudes, a toujours dit ma mère. Elle savait se débrouiller toute seule. » C'est devenu vrai. Seul mon mari a eu le droit de constater l'étendue de mes besoins. Mais il a fallu plus que cette jalousie fraternelle pour déclencher les pulsions de rivalité qui m'ont rendue si autonome. Si ma mère ne me reconnaissait pas, son père, lui, le ferait. Si elle n'arrivait pas à trouver grâce à ses yeux, moi j'y arriverais. Je ne peux pas mieux expliquer toutes ces années de trophées et de présidence, mon pouvoir d' « atteindre » grand-père alors que ma mère en était incapable. Non seulement j'ai gagné ce qu'elle avait désiré toute sa vie — son approbation —, mais j'ai aussi appris, avec l'astuce des gosses, que ce grand homme, si impressionnant, aimait être aimé, et qu'il raffolait des contacts physiques. Il ne faisait jamais le premier geste vers ceux qu'il aimait le plus, mais il ne pouvait pas résister à un élan affectueux.

A chacune de ses visites, je me jetais dans ses bras, je cueillais les baisers que j'avais mérités et je m'asseyais à ses pieds comme si j'étais l'un de ses dalmatiens, pendant que ma sœur se tenait, toute timide, à l'arrière-plan et que ma mère attendait les critiques paternelles. Mais je n'avais pas plus conscience de rivaliser avec ma mère que d'être jalouse de ma sœur. Deux générations de femmes, dans ma famille, se sont battues pour l'estime de mon grand-père. Si je suis devenue sa favorite, c'est peut-être parce qu'il a senti que c'était moi qui en avais le plus besoin. Pour y parvenir, j'ai dû battre ma mère et ma sœur. Je m'en sens encore coupable.

Selon l'idée stéréotypée que l'on se fait des deux sexes, les hommes sont compétitifs sur tous les plans, les femmes sur aucun. La notion de la femme compétitive évoque des images inquiétantes : le côté sombre, « lesbien » de la féminité, ou ces dessins humoristiques où l'on peut voir les dames à hauts talons se donner avec leur sac à main des coups dérisoires. Il a manqué quelque chose à notre socialisation. Notre mère nous apprend à gagner l'amour des autres. Elle ne nous dit rien des sentiments de rivalité qui nous le feraient perdre. N'ayant aucune expérience pratique des règles qui rendent la compétition inoffensive, nous redoutons sa cruauté. N'ayant jamais appris à gagner, nous ne savons pas perdre. Les femmes, contrairement aux hommes, ne reçoivent pas une éducation qui ferait d'elles des êtres compétitifs.

Les filles, au début, ne pensent pas qu'il puisse y avoir une rivalité entre elles et leur mère. L'adolescente désire simplement ce qu'a sa mère. Et elle a tant! La nourriture qu'elle prend dans l'assiette maternelle a toujours meilleur goût. Mettre ses vêtements, c'est toujours plus passionnant que d'enfiler les siens. Ne nous a-t-elle pas dit mille fois, quand elle nous baignait, nous grondait, nous habillait, nous apprenait quelque chose, qu'elle n'agissait que par amour pour nous? Alors, pourquoi ne s'efface-t-elle pas pour nous livrer papa, pour nous laisser être à sa place la femme de la maison? Nous n'avons pas la moindre envie de la faire souffrir. Notre biologie est notre logique. La rivalité n'entre en jeu que quand la mère résiste.

Selon la définition de Freud, le complexe d'Œdipe est l'ensemble des sentiments sexuels de l'enfant de quatre, cinq ou six ans, dirigés vers celui des parents qui est du sexe opposé, accompagnés de pulsions de rivalité envers celui qui est du même sexe. Mais la théorie psychanalytique contemporaine pense que la rivalité mère-fille n'a pas seulement papa pour objet. C'est le combat que mène la fille pour se faire reconnaître, pour attirer sur elle l'attention, pour faire son trou dans le monde, avec ou sans la présence de papa.

La littérature et le folklore du complexe d'Œdipe sont, hélas, conçus du point de vue de l'enfant; personne ne parle des sentiments de la mère. Personne ne lui dit ce qui se passe tout au fond d'elle-même. Elle sait seulement qu'elle est supposée avoir de beaux sentiments maternels, comme dans les romans. Il n'est pas question qu'elle puisse être jalouse d'une fille plus jeune qu'elle; qu'elle puisse souffrir de constater que sa position de femme la plus importante de la maison est sapée à la base; qu'elle puisse réagir avec colère au fait que l'enfant qui lui obéissait toujours, et *qu'elle aime,* exige maintenant d'agir à sa guise tout en lui donnant l'impression de vieillir.

Quand elle identifie ces sentiments, la mère en a honte et se sent irritée : ils réveillent les pulsions œdipiennes depuis longtemps enfouies dans cet inconscient qui la dressaient contre sa propre mère. Elle n'est pas méchante; comment pourrait-elle admettre qu'elle nourrit des sentiments aussi mauvais? « Il n'est pas facile pour une mère de voir dans sa fille une rivale, dit le Dr Helen Deutsch; les sentiments maternels qu'elle éprouve sincèrement pour sa fille recouvrent ses impulsions compétitives. » Ce conflit donne naissance à des rationalisations. Après tout, la mère est une femme adulte... comment pourrait-elle éprouver des sentiments aussi indignes envers sa petite fille! Elle veut que tout aille bien. Mais en niant la réalité, elle ne fait qu'aggraver les choses. Nos désirs sont si laids, qu'elle ne veut même pas leur donner un nom.

Il y a longtemps que l'enfant a peur de tout cela. Pour le *ça* sauvage, indompté, la compétition ne connaît pas de limites ni de règles civilisées. Du point de vue freudien, la lutte œdipienne est vécue comme une sorte de désir de mort. Le complexe n'est pas résolu à cinq ans. Pendant l'adolescence, le moi est encore menacé par ces pulsions redoutables. La rivalité fait son travail souterrain, devient intense, meurtrière.

Nous n'avons aucune expérience vécue qui nous permettrait de savoir que la compétition peut être très différente de ce qui nous est présenté par l'inconscient comme une pulsion effrayante, dévastatrice. Nous n'avons jamais exprimé totalement notre rivalité avec notre mère, et elle n'a jamais accepté nos sentiments avec un sourire, un baiser qui nous auraient dit qu'après tout ils n'étaient pas si mauvais. Et pourtant l'amour-propre exige que nous continuions d'essayer de conquérir notre place dans le monde, de satisfaire nos besoins et d'affirmer notre identité. La sexualité elle-même ne nous appartient pas, elle nous semble être quelque chose qu'il faut obtenir de quelqu'un d'autre.

Il fut un temps où notre sexualité naissante a failli nous faire perdre la personne la plus importante de notre vie. Nous lui avons cédé, nous avons nié nos désirs; si nous ne l'avions pas fait, nous aurions traduit sa colère comme une menace d'abandon, à un âge où nous ne pouvions pas vivre sans elle. Nous traversons toute notre vie en niant que nous soyons compétitives, tout en sentant que les progrès accomplis par d'autres femmes nous excluent de la grande fête de la vie.

« Compétitive? *Moi?* Certainement pas! »... Nous protestons avec véhémence, comme si on nous accusait de meurtre, même si nous fonçons tête baissée pour battre de vitesse les seules personnes qui comptent : les femmes. Le jeu consiste à remporter le prix, mais surtout, sans doute, à éprouver une fois de plus les limites de la réalité contradictoire qui nous enferme : pouvons-nous battre, éliminer l'autre femme tout en conservant son amour?

« J'adorais mon père, m'a dit une femme de vingt ans, mais je pense que, par-dessus tout, j'ai toujours recherché l'estime de ma mère. J'ai encore très conscience d'avoir besoin de femmes qui m'apprécient ou qui m'admirent. Je passe plus de temps à m'habiller pour un dîner de femmes que pour aller à un rendez-vous avec un homme. Quand je vais seule à une réunion d'amis, j'aime que les hommes se retournent sur moi. Mais quand je sais qu'il n'y aura que des femmes, je déteste arriver en retard. Quand elles me regardent, j'ai l'impression qu'elles me jugent défavorablement. Je sais que c'est stupide, mais c'est ce que je ressens. » Que nous soyons petites ou adultes, notre plus grande source d'amour et notre rivalité la plus acharnée sont une seule et même chose. Comment ne serions-nous pas déroutées?

Au lieu d'admettre que la rivalité existe, la mère règle ses actions sur des sentiments qui la protègent de toute compétition. Devant notre comportement d'adolescentes, elle réagit par de l'irritation, de l'exaspération; elle se laisse conduire par ses sentiments maternels. Nous sommes sa « petite fille », et non pas sa rivale. Plus tard, quand une autre femme améliore sa situation et obtient un nouveau poste très brillant, nous nous sentons mal à l'aise, irritées dès que nous sommes avec elle; elle est pourtant notre meilleure amie et son job ne nous intéressait pas. Ce qui nous irrite, c'est que sa promotion menace de nous rendre conscientes de notre rivalité à son égard.

De même, pour nier tout esprit de compétition, nous nous déclarons hors concours et nous nous dénigrons avant qu'on ait eu le temps de nous juger. Si notre mari parle pendant longtemps avec une femme, nous disons : « Évidemment, je ne suis pas aussi intéressante qu'elle... » Le complexe d'infériorité est une défense tout à fait classique. Nous nous sentons écrasées par elle, nous avons peur, nous voudrions la tuer. Ou lui. Mais nous n'avons pas l'impression d'être en rivalité. Vous comprenez? *Nous ne sommes pas en rivalité!*

J'ai même rencontré certaines psychanalystes qui disent avec un sourire désolé que les sentiments de rivalité mère-fille, tout en étant niés, sont universels, et qui, pourtant, se contredisent peu après : au cours de la même conversation, elles m'affirment qu'il n'y a aucune rivalité entre elles et leur fille. « Ma petite Jane est très jolie, m'a dit une de ces psychanalystes. Elle a douze ans et commence à s'épanouir. Je ne sais pas ce qui se passera quand elle sera plus belle que moi en maillot de bain! ajouta-t-elle en riant. Je suis de garde une nuit par semaine à l'hôpital, et l'autre jour, elle a dit à mon mari (c'est lui qui me l'a rapporté) : " Tu sais, papa, quand maman n'est pas là, il y a des tas de choses que je peux faire pour toi, tout aussi bien qu'elle. " » Je lui ai demandé si la beauté de sa fille et son flirt avec son père ne la mettait pas en compétition avec sa fille. « Oh, non! m'a-t-elle dit. Je ne pense pas. Ils sont tous les deux tellement mieux que moi! » Rivalité d'abord, une charmante dénégation ensuite. Je reconnais très bien ces techniques désarmantes. Je les ai utilisées pendant longtemps.

Quand nous sommes encore des bébés, il est bon que notre narcissisme soit encouragé; il nous permettra de nous éloigner peu à peu de notre mère. Arrivées à l'adolescence, nous attendons la même chose d'un homme. La direction que prendra la jeune adolescente dépendra de l'attitude de son père : vers les hommes et notre propre identité, ou vers notre mère et le lien symbiotique. Si notre père nous donne l'impression que nous sommes la plus jolie fille du monde, nous pouvons aller de l'avant avec confiance. Une jeune femme m'a dit : « Mon père était très chaleureux, très affectueux. Je pense que c'est à lui que je dois de me sentir bien dans ma peau et d'être très sexuelle. Je ne l'ai jamais vu très démonstratif à l'égard de ma mère, mais il l'était avec moi quand j'étais petite. Grâce à lui, je me sentais merveilleusement bien. J'aurais voulu connaître ma mère avant qu'elle ait des enfants. Je pense que la maternité a étouffé sa sexualité. Mais je suis sûre qu'elle a dû avoir une vie sexuelle très active avant la naissance de ses enfants : mon père est si sensuel! C'est ma mère qui m'a appris que le sexe est interdit. »

Un père a tant à donner à sa fille pendant l'adolescence! Mais il marche sur une corde raide! Il doit être attentif aux besoins de sa femme et de sa fille tout en veillant soigneusement à ne pas les rendre jalouses l'une de l'autre. « Mon mari est fou de notre fille, m'a dit la psychologue Liz Hauser; mais, au début, il ne se rendait pas compte de la situation qu'il créait. Par exemple, chaque fois que nous nous disputions, ma fille et moi, il intervenait et lui faisait un petit signe qui voulait dire : " Ne fais pas attention à ce que dit maman, je vais tout arranger. " Il a fini par se rendre compte qu'il avait tort. Quand elle se sent prise entre deux feux, l'enfant ne sait pas à qui accorder sa confiance. » Ce comportement du père éveille la jalousie maternelle et peut aussi donner à l'enfant le désir coupable de l'emporter toujours sur sa mère.

La réaction du père vis-à-vis de l'adolescence de sa fille est très souvent déterminée par sa femme. Si la mère revendique sa fille, s'il y a entre elles un lien étroit, le père réagira avec méfiance à la sexualité naissante de l'enfant. La mère, qui a essayé d'éviter toute rivalité mère-fille en réduisant sa propre vie sexuelle, refusera de céder son mari à sa fille. Elle ne le désire peut-être plus sexuellement, mais son moi a encore son mot à dire : « Aucune femme ne l'aura, pas même ma fille. »

Bien des mères essaient de séparer leur fille de leur mari en dénigrant ce dernier. « C'est leur façon, dit le Dr Robertiello, d'entrer en compétition avec leur fille tout en gardant pour elles et le père et la fille. Diviser pour régner. » La mère dit : « Tu sais très bien que ton père est incapable de régler ce genre de problème. Pourquoi ne t'es-tu pas d'abord adressée à moi? » La mère reste en bons termes des deux côtés, solidement plantée entre le père et la fille.

C'est une situation destructive, qui donne lieu, chez l'enfant, à toutes sortes de fantasmes œdipiens. « Si maman ne veut pas de papa, si elle ne le comprend pas, je ne vois pas pourquoi je n'essayerais pas de le conquérir. » Mais même si la mère est une chipie, la fille ne peut pas se permettre de perdre sa première alliée. Le père peut épicer la vie, mais la

150

mère est le pain et le beurre. La relation à la mère est antérieure, elle est plus profonde que tout ce que l'enfant peut connaître avec son père.

Voici l'histoire poignante d'une femme de trente-cinq ans, mère de trois filles, qui vient récemment de divorcer. En l'écoutant, je n'ai pas pu m'empêcher de me demander combien de pères ressemblent au sien : « C'est seulement après mon mariage, quand je me suis retrouvée loin de mes parents, que j'ai pu commencer à voir objectivement leurs relations. J'avais toujours considéré que mon père était un tyran à qui il fallait mentir, et qu'il fallait manœuvrer. Ma mère et moi avions toujours été très intimes. Le mariage avait fait d'elle une martyre. Mais, récemment, quand j'ai commencé à réfléchir à mon propre mariage, je me suis rendu compte qu'en réalité il n'avait pas eu la partie belle, ce qui m'a fait éprouver pour lui des sentiments très différents. Il y a un an, j'ai rassemblé tout mon courage et j'ai téléphoné à la maison. Après avoir parlé avec ma mère, je lui ai demandé de me passer papa ; quand je l'ai eu au bout du fil, je lui ai dit, le cœur battant (je ne savais pas de quoi j'avais peur) : " Je voulais te dire que je t'aime. " Il y eut un silence, puis j'ai entendu la voix angoissée de ma mère : " Qu'est-ce que tu as dit à ton père ? " " Je lui ai dit que je l'aime... comme je ne le lui avais jamais dit, j'ai pensé que ça lui ferait plaisir. " Et ma mère : " Il est là, dans un fauteuil, en train de sangloter ! " Elle me rappela quelques jours plus tard : " Ton père et moi avons beaucoup parlé (ce qu'ils faisaient rarement) et il m'a dit que depuis des années et des années il croyait que tu le détestais. " »

Pour la mère et la fille, le problème consiste moins à conquérir l'homme qu'à mettre de l'ordre dans leurs propres relations : contrôler leur jalousie, refouler la colère, trouver d'autres mots pour leur sentiment de culpabilité. Des années après la disparition du père, qu'il soit divorcé ou mort, la lutte entre les deux femmes est toujours là : comment maintenir la trêve, le pacte, la symbiose ?

« Chaque année, m'a dit une femme de quarante-cinq ans, ma mère et moi prenons des vacances ensemble. » Sa mère a quatre-vingts ans ; elles sont veuves toutes les deux. « Ce qui me rend furieuse, c'est que chaque fois que quelqu'un nous aborde, que ce soit un homme ou une femme, ma mère l'accapare. Exactement comme elle le faisait quand j'étais jeune fille. » Je n'ai pas demandé à cette femme pourquoi elle continuait de partir en vacances avec sa mère. Dans la symbiose, on préfère rester avec son partenaire — avec les rivalités, les échecs et tout ce qu'elle suppose — plutôt que de rompre le lien.

« Si la mère n'a pas une bonne relation avec le père, dit Helen Deutsch, elle sera jalouse de la fille. Cette situation éveille chez la mère des sentiments de rivalité qui inhibent la fille. » D'autre part, si le père est distrait, préoccupé quand il est à la maison, s'il essaie de s'esquiver et de ne pas provoquer de rivalité entre la mère et la fille, en ignorant les besoins d'identification de la fille, celle-ci intégrera le message sexuel négatif de sa mère, attendra passivement que les hommes viennent à elle, leur refusera sa confiance et continuera de compter sur les femmes pour satisfaire ses besoins affectifs les plus profonds.

Beaucoup de femmes ne peuvent aimer que des hommes mariés. A les entendre, elles veulent que l'homme quitte sa femme pour vivre avec elles. Mais quand l'homme est prêt à divorcer, il cesse de les intéresser. Autrefois, ces mêmes femmes ne voulaient pas que leur père quitte leur mère, ce n'était qu'un vague désir. Si le père et la mère divorcent et si la fille va vivre avec papa, elle se sent coupable. Elle ne voulait pas que son désir devienne réalité. « *Certains désirs œdipiens sont très vifs, mais ils n'entendent pas être satisfaits* », dit le Dr Deutsch.

Le père a ses propres sentiments œdipiens à régler. Quand nous avons cinq ans, nos avances sexuelles peuvent ne pas le rendre nerveux. « Les petites filles peuvent être terriblement aguichantes, affirme le Dr Esman. Du moins c'est ce que sentent certains pères. » Mais quand nous avons treize ans, il lui est impossible de repousser nos avances comme s'il ne s'agissait que d'un jeu de petite fille. Et nous ne voulons pas qu'il le fasse. Nous nous blottissons contre lui parce qu'il est papa, la seule personne qui nous aime assez pour que nous tentions avec lui des comportements que nous n'osons pas risquer avec des garçons de notre âge. Nous comptons sur lui pour mener le jeu, pour savoir faire la différence entre des actes qui disent : « traite-moi comme une femme » et notre besoin toujours présent d'être aimée parce que nous sommes sa fille. Nous souffrons donc terriblement si, se sentant menacé, il nous fait faux bond précipitamment en disant : « Descends de mes genoux tout de suite, tu es trop grande! » Nous sommes rejetées vers notre mère. La saine pulsion sexuelle de l'adolescente vers l'autre sexe a été refoulée ou même inversée; notre vie reste surtout axée sur les femmes.

« Ce qui gêne le père, dit le Dr Sanger, ce n'est pas tellement qu'il se sente sexuellement attiré par sa fille, c'est l'idée qu'il puisse arriver quelque chose d'incontrôlable. Je pense qu'il est extrêmement important que la fille sache que son père la trouve séduisante. Malheureusement, trop de pères — et de mères — sont incapables de traduire par des mots ce qu'ils éprouvent. Il serait merveilleux pour la fille de grandir en sachant que ses parents apprécient son corps, en aimant leurs baisers, leurs étreintes; en leur entendant dire qu'elle est adorable. »

A propos du développement psychosexuel de l'adolescente, la sociologue Jessie Bernard m'a conseillé de ne pas simplifier excessivement le problème en accordant trop d'importance soit au père, soit à la mère. « La fille est assaillie de tous les côtés », m'a-t-elle dit. Je suis d'accord.

Mais quoi qu'il puisse nous arriver dans nos relations avec notre père, nos professeurs, nos camarades d'âge, le lien à la mère est le seul qui soit constant; il est comme une lunette à travers laquelle on peut voir tout ce qui va suivre.

Les jeux sont une imitation de la vie; ils permettent à l'enfant d'apprendre à gagner et à perdre, à un niveau qui lui est accessible. Vous arrive-t-il souvent de voir une mère et une fille luttant l'une contre l'autre avec acharnement au cours d'une partie de tennis ou de cartes? Aujourd'hui, la fillette peut apprendre la compétition en jouant au basket dans une équipe de minimes. Sa mère n'en a jamais eu l'occasion. Pour elle, perdre quelque chose au bénéfice d'une autre femme, ce n'est pas « qu'un jeu ». Cela réveille en elle des sentiments profonds d'abandon et de colère qui n'ont jamais été résolus avec sa propre mère. La fille comprend que la compétition n'est quelque chose de très bien que dans des domaines secondaires, comme le basket. Avec la mère, ou d'autres femmes, entrer en rivalité et gagner, ce serait courir le risque de perdre une relation primordiale.

« Le vrai problème, dit Helen Deutsch, ce n'est pas tellement que la fille écarte la mère pour avoir le père, mais qu'elle reste collée à sa mère. C'est ce qui explique l'angoisse. La fille est perturbée parce que, tout en étant *dépendante* de sa mère, elle veut s'en *libérer*. »

Le père n'est pas seulement l'homme qui éveille les rivalités œdipiennes. « Nous appelions " Oncle Steve " le meilleur ami de mon père, m'a raconté une femme de trente-cinq ans. Je l'ai connu toute petite. Des années plus tard, j'allais découvrir que ma mère était très attirée par lui. Mais elle jurerait sur son lit de mort qu'il n'y a jamais rien eu entre eux. J'avais quatorze ans quand cet incident a eu lieu : nous étions sur la terrasse. J'étais blottie contre oncle Steve dans un grand fauteuil d'acajou. C'était un homme très affectueux. Toute la famille était réunie, mon frère, ma sœur, mon père, ma mère... Soudain, sans que personne ne s'y attende, ma mère s'écria : " Helen! Tu n'es plus d'âge à faire ça! " Je me souviens d'être devenue écarlate. C'est à ce moment-là que j'ai su d'instinct qu'il y avait quelque chose entre oncle Steve et elle. Elle était jalouse. J'étais terriblement gênée, mais il n'y eut aucun commentaire. »

Plus tard, pendant notre entretien, cette femme me dit qu'elle avait vécu un certain temps avec l'homme qu'elle devait finir par épouser. Elle avait toujours peur que sa mère lui téléphone pendant qu'il était là. « Je ne voulais pas qu'elle sache qu'il était dans mon appartement, dans mon lit. » Comment sa mère aurait-elle pu le savoir? Parce qu'elle continuait de vivre dans la tête de cette femme. Son amour pour cet homme qu'elle allait épouser avait moins d'importance que sa peur devant cette mère compétitive, répressive.

MA MÈRE, MON MIROIR

Le dictionnaire donne de la compétition la définition écologique suivante : « Lutte que se livrent les organismes, qu'ils soient ou non de la même espèce, pour la nourriture, l'espace ou d'autres facteurs d'existence[1]. » Existe-t-il deux organismes qui partagent un espace physique et psychologique aussi étroit que la mère et la fille? Quelle force, mieux que leurs pulsions sexuelles, pourrait permettre à chacune de se faire une place. Si seulement notre mère pouvait admettre qu'il existe un conflit entre nous, nous pourrions même accepter de perdre. La leçon, dure et nécessaire, qu'apprend la perdante dans le conflit œdipien, est qu'elle ne peut pas se contenter de s'éterniser dans la maison de sa rivale. Si elle veut se trouver un homme bien à elle, il faut qu'elle évolue et qu'elle s'en aille. Mais la mère décourage nos efforts vers la sexualité : « c'est du temps perdu »; elle refuse notre besoin d'indépendance : « nous sommes des imprudentes »; et elle refuse de voir que nous sommes de plus en plus capables d'avoir les mêmes désirs et les mêmes sentiments qu'elle. Elle dit que c'est pour notre bien, mais nous n'en sommes pas tellement persuadées.

La famille, qui était autrefois un nid douillet, nous semble maintenant claustrophobique et ennuyeuse. Nous voulons en sortir, nous en aller. Nous sommes souvent attirées par des gens ou des activités qui déplaisent à notre mère. Avec sa permission, donnée à contrecœur, ou derrière son dos, nous fréquentons ces gens, nous nous livrons à ces activités. *Notre identité se forme,* mais nous sentons que c'est en dépit de son opposition. Un sentiment de culpabilité s'ajoute à notre révolte; nous faisons demi-tour et nous revenons vers elle. Comment pourrait-on détester sa propre mère? C'est une lutte perpétuelle, jamais finie.

La situation œdipienne est moins compliquée pour les garçons. Comme les filles, ils ont besoin du même lien symbiotique précoce qui les attache à leur mère, mais il y a dans la maison un autre personnage, contre lequel ils peuvent se permettre d'entrer ouvertement en rivalité et devant lequel ils peuvent s'affirmer sans pour cela mettre en danger ce qui existe entre eux et la mère. Ce personnage, évidemment, est papa. Un second facteur, relié au premier, fait que le garçon a une adolescence moins pénible, moins inquiète; contrairement aux filles, il n'a pas à changer radicalement l'objet de son amour : à partir de sa naissance, il aura toujours affaire aux femmes. D'abord sa mère, puis ses petites amies, puis son épouse, etc. Les filles doivent accomplir un passage extrêmement compliqué de la femme à l'homme — de leur mère à leur père.

Presque depuis le début, bien avant qu'ils soient prêts à couper le lien symbiotique, les petits garçons apprennent, par la compétition, à devenir

1. *American College Dictionary.* New York, Harmer, 1950, p. 246.

indépendants, à s'installer dans leur propre identité. Ils s'affirment contre leur père, puis contre les autres garçons. A quatre ou cinq ans, ils commencent à opposer leur force à celle de leur père, souvent avec son encouragement. Ils luttent au corps à corps avec lui, ils essayent de le battre à la course, ou au monopoly, ou au ping-pong. Quand il arrive à l'adolescence, le garçon est déjà entraîné à toutes sortes de situations structurées où la rivalité est permise, encouragée, et même amusante, parce qu'elle est à l'abri, grâce à la règle du jeu, de l'aspect caché, sombre et meurtrier, des pulsions compétitives : les limites sont nettement dessinées.

Un psychanalyste, le Dr Reuben Fine, qui est également un grand maître au jeu d'échecs, dit, à propos de cette lutte dominée par la puissance de la reine et du roi (c'est peut-être le jeu le plus franchement œdipien qui soit), qu'il doit son principal pouvoir de fascination au fait que le roi peut être fait prisonnier mais qu'il n'est jamais détruit [1]. De même, les garçons savent, grâce aux règles et aux structures des sports, que si on bat l'adversaire, cela ne le tuera pas et qu'il ne vous détestera pas à jamais. En outre, il y aura demain une revanche, et c'est peut-être l'autre qui gagnera. Dans les situations sociales que partagent les hommes, la rivalité hostile qui est latente chez chacun de nous peut s'exprimer, comme dans un jeu. Le garçon comprend sans qu'il soit utile de le lui expliquer : *gagner* n'est pas trahir. *C'est naturel.* Du moment que les règles sont respectées, le jeu peut conduire à de grandes amitiés. Les moniteurs de colonies de garçons savent depuis longtemps que si deux gosses se détestent, il suffit de les mettre sur un ring, avec des règles sévères et de gros gants bien rembourrés, pour qu'ils deviennent souvent les meilleurs amis du monde.

Les pères se sentent si peu menacés par la rivalité de leur fils qu'ils peuvent, au début, le laisser gagner. Ils veulent qu'il « sache se défendre », « vider tout seul ses querelles », qu'il soit « sûr de lui », avant de se séparer de la famille. Le fils qui reste dans les jupes de sa mère n'est pas apprécié par son père. Finalement, le jeune homme peut vraiment battre son père et celui-ci n'en sera peut-être pas tellement content. Mais les sentiments de rivalité l'inquiètent si peu qu'il peut même montrer à son fils qu'il est momentanément vexé d'avoir été battu, ce qui ne fera qu'augmenter le sentiment d'indépendance et la fierté du garçon. Tout en grommelant à chaque prouesse de l'autre, le père et le fils font progresser leur relation. Peut-être se rapprochent-ils, peut-être ne se rapprochent-ils pas. Mais le fils a appris à maîtriser ses sentiments de rivalité dans une situation très tendue.

1. Voir Reuben Fine, *The Psychology of the Chess Player.*

MA MÈRE, MON MIROIR

Quand nous voyons les hommes sortir du stade par petits groupes où règne la bonne entente, nous avons l'impression qu'ils possèdent quelque chose que nous n'avons pas. Je pensais qu'il s'agissait de la mise en commun, sans détour, de leurs sentiments. Je sais maintenant que la camaraderie masculine n'est pas une relation tellement franche. Ce qu'ils ont de plus que nous, c'est qu'ils ont appris à relâcher la tension quand ils sont entre eux, à ouvrir la soupape, à oublier leurs rivalités; cela leur permet de se sentir plus à l'aise. Les hommes apprennent à jouer pour gagner, à étendre les limites de leur compétitivité et à en être fiers. Certains exagèrent, mais tous les hommes intègrent cette leçon essentielle. « Le jeune garçon, dit le Dr Robertiello, ne peut pas traverser l'adolescence sans apprendre à accepter la défaite. » Il a perdu, mais il n'est pas détruit pour autant. Il sent donc qu'il pourra gagner quand son tour viendra, sans détruire son adversaire. Les hommes n'ont pas l'impression que leur bonheur et leurs succès sexuels doivent être acquis aux dépens d'une personne qui sortirait infirme de la lutte.

« Il est très sain de laisser son corps s'exprimer, de soulager les sentiments de rivalité, dit le Dr Robertiello. Je dis souvent aux femmes que leur aspect extérieur serait beaucoup plus agréable si elles pouvaient simplement s'exprimer verbalement et physiquement. Si elles ne le font pas, elles acquièrent ce masque fermé, tendu, qui caractérise les angoissés. » Les convenances veulent que nous contenions nos sentiments, mais si le contrôle est trop sévère, il y a souvent de graves conséquences psychosomatiques.

« Le développement des adolescentes est sans doute le processus le plus compliqué de la croissance humaine, dit le Dr Esman (qui est lui-même père de trois filles). Elles doivent affronter le réveil du conflit œdipien qui les pousse vers leur père, la rivalité avec leur mère, qui en résulte, et l'hostilité qu'elle engendre chez elles comme chez leur mère. En même temps, elles doivent apprendre à s'accepter en tant que femmes. Dans une société comme la nôtre, qui favorise le sexe masculin, cette acceptation peut être très difficile, et peut même sembler indésirable. »

C'est un dilemme. Nous sommes entre deux mondes. Nous n'avons pas encore atteint l'étape rassurante où nous découvrirons que nous pouvons aimer un homme qui nous aimera en retour et que, dans ce type d'amour sexuel, tout nouveau et très séduisant (mais encore effrayant) nous trouverons des impressions de chaleur, d'intensité, d'éveil et de pouvoir aussi satisfaisantes, à leur façon, que ce que nous avions avec notre mère. Nous comptons sur les garçons pour avoir la confirmation de cette sexualité naissante que déteste notre mère et pour obtenir les encouragements que ne nous a pas donnés notre père. Mais l'approbation que nous obtenons des garçons n'est pas accompagnée de cette confiance profonde que nous connaissions avec notre mère. Les garçons sont si bizarres. Souvent, nous en demandons trop : nous voudrions que celui que nous avons conquis se maintienne au niveau de notre attente : quelque chose de fascinant, interdit, inaccessible. Mais les hommes ont des tendances et des besoins qui leur sont propres. De leur côté de la barrière sexuelle, ils se révoltent contre nos exigences, ou estiment qu'ils ne sont pas à leur hauteur. Ils nous font souffrir et ils nous quittent. Contrairement à ce que nous avait promis notre mère avec son amour, le leur est conditionnel. L'éducation qu'ils ont reçue leur fait voir en nous des accessoires, des symboles de leur réussite, des objets sexuels. Ils nous veulent pour quelque chose qui nous échappe.

Nous étions en quête de l'amour, et nous avons eu le sexe en supplément. Le sexe, c'est vraiment passionnant, mais il nous semble également effrayant, dangereux. Toute l'affaire devient problématique, lourde d'angoisse. Ne serait-il pas plus sage de faire marche arrière? A notre retour, si nous redevenons « une bonne petite fille », notre mère ne sera plus fâchée contre nous. Il n'y aura plus de discussions interminables à propos de ce que nous faisons ou des garçons que nous fréquentons. Nous aurons son amour pour toujours. Il n'y aura plus de rivalité.

Au lieu d'affirmer notre personnalité, nos besoins et nos aspirations, nous nous mettons à ressembler davantage à notre mère. Nous faisons chorus avec elle, le sexe, après tout, n'a pas tellement d'importance pour nous. Bientôt, la symbiose triomphe, les pulsions sexuelles sont domptées. Nous grandissons, nous nous marions, nous avons des enfants, mais nous n'avons jamais vraiment quitté le foyer maternel.

En réalité, notre mère n'a pas peur que nous lui volions papa. Mais il y a une différence entre une petite fille de six ans qui est tout à fait à sa place sur les genoux d'un homme et une gamine de treize ans qui entre très bien dans vos vêtements, qui se bat pour le seul homme de la maison et qui obtient des visiteurs de sexe masculin le genre de sourire que vous ne recevez plus depuis des années; et qui, en même temps, fait des projets pour un avenir que vous ne verrez plus jamais. La mère s'est peut-être accommodée de ses fantasmes de maternité, mais personne ne lui a jamais dit de traiter sa fille comme une femme. C'est certainement un comportement que sa propre mère n'a jamais eu à son égard. Comme une future épouse, comme une future mère, oui. Comme une *femme?* Jamais.

Si, par notre existence, nous garantissons à notre mère son immortalité, nous sommes là, aussi, pour lui rappeler que les années passent. Voilà que nous sortons avec des garçons! Elle a eu quatorze ans, elle aussi. « L'adolescence est classiquement l'époque où la mère commence à revivre sa propre vie à travers celle de sa fille, dit le Dr Schaefer. Cela survient avec une soudaineté étonnante. En ce qui concerne ma fille, je pourrais presque préciser le jour où elle a commencé à changer. C'était en septembre dernier. »

Ce n'est pas par des discours, mais par l'exemple, que notre mère peut nous aider à prendre le tournant. L'idéal est qu'elle se sente à l'aise dans son propre rôle de femme, quelle que soit sa façon de le concevoir. Elle peut avoir un métier, elle peut être une mère de famille traditionnelle, mais la fille a besoin de se rendre compte quotidiennement que sa mère a choisi délibérément son rôle et qu'elle ne se résigne pas avec aigreur à se voir reléguée à une place inférieure. « Il est également très important, dit le Dr Esman, que la fille sente que sa mère a une vie sexuelle assez satisfaisante; elle peut ainsi constater que la relation homme-femme est bénéfique et que quelque chose de passionnant l'attend. »

L'adolescence de la fille ravive les conflits et les problèmes sexuels de la mère. Comment celle-ci pourrait-elle expliquer la différence qui existe entre l'amour romanesque et l'amour sexuel s'ils sont l'un et l'autre absents de sa vie? Comment une femme qui se sent étouffée pourrait-elle parler des promesses de la féminité, d'un métier, de la maternité?

Certaines femmes se sentent écrasées par leurs amies les plus fascinantes, qui sont plus sexuelles qu'elles ne le sont. Et maintenant, c'est leur fille qui, à son tour est plus belle, plus jeune. Elles se retirent de la compétition, se laissent aller, deviennent plus que jamais des matrones. D'autres mères peuvent devenir si sexuelles que leur fille n'ose pas entrer dans la compétition. « Ma mère flirte outrageusement, m'a dit une fille de quinze ans. Elle parle à mon père de tous les hommes qui lui font la cour. Je crois qu'il n'en est pas mécontent : il en est même fier. Mais j'estime que le comportement de ma mère est grotesque! » Cette jeune fille a dix kilos de trop. Elle avoue : « Je ne peux pas battre ma mère à son propre jeu. J'ai renoncé à essayer de rivaliser. »

Voici ce que dit la psychanalyste Betty Thompson : « Les gens, en général, tendent à rester ce qu'ils sont. Le fait d'être mère n'y change rien. Par conséquent, la femme qui a l'habitude d'accorder à ses propres sentiments plus d'importance qu'à ceux des autres, peut se montrer la rivale de sa fille d'une façon extravagante. J'ai connu des mères qui oubliaient qu'elles avaient vingt ans de plus que leur fille à partir du moment où celle-ci commençait à revenir à la maison avec des garçons. Elles font du charme comme s'il s'agissait d'un homme de leur âge. C'est une manie. Chaque fois qu'un homme pénètre dans une pièce où elles se trouvent, il faut qu'elles se sentent séduisantes. »

« Je me demande si je vais faire porter un soutien-gorge à Penny, m'a dit une femme de trente-cinq ans. (Sa fille a treize ans.) Oh, non! Elle ne m'en a pas demandé un, mais j'ai remarqué que les gens commencent à lui lancer certains regards... » Quels gens? Des hommes ou des femmes? Et quelle sorte de regards? Je ne l'ai pas demandé. Mais quels sont les véritables sentiments que peut éprouver cette ravissante jeune maman?

Une autre femme, Fran, est une bonne mère qui considère que sa tâche principale consiste à s'occuper de son mari et de ses enfants. Avec elle, pas question de jalousie ni de compétition. A table, un soir, la fille gronde son père : « Papa, sais-tu combien il y a de calories dans ce dessert? » C'est la voix de sa mère. Elle se lève pour lui enlever sa part de gâteau, jouant la mère (épouse) sévère, mais le père met les choses au point. « Assieds-toi, Penny », dit-il en souriant. Fran observe la scène du bout de la table. Il est difficile d'interpréter l'expression de son visage. Que devient-elle dans tout ça? La menace vient de tous les côtés, de la fille qu'elle aime, mais aussi de tout ce qui pourrait lui ravir son enfant ou son mari. Les psychiatres nous conseilleraient d'exprimer ces sentiments, ou même d'en parler sur le ton de la plaisanterie. Mais la mère de Fran ne plaisantait pas à propos de ses sentiments de jalousie, de rivalité. Alors, Fran, elle aussi, se tait. Le mari m'a confié : « Ma femme et ma fille se disputent à propos de tout et de rien. Je pense qu'elles ne se rendent même pas compte de ce qui se passe. Je trouve que c'est amusant, parce que je sais que leurs querelles tournent autour de moi. C'est merveilleux d'avoir deux femmes qui se battent pour vos beaux yeux; mais elles mettraient toutes les deux leur main au feu que ce n'est pas vrai. » Quant à Fran, elle m'a confié en soupirant : « Je vais faire faire de la gymnastique à Penny. Elle se voûte. »

Je me rappelle que, moi aussi, je me voûtais, non pas parce que j'avais besoin d'un soutien-gorge, mais justement parce qu'il n'aurait servi à rien. Finalement, ma mère m'en avait acheté un. Je le détestais. Il était d'un rose écœurant. En me l'offrant, elle m'avait gentiment fait remarquer qu'il ne me servirait pas à grand-chose. Constatant mon humiliation, elle avait essayé de se rattraper en me disant que j'avais bien de la chance : quand j'aurais son âge, je n'aurais pas de marques de bretelles sur mes épaules. *Mais je voulais en avoir, des marques de bretelles!* La bataille du soutien-gorge est un classique de l'adolescence.

Comment se fait-il qu'un objet aussi banal qu'un soutien-gorge puisse déchaîner de telles tempêtes dans les relations mère-fille? C'est peut-être cette adolescente de quinze ans qui nous donne la réponse : « Alors qu'il ne m'était jamais arrivé d'embrasser un garçon, j'avais déjà mauvaise réputation. Je me demandais d'où elle venait. Je pense maintenant que c'était parce que j'ai eu de la poitrine avant toutes mes camarades. »

La mère sait très bien ce que signifient les seins dans notre culture. Si elle aime les siens, si elle nous permet de nous soumettre au rite de passage typiquement féminin du premier soutien-gorge à l'heure de notre choix, et non pas quand elle le décide elle-même, nous pouvons, nous aussi, nous habituer à aimer nos seins. Sinon, nous arrondissons les épaules pour essayer de cacher la réalité inavouable : à une certaine époque de notre vie, nos seins étaient l'endroit de notre corps où se concentrait l'angoisse provoquée par notre sexualité naissante; nous voulions en être fières, mais notre mère, en s'évertuant à nous les faire cacher, nous remplissait de peur et de honte. Nous avons un symbole idéal de ce conflit non résolu : les filles de quinze ans des années 70 qui, pour montrer qu'elles étaient libérées, avaient la poitrine nue sous un T-shirt moulant... et qui restaient les bras croisés pour cacher leur poitrine. « La faute la plus classique que puisse commettre une mère vis-à-vis de sa fille adolescente, dit le Dr Fredland, c'est de ne pas la laisser devenir femme. »

A la même époque, nous sommes trahies par les talents et les capacités qui nous permettaient de nous affirmer et de développer notre amour-propre. « Jusqu'à l'âge de la puberté, dit Jessie Bernard, les filles restent au tableau d'honneur à l'école, mais à partir de là, elles prennent du retard. » Nous avions l'habitude de lever la main avec enthousiasme pour attirer l'attention du maître, quand nous connaissions la bonne réponse, et de parler haut et clair. Maintenant, nous cachons notre intelligence et nous nous mordons la langue. Nous voulons attirer les garçons, nous voulons être féminines, et voilà... nous répétons ce que notre mère nous a appris à faire pour conserver son amour : soumission et passivité. Pour chaque étude sociologique que j'ai pu voir, et qui montre qu'un changement est en train de s'opérer — c'est-à-dire que les filles, aujourd'hui, ont tendance à rester au tableau d'honneur tout au long de leurs études secondaires, il y en a une autre qui indique que les garçons, à mesure qu'ils avancent dans l'adolescence, tendent à être attirés par des situations à haut prestige, alors que les adolescentes ont une tendance opposée [1].

« Comme les garçons adolescents sont anxieux à l'idée d'un échec possible, dit le Dr Sanger, les filles sûres d'elles leur font peur et ils les fuient. » La fille qui minaude et qui a sur les lèvres un sourire perpétuel a

---

1. Jessie Bernard m'a dit qu'elle a vu, au cours de ces dernières années, des enquêtes privées qui montrent que les jeunes filles commencent à se maintenir au tableau d'honneur tout au long de leurs études secondaires. Dans le *Journal of Counseling Psychology* (janvier 1975, pp. 35-38) Rosalind C. Barnett démontre statistiquement par une enquête qui a porté sur 988 filles et 1 531 garçons, de neuf à dix-sept ans, que les garçons ont tendance à préférer des situations de grand prestige à mesure qu'ils s'avancent dans l'adolescence. L'article est intitulé : « Différences relatives au sexe et tendances relatives à l'âge dans le domaine des préférences et du prestige professionnels. » « Que nous apprennent ces différentes études ? » demande Jessie Bernard. « Que nous nous trouvons très nettement dans une période de transition. »

le maximum de succès, parce qu'elle paraît moins menaçante. Dans son livre *Letters Home*, Aurelia Plath raconte, à propos de sa fille Sylvia, un incident qui frappera toutes les femmes qui savent par expérience ce que c'est que d'être tiraillée entre ces deux possibilités : faire valoir son intelligence ou être populaire à l'école. « Vers la fin de ses études secondaires, Sylvia avait appris à se cacher derrière une façade frivole dès qu'elle se trouvait dans un groupe mixte. Un jour, après un troisième rendez-vous, elle est revenue folle de joie à la maison : " Maman! Rod m'a demandé quelles notes j'avais en classe. Je lui ai dit que j'avais les meilleures presque partout. " Ouais! m'a-t-il dit quand nous avons quitté la piste de danse, rien qu'à te voir, on sait tout de suite que tu n'es pas une bûcheuse! " C'est merveilleux, maman; ils ne me croient pas! Ils ne me croient pas [1]! " »

Les filles sont élevées pour former un couple, les garçons pour agir. Nous commençons à élever nos filles, elles aussi, pour l'action, ce qui ne veut pas dire que nous avons renoncé à les former pour le mariage. Nous infiltrons dans leur esprit ce que des psychiatres ont appelé un « programme caché ». Nous disons : « Va à l'université; réussis, sois autonome », mais nous lui donnons aussi ce message : « Si tu ne réussis pas en tant qu'épouse et mère, tu auras gâché ta vie. » Le message n'a pas besoin d'être exprimé. La vie de sa mère est expérimentée par la fille comme un modèle de réussite. Personne ne nous dit qu'il est difficile, pénible et peut-être même impossible pour beaucoup de femmes de réussir à la fois comme professionnelle et comme mère. Personne ne nous prépare à cette réalité qui nous attend : pour réussir, il faut être compétitive, mais, dans notre société, la plupart des hommes considèrent que la femme compétitive est pour eux une menace.

« Nous ne répéterons pas les erreurs des hommes, disent les féministes. Nous ne serons pas compétitives avec nos sœurs. » C'est claironné comme un progrès. Il est puéril de penser qu'il suffit de nier une chose pour la faire disparaître. « Soyez sexuelles! Accomplissez-vous! » dit-on aujourd'hui aux femmes. Pourquoi y en a-t-il tant qui restent à la remorque? A un certain niveau, nous savons qu'on nous incite à atteindre ce but en n'utilisant que des armes pour rire. Le monde où, vous dit-on, la compétition peut être éliminée, ce monde n'existe pas. Je ne propose pas comme idéal pour les femmes le degré extravagant de passion avec lequel les hommes veulent « gagner » à tout prix. Mais il n'en reste pas moins que la compétition tient une place nécessaire dans la vie des femmes.

« J'ai passé toute mon enfance en Georgie, m'a dit une femme de trente-cinq ans, et, dans le Sud, les femmes sont censées détenir une sorte

1. Aurelia Schober Plath, *Letters Home by Sylvia Plath*, p. 38.

de pouvoir magique. Mais cette coalition des femmes, destinée à régenter les hommes, n'est en fait qu'une manipulation. Ma famille fournit un excellent exemple : ma mère était " la Grande Betty " et moi " la Petite Betty ". Le fait que vous êtes la copie fidèle de votre mère, jusqu'à porter son nom, vous indique que vous avez comme elle le pouvoir de manipuler les hommes. La mère et la fille forment une équipe; il ne peut donc pas y avoir entre elles la moindre rivalité. Elles ont un seul et même but. Si les femmes se mettaient à lutter pour leurs droits individuels, leur solidarité disparaîtrait; les hommes les dresseraient les unes contre les autres et n'en feraient qu'à leur tête. Là où le bât blesse, c'est qu'en réalité, les femmes du Sud sont terriblement compétitives en ce qui concerne leur apparence extérieure et les hommes; c'est à celle qui aura les enfants les plus mignons. Au lieu d'user tant d'énergie à refouler cette compétitivité, à la nier, elles feraient mieux de l'employer à conquérir une véritable position de force, ne serait-ce que pour dominer leur propre vie. »

Mon interlocutrice, professeur de collège, m'a dit encore : « Des dizaines de filles, dans mes classes, ont horreur de la compétition. Elles rougissent si elles ont de bonnes notes. La semaine dernière, dans une classe de dernière année, les élèves ont voulu organiser un débat. Deux équipes devaient s'affronter. Quand il a fallu nommer des chefs d'équipe, les filles ont automatiquement voté pour des garçons. Et pourtant, plusieurs filles savaient beaucoup mieux argumenter que l'ensemble des garçons. C'était désespérant! Le troisième jour, le débat a tourné au carnage. Quelques filles ont rassemblé tout leur courage et ont confié les responsabilités à qui en était digne... c'est-à-dire à elles-mêmes. Mais elles ne l'ont pas fait de bon cœur. Elles avaient peur que les garçons les trouvent agressives. Je crois que ce qui les tourmentait encore plus, c'est que les autres filles pourraient les juger prétentieuses.

« Je reviens à ma jeunesse... " la Petite Betty ". Il était convenu que le pouvoir magique partagé par le couple Grande Betty-Petite Betty ne pouvait exister que si chacune avait une place bien déterminée. Jamais je ne battrais, jamais je ne dépasserais la Grande Betty. Nous étions très intimes, et nous le sommes encore. Mais c'est de plus en plus dur chaque fois que je rentre à la maison. Je me suis fait une place au soleil par mes propres moyens et il est difficile de maintenir le lien de l'enfance. Mais comment pourrais-je le rompre? Il est fondé sur le postulat qu'elle est plus " grande " que moi. En réalité, je ne veux pas renoncer à ce lien. Je sens qu'il y a là une force. " La grande Betty ", " la Petite Betty ", ça a l'air ridicule, mais c'est " la maison ". »

Des championnes comme Billie Jean King représentent l'avenir, mais elles sont encore des personnages marginaux dans un monde où les jeunes femmes n'apprennent pas à exprimer leurs sentiments compétitifs dans des structures admises, ni à connaître les règles qui permettent de rivaliser en toute sécurité. La fille qui, au jeu, rate par distraction un coup facile, n'en est pas moins adorable. Elle a peut-être fait perdre la partie à ses partenaires, mais elle a réussi quelque chose de plus important : elle a renforcé le statu quo sexuel. En se situant au-dessus des notions proprement masculines de victoire ou de défaite elle donne une preuve vivante du bien-fondé de la règle généralement admise : les femmes ne sont pas compétitives, et c'est ce qui fait leur charme.

« Si les femmes renoncent à rivaliser entre elles, dit le Dr Robertiello, c'est parce qu'elles ont peur que l'autre, en cas d'échec, poussée par la loi inconsciente du talion, n'exerce des représailles. Pour l'inconscient, la compétition est une lutte à mort. La femme a peur de rivaliser parce qu'elle a peur de la puissance de la mère dont elle n'est pas séparée : celle-ci la tuerait. »

« Comment la mère peut-elle aider sa fille à se séparer? demande le Dr Helen Deutsch. Comme il faudrait tenir compte de la personnalité de chacune, il est impossible d'établir une règle générale. La mère qui s'est déjà séparée de *sa* mère a certainement plus de chance de pouvoir aider sa propre fille à l'imiter. Ce sera également plus facile si la mère a une vie bien à elle, si elle ne se contente pas de se consacrer exclusivement à sa fille. Mais cela même peut créer un problème pour l'enfant. Sa mère est peut-être plus douée qu'elle; si elle s'en rend compte, sa jalousie vient s'ajouter à la jalousie œdipienne. Il en résulte des sentiments de rivalité analogues à ceux du garçon qui a un père très brillant ou célèbre. Mais il vaut beaucoup mieux pour l'enfant que sa mère ait des activités en dehors du foyer. Et dans ce cas, pourtant, les enfants voudraient souvent que leur mère fasse comme les autres mères, qu'elles soient toujours à la maison. Oui, il est vraiment difficile d'établir une règle générale! »

Si la mère tente de faire pour sa fille ce que sa propre mère n'a pas fait pour elle — de l'aider à avoir davantage confiance en elle-même —, il ne serait pas étonnant qu'elle éprouve de temps en temps une colère irrationnelle à l'égard de ses propres efforts. Personne n'en a jamais fait autant pour elle! « Je ne voulais pas que ma fille soit élevée comme je l'ai été, m'a dit une mère. Pendant toute ma vie, ma mère, qui était une femme terriblement angoissée, s'est accrochée à moi. J'essaie de séparer mes peurs subjectives de ce qui pourrait être vraiment dangereux pour ma fille. Par exemple, j'ai la phobie de l'eau profonde. Comme je ne voulais pas que ma fille soit comme moi, je me suis arrangée, au début, pour qu'elle aille se baigner sans moi, avec des gens qui *aimaient* nager et qui n'avaient pas peur de perdre pied. Quand elle a eu neuf ans, elle a voulu prendre l'autobus public pour aller à l'école. Jusque-là, je lui faisais prendre le car de ramassage. J'ai d'abord pensé : " Mon Dieu! Quand je

163

pense qu'elle va traverser toute la ville avec des inconnus, sans personne pour la surveiller! " Puis je me suis dit : " C'est moi qui ai peur. Elle veut essayer. " Il y avait une station juste en face de la maison. Il n'y avait aucun danger et elle était folle de joie. Son monde s'agrandissait. Mais d'autre part, quand je suis certaine que le danger est réel et qu'il ne naît pas de mes angoisses personnelles, j'insiste pour qu'elle se conforme à mon point de vue. Je ne veux pas la priver, parce que je suis une angoissée, d'une expérience qui l'enrichirait, qui l'aiderait à s'affirmer et à maîtriser le monde extérieur. »

Et voici comment la fille de cette femme décrit leur relation (elle a aujourd'hui quatorze ans) : « J'étais très intime avec ma mère, mais tout a changé quand j'ai commencé à sortir avec les garçons. Je ne sais pas pourquoi, mais elle s'imagine que toutes les réunions de jeunes où je vais se terminent en orgie. Quand je rentre à la maison, elle m'attend pratiquement derrière la porte et me pose des tas de questions : " Qui était là? Qu'avez-vous fait? Comment était ce garçon? Et cette fille? " Elle me pose les mêmes questions avant que je parte rejoindre mes amis. Ça doit être son angoisse... Mais je me demande parfois si elle n'est pas jalouse de mes amis. »

Quand la mère veut épargner à sa fille les erreurs qu'elle a elle-même commises, tout se passe bien jusqu'à l'adolescence. Dès que le sexe entre en jeu, la mère ne peut pas chasser, en les intellectualisant, ses sentiments de rivalité et de ressentiment s'ils n'ont pas été résolus avec sa propre mère. Par ailleurs, une vilaine pensée vient lui donner un sentiment de culpabilité : elle ne veut pas que sa fille la dépasse. D'un côté elle pousse sa fille vers le monde extérieur, de l'autre elle la freine. Dans une maison, il y a toujours trois générations de voix de femmes.

La fille tente de traduire par des actes le double message de sa mère : « Aie du succès avec les garçons, sois sexuelle comme j'aurais aimé l'être », mais aussi : « Je te l'interdis, parce que c'est très mal! » La fille apporte souvent une solution au conflit en mettant en acte tour à tour les deux moitiés du message maternel : elle s'arrête, puis elle repart. Les psychiatres racontent cette histoire devenue classique : une mère ne cesse pas de mettre sa fille en garde contre une grossesse possible; mais la force même de ses injonctions signale à la fille l'intensité des délices interdits qui précèdent et provoquent la grossesse. D'abord, la fille réagit au « non » qui constitue l'une des parties du message ambivalent de la mère. Puis, dans un mouvement de révolte, elle met en action le « oui » inexprimé. Et elle devient enceinte.

L'adolescence est une période orageuse, pleine de rivalités, de coups de foudre, de déceptions, de colères et de nouvelles relations, toutes plus enivrantes les unes que les autres. C'est l'époque où des problèmes, jusqu'alors non résolus, resurgissent avec le maximum d'intensité. La structure du moi qui, jusqu'à la puberté, permettait de régler les conflits et les difficultés, « n'est plus capable de contenir le raz de marée des pulsions sexuelles accrues qui déferle au début de l'adolescence, dit le Dr Fredland. C'est comme une maison bâtie sur pilotis ; tout se passe bien jusqu'à ce que survienne une vague trop forte. Les pilotis cèdent et la maison s'écroule. Les colères et les angoisses qui pouvaient être refoulées ne peuvent plus être contrôlées. On doit brusquement lutter contre toute cette effervescence — hormonale et psychologique — mais avec les armes d'autrefois ».

Pendant l'adolescence, nous traversons ce que les psychanalystes appellent « le conflit prégénital ». Chaque fois que nous faisons un pas qui nous éloigne de notre mère, nous avons besoin de revenir en courant pour nous rassurer. « D'une seconde à l'autre, m'a dit une mère, ma fille veut se décider et tout faire toute seule, puis elle fait une colère, tape du pied comme un bébé et veut se blottir sur mes genoux. » Je n'ose pas vous dire combien de mères que j'ai interviewées ont lu le journal intime de leur fille ! « Vous ne pouvez pas savoir comme j'étais inquiète à son sujet ! disent-elles pour excuser leur conduite. Elle s'est tellement repliée sur elle-même. Il fallait que je sache ! »

Nous savons que notre intimité a été violée, et cela mine les efforts timides que nous faisons pour rompre le lien. « Non, je ne veux pas que tu rentres après minuit », dit la mère. « Non, je ne veux pas que tu sortes avec telle fille, tel garçon. » Ses réactions draconiennes semblent empreintes de la sagesse et de la certitude avec lesquelles elle a toujours dirigé notre vie, mais, cette fois, notre colère a un nouveau poids. Elle est très fière quand un professeur lui dit que nous sommes « responsables » ; mais si nous essayons d'affirmer notre indépendance à la maison et de verrouiller notre chambre, elle n'est plus contente du tout. Voici ce que dit la pédiatre Virginia E. Pomeranz : « Quand l'enfant découvre que les valeurs de ses parents sont irrationnelles, fausses ou mensongères, c'est à ce moment-là qu'il change. »

On parle beaucoup de la révolte de l'adolescence. Appliquée aux filles, l'expression est dérisoire. « Ma mère et moi, nous sommes devenues comme des étrangères, m'a dit une fille de quatorze ans. Elle n'aime pas le garçon avec lequel je sors. Nous avons des scènes terribles. Je vais dans ma chambre, je claque la porte, je mets un disque à pleine force et je reste là, avec ma rage. Ou bien, quand elle m'a dit de rentrer à la maison à une certaine heure, quand je vois que l'heure approche — j'ai une montre-bracelet — je fais exprès de rester, souvent pendant deux heures de plus, et quand je rentre, elle pique une vraie crise d'hystérie. Je lui dis que je ne me suis pas rendu compte que le temps passait. »

MA MÈRE, MON MIROIR

Nous claquons les portes, nous rentrons tard le soir, nous sortons avec un garçon, nous sommes enceintes ou nous nous dépêchons d'épouser le premier venu, mais rien n'est changé : nous n'avons rien fait pour nous-mêmes, nous n'avons eu que des réactions vis-à-vis de notre mère. La révolte implique une rupture. Le Dr Sanger la définit comme une autodifférenciation et une autodéfinition. « C'est une façon de dire : " La famille, c'est quelque chose de formidable. J'aime ma famille. Mais il faut que je me débrouille toute seule. Fichez-moi la paix! " Avec certaines personnes, on doit se mettre en colère pour se faire entendre. »

Notre révolte contre la mère manque de mordant. Plus tard, quand nous dirons à notre mari que nous n'en pouvons plus et que nous le quittons, ce sera la même chose. Dès qu'il est parti pour le bureau, nous préparons nos valises, mais quand, le soir venu, il rentre à la maison, nous sommes toujours là. La jeune fille, dit le Dr Sanger, ne peut pas décider : « Je viens d'avoir cette scène avec ma mère, et je sais que j'ai raison. Je vais partir et me débrouiller toute seule. » Au lieu de cela, sa révolte se dilue dans des discussions interminables et des réconciliations. Je dis souvent aux femmes : « Rompez avec votre mère! Qu'est-ce que vous pouvez bien espérer d'elle? Les quelques miettes que vous ramasserez à la fin de ces discussions ne valent pas tout le mal que vous vous donnez. Trouvez le moyen de discuter sans chercher à ramasser des miettes. »

Pendant l'adolescence, nous avons besoin de règles, ne serait-ce que pour nous affirmer en les enfreignant. Cette fille qui se plaint de la sévérité de sa mère est troublée par une amie dont la mère ne lui impose aucune règle. « Elle cherche à me convaincre qu'elle a la meilleure part, m'a dit cette adolescente de treize ans. Elle me demande toujours si je ne serais pas contente d'avoir une mère comme la sienne. Mais je ne pense pas qu'elle soit vraiment heureuse. Elle a l'air d'une âme en peine. »

« Je trouvais odieux, pendant mon adolescence, de n'avoir pour flirter que les sièges arrière des voitures et les couloirs sombres », m'a dit une mère. Pour permettre à sa fille d'avoir la vie privée qui lui a manqué, cette mère sort chaque fois que sa fille a un rendez-vous. « Je ne veux pas qu'elle pense que je l'espionne, que je veux la chaperonner. » Cette jeune fille m'a confié en particulier que chaque fois qu'elle a rendez-vous avec un garçon, elle l'emmène passer la soirée chez une amie. « C'est une grande famille. Il y a toujours quelqu'un à la maison. » Elle veut que sa mère — ou son substitut — soit dans les parages pour qu'elle puisse rester maîtresse de la situation, dans le cas où elle aurait besoin de dire au garçon : « Nous ne pouvons pas faire ça, maman est à la maison. » Le plus curieux est que sa mère ne lui a jamais demandé si elle préférait qu'elle soit là. Elle n'a pas pensé que ses besoins pouvaient être différents des siens. *Elle est partie du principe que sa fille désirait ce qu'elle désirait elle-même à son âge.*

Si l'adolescente est prête à briser les règles, elle le fera. Celle qui ne l'est pas peut se servir d'elles pour renforcer sa position isolée dans une société où, apparemment, tout le monde fait « ça ». « Je t'aime Johnny, mais mon éducation a été si sévère!... » Ce n'est pas elle qui le rembarre. C'est sa mère austère. Une situation qui aide à la fois son moi et celui de Johnny.

« Il y a un argument dont je me sers souvent avec les mères qui ont une fille de cet âge, m'a dit le Dr Esman. Il faut que vous vous résigniez au fait qu'entre douze et quinze ans votre fille vous critiquera automatiquement, quoi que vous fassiez. Pour les aider, (les mères) à survivre, je tente de leur faire prendre la situation avec humour. » Il leur faut certainement une bonne dose d'humour pour qu'elles s'appliquent à jouer les mères vieux jeu, rigoristes, et souvent malgré les protestations de leur fille.

« De nos jours, dit le Dr Sanger, les adolescentes se retrouvent souvent dans une situation difficile qui les oblige à établir leurs propres règles, et cela parce que leur mère estime à tort que les nouvelles libertés doivent être appliquées aussi bien aux femmes adultes qu'aux jeunes filles. L'enfant de treize ans a besoin d'un certain nombre de règles qui lui permettront de doser l'évolution de son expérience sexuelle. Elle doit être protégée contre des railleries de ce genre : " Mais quelle fille es-tu donc pour faire tant de manières à un premier rendez-vous? " Et pourquoi céderait-elle? Elle n'en sait pas assez long sur les êtres humains pour pouvoir fournir des réponses solides à de telles questions. Au fond, il n'y a pas grand-chose de changé. Les besoins sont toujours là, les filles ont besoin de limites. Les années qui se situent entre sept ou huit ans et treize ou quatorze ans sont très importantes pour le développement de l'esprit et du corps et également sur le plan social. Les choses qu'on apprend pendant cette période vaudront pour toute la vie. Cet enrichissement est compromis si, pendant ces années-là, l'enfant est accablée de soucis sexuels. »

Nous pouvons nous plaindre des règles imposées par notre mère, mais nous les accepterons si nous sentons tout au fond de nous qu'elles sont judicieuses, cohérentes et conformes à la réalité. Mais si nous nous rendons compte que ses décisions sont arbitraires et/ou insincères, nous nous révolterons à la fois contre elles et contre notre mère : elles proviennent de cette zone grise, douteuse, que nous ne pouvons pas définir mais que nous n'aimons pas. Nous luttons pour nous affirmer, mais le ton de la voix maternelle s'élève pour escamoter le fond de la discussion : « Tu es une insolente, une mal élevée! » Nous voulons plaire aux jeunes de notre groupe, avoir des amis indépendamment d'elle : elle nous dit que certaines filles que nous fréquentons ne valent pas grand-chose et ne cherchent qu'à se servir de nous. Elle se sent écartée de nos décisions, rejetée, et pour se soulager elle nous reproche de faire monter exagérément la note de téléphone. Voulons-nous un mini-slip de bain? la discussion bascule sur le désordre de notre chambre. Des années plus tard, quand nous prenons le train pour aller la voir, elle nous accueille à la gare par ces mots : « Mon Dieu! ma chérie, comme ta robe est courte! »

Ce qui complique les choses, c'est que notre mère, en partie, se soucie sincèrement de notre bien-être. Nous nous en rendons compte à demi. Quand c'est vraiment le cas, les critiques sont plus rares; elles peuvent même disparaître : elle est heureuse de nous revoir, et c'est tout. Mais si, régulièrement, ses premières paroles, semblent nous reprocher d'être une « méchante petite fille », alors, c'est clair : elle ne se soucie pas tellement de notre bien-être ni de notre beauté mais veut simplement nous remettre à notre place.

Les pulsions sexuelles de l'adolescence sont une explosion d'énergie qui cherche à briser une fois pour toutes les liens infantiles qui nous attachent étroitement à notre mère. Le sexe est l'expression de nos besoins et de nos désirs personnels. « Je suis une femme qui sait très bien ce qu'elle aime et ce qu'elle n'aime pas, mais je cherche toujours un homme dont les goûts ne correspondent pas aux miens. » Cela dit très bien qui vous êtes, sans tenir aucun compte de votre mère.

Si notre mère, en ayant peur d'affirmer sa sexualité, nous fait hésiter à affirmer la nôtre, nos progrès s'arrêtent. Pour mieux nier qu'il y a une rivalité sexuelle entre elle et nous, nous disons que nous ne sommes pas du tout sexuelles. L'adolescente s'avance jusqu'au seuil, mais la femme accomplie n'apparaîtra jamais. Le processus de séparation et d'individualisation ralentit ou s'interrompt; nous nous confondons avec notre mère et devenons ce que Mio Fredland appelle une « fille latente ».

Ces femmes donnent l'impression de vivre en sécurité, à l'abri de la sexualité. Tout se passe comme si elles vivaient encore à cette période — située entre huit et dix ans — qui est caractérisée par des copinages avec les autres filles et un certain mépris des garçons. « Il y a des millions de femmes, dit le Dr Fredland, qui réussissent très bien dans leur métier et qui sont même de bonnes épouses et de bonnes mères, mais qui ne dépassent jamais vraiment le stade de l'adolescence. Elles sont bien organisées, s'entendent bien avec les autres femmes, ne sont pas trop compétitives par leur " féminité ". Elles sont faciles à identifier. Elles ont une approche différente, un genre " scout " qui ne trompe pas. »

Bien des mères, au lieu de voir dans ce genre de comportement un arrêt du développement, le considèrent comme un processus qui a produit exactement le genre de fille qu'elles voulaient. « Une chic fille », aussi copine avec les filles qu'avec les garçons, qui poursuit sérieusement ses études et qui n'apparaît jamais à sa mère comme une rivale sexuelle possible. Elle ne s'intéressera pas trop aux hommes, jusqu'au moment où elle sera en âge de se marier, et choisira alors un « chic garçon » qui n'aura, lui non plus, aucun de ces sous-entendus inquiétants dont se méfie sa mère. « De cette façon, précise le Dr Fredland, la mère évite de se sentir compétitive ou menacée. Sa fille ne lui fait jamais sentir qu'elle a pu se priver des richesses érotiques qu'offre la vie. Ces mères, très souvent, sont elles-mêmes des " filles latentes " qui ne sont jamais devenues femmes. Elles sont les naufrageuses des adolescentes. »

Nous connaissons toutes des femmes de trente à quarante ans qui, dans leur famille, sont encore « Bébé » ou « La petite »; et aussi des filles devenues adultes qui téléphonent encore à leur mère deux ou trois fois par jour ou sont appelées par elle. « La famille étendue, dit encore le Dr Fredland, où il y a dans chaque maison de la place pour tout le monde, c'est quelque chose de très bien. Mais je veux parler de ces " petites filles " qui ne grandissent jamais. Elles quittent la maison physiquement, mais jamais psychologiquement. *Dès le début, la mère doit encourager sa fille à être une personne à part entière; je dis bien l'encourager, et pas seulement se contenter de relâcher les rênes!* »

Si, pendant l'adolescence, nous n'avons pas appris les avantages de l'indépendance, nous aurons plus tard besoin de nous lier symbiotiquement à un homme, comme nous le faisions avec notre mère, au lieu d'élargir notre vie et la sienne dans une union où chacun reste un individu à part entière. Sous une apparence sexuelle, ce sera bel et bien de la symbiose. Peu importe que tout se passe entre une femme et un homme : ce sera la répétition de ce qui existait entre notre mère et nous pendant notre période de latence.

La véritable sexualité, une tension sexuelle continue ne peuvent exister qu'entre deux personnes distinctes, chacune ayant conscience de sa propre entité et, par conséquent, du magnétisme extérieur de l'autre. C'est alors que nous pouvons sentir passer cette décharge électrique fulgurante qui traverse les deux corps : nous « avons » l'autre par l'orgasme, puis nous nous séparons. La symbiose exclut la passion.

Que peut-il y avoir d'excitant quand la main droite caresse la gauche? Les partenaires symbiotiques s'efforceront peut-être d'atteindre une sexualité orgasmique, mais ils partent perdants à cause de ce besoin présexuel d'appartenir à un autre, de se fondre dans cet autre, d'être si intime avec lui que sa tête (comme autrefois celle de la mère) sera dans la nôtre, nous disant qui nous sommes, ce que nous devons penser, ce que nous aimons ou n'aimons pas... et nous donnant une identité que nous n'avons jamais construite par nos propres moyens. Nous aimons les êtres qui composent notre famille; nous ne désirons sexuellement que ceux qui lui sont étrangers.

« Vous souvenez-vous de l'époque où la mère et la fille s'habillaient comme des jumelles? demande la psychologue Liz Hauser. Quand j'étais enfant, je me disais que ça devait être merveilleux. Quand ma fille Liza était petite, elle aimait regarder les photos de ces couples jumeaux dans les catalogues. Avant d'avoir compris le problème de la séparation, je pensais moi-même qu'il serait merveilleux de porter toutes les deux les mêmes vêtements. C'est un type de relation terriblement symbiotique. La société applaudira ce mimétisme, le jugera charmant, et la mère et la fille comprendront qu'elles reçoivent le maximum d'approbation quand elles sont étroitement liées l'une à l'autre, et qu'elles se dévalorisent si elles sont séparées, indépendantes l'une de l'autre. Aujourd'hui, Liza a trois paires de jeans qui lui collent à la peau. La vieille partie de moi qui n'est pas séparée voudrait bien lui faire porter des vêtements à mon goût. Mais si elle ne veut pas renoncer à ses jeans, après tout, ça m'est égal. Les mères qui exigent que leur fille s'habille pour elles ne se rendent pas compte qu'elles agissent exactement comme les hommes qu'elles accusent de sexisme parce qu'ils veulent que leur femme soit jolie uniquement pour se mettre eux-mêmes en valeur. »

Quand nous étions petites, nous aimions parader dans les vêtements de notre mère, beaucoup trop grands pour nous. Maintenant, nous avons treize ans, et ils nous vont très bien. Nous avons pris de l'âge. Notre mère aussi. Nous louchons vers la penderie maternelle, avec l'envie d'essayer quelque chose qui lui appartient. « Oh! tu m'as volé mon chemisier préféré! » dit la mère dès qu'elle nous voit entrer dans la pièce. Elle sacrifierait sa vie pour nous. En nous voyant dans ses vêtements, elle se sent fière de la fille qu'elle a mise au monde. Mais, au fait, que lui avons-nous volé?

La mère exceptionnelle qui estime qu'il y a de la place pour la sexualité de tous et que sa fille ne peut pas menacer la sienne, lui dira : « Mon chemisier te va mieux qu'à moi! » La fille pousse un grand soupir de soulagement. Elle aime maman encore plus qu'avant. Le désir de la dépouiller, de lui ravir sa couronne a été vécu en toute sécurité, symboliquement. La mère accepte la sexualité de sa fille, elle admet même qu'elle peut être plus belle qu'elle (ne serait-ce qu'en raison de la différence d'âge) mais elle ne la déteste pas pour autant. Elle l'aime quand même!

Que se passe-t-il si nos propres vêtements vont à merveille à notre mère? Nous l'entendons se vanter devant ses amies de ce qu'elle peut même porter une taille en dessous de la nôtre. A une époque où notre seul atout est notre jeunesse, si elle est capable de mettre les mêmes vêtements que nous, elle a gagné. Sa victoire peut lui sembler très agréable : un petit triomphe sur les ans. Mais cela peut nous démolir. Nous n'avons pas jusqu'ici remporté tellement de victoires en tant que femmes pour pouvoir supporter cette défaite.

Est-il surprenant que les jeunes filles choisissent des vêtements si extravagants que leur mère ne pourra jamais les porter? « La mère, dit le Dr Schaefer, n'aime pas que sa fille ignore ce qui, à son idée, est de " bon goût " et se laisse totalement guider par les normes fixées par les jeunes de son groupe d'âge en ce qui concerne ce qu'il convient de porter, ce qui est " in ", ce qui est laid. Pour la mère c'est une question d'autorité. Tout dépend en grande partie de l'idée qu'elle se fait de sa propre indépendance. Si vos enfants sont votre seule raison de vivre, vous voulez les former de telle façon qu'ils vous procurent les satisfactions dont vous avez besoin. Si je tire d'autres satisfactions de la vie, si je ne suis pas dépendante de celles que me procure le fait d'être la mère de Katie, alors je peux accepter que nous devenions de plus en plus différentes. »

Si tant de femmes ne lâchent pas leur fille, c'est parce que, en dehors d'elle, elles n'ont pas grand-chose pour meubler leur vie, rien qui leur soit propre; ou parce qu'elles ont été si frustrées dans leur relation avec leur mère qu'elles tentent de compenser en établissant un lien symbiotique avec leur fille. « Beaucoup d'adolescentes, dit le Dr Fredland, ont des mères qui essayent de combler le vide intérieur laissé par une mère lointaine, froide ou distraite. Ces mères, en général n'en sont pas conscientes, sinon elles seraient obligées de laisser leur fille s'éloigner d'elles. Elles se souviennent de leur angoisse, quand elles avaient peur d'être abandonnées par leur propre mère. Ces femmes insistent pour que leur fille leur dise absolument tout sur sa vie, sur ses amis; l'enfant n'a pas d'espace intime pour ses pensées, ses activités. »

« Ma mère me répète toujours la même chose, m'a dit une fille de treize ans. Et toujours sur un ton geignard qui me met les nerfs en pelote. " Appelle-moi quand tu seras arrivée... Appelle-moi quand tu seras arrivée... " Mais si je me plains de l'une de ses règles, que je trouve injuste, alors, elle dit que c'est moi qui pleurniche. » Comme nous ne pouvons pas nous permettre de détester notre mère, *nous devenons comme elle*. Nous adoptons ses jérémiades, son angoisse, ses règles « comme il faut » et sa peur du sexe. Et nous n'avons que treize ans.

« Je sais par expérience personnelle, dit le Dr Deutsch, que certaines femmes constatent : " Il m'arrive de voir sur mon visage une expression que je déteste. " Il s'agit très souvent d'une expression qui était familière à leur mère, et qu'elles n'aimaient pas. C'est vrai pour moi. Nous n'aimons pas ressembler à notre mère, savoir que quelque chose d'elle vit en nous, parce que c'est elle qui est sortie triomphante de la première rivalité œdipienne. »

Les années passent vite... Soudain, voilà que nous avons trente-cinq ans et que nous pleurnichons avec notre mari et notre fille. Plutôt que de nous mettre en colère contre notre mère, ce qui réglerait le problème de la séparation, nous prenons sa voix et celles de ses expressions qui nous plaisaient le moins. Nous reprochons à notre mari de ne pas rendre nos rapports sexuels plus agréables, de ne pas nous donner la sensation d'être une « vraie femme ». Notre mari se demande où est passée la femme sexuelle qu'il avait épousée. Mais il ne peut pas rivaliser avec notre première alliée. Qui a été aussi notre premier censeur.

Des femmes de quarante à cinquante ans qui ont des filles adultes m'ont dit qu'elles étaient incapables d'avoir des relations suivies avec d'autres hommes que leur mari, leur père et leurs frères. Des femmes divorcées, qui voudraient avoir une vie sexuelle, restent prisonnières des règles de l'adolescence et ont devant les hommes des réactions infantiles. L'une d'elles, âgée de quarante-huit ans, m'a dit : « J'essayai de m'imaginer ayant des rapports sexuels avec un homme qui me plaisait beaucoup. Mes fantasmes s'arrêtaient à la porte du motel. J'étais incapable de me voir la franchir avec lui, d'entrer dans une chambre, d'ôter mes vêtements. Et ce n'était qu'un fantasme! » A cause de ses inhibitions, cette femme est « dégoûtée » d'elle-même; mais elle reste une petite fille, en colère contre les règles imposées par sa mère et en même temps protégée (indûment) par elles.

Notre alliance pré-œdipienne avec notre mère établit des types de comportement que nous ne pourrons jamais comprendre. Si elle ne nous encourage pas à partir à la découverte d'un monde plus étendu, quelque chose nous retiendra toujours. Notre intelligence et nos ambitions nous poussent à chercher un travail plus intéressant, mais une voix intérieure venue de notre enfance nous dit : « Ne prends pas de risques! » Si notre mère n'accepte pas notre sexualité, nous approcherons toujours les hommes avec un sentiment de trahison. Nous sortons avec des garçons, nous les désirons sexuellement, de plus en plus, mais une inhibition nous retient : nos émotions les plus profondes restent reliées à notre mère. Finalement, nous choisissons des amants qui sont diamétralement opposés au type d'homme que nous approuvons (et que notre mère approuve), des hommes sexuellement attirants que notre mère ne peut pas contrôler. Nous pouvons même en épouser un, mais la bataille n'est pas terminée pour autant. « Pas ce soir, Tom », dit la jeune épouse en sachant très bien qu'en le repoussant elle renonce à son propre plaisir. Elle sait qu'elle aime le sexe. Qu'est-ce qui la retient? C'est déroutant, parce que ce n'est pas son corps qui dit non. C'est ce vieux message enregistré dans sa tête et qui lui dit comment elle est supposée réagir.

Et nous avons des migraines, ou des ulcères. Nous préférons vivre en souffrant d'une colère refoulée plutôt que de perdre un amour illusoire qui ronge tout véritable amour que nous pourrions éprouver pour notre mère. Nous allons la voir chez elle, mais nous nous sentons soulagées quand la visite est terminée. Nous savons bien qu'il existe un amour entre nous, mais nous n'arrivons pas à prendre contact avec lui.

« Quand elles sortent de l'une de ces disputes interminables qui les opposent à leur mère, dit le Dr Sanger, les filles se sentent coupables. La mère, elle aussi, se sent coupable. Puis elles se réconcilient, jusqu'à la prochaine grande scène. Ça n'en finit jamais, et ça ne mène nulle part. On a l'impression qu'il va se passer quelque chose, que tout va changer, mais il ne se passe rien, rien ne change. C'est une chaîne interminable de disputes, de réconciliations, de sentiments de culpabilité. Il n'y a aucun progrès. »

Nous voulons à la fois nous séparer de notre mère et ne pas la quitter. Tant que nous demeurons attachées à elle, nous restons sa petite fille, *en sécurité,* mais immatures. Pourquoi restons-nous liées à elle? « La culpabilité! dit le Dr Schaefer. La mère sent que, pour elle, la seule façon d'être indispensable est de nous garder sous sa dépendance. Elle verse une larme à nos anniversaires : " Mon Dieu! Comme tu grandis vite! " La fille veut se séparer, mais elle sent plus ou moins confusément qu'elle va " briser le cœur de maman ", et elle éprouve un sentiment de culpabilité. On lui a inculqué l'idée qu'elle ne devra jamais quitter sa mère pour voler de ses propres ailes. Qui pourrait l'aimer plus que maman? Cette idée de séparation nous fait peur. Et même si nous renonçons à cette indépendance — comme le font tant de femmes —, nous nous sentons quand même coupable de l'avoir désirée. »

La culpabilité dévore notre vie, mais nous ne voulons pas être guéries. S'en libérer, c'est se libérer de la mère. Quand j'ai demandé au Dr Fredland pourquoi l'attitude de la mère, en ce qui concerne la masturbation, avait chez la fille un effet plus durable que tous les autres interdits, elle m'a parlé des fantasmes inconscients qui accompagnent si souvent la masturbation. « Ce n'est pas seulement l'acte qui est interdit, ce sont aussi les fantasmes. Comme ils ont un contexte œdipien, ils font intervenir le tabou de l'inceste et aussi la peur terrible de la rivalité œdipienne. » Les fantasmes qui accompagnent la masturbation où, à demi consciemment, nous nous posons en rivales de la mère, sont si menaçants que nous renonçons à ses plaisirs dès quatre ou cinq ans, ou même plus tôt. Finalement, nous pouvons renoncer également au sexe. En réalité, nous nous sentons coupables de vouloir être femme à notre tour.

MA MÈRE, MON MIROIR

Pourtant, je me demande en fin de compte si le mot *culpabilité* n'est pas un euphémisme pour quelque chose d'autre, car il semble bien que notre angoisse soit la conséquence d'une action ambivalente. Si nous commettons cette vilaine action, craignons-nous, l'autre personne sera si fâchée qu'elle s'en ira. La culpabilité n'est que le premier pas, accompagné de larmes et de regrets, mais la *conséquence* est si épouvantable que nous ne pouvons même pas l'exprimer mentalement : c'est l'abandon. Un sentiment comme celui-là est trop gênant pour qu'une enfant puisse l'accepter.

A l'époque où j'ai commencé à réfléchir à toutes ces idées, je suis allée voir une psychanalyste dont j'admirais les travaux depuis des années. Elle m'a parlé de ses deux filles, dont l'une approche de la trentaine, l'autre de la quarantaine. « Où me suis-je trompée, m'a-t-elle dit d'une voix bouleversée. Elles me disent maintenant qu'elles étaient constamment en lutte avec moi quand elles étaient petites, alors que je n'en étais pas consciente. Et pourtant, comme j'ai pu les choyer ! Et combien cela me plaisait ! Je m'occupais vraiment beaucoup d'elles. Je passais des heures à leur faire la lecture. J'étais toujours là quand elles partaient pour l'école, toujours là quand elles rentraient. Je n'ai commencé à travailler que quand la plus jeune a eu six ans ; j'en avais quarante-cinq. Mais dans leur souvenir, j'étais toujours absente. J'avais certainement quelque chose qui n'allait pas... je pensais que j'étais *présente,* toujours disponible, alors qu'elles avaient l'impression que je n'étais pas là. »

Cette conversation a eu lieu au tout début de mes recherches. Je n'avais pas encore compris que pour mettre fin à une discussion qui roule sur le thème « où me suis-je trompée », de vagues explications de « culpabilité » ne suffisent pas. Il faut ensuite se poser cette question : « Et quel événement épouvantable ma culpabilité me faisait-elle craindre ? » Mais l'abandon est inexprimable.

J'en suis venue là après avoir parlé avec Jessie Bernard. « La culpabilité, m'a-t-elle dit, est l'affaire la plus importante pour les mères. Elle est inscrite dans leur rôle. Vous n'avez pas tellement de pouvoir et vous assumez pourtant la responsabilité de tout ce qui va mal. Quand je parle aux gens de l'avenir de la maternité, ça ne les intéresse pas. Les mères sont les êtres les plus ignorés que l'on puisse imaginer. Ce que veulent les jeunes femmes, c'est un bébé, quelque chose que l'on peut tenir dans ses bras et cajoler. Elles ne veulent pas de fils et de filles qui vont grandir, les menacer du poing, comme elles l'ont fait elles-mêmes avec leurs parents. »

Les fils et les filles en colère, en révolte contre les restrictions et les frustrations de la vie familiale, menacent leur mère de les abandonner à jamais. Le bébé que vous tenez dans vos bras en est incapable.

Quand elle donne à son bébé un biberon qui n'est pas à la température voulue, quand elle est absente alors que sa petite fille a la grippe, la mère peut se sentir coupable, mais son sentiment reste proportionné à la « faute » qu'elle a commise. Elle ne redoute pas des conséquences inimaginables, elle n'est pas sensible à cet affreux malaise qui flotte dans l'air comme un orage. Cela, c'est la part des mères qui ont des enfants assez âgés pour pouvoir proférer la phrase qu'elles ont peur d'entendre depuis toujours : « Cette fois-ci, c'est bien fini! Je te déteste. Je ne te reverrai plus jamais! »

Les filles craignent de fâcher leur mère à tel point qu'elle les abandonnera. Les mères ont exactement la même appréhension. La mère, comme la fille, parle de culpabilité. Mais il ne s'agit pas de cela. C'est bien une terreur. La terreur de se perdre l'une l'autre. Et elles s'accrochent plus que jamais, s'enferment encore plus étroitement dans leur petit monde étouffant. L'ironie de l'affaire, c'est que si elles avaient le courage de se séparer, elles deviendraient de grandes amies pour la vie!

Il y a trois ans que je réfléchis à tous ces problèmes et ils continuent de m'échapper. La nuit dernière, j'en ai rêvé; ce matin, avant de me lever, j'avais tout compris; mais le temps d'aller jusqu'à mon bureau, et me voilà pourchassant des fantômes dans ma tête. Je dois faire appel à toutes mes forces de concentration pour vaincre la résistance qui m'empêche de savoir *ce que je sais*. Et au moment même où j'écris ces lignes, j'entends mon mari qui tape à la machine la fin de son roman. « Regardez le titre du chapitre que vous écrivez, m'a dit mon ami Richard Robertiello. Vous avez peur que, si vous réussissez votre livre, votre mère et Bill soient jaloux et vous détestent. Alors qu'en fait ce livre est votre affaire et pas du tout la leur. »

Pourquoi ai-je cette idée que mes succès et/ou mes échecs ont une importance aussi redoutable pour tous les autres?

Les tendances compétitives ont toujours quelque chose d'effrayant parce qu'elles sont liées à notre désir d'être sexuelles et séparées, à notre peur d'être abandonnées, de nous exposer à des représailles, etc. *Ces sentiments n'ont jamais été exprimés et nous ne les avons jamais tenus pour ce qu'ils sont : des frayeurs puériles!* Et ainsi, à trente-cinq ans, nous en sommes au même point qu'à quinze ans : la compétition avec les autres femmes doit être niée au nom de notre besoin d'être aimées et acceptées par elles. L'angoisse nous bloque : la seule façon de supprimer la compétition, croyons-nous, est de tuer en nous le désir de vivre.

J'ai toujours pensé que mes hauts et mes bas affectifs étaient en relation avec les hommes. Ils peuplaient mes jours et mes nuits. Je sais aujourd'hui que cette exclusive ne venait pas du fait que je n'avais pas

175

besoin des femmes, mais du fait que j'avais trop besoin d'elles et que ce besoin précède mon besoin des hommes. J'ai longtemps désespéré de trouver chez les femmes ce que je voulais et j'ai peur du châtiment que je leur infligerais si elles ne me donnaient pas l'amour dont j'ai besoin. Avant de travailler à ce livre, je vous aurais dit que j'aime ma mère, bien sûr, mais que nous sommes deux êtres différents, vivant une vie différente, dans des villes différentes. Je sais aujourd'hui que je suis liée à ma mère beaucoup plus profondément que je ne le pensais, à tel point que j'ai toujours évité de rivaliser, non seulement avec elle, mais avec toutes les autres femmes.

... Ce qui ne veut pas dire que je ne suis pas compétitive. Je le suis, et même trop à mon goût.

« Il est beaucoup plus facile à une femme d'admettre qu'un homme la traite mal, dit le Dr Robertiello, que de s'avouer que sa meilleure amie lui porte préjudice. Une amie peut lui voler son homme, dire du mal d'elle derrière son dos, mais elle refusera de renoncer à elle. » L'histoire de la femme de trente ans qui voit sa meilleure amie s'envoler avec son mari est très banale, mais combien de mères m'ont raconté des histoires semblables à propos de leur fille de douze ou quatorze ans! « J'ai dit à ma fille qu'elle ne peut pas considérer comme une amie cette petite voisine qui fait du charme à son boy-friend. " Ce n'est pas une raison pour la plaquer! " m'a-t-elle répondu en haussant les épaules. »

Une fille de quatorze ans m'a raconté une histoire qui, à l'entendre, n'a rien à voir avec la rivalité. « C'est terrible comme les filles peuvent se faire souffrir, m'a-t-elle dit sur un ton résigné. Elles ne sont pas loyales les unes vis-à-vis des autres. » Sa propre vie lui montrera combien elle avait raison.

Les événements sur lesquels elle a fondé la conclusion que je viens de citer ont commencé l'après-midi où son amie a perdu sa virginité. « Eh bien! cette nuit-là, pas plus tard, le garçon l'a laissée tomber et a fait l'amour avec sa meilleure amie! » Mon interlocutrice devint la confidente de l'abandonnée... et également du petit ami. En fait, un lien très intime s'établit entre elle et ce garçon. « Il avait besoin de s'appuyer sur quelqu'un. » Elle m'expliqua rapidement qu'elle n'était la rivale sexuelle d'aucune des deux filles : elle était encore vierge. « Le garçon et moi, on s'embrasse, on se caresse, c'est tout. »

Je lui ai demandé si son amie ne lui en voulait pas de fréquenter ce garçon qui l'a abandonnée après lui avoir pris sa virginité. « Je ne sais pas ce qu'en pense mon amie. Elle n'est pas très franche, si bien que je ne connais pas ses vrais sentiments. Mais je ne me sens pas coupable. Il ne l'a pas plaquée pour moi. Si elle était plus gentille avec lui, si elle était vraiment une chic fille, je suis sûre qu'il se remettrait avec elle. Mais je

176

n'en ai pas parlé aux autres filles. Elles ne comprendraient pas pourquoi je le vois. Il n'y a qu'en lui que j'ai vraiment confiance. Il a quelque chose que je n'ai jamais trouvé chez mes amies. Je sais qu'il ne me trahira pas. Quoi que je fasse, quoi que je lui dise, il m'aimera toujours. On peut compter plus sur les garçons que sur les filles. »

Cette entrevue a eu lieu il y a un an. Cette fille a aujourd'hui quinze ans et a changé de petit ami. Chez lui aussi elle cherche ces choses — comme la confiance — qu'elle ne peut pas trouver chez les autres filles. Étant donné la rivalité — inavouée et non résolue — qui l'oppose aux femmes, quelles sont ses chances du côté des hommes? D'une façon assez mystérieuse, elle aura toujours l'impression d'être trahie par eux. Et si elle renonce aux hommes pour se retrouver en compagnie des femmes — soulagée d'être débarrassée de la lutte compétitive —, combien de temps s'écoulera-t-il avant qu'elle éprouve de nouveau pour elles des sentiments d'animosité et de colère, qu'elle souffre à cause d'elles et les fassent souffrir? Se débarrasser des hommes, ce n'est pas éliminer de sa vie toute rivalité. Ils nous offrent la sexualité, mais bien avant qu'ils interviennent, entre les femmes et nous, c'était déjà une lutte pour la vie.

Quand nous sommes petites, nous devons respecter les règles établies par notre mère. C'était sa maison, son homme. Maintenant, les hommes ne manquent pas, et les règles ne dépendent que de nous. Si une femme nous chipe notre job, tant pis, nous en trouverons un autre. La peur de la rivalité est liée à l'idée de vivre dans un système économique et psychique de rareté. La vie adulte est une économie d'abondance.

Chapitre 6
Les autres filles

Quand j'avais neuf ans, j'ai passé des vacances dans une colonie privée, un magnifique domaine de planteur, dans une île couverte de guirlandes de tillandsia. C'est là que j'ai eu mon premier gros cafard, mon premier impétigo, parce que ma meilleure amie m'avait lâchée. Elle s'appelait Topsy, et venait d'Atlanta. Nous dormions dans la même chambre, nous mangions à la même table, nous sautions la main dans la main dans la mer, du haut de la grande jetée de chêne. Nous avions juré de ne jamais rien faire l'une sans l'autre et surtout de rester éternellement de très grandes amies. Un beau jour, une mère arriva avec sa petite fille à la grande maison. On la mit dans notre chambre. Pendant le déjeuner Topsy et moi l'observions du coin de l'œil, la laissant à l'écart de nos rires complices. Personne n'avait le droit de pénétrer dans notre petit monde secret. Au dîner, c'est moi qui fus laissée sur la touche. Elles se murmuraient des choses à l'oreille en me jetant des coups d'œil, partageaient des secrets comme si elles n'avaient fait que cela depuis des années. Leur amitié tirait toute sa force de mon exclusion. Cette nuit-là, dans mon lit, j'ai chanté *En avant, soldats du Christ!* pour ne pas pleurer. J'avais mal à la tête à force de me demander ce que j'avais pu bien faire...

Un après-midi, quand j'avais onze ans, Mary Stonewall et moi jouions chez Betty-Anne. Betty-Anne était ma meilleure amie. Nous avions donné à son frère un quart de dollar pour qu'il nous laisse voir ses bandes dessinées érotiques. Nous allâmes toutes les trois les regarder sous le lit à baldaquin de Betty-Anne. *Qu'est-ce que c'est que ça!* « Oh non! » Nous faisions tant d'efforts pour mieux voir que nos têtes se cognaient.

« Laisse-moi voir! » criions-nous, mais c'était terrible à regarder, et intolérable tellement c'était bouleversant. Et sous le lit, nous étouffions. Nous roulâmes loin les unes des autres, rouges de honte; nous étions incapables de partager notre violente émotion. Nous nous sauvâmes de la chambre avec un rire hystérique et fîmes irruption sur le palier de l'escalier de service où trois ouvriers étaient en train de peindre. Des hommes! Nous n'aurions pas été plus effrayées si, au lieu de leur pinceau, ils avaient brandi devant nous des phallus de trois mètres. Nous nous envolâmes toutes les trois dans toutes les directions en hurlant. Dix minutes plus tard, nous nous retrouvions dans la véranda, engloutissant de gros sandwiches de pain de campagne garnis d'olives émincées et de mayonnaise.

Qu'allions-nous faire? Ce n'était pas facile d'enchaîner à la suite d'une pareille aventure! L'ennui nous démangeait. « Comment épelles-tu soutien-gorge? » demandai-je à Mary, qui eut un petit rire. Avant que je connaisse Betty-Anne, elle avait été sa meilleure amie. Betty se renfrogna et rougit. Elle était la première de notre groupe à porter un soutien-gorge et elle m'avait confié en secret que ça ne lui plaisait pas du tout. Mary se mit à chantonner : « Soutien-gorge, soutien-gorge... » Le mot qui, une minute plus tôt, nous avait paru à la fois menaçant et excitant, à nous qui avions la poitrine plate, était soudain devenu le symbole affreux de quelque chose que nous voulions ignorer. Betty-Anne baissa la tête et rentra les épaules pour cacher ses seins et ses larmes. Quelques secondes plus tard, nous quittions sa maison en claquant la porte. Deux petites filles abandonnaient une autre petite fille.

Chaque vendredi soir, nous étions treize filles à aller au cours de danse de Mme Larka au South Carolina Hall, dans Meeting Street. Au moment où Mme Larka plaquait un accord assourdissant sur son piano, nous nous mettions debout devant nos chaises et nous attendions, de notre côté de la grande salle, que chaque garçon vienne choisir sa cavalière. Il en restait toujours quelques-unes qui faisaient tapisserie. S'il m'arrivait de danser, c'était en général avec Gordy Benson. Ma tante Kate ne pouvait pas comprendre pourquoi je n'aimais pas Gordy; n'était-il pas plus grand que moi? Je lui disais que les cheveux de Gordy Benson sentaient le beurre rance.

Certaines filles étaient régulièrement invitées à danser et elles étaient toutes mes meilleures amies; j'ai toujours aimé avoir de jolies filles pour amies. Jusqu'à l'époque où je suis devenue présentable, je souffrais beaucoup moins de ne pas être invitée que de me retrouver dans le groupe des perdantes. Qu'avais-je de commun avec elles, à part le fait d'être injustement dédaignée par les hommes? Le sentiment que j'avais d'être en tout point l'égale de n'importe quelle fille se heurtait à ce nouveau rôle où gagner n'avait rien à voir avec l'habileté, l'initiative, l'audace et l'action. A chaque cours de danse je me disais avec optimisme que la prochaine fois ce serait différent.

Après le cours, nous nous réunissions toujours chez quelqu'un. Comme les adolescents, en Caroline du Sud, peuvent conduire à partir de quatorze ans, nous avions à notre disposition une flottille de voitures empruntées aux parents qui se mouraient d'inquiétude. Nous, les filles, à moitié abruties par le cours de Mme Larka, nous manœuvrions, d'un pas à la fois rapide et nonchalant pour atteindre avant nos rivales la voiture de notre garçon préféré. C'était un ballet implacable, dans les courbes gracieuses de l'escalier monumental du South Carolina Hall; nous nous observions du coin de l'œil, tout en feignant de nous passionner pour quelque chose qui n'avait rien à voir avec ce qui se passait réellement. Les garçons savaient-ils que toute notre vie était concentrée sur eux, que nous nous serions joyeusement trahies les unes les autres pour obtenir leurs faveurs? J'en doute. Leur ignorance, leur détachement avaient quelque chose d'*affolant!* Pendant que nous nous embêtions à mourir, bouclées dans nos chambres, au son d'un disque, ils rôdaient dans les rues, jouaient au football et se passaient très facilement de nous.

Leurs voitures étaient notre seule chance d'être tout près d'eux. Pendant qu'ils nous « promenaient » sur quelques centaines de mètre, nous, les filles, nous avions des petits rires nerveux et nous bavardions de n'importe quoi, d'un air décontracté pour camoufler notre terrible envie de frôler un bras, une jambe, une paire de pantalons... c'était aussi palpitant qu'une chanson de Sinatra ou une envolée romantique de violons. Et nous faisions une prière : « Qu'il me touche! Mon Dieu, faites qu'il me touche! » Pendant ce temps nous faisions des sourires à notre meilleure amie, qui avait mieux manœuvré que nous et qui était assise à côté de Lui. Nous n'échangions aucune vacherie, chacune feignait d'ignorer la stratégie désespérée de l'autre. Mais quand nous avons organisé la dernière party de la saison, j'ai blackboulé Patty Hanson. Je ne me rappelle pas comment je m'y suis prise, mais je me suis arrangée pour qu'elle ne soit pas invitée, alors qu'elle appartenait au groupe tout autant que moi. Personne n'a pris sa défense. Sinon, j'aurais inventé des milliers de mensonges, plutôt que d'admettre que je ne voulais pas qu'une fois de plus, pour une raison qui m'échappait, Patty aille s'asseoir à côté du garçon qui remplissait mes rêves. Patty n'a jamais su pourquoi elle était restée chez elle ce soir-là.

J'ai grandi avec Helen. J'ai appris à fumer dans sa cuisine pendant que nous préparions nos examens; un dimanche, toutes les deux, nous

181

avons mis nos premiers bas et notre premier porte-jarretelles pour aller ensemble à l'église St Philip. Quand je sortais de table, à la maison, j'allais souvent chez Helen pour aider toute la famille à finir son repas. C'était tellement devenu une habitude que sa mère ne prenait même plus la peine de me demander : « Nancy, veux-tu te joindre à nous? » On mettait mon couvert, et la bonne repassait les plats. Ce n'était pas la nourriture qui m'intéressait; ce qui me plaisait, c'est qu'il y avait un homme à table. Je faisais partie d'une famille où tous les rôles étaient remplis.

Une fois par mois, au début de mes règles, en pleine classe d'histoire ou de math, j'étais prise de crampes terribles. L'infirmerie du lycée n'avait rien d'autre à m'offrir qu'un coussin chauffant. La maison était trop loin pour que je puisse aller y boire le petit verre de gin qui n'avait pas son pareil pour calmer la douleur, si bien que j'allais tout simplement chez Helen, de l'autre côté de la rue. Un jour, comme sa mère n'était pas là, je suis entrée par la fenêtre de la cuisine pour me servir du gin. Il ne m'était même pas venu à l'esprit que la mère d'Helen aurait pu me reprocher d'entrer chez elle comme une voleuse. Elle m'aimait comme si j'étais sa fille, et j'acceptais avec joie son amour. Mais j'allais bientôt me montrer fort ingrate!

C'était un samedi soir. Nous quittions la salle paroissiale, après une réunion de filles. Nous étions en train de mettre nos manteaux, dans le vestibule, quand l'une d'entre nous vit quelque chose dans la rue à travers la vitre crasseuse. « Venez voir! cria-t-elle, Helen et Tommy Boldin sont en train de s'embrasser! »

Je savais que Helen et Tommy n'avaient même pas eu le moindre rendez-vous. Elle fut immédiatement condamnée. Le lendemain, nous la croisâmes sans la voir dans les couloirs de l'école. Comme par hasard, elle était la fille la plus naturellement sexy de notre bande et les garçons des grandes classes la regardaient déjà. Aucune d'entre nous ne pouvait affirmer que le crime avait eu lieu, mais nous en étions persuadées, tellement nous étions rongées par la jalousie. Nous la soulagions en frappant Helen d'ostracisme. Son exclusion donna au groupe une force qu'il n'avait pas auparavant.

« Que se passe-t-il? » me demanda la mère d'Helen quand il me devint impossible de l'éviter. « Qu'a donc fait Helen, Nancy? Elle est si malheureuse. Tu es sa meilleure amie. » Comment aurais-je pu lui dire la vérité? Surtout que cette vérité aurait été un mensonge. Helen n'avait rien fait. J'étais incapable de répondre à la mère d'Helen parce que les choses que se font les femmes les unes aux autres, déjà cruelles quand la colère éclate, encore plus cruelles quand tout se passe en silence, ne peuvent pas être un sujet de conversation. C'est un travail de chipies.

J'ai donc dit à la mère de ma meilleure amie que j'arrangerais tout. Je l'ai fait, mais je sais que Helen n'a pas oublié. Moi non plus. J'ai honte à l'idée que je pourrais être encore capable de ce genre de cruauté, que je pourrais me sentir frustrée par les succès de mes amies, pas assez adulte pour me contenter de mes propres réussites.

Après notre mère, et avant que nous soyons prêtes pour les hommes, il y a les autres filles. A cinq ou six ans, elles apparaissaient dans notre vie comme des bouées de sauvetage, des alliées séduisantes et accueillantes qui allaient nous emporter vers une nouvelle identité. Seules, nous n'aurions jamais pu nous éloigner de notre mère. Notre père n'avait pas répondu à nos espoirs. Les petits garçons ne réagissaient pas à nos avances... mais les petites filles! Elles sont notre grande chance de faire nos premiers pas vers l'indépendance. Elles ne nous changent pas de la maison : avec elles, nous nous sentons en sécurité, elles nous sont familières. Elles sont du sexe féminin et ont besoin d'un appui, comme nous. Nous avons toutes envie de quitter notre mère pour trouver autre chose, une envie d'étreindre la vie, mais cela nous fait peur. Dès le premier jour d'école, nous nous jetons dans les bras les unes des autres. Ces bras nous serrent aussi fort que ceux que nous venons de quitter. Nous ne les refusons pas : nous étions parties à la recherche de la liberté, et nous avons trouvé quelque chose qui nous semble trop bon pour que nous puissions résister. Nous croyons avoir quitté la maison. Nous avons seulement changé de partenaire. La symbiose prend un nouveau visage.

Quelle est la relation humaine qui contient autant d'ambiguïté, autant d'équivoque que celle qui unit les femmes? Nous avons tant à nous offrir; mais cela se traduira par une inhibition réciproque. Le lien qui nous unit aux femmes est analogue à celui que nous avions avec notre mère. Elle aussi est entrée dans notre vie comme une amie affectueuse. Puis elle est devenue « celle qui dit toujours non » et une rivale. En réussissant à nous aider à grandir pendant les premiers stades, si difficiles, du développement, elle nous a amenées au seuil de la sexualité. Papa est le premier homme que nous ayons vu. Maman était entre lui et nous. Toute sa bonté, toute sa patience n'ont servi à rien. A l'intérieur de la famille, il n'y a qu'un seul butin à convoiter. C'est elle qui l'avait. Et nous le voulions. D'une certaine façon, notre désir était aussi naturel que l'est le cours d'eau qui trouve le chemin le plus court qui le conduira à la mer; mais il ne pouvait en résulter qu'un sentiment de culpabilité. Par ironie, nous nous sentons d'autant plus coupable que notre mère est une « bonne mère ». Cette situation constitue l'une des tragédies inexorables de la nature humaine.

« Ce qui se passe ensuite, dit le Dr Robertiello, dépend des relations au sein de la famille. En général, la fille développe un complexe d'Œdipe négatif. Ses sentiments de culpabilité et la peur consécutive de perdre sa mère la poussent à nier son désir du père. Elle se lie à sa mère et au sexe féminin. Pour la plupart des filles, cette orientation conduit à ces amitiés étroites, intenses qui sont si caractéristiques de la période de latence. »

La peur de rivaliser avec la mère et le sentiment de culpabilité qui en résulte s'étendent à tout le sexe féminin. Nous aimons bien le petit garçon qui est assis près de nous en classe et nous voudrions le prendre à Sally. Mais si nous lui faisons des avances, nous risquons de nous attirer la colère de Sally, si bien que nous décidons que le petit garçon ne nous intéresse pas. Au lieu d'être jalouses, nous téléphonons à Sally pour lui demander de passer la soirée à la maison. Dans ces situations en porte à faux, faut-il s'étonner qu'il y ait si souvent des comportements nettement homosexuels?

Cliniquement, on appelle cela une « formation réactionnelle ». C'est une façon de nier une pulsion inconsciente. L'acte prend le masque de son contraire. Les hommes qui ont un complexe d'infériorité décident de se faire des muscles et vont parader sur les plages en prenant des airs de Monsieur Univers. Les censeurs lisent et regardent plus de publications pornographiques que n'importe qui. Comme ils en ont horreur, disent-ils, ils doivent tout voir afin de pouvoir mieux condamner. La personne qui a envie d'être sale aura une formation réactionnelle qui la portera à une propreté compulsive. Au lieu de leur exprimer notre colère et notre rivalité, nous nous lions aux femmes, le cœur sur les lèvres.

Maintenant, nous avons quatorze, quinze ans. Les garçons qui, cinq ans plus tôt, ne daignaient même pas nous regarder, se mettent à nous convoiter. Dans nos propres corps s'agitent d'étranges désirs, d'étranges passions. La chose la plus naturelle du monde consisterait à réagir à ces émotions. Ce n'est pas tellement le sexe que nous voulons; nous avons envie de sentir quelque chose qu'il est plus difficile de nier maintenant que quand nous avions cinq ans. Nous voulons connaître le degré de sensualité que nous possédons et dont l'expression, nous le sentons très bien, nous donnera une raison de vivre. Mais ce qui se passe entre les femmes et nous est déjà plus important que tout ce que nous pourrions obtenir des garçons.

Il n'est pas possible que trois petites filles puissent jouer ensemble. Quand nous avions sept ans, nous n'avions qu'une seule et unique meilleure amie. « Les ennuis commencent à partir du moment où elles sont plus de deux, m'a dit une mère. Chaque fois que ma fille voulait inviter plusieurs amies, je refusais. Je ne pouvais pas supporter leurs disputes. A cet âge, elles sont terriblement jalouses, elles se murmurent des secrets " Elle est *mon* amie! " Elles sont incapables de partager. Ma fille a maintenant quatorze ans, elle voyage avec d'autres adolescentes. Mais elles continuent de casser du sucre sur le dos des autres. »

J'ai eu un entretien avec la fille de cette femme. Elle parle d'amour et d'hostilité dans un seul et même souffle : « Ma meilleure amie cherche toujours à me piquer le garçon que j'aime. Ce n'est pas par méchanceté, mais plutôt par principe. Elle dit toujours qu'elle peut avoir tous les garçons qui l'intéressent. Elle n'a pourtant rien de formidable. Les filles se font toujours des tas de vacheries. Par exemple, chaque fois qu'il y en a une qui dit du mal de vous derrière votre dos, sa confidente se précipite pour vous le répéter. »

Les garçons échappent à cette formation réactionnelle féminine, *contrairement à nous, ils ne sont pas en rivalité avec la mère* et n'ont donc pas à nier cette rivalité. Autrement dit, le garçon peut s'en tenir à l'image de la mère nourricière, tout en exprimant les sentiments de rivalité qui l'opposent au mâle dominant. Il souffre, bien entendu, des tabous sexuels qui protègent sa mère, mais il ne se trouve pas dans la situation de la petite fille : rivale de sa mère, elle devrait, ce qui lui est impossible, mordre la main qui la nourrit.

« Les filles, dit le Dr Sanger, peuvent se montrer impitoyables; elles organisent des vendettas contre d'autres filles, se dressent brusquement les unes contre les autres. Elles ont besoin de toute l'aide que leur famille peut leur donner. Que de larmes j'ai pu voir avec ma propre fille, mais aussi avec celles qui ont défilé dans mon cabinet... elles avaient traversé des épreuves terribles. Tout n'est pas rose chez les garçons, mais avec eux, il n'y a pas cette cruauté de fille à fille, très aiguë. Les garçons, eux aussi, doivent subir des défaites, mais ils n'ont pas cette sensation d'être profanés, trahis : " Ce matin, je pensais qu'elle était mon amie, et cet après-midi, j'ai appris ce qu'elle faisait derrière mon dos... " »

Nos sentiments de jalousie, de rivalité n'ayant pas de débouchés, sont refoulés, comprimés et, de temps en temps, comme de la vapeur sous pression, ils s'échappent par les fissures de notre vernis de « chic fille ». Comme malgré nous, soudain, nous donnons le coup de poignard dans le dos, nous prononçons le mot ulcérant. Du fond de nous-mêmes, nous ne voulons pas nous conduire en garce. Où avons-nous appris cette cruauté? Avant même qu'elle ne nous sépare de son corps, notre mère disait déjà en souriant qu'elle nous aimait. Puis, mélangeant amour et colère, sourires et mensonges, elle nous a appris que notre seule ressource était de lui rendre son amour, malgré tout ce qu'elle nous refusait — papa, l'indépendance, la sexualité — sous menace de subir des pertes encore plus graves.

« Vous appreniez évidemment à jouer le jeu de votre mère, dit le Dr Robertiello. Vous aviez encore, tout au moins, l'illusion du parfait amour. Vous n'aviez encore rien pour le remplacer. »

L'une des caractéristiques de l'enfance est la simplicité d'esprit. Le bébé aime telle chose, est comblé de joie par telle autre, en déteste une troisième. Tandis que nous prenons de l'âge, que nous nous heurtons de plus en plus au reflux de la vie, les conflits s'installent dans notre cœur. Les amitiés intenses qui nous lient aux autres filles sont peut-être une tentative pour remplacer l'intimité que nous avions autrefois avec notre mère, mais nous ne sommes plus les hôtes innocentes d'un paradis. Nos sentiments de rivalité ne se sont pas évanouis comme par enchantement. Ils ont simplement trouvé des cibles qui nous offrent plus de sécurité; nous les avons transférés sur ces filles qui, comme maman, sont à la fois des amies et des rivales. L'amour que nous éprouvons pour l'amie à qui nous téléphonons longuement tous les soirs et à qui nous promettons une fidélité éternelle, cet amour n'est pas sans mélange. Il est différent de celui que nous éprouvons pour papa ou pour Johnny, notre petit voisin. Il est né d'une détente, du besoin commun d'éviter une colère. « Mais, tout au fond de vous, dit le Dr Robertiello, vous êtes tout simplement furieuses contre les femmes. Si vous laissez tomber votre amie parce que vous voyez que vous avez une chance d'être plus aimée par une autre, toute cette vieille colère est là pour justifier ce que vous faites. » La colère qui nous reste du conflit œdipien non résolu éclate tout à coup. Notre mère a eu l'amour de papa en nous l'interdisant. Nous faisons la même chose à notre meilleure amie.

« Je pense que les règles imposées aux adolescentes sont pour ainsi dire biologiquement déterminées, m'a dit le Dr Sanger. Elles peuvent y recourir si elles ne trouvent pas une autre façon de se protéger. » Le Dr Sanger parlait ici des règles de conduite, par exemple d'une heure limite pour les rentrées du soir qui permet aux filles de quitter un garçon quand les choses commencent à aller trop loin. Mais les règles concernant l'habillement, quand nous avons douze ans, ne sont-elles pas, elles aussi, biologiquement déterminées? Elles nous protègent d'une sexualité qui est censée ne pas être de notre âge. « Quand nous nous apprêtons à aller quelque part après l'école, m'a dit une fille de douze ans, nous nous passons le mot : " Nous mettons toutes un T-shirt de football! " ou " Toutes en bermuda! " Notre professeur nous traite de folles quand, par exemple, nous portons toutes une chaussette de couleur différente à chaque pied. Ce professeur est amoureuse de l'un de ses collègues. Il s'appelle Ken et, un jour, nous avons écrit sur les murs : " Ken, mon amour ". » Quand nous avons douze ans, nous avons le mal d'amour. Nous souffrons moins si toutes les filles de la bande portent des chaussettes différentes à chaque pied.

Quand notre monde était restreint, une seule amie nous suffisait. Elle représentait toute la vie et nous étions vis-à-vis d'elle terriblement exigeantes. Nous vivions avec elle dans la béatitude, comme nous le faisions avec notre mère; et, comme avec notre mère, si elle faiblit, si elle s'intéresse moins à nous, c'est le grand désespoir. Nous voulons une vie élargie, mais en même temps une sécurité absolue. Nous sommes prêtes à quitter notre meilleure amie si nous pensons trouver plus d'amour chez une autre, mais nous ne pouvons pas supporter qu'elle nous quitte.

L'adolescence nous fait affronter des problèmes plus complexes. Les garçons sont partout libres de leurs mouvements; ils nous tentent et, en même temps, nous font peur. Nous sommes assaillies tout à coup par trop d'émotions; le monde, séduisant, dangereux, énorme, étincelant, s'offre à nous. Nous avons besoin d'un plus grand nombre de filles pour maintenir notre propre univers. La relation en tête à tête que nous apprécions tant avec notre meilleure amie est devenue trop étroite. Nous voulons être libres de nous joindre au grand tourbillon de la vie. Nous avons besoin de relations plus variées, d'un groupe de filles qui nous aidera à maîtriser les expériences qui viennent vers nous de tous côtés. La bande devient un microcosme complexe, mouvant, changeant, mais que nous pouvons quand même comprendre et organiser. Il est puissant, il est amusant, mais il a besoin de lois arbitraires, cruelles, capricieuses, dictatoriales. Peu importe, il nous offre la grande récompense : la loi de symbiose. Aucune des filles de la bande ne se sentira seule.

La bande connaît des émotions, un sens accru de la vie, une audace (pour le meilleur et pour le pire) qu'atteignent rarement les individus isolés. En fin de compte, le groupe ne se contente pas d'être un substitut de la mère, il nous accapare totalement. Il nous fournit l'amour, l'amitié, la force, des débouchés bien définis pour nos émotions; il est une source d'approbation et il nous promet de nous défendre contre la solitude de nos treize ans. Il est peut-être une prison qui nous impose un règlement draconien, mais, en tant que membre, nous pouvons affirmer notre identité dans la ville.

Nos liens adolescents avec les autres filles pourraient nous procurer l'équilibre et la confiance en soi dont nous avons maintenant tellement besoin. Nous savons que la sexualité nous tend plus de pièges qu'aux hommes. Les garçons sont plus forts que nous. Ils n'ont pas à se soucier de leur réputation. Sauf s'ils rendent une fille enceinte. Si quelque chose ne va pas, c'est toujours notre faute. Grâce à nos amitiés féminines, qui nous offrent un cadre plus vaste et plus libre que celui, étouffant, de la famille, nous pourrions apprendre à mieux nous connaître en nous liant à des personnes qui ont les mêmes angoisses, les mêmes curiosités, les mêmes joies que nous. Nous voulons qu'on nous confirme que nous avons raison de partir, de nous séparer, de chercher notre identité, seules ou avec les hommes. Nous avons besoin que les filles de la bande nous disent que tout va bien, qu'elles ont exactement les mêmes sentiments que nous. Et au lieu de tout cela, qu'avons-nous? Les Lois.

Les Lois institutionnalisent la colère de notre formation réactionnelle. Je n'ai jamais rencontré une femme, quel que soit son âge, qui ait pu me dire à quel moment elles ont été édictées. Il semble, à quatorze ans, qu'elles ont toujours été là. Il y avait certaines choses qu'une « chic fille » ne devait pas faire. Aucune des femmes que j'ai interrogées n'a pu m'en donner la liste, mais les lois règlent notre vie, à trente-cinq ans comme à quinze ans. Elles nous font repousser les hommes, changer d'opinion, nous habiller comme toutes les autres. Et surtout, les Lois nous font choisir : que voulons-nous? une vie sexuelle ou l'amour des autres femmes?

Le travail du groupe est de trouver des débouchés pour ces pressions intérieures que la société veut encore ignorer. Les réunions de groupe, les bavardages romanesques, les relations sexuelles, avouées ou non, avec d'autres filles remplacent les activités sexuelles avec les garçons. *Le groupe doit faire en sorte que la femme reste jeune fille pendant quelques années encore.* C'est une tâche de plus en plus difficile, quand on pense qu'en moyenne les filles, aujourd'hui, peuvent concevoir un enfant six ans plus tôt qu'il y a un siècle [1]. Si vous êtes d'avis qu'une maternité précoce est souvent désastreuse, on peut dire que le groupe remplit ici une fonction très importante. L'ennui, cependant, est que beaucoup de femmes ne parviennent jamais à se libérer vraiment des Lois de l'adolescence.

Nous croyons aux règles de nos quatorze ans avec beaucoup plus de sincérité qu'à celles que nous nous imposons après l'adolescence. « Quand j'ai commencé à sortir avec des hommes après mon divorce, m'a dit une femme de quarante-cinq ans, j'étais là, dans la voiture, à la fin de la soirée, à me demander si j'allais le laisser m'embrasser, si nous allions seulement nous serrer la main ou si j'allais coucher avec lui. J'avais

---

1. « L'âge du ménarche (début de la menstruation), dit le Dr Seymour Reichlin, chef du service endocrinien, du centre hospitalier médical de la Nouvelle-Angleterre, à Boston, est passé de 17,5 ans, vers 1860, à 11,7 ans, en 1976. Nous parlons ici des sociétés occidentales. Le facteur essentiel est la taille; une jeune fille ne peut pas concevoir ni porter un enfant viable tant que son corps ne contient pas la quantité de graisse qui lui permettra d'aller jusqu'au bout de sa grossesse. La période de la puberté ne peut commencer qu'à partir d'une certaine taille et d'un certain poids. Par le fait d'une meilleure nutrition et de l'élimination des infections, les jeunes filles, aujourd'hui, atteignent plus tôt cette taille et ce poids. »

l'impression d'être redevenue une gosse, aux prises avec toutes les règles de la bande. »

Les règles sont comme un décalogue exclusivement réservé aux péchés de la chair; une liste d'interdits : tu n'embrasseras pas, tu ne caresseras pas, tu n'auras aucune activité sexuelle, en dehors de ce qui est permis par le groupe. « Les lois sont ainsi faites qu'aucune fille ne peut distancer sexuellement les autres, dit le Dr Schaefer. C'est une trêve, une tentative de contenir la violence de la rivalité de toutes contre toutes pour le minimum d'égards masculins qui nous est autorisé. Au lieu de nous unir pour obtenir le maximum de sexualité, nous le faisons pour nous protéger d'elle et pour être sûres qu'aucune d'entre nous n'a une part plus importante de cette réalité dangereuse et si séduisante. » Les filles qui brisent la Règle deviennent des parias, des exemples vivants du châtiment qui attend celles qui oseront nous rendre jalouses, qui nous feront prendre conscience de notre rivalité. « J'ai commencé à sortir avec les garçons quand j'avais quatorze ans, m'a dit une femme. Les règles étaient tacites. Mais il y avait au lycée des sœurs jumelles. Nous nous demandions toutes si elles étaient allées jusqu'à coucher avec des garçons. Nous pensions que l'une des deux ne l'avait pas fait. Nous étions amies avec celle-là. Personne n'adressait la parole à l'autre. » La pire des punitions que pouvait nous infliger notre mère était de nous exclure de son amour. Maintenant, l'exclusion est le châtiment réservé aux filles qui enfreignent la Règle.

Les garçons, au contraire, ne détestent pas celui d'entre eux qui a eu des expériences sexuelles. Ils peuvent même l'envier et, de toute façon, ils s'identifient à son succès. Pour l'adolescent, le triomphe de l'autre n'est pas une humiliation mais un but à atteindre. « Quand j'avais seize ou dix-sept ans, dit le Dr Robertiello, j'admirais le copain qui me racontait ce qui s'était passé dans son lit avec une fille la nuit précédente. Peut-être mentait-il, mais cela n'avait pas d'importance : nous aimions tous entendre ces histoires. Les bavardages sexuels donnent énormément d'assurance aux garçons. Ces informations de première main nous permettent de surmonter nos appréhensions. Tandis que les filles, elles, gardent le silence. Si bien que quand elles en sont à leur premier amant, ou à leur dixième, elles ne se sentent pas plus en sécurité dans leur sexualité qu'à leur naissance. Ces conversations nous permettaient de savoir ce qu'un garçon est censé faire avec une fille, nous savions à peu près comment agir. Ce n'était peut-être pas la façon idéale de se comporter avec une fille, mais, au moins, quand on avait seize ans et qu'on se mettait pour la première fois au lit avec une fille, on se souvenait de ce que les copains nous avaient raconté : que le sexe est quelque chose de formidable; que ce qui est mauvais, c'est de *ne pas* être sexuel. Pour les filles, c'est comme si on se jetait à l'eau sans savoir nager. Ou plutôt, c'est comme si on était sûr de se noyer quand on se jette à l'eau. »

Quand une de ces tempêtes mystérieuses secoue le groupe et que l'une des filles est mise à l'écart, elle ne peut pas se venger. Elle est seule, alors que le lien qui unit les autres est renforcé par le fait de son exclusion. Le processus est impitoyable et les filles les plus gentilles, les femmes adultes les plus parfaites savent très bien que l'adolescente qui est brusquement frappée d'ostracisme ne peut qu'attendre, en refoulant sa colère et sa douleur. Dans son livre *Pentimento* Lillian Hellman fait le portrait d'une jeune femme : « Anna-Marie est une fille intelligente, flirteuse, bien élevée; elle a cette sorte de passivité de façade qui cache si souvent chez les femmes une colère rentrée [1]. » On ne doit surtout pas laisser apparaître la moindre trace de cette colère.

« Je suis la présidente de la classe, m'a dit une fille de quatorze ans; mais la fille qui est vice-présidente dirige toujours les réunions, alors que c'est mon travail. Ça m'énerve terriblement, mais je ne dis rien. Elle est une de mes meilleures amies. Je ne montre jamais que je suis en colère. Si je me fâche et que je me plains d'elle auprès de mes autres amies, elle ne tarde pas à le savoir. On ne peut vraiment pas se mettre en colère contre ses amies. Celles qui le font, et il n'y en a pas beaucoup, sont mal vues des autres. » Ici encore, nous agissons conformément à ce que notre mère nous a appris quasiment depuis le berceau : les petites filles comme il faut ne se mettent pas en colère.

Et pourtant, la colère est l'une des dynamiques de la vie. Elle s'accumule, elle attend son heure; et des années plus tard, elle peut éclater en toute sécurité quand nous prenons la défense de notre fille adolescente. « Je les tuerais, ces filles! m'a dit une mère. Hier, la pire de toutes, Laura, n'a pas invité ma fille à une party, et elle prétend être son amie! Je me rappelle combien ça fait mal. Je suis furieuse contre ces petites garces! »

Et que pense sa fille de son exclusion? Exactement ce que pensait sa mère quand elle avait elle-même treize ans et qu'elle éprouvait la même souffrance. « J'espère que Laura changera d'avis et qu'elle m'invitera la prochaine fois, m'a dit cette fillette. Cette fois-ci, elle a commencé par m'inviter, et ma mère a modifié mon rendez-vous chez le dentiste pour que je puisse y aller. Le lendemain, j'ai constaté que Laura m'avait rayée de sa liste. Puis, quelques jours plus tard, elle m'a dit : " Oh, à propos... il faut que je te dise que tu es invitée. " Et hier, j'ai appris que je ne l'étais pas! Si je suis en colère? Oh, non! Vraiment, ça m'est égal. »

Vraiment, ça m'est égal. Qui pourrait croire à la sincérité de ces mots

---

1. Lillian Hellman, *Pentimento : A Book of Portraits*, p. 119.

si familiers et si tristes? Quelle femme ne se reconnaît pas dans cette réaction passive?

Nous mettons en commun nos informations (vraies ou fausses) et nos aspirations, nous modifions nos opinions si elles sont trop personnelles, jusqu'à ce que tout ce que nous pensons, tout ce que nous disons se conforme à l'attitude du groupe. Nous en voudrions plus, mais nous nous réduisons au plus petit dénominateur commun. « Pendant mon adolescence, m'a dit une femme de trente-quatre ans, je me suis donné beaucoup de mal pour entrer dans le groupe " in ". Toutes les filles de ce groupe se sont mariées avant d'avoir vingt et un ans et se sont mises à pondre des bébés comme des folles. Elles me trouvaient bizarre, parce que j'aimais voyager et que je faisais une carrière. Je vis à des milliers de kilomètres d'elles, mais je n'ai pas perdu le contact. Chaque fois que je vais avec mon mari à Paris ou à Rome, je leur envoie des cartes postales. Pour elles, je suis un personnage à la fois extravagant et fascinant, et je suis ravie qu'elles aient cette opinion de moi. J'ai l'impression que pour la plupart des filles qui ont le plus de succès pendant leur adolescence, la vie, plus tard, suit une courbe descendante. Je pense qu'en restant en contact avec elles je peux vérifier que j'ai réussi. »

Il se peut fort bien que nous ne revoyions plus jamais les filles que nous avons connues à quatorze ans. Mais nous n'oublierons jamais leur propre conception du succès. Si l'objectif du groupe était le mariage et deux bébés à vingt-deux ans, même si nous réussissons dans la voie que nous nous sommes tracée, quelque chose nous manque. Jamais le succès ne nous paraît aussi doux que quand il est conforme aux normes du groupe.

Notre mère a fondé notre éducation sur un chiffre magique : *deux*. « Nous sommes *deux* contre le monde. Il m'arrive de te gronder, bien sûr, mais personne ne peut t'aimer plus que je t'aime. » C'est, pour elle, un moyen de se défendre contre l'angoisse de la future séparation. Si elle nous avait habituées à sentir que nous pouvons avoir son amour en même temps que celui des autres, nous pourrions étreindre deux, trois, quatre nouvelles amies. L'abondance serait stimulante, au lieu d'être tissée de duplicité et d'affaiblir les liens. Nous avons été élevées en vase clos, mais quand nous commençons à aller à l'école, nous sommes assez grandes pour pouvoir regarder par les fenêtres. Le silence de notre mère sur ce monde extérieur, si excitant, ses réponses évasives, le fait qu'elle ne nous encourage pas à aller l'explorer, nous rendent, nous aussi, silencieuses et évasives. Notre nouvelle amie fait partie de ce monde extérieur, de ce « là-bas » dont se méfie notre mère. Nous revenons en courant à la maison, nous accrochant à l'idée d'une maman « rien qu'à nous », comme un trésor secret. « Le premier jour, après le départ de ma fille pour la colonie

191

de vacances, j'étais désespérée, m'a dit une mère. J'avais l'impression de perdre une partie de moi-même. Comme si je n'allais plus jamais la revoir. A la fin de l'été, quand elle est revenue à la maison, je l'ai retrouvée très renfermée. Elle ne voulait même pas me dire le nom de ses nouvelles amies. »

« Les enfants, dit le Dr Fredland, restent en colonie pendant un mois, passent une première journée à l'école, et, quand ils rentrent à la maison, ils sont véritablement transformés... *si* les parents sont capables d'accepter ces changements et s'abstiennent de revenir aux sempiternelles discussions. »

La façon dont notre mère réagit à nos nouvelles alliances ne détermine pas seulement le degré de sincérité avec laquelle nous les formerons, mais aussi ce que nous attendrons de ces nouvelles amitiés. Si notre mère a peur pour nous, si elle nous réprime, nous espionne, nous dit qui nous pouvons fréquenter ou ne pas fréquenter, nous tenterons de tenir notre amie à distance, étant incapables d'attendre d'elle plus que ce que nous avons à la maison. Si notre mère est jalouse, nous le serons aussi ; nous aurons peur que quelqu'un nous prenne notre amie. « Ma mère détestait une de mes amies, m'a raconté le Dr Liz Hauser. " Pourquoi passes-tu tant de temps avec cette fille ? me disait-elle. Tu es toujours fourrée chez elle, tu y prends même des repas. " J'étais une petite fille très inquiète. J'avais toujours peur qu'il arrive quelque chose à ma mère, j'avais peur de la perdre, elle et aussi tous les êtres qui me touchaient de près. Évidemment, quand j'ai été mère à mon tour, je me suis interposée, moi aussi, entre ma fille Liza et ses amies. Comme ma mère, j'étais constamment sur-protectrice. Je pensais souvent que la prétendue amie se servait de Liza dans son propre intérêt. Mais je me trompais. En réalité, je lui disais ceci : " Il n'y a qu'en maman que tu puisses avoir confiance ; c'est avec elle seulement que tu peux être franche, ouverte. " En rendant Liza dépendante de moi, je répétais ce qui s'était passé entre ma mère et moi. A l'époque où Liza est née, il n'était pas question, dans mes cours de psychologie de l'université de Columbia, de symbiose, ni de séparation. Liza avait déjà six ans quand j'ai essayé de compenser tout le mal que je lui avais fait. C'était bien tard, mais je me suis efforcée de la pousser à agrandir son monde, à fréquenter plus d'amies, à passer la nuit chez elles de temps en temps. Je veux qu'elle se rapproche d'un tas de gens, pour que le monde lui paraisse accueillant. Je ne veux pas qu'elle croie que le seul endroit au monde où elle puisse se sentir en sécurité est celui où je me trouve. »

Si notre mère avait dit : « Je t'aime, mais je veux que tu aimes d'autres personnes que moi, que tu aies avec elles des relations que tu rendras aussi enrichissantes que possible, et que tu essayes d'autres genres de vie que celle que je mène », en découvrant l'immense variété de ce que peut offrir la vie nous n'aurions pas eu l'impression de la trahir. Notre mère ne nous a jamais dit que nous pouvions obtenir cette merveilleuse identification avec quiconque, sinon avec elle. Est-ce que nous la trompons, ou est-ce qu'elle nous trompe? Il y a tant de choses qui s'offrent soudain à nous que c'en est déroutant. Toute cette richesse s'accompagne d'un sentiment de culpabilité. Pourquoi les femmes croient-elles qu'elles ne peuvent aimer qu'une seule personne à la fois? Pourquoi sommes-nous terrifiées à l'idée que l'être que nous aimons pourrait également aimer quelqu'un d'autre? En aimant dans deux directions, nous nous sentons menacées de perdre celle des deux personnes que nous n'avons pas en face de nous sur le moment; tout se passe comme si, dans la vie, chaque valeur positive appelait une valeur négative. « Promets-moi que je serai ta seule, ta meilleure amie et que tu renonceras à toutes les autres », disons-nous à la fille de notre choix. Dix ans plus tard, nous en sommes au même point. Nous ne pouvons pas exiger cela de notre mari, pour ne pas paraître puériles, mais quand il consacre toute son attention à d'autres, nous nous sentons dépossédées, ulcérées. Derrière chaque nouvel amour, il y a la peur d'être abandonnée. On ne nous a jamais appris qu'il y en a pour tout le monde : assez de succès, assez d'amis, assez d'amour.

Nous vivons une double vie. Nous apprenons à nous dépouiller du nouveau moi avant même de rentrer à la maison, avant que notre mère, poussée par l'angoisse et par son besoin de nous diriger, commence à ressasser les vieux interdits : « Ne t'excite pas comme ça!... Ne t'habille pas comme ça!... Ne parle pas si fort! » Nous avons conscience de son immense pouvoir. Avant de franchir le seuil de la maison, nous étouffons notre joie d'avoir laissé voir aux autres ce moi secret qui a toujours existé en nous, d'avoir trouvé des êtres jumeaux, des intimes, des confidentes aussi secrètes, aussi « incomprises » que nous. Au téléphone, nous nous parlons dans un murmure, même s'il ne s'agit que de comparer nos résultats du problème de math de la journée. « Elle est si silencieuse, maintenant, me dit une mère. Ça ne lui ressemble pas du tout. Il y a quelques jours, j'ai eu en main son journal intime, mais je savais que si je le lisais j'aurais honte de moi. »

Et voici ce que m'a dit sa fille, qui a quatorze ans : « L'année dernière, j'ai fumé ma première cigarette avec mon amie. Après, je me suis sentie très coupable. Dès que j'ai été à la maison, j'ai dit à ma mère ce que j'avais fait. Je pensais qu'elle allait me pardonner, qu'elle allait tout effacer en disant : " Ça va, mais ne recommence pas. " Mais elle s'est fâchée et s'est mise à crier. Cette scène m'a fait beaucoup souffrir, et en même temps je comprenais qu'elle m'en voulait surtout de m'éloigner d'elle. J'étais terriblement déçue. Jusque-là, j'avais toujours été persuadée que si je disais la vérité, elle ne me punirait pas. J'ai cessé d'avoir confiance en elle. Quand un garçon m'a embrassée pour la première fois, je n'ai rien dit à ma mère. Je savais que ça l'inquiéterait et qu'elle penserait tout de suite à tout ce que nous aurions pu oser, en dehors de ce baiser. Nous n'avions rien fait d'autre, mais elle ne m'aurait pas crue. Je ne peux plus rien lui dire, parce que, de toute façon, elle ne me croirait pas. »

Notre mère nous « trahit », parce que le vieux pacte ne fonctionne plus. Elle ne peut pas nous faire confiance, parce qu'elle ne fait pas confiance au sexe et que nous sommes soudain devenues sexuelles : les hommes nous décevront, comme ils l'ont déçue. Comment pourrait-elle espérer que tout ira mieux pour nous que pour elle? Elle ne veut pas que nous apprenions à conduire, alors que notre frère a appris quand il avait un an de moins que nous. Elle dit qu'elle ne peut pas nous confier les clés de la maison, parce que nous sommes « irresponsables », et « tête en l'air ». Nous savons qu'elle ne nous dit pas la vraie raison. Derrière tous ces dangers contre lesquels notre mère est si anxieuse de nous protéger, et qui, nous le savons, ne sont pas tellement importants, il y en a un qui, lui, *est* important : c'est le sexe, mais elle ne le dira pas.

Nous ne pouvons pas en attendre beaucoup plus des filles de notre bande. « Mes amies et moi, nous nous racontons tout, m'a confié une fille de quatorze ans, mais nous avons certaines conventions. Des limites précises. Quand nous sommes sorties avec un garçon, nous nous racontons ensuite ce que nous avons fait ou pas fait. Mais si nous avons dépassé un certain seuil — par exemple si nous nous sommes laissé caresser les seins —, motus! Nous savons qu'une fille de la bande a déjà fait l'amour. Il y a eu tellement de racontars derrière son dos que nous faisons toutes une maladie à l'idée de ce qu'on dirait de nous si nous brisions les règles. Tenez, hier soir, j'étais à une réunion où il n'y avait que des filles. A un certain moment, l'une d'elles est allée aux toilettes. Quand elle est revenue, elle était sûre que nous avions dit sur elle des choses épouvantables derrière son dos. »

La peur de l'exclusion est un catalyseur beaucoup plus puissant que l'amour. Elle soude les membres du groupe, tout en les mettant en colère. Nous sentons que les limites du groupe nous freinent, comme nous étions naguère freinées à la fois par l'autorité et l'amour de notre mère. Avec l'appui du groupe, nous osons transgresser le code maternel : « L'une des expressions favorites de la bande, m'a dit une fille de treize ans, est " s'envoyer en l'air ". Ma mère en a horreur. Et les mots grossiers sont très " in ". Tous, et surtout " baiser ". » De même, quand l'occasion se présente — et quand nous sommes sûres qu'aucune des filles ne pourrait pas non plus résister — nous trahissons le groupe et enfreignons également ses règles : « Quand j'avais quinze ans, un garçon m'a caressé les seins, m'a raconté une femme. J'ai trouvé que c'était très mal. Aucune fille comme il faut ne l'aurait permis! Mais il avait été élu " le plus beau garçon de l'académie militaire de Fishburn ", si bien que je l'ai laissé faire. »

Connaissant les critères maternels de ce que doit être une « fille comme il faut » — ce qu'elle veut que nous soyons — nous serons presque inévitablement attirées par le type de fille qu'elle n'aime pas. « Quand ma fille a commencé à avoir des activités en dehors du cadre de la maison, j'en ai été enchantée, m'a dit la mère d'une adolescente. J'ai moi-même une vie très remplie. Je ne vois pas d'inconvénient à ce qu'elle sorte souvent, mais il y a certaines de ses amies que je n'aime vraiment pas. Et il y en a une que je déteste. Sally. Elle couche avec des garçons. Ce n'est pas pour cela que je la déteste, mais parce qu'elle est une amie déloyale. Chaque fois que ma fille aime un garçon, cette Sally se met à courir après lui. J'ai dit à ma fille : " Puisque Sally se conduit ainsi, pourquoi continues-tu de la voir? " " Je pense que je dois me méfier d'elle quand j'aime un garçon, un point c'est tout ", m'a-t-elle répondu. »

J'ai interviewé la fille de cette femme : « J'aime beaucoup sortir avec Sally; elle est si différente! Quand je suis avec elle, j'ai vraiment l'impression de vivre quelque chose qui sort de l'ordinaire. Elle est très voyante et tous les garçons parlent d'elle. Ma mère la hait... oui, vraiment, c'est de la haine! »

La mère est toute inhibition; les choses et les gens qu'elle n'aime pas représentent pour nous la vie, tout ce qui peut être passionnant. En fait, la plus grande partie de ce que nous faisons avec nos amies n'est passionnant que parce que nous savons que notre mère le désapprouverait. A un certain moment, quand nous transgressons les règles du groupe, notre exploit est d'autant plus excitant qu'il est interdit. Plus tard encore, quand nous avons atteint l'âge adulte, nos expériences sexuelles les plus satisfaisantes, les plus passionnantes seront celles que notre mère et les autres femmes réprouveraient : des aventures clandestines, avec un homme « pas comme il faut », à un endroit « pas convenable », d'autant plus excitantes qu'il est marié, ou que nous sortirons de ses bras pour réintégrer le foyer familial. Quel être sexuel adulte sommes-nous pour que l'intensité de nos expériences soit proportionnelle à notre mépris des règles? Le plus triste est que, lorsque nous nous marions, quand nous avons une vie sexuelle que notre mère approuverait, nous commençons à nous désintéresser du sexe. Notre véritable excitation n'était pas purement érotique. En dessous, il y avait ce piment, typiquement adolescent, de la révolte contre la mère et aussi contre les autres femmes.

Si le sexe était vraiment ce que nous désirions, s'il était notre moteur le plus puissant, nous nous libérerions des règles de l'adolescence pour partager avec les hommes une sexualité enrichissante. Si c'était la peur effective du sexe et ses conséquences (par exemple une grossesse possible) qui nous retenaient, nous ferions un usage plus intelligent des contraceptifs. Mais ce n'est pas tellement la sexualité que nous voulons; ce n'est pas elle qui nous fait peur : nous redoutons de perdre notre place dans la société des femmes.

A un cocktail littéraire, une femme est venue me dire qu'elle désirait être écrivain. Elle a vingt-cinq ans et occupe un poste de cadre. L'idée d'un roman lui était venue d'un rêve : « Sur une île déserte, il y avait un homme et deux femmes. J'étais l'une des deux femmes, et l'homme m'attirait beaucoup. Mais je n'ai jamais pu terminer l'histoire. Chaque fois que j'essayais d'écrire ce qui me semblait si évocateur, si puissant, j'aboutissais à cette conclusion banale et ennuyeuse : les deux femmes s'en allaient bras dessus bras dessous. » Je lui ai demandé si ce blocage avait quelque chose à voir avec la rivalité; si, pour elle, l'histoire signifiait qu'elle pouvait faire n'importe quoi, sauf entrer en compétition avec les femmes. Cette idée l'a impressionnée. Quelques jours plus tard, elle m'a téléphoné pour me dire qu'elle avait enfin terminé son histoire... *en abandonnant l'homme à l'autre femme.* « Vous comprenez, m'a-t-elle dit, je suis capable de tenir tête à un homme; je peux même me battre contre lui pour obtenir une meilleure situation... mais j'ai horreur de lutter contre une femme. »

Les sociologues parlent du culte du foyer, une « sphère féminine » très particulière qui a existé autrefois. « C'était une structure sécurisante, dit Jessie Bernard, où les femmes étaient unies par un lien très étroit. C'était un monde exclusivement féminin, où toutes se sentaient à l'aise. » La sociologue Pauline Bart pense que cette sphère où les femmes étaient dominantes de droit et de naissance a commencé à disparaître quand des professionnels masculins, qui remplissaient par exemple les fonctions de gynécologue, ont commencé à prendre le relais. « Les femmes, dit-elle, s'entraidaient pour régler leurs problèmes particuliers. Ma grand-mère avait des herbes contre les nausées et les brûlures. Ces remèdes spécifiquement féminins étaient transmis de mère en fille. »

Ce domaine féminin qu'ont connu nos grand-mères appartient sans doute à une époque révolue. Cela ne veut pas dire qu'il est impossible de former aujourd'hui une communauté de femmes qui serait significative de la vie contemporaine. « Les hommes ont toujours eu leurs amicales d' " anciens ", m'a dit une femme, où chacun trouve sa place et son identité. Ils peuvent ainsi ne pas voir dans chaque jeune un rival possible, mais au contraire quelqu'un qu'ils auront plaisir à aider. Depuis que j'ai réussi dans mon travail, je m'efforce, contrairement à mon habitude,

196

d'aider les collègues plus jeunes que moi. C'est une grande satisfaction. Je me sens plus près des femmes, plus près de la vie; je fais partie de quelque chose qui dépasse le cadre étroit de mes ambitions. Je m'étais toujours demandé pourquoi je me sentais isolée de mes amies. Cela venait, je crois du fait que je me sentais obligée de protéger ce que j'obtenais d'elles. Maintenant, je crois de plus en plus qu'il peut y avoir une entraide féminine continue et que je peux faire moi-même partie d'une sorte d' " amicale ". »

Jessie Bernard m'a beaucoup frappée quand elle m'a dit : « Les femmes sont comme des orphelines... des laissées-pour-compte psychologiques. Elles donnent à leur mari deux fois plus d'aide affective qu'elles n'en reçoivent de sa part. Cela les conduit à un déficit affectif extrêmement grave; je pense surtout aux ménagères, dont la santé mentale est, à mon avis, le problème numéro un du pays. »

Je ne pense pas que la disparition de la « sphère féminine » puisse expliquer à elle seule le fait que les femmes soient des êtres affectivement si démunis. Nos problèmes de manque affectif remontent trop loin, à la fois dans notre histoire collective et dans celle de notre enfance. Nos difficultés viennent de ce que nous n'avons pas une saine réserve de narcissisme, de ce que nous n'avons pas confiance dans les sentiments de valeur que nous avons acquis pendant les premières années de notre vie et qui ont été considérablement renforcés pendant notre adolescence. Nos grand-mères souffraient sans doute moins que nous de ce manque affectif, parce qu'elles vivaient à une époque où les femmes pouvaient compter les unes sur les autres; où l'indépendance et la sexualité étaient moins prônées et où, par conséquent, les liens qui unissaient les femmes n'étaient pas menacés par les succès individuels. Telle amie, telle parente, pouvait avoir une plus grande maison, un mari ou des enfants plus brillants, mais ces « réussites » n'avaient rien de menaçant. Un nom, une maison, les moyens matériels, la sexualité... chacune en avait sa part. Aucune femme n'en revendiquait l'exclusivité. La rivalité était mise en veilleuse.

La sphère féminine était de toute sécurité parce qu'elle était très restreinte. Aujourd'hui, la femme tend à élargir le plus possible son univers... mais cela suppose qu'elle ait un étalon plus grand pour prendre ses propres mesures. C'est de ce sentiment de rivalité, de cette peur d'être abandonnées que nos appréhensions adolescentes viennent nous obséder d'une façon anachronique.

« Si l'une d'entre nous fait l'amour, m'ont dit des adolescentes, ce n'est pas pour ça qu'elle est mise à la porte du groupe. Nous avons les idées plus larges que celles de nos mères. Les ennuis avec le groupe commencent à partir du moment où on ne se contente pas d'un seul garçon. » Les règles, apparemment, ne sont donc plus les mêmes. En

197

réalité, la fille qui en a plus que les autres menace la cohésion du groupe. Le besoin primordial d'un lien symbiotique reste inchangé. Comment cette nouvelle « sphère féminine » pourrait-elle exister de façon significative si les filles continuent d'être élevées dans l'idée que, par miracle, elles sont automatiquement diminuées par les avantages obtenus par les autres?

A quoi cela nous avance-t-il de savoir que les autres femmes nous aimeront davantage si nous leur sommes inférieures... moins belles, moins sexuelles, moins brillantes dans la vie sociale. Nous renonçons à notre volonté, à notre esprit d'initiative. Nous disons à l'homme : « Me voici, fragile, vulnérable, prends-moi en charge. » Nous avons toujours beaucoup plus besoin de symbiose que de sexualité. Nous pensons que les hommes nous récompenseront et nous aimeront éternellement si nous nous donnons à eux. Au lieu de cela, ils nous abandonnent si nous sommes enceintes. Si nous nous marions, notre mari se lassera de voir que nous nous accrochons à lui, que nous l'étouffons, et il ira chercher une partenaire plus libérée. Profondément blessées, nous régressons vers la seule véritable protection à laquelle nous faisons confiance : les femmes.

Les Règles nous poursuivent jusqu'à la fin de notre vie. La mère de Winston Churchill a survécu d'un quart de siècle à son mari, elle a eu de multiples aventures et s'est mariée deux fois à des hommes plus jeunes qu'elle. Sur ses derniers jours, clouée sur son lit de douleur, elle s'est posée cette question : « Est-ce mon châtiment, pour avoir vécu à ma guise et non pas comme les autres l'auraient voulu? »

Chapitre 7
Substituts et modèles

Un beau matin, pareil à tous les autres, mon dentiste m'enleva mon appareil correctif. La disparition de ces fils marqua mon entrée dans la puberté d'une façon beaucoup plus significative que mes règles. Est-ce que j'avais un vagin? Il n'y avait aucun contact entre lui et moi. Seule ma bouche avait le pouvoir de m'exciter : j'avais récemment découvert le baiser, quand le grand frère de mon amie Daisy — qui n'avait rien d'autre à faire ce soir-là — avait fourré sa langue dans ma bouche. J'ai eu peur que mon appareil la déchire, sa langue, et, pour la protéger, j'ai replié le bout de la mienne sur les fils de fer barbelés. Je n'en savais pas plus sur le baiser que sur le coït, mais ce baiser-là orienta nettement ma vie. Je savais à quoi j'allais la consacrer. Délivrée de mon appareil, j'étais prête. Si toutefois quelqu'un se décidait à prendre la suite du frère de Daisy...

Quand j'ai quitté la vieille demeure de mon dentiste, je me suis retrouvée dans Broad Street avec le même état d'âme qu'un prisonnier qui vient d'être libéré pour bonne conduite alors qu'il ne s'y attendait pas. Avec un sourire étonné, je passais mes lèvres sur mes dents nues tout en courant vers le Memminger Auditorium où nous répétions une pièce, *The Wizard of Oz,* où ma tante Kate jouait le rôle du Lion Poltron, et moi celui du Pauvre Bûcheron. Elle me regarda une seconde, puis me serra dans ses bras.

Tante Kate était la seule femme, après Anna, ma nurse, dont j'aimais les étreintes; j'aimais aussi poser ma tête sur ses seins. Je connaissais son parfum et l'odeur de sa peau et, pendant toutes ces années-là, quand le monde devenait trop menaçant, sa présence, le simple fait de penser à elle, étaient quelque chose de solide sur quoi je pouvais m'appuyer. « Il faut bien que tu traverses ton adolescence », me dit-elle un jour; et parce qu'elle avait donné un nom à ce qui se passait en moi, je compris que j'en sortirais un jour. Je voulais être comme elle quand je serais grande.

Kate était la jeune sœur de ma mère. Elle était venue nous voir, après avoir obtenu son diplôme, à l'université Cornell, et, depuis, vivait à la maison. Je ne me souviens pas de son arrivée. Mon premier souvenir, c'est un énorme besoin d'elle, qu'elle comblait avec une générosité et un amour que je ne pourrai jamais lui rendre. Elle m'a sauvé la vie. Cela peut paraître un peu trop théâtral, mais il faut comprendre qu'elle ne m'a pas seulement aidée à traverser les épreuves de l'adolescence. Je lui dois aussi ma vie actuelle. Elle m'a préparée à mon mari et à mon travail. Sa conception de la vie, son image, ce qu'elle était physiquement et mentalement, tout cela m'a motivée et m'a donné un but pendant des années, quand je voulais tout, sans savoir exactement ce que je voulais. Bien après l'adolescence, ce qu'elle m'avait dit, les idées auxquelles elle tenait, sa façon d'être ont été autant de jalons. Aujourd'hui, nous sommes des femmes très différentes, mais je suis toujours son enfant. Toute ma famille le savait, y compris ma mère.

Tante Kate était très différente de toutes les femmes que j'avais vues ou connues. Pendant toutes ces années que j'avais passées à Charleston avant son arrivée, je voulais par-dessus tout me mêler au « groupe », me dissoudre en lui et être comme toutes les autres. Le style de Kate, son assurance, son esprit vraiment original me faisaient penser qu'il devait être merveilleux d'être « différente ». Elle n'a pas essayé de me gouverner, elle n'a pas critiqué le genre « fille sudiste » que j'essayais de me donner. Elle attendait que je sois prête à m'ouvrir à ses opinions, à ses connaissances qui s'offraient à moi comme des cadeaux. Elles se sont intégrées une à une au moi que je tentais de me forger. Je bourrais de faux seins mon soutien-gorge, quand je dansais je me faisais plus petite en pliant mes genoux sous mes longues jupes new look qui étaient pour cela très pratiques; mais en même temps je commençais à être fière de mon intelligence et à me demander s'il y avait autre chose à faire dans la vie que de courir après les garçons. Ce qui ne m'empêchait pas d'avoir envie d'eux, désespérément; je voulais plaire, je voulais de ces baisers dans une voiture parquée, qui duraient jusqu'à ce que la radio du bord arrête ses émissions et que ma culotte blanche bordée de dentelle soit trempée. Mais j'aspirais à tout autre chose qu'à la conclusion traditionnelle de ce rêve sudiste : se marier en blanc le jour même où on sortait diplomée de l'université. Je voulais agir, écrire, voyager. Je voulais être Kate.

Elle avait la même taille que moi et ses cheveux auburn étaient aussi magnifiques que ceux de ma mère. Les vêtements que portaient habituellement les femmes adultes de Charleston ne me tentaient pas;

c'était un défilé mortellement ennuyeux d'escarpins et de robes à corsage. Kate portait des ballerines. Ses robes plissées, au buste ajusté, étaient serrées à la taille par une large ceinture et une médaille égyptienne en or se balançait à son poignet. Elle n'avait certainement pas l'air d'une péquenaude. Elle est encore pour moi la femme la plus élégante du monde. Pendant la journée, elle écrivait des textes pour la radio locale et le soir, elle allait au théâtre de Dock Street. Elle jouait dans les pièces et en écrivait également. Et elle peignait. « Que l'on soit peintre ou non, faisait remarquer ma mère, personne à Charleston n'a un atelier. » Dans le grenier qu'elle louait au bord de la rivière, Kate avait installé un piano à queue, de vieux divans de velours, des bougies et ses chevalets. Je pouvais y aller seule; j'y restais des heures, humant l'essence de térébenthine comme une promesse.

Un jour, Kate revint à la maison avec un de ses grands nus riches en couleur, qu'elle suspendit dans le salon. Ma mère ne le remarqua pas jusqu'au moment où ses invités arrivèrent pour un cocktail. « Oh, Kate! Comment as-tu osé! » dit-elle en rougissant. La femme nue à la chevelure rousse de la toile avait le visage de ma mère. Tout le monde rit et embrassa ma mère pleine de confusion en disant : « Vous nous cachiez vraiment beaucoup de choses, Jane! »

Tout en étant très possessive à l'égard de ma tante et tout en gardant mes distances avec ma mère, il me plaisait qu'elles soient de très bonnes amies. Un soir que Kate portait deux grands foulards de soie habilement croisés sur sa poitrine, ma mère ne put pas s'empêcher de lui rappeler les limites de la bienséance : « Kate, tu ne peux pas aller au yacht club dans cet accoutrement! Personne, ici, ne s'habille comme ça. » Ma mère n'a jamais été capable d'empêcher quelqu'un de faire quoi que ce soit... à part ma sœur. Aujourd'hui, quand je lui rends visite, elle me dit : « Nancy, les gens d'ici ne s'habillent pas comme ça! » Je sais que son inquiétude passera si je n'accorde aucune importance à sa réflexion. J'ai souvent pensé que derrière toutes les critiques de ma mère, à propos de nos agissements, il y a de l'envie, peut-être même de l'orgueil à l'idée que nous sommes capables d'afficher un style qu'elle n'ose pas adopter.

Ce fut pendant l'été qui suivit la venue de Kate que je me mis à dérailler. Je restais à la maison, je refusais de voir mes amies, je suivais Kate comme son ombre. Ma sœur était en pension; ce fut, pour elle aussi, l'époque d'une expérience pénible. Je me sentais abandonnée, mais surtout j'avais l'impression de devenir folle. Je me dérobais à ma mère, je fuyais son contact et lui répondais par monosyllabes. Il m'arrivait de rester figée dans la salle de bains, une bouteille de teinture d'iode à la main, consciente de tout dramatiser, consciente aussi de ma peur. Pour me prémunir contre la folie imminente, je lisais tous les livres de la maison. La lecture était la seule façon de suspendre le temps jusqu'au moment où Kate rentrait pour le déjeuner, à 2 heures. Avec elle, je pouvais me détendre.

Kate ne faisait pas que me tolérer : elle m'incluait dans son monde. Je la suivais partout, à son atelier, au théâtre, au restaurant, le soir. Je cherchai en vain le moyen de me faire embaucher à la station de radio pour être près d'elle quand elle travaillait. Et si je n'étais pas jalouse de ses amis, c'est que, comme elle, ils m'acceptaient. Ils venaient tour à tour de Cornell pour la voir; certains faisaient même un séjour à la maison. Il me semblait qu'ils étaient tous très grands et très beaux. Les hommes étaient des architectes, des poètes, des acteurs, une race qu'on n'élevait pas à Charleston. J'allais avec eux à la plage; et le soir, quand ils lisaient des pièces à haute voix en buvant du vin blanc glacé, ils me donnaient un rôle. Un soir, tandis que nous montions dans une voiture, un de ces hommes me dit en passant : « C'est fou comme tu me fais penser à Kate! » Je me serais fait tuer pour lui!

Kate me fit une liste de livres à lire. C'est elle qui m'a fait connaître, entre autres, Joseph Conrad et Henry James. Elle m'a acheté des tubes de gouache et, aux week-ends, nous allions nous asseoir au cimetière St-Phillips, notre cahier de croquis sur les genoux. Pendant qu'elle tapait sa première pièce sur la table de bridge qui était dans sa chambre, j'écrivais ma première nouvelle où il était question d'une jeune fille et d'un cheval. Je lui demandais souvent de m'épeler un mot, et elle me répondait patiemment. Je sais maintenant que ces interventions devaient être horripilantes. Elle lut ma nouvelle et me suggéra de pousser la description de la fille. Je le fis et elle me dit que c'était bien. Quand elle eut terminé sa pièce, elle me donna un petit rôle.

La pièce eut un grand succès. Je me souviens d'une phrase que l'homme qui avait le premier rôle adressait à l'héroïne, qui était la camarade de chambre de Kate à Cornell : « Quand je te vois marcher, tu me fais penser à une panthère. » J'aurais voulu que quelqu'un me dise ça quand je serais grande. Je marchais comme une infirme, les épaules rentrées, les genoux pliés; je faisais tout et n'importe quoi pour paraître moins grande. Un jour, dans Marking Street, tandis que nous passions devant le Vieux Marché aux esclaves où j'avais donné aux « Filles de la Confédération » un article sur le général sudiste Wade Hampton, Kate me donna une tape entre les omoplates : « Tiens-toi droite. Les Blue Bell Girls sont les plus grandes et les plus belles filles du monde. »

Cette période de ma vie où je restai à lire à la maison pour fuir mes « pensées » et où je m'accrochai à Kate se termina aussi vite qu'elle avait commencé. L'été était fini. Les études reprenaient et, de nouveau, je ne rentrais à la maison que pour manger et dormir. Un soir, au moment où j'allais ouvrir la porte pour aller voir une amie, Kate me rappela : « Dis donc, si nous allions nous offrir un ice-cream? » J'étais en retard, mais j'ai dû entendre dans sa voix quelque chose que je connaissais bien : je lui manquais. Nous allâmes dans un drugstore que nous fréquentions beaucoup à l'époque où je ne pouvais pas me passer d'elle. Pendant les années qui suivirent, quand je tombais sur elle, j'évitais son regard; je courais les garçons, j'avais des rendez-vous avec les garçons, je ne parlais que des garçons. Je n'avais plus besoin d'elle. Elle n'a pas prononcé un seul mot de reproche.

La nuit de mon premier grand bal habillé, je fis tapisserie du début jusqu'à la fin. Personne ne m'invita à danser. Quand je rentrai à la maison, Kate m'attendait. Elle avait vu la taille ridicule du garçon qu'on avait chargé de m'accompagner. Elle s'assit sur le bord de mon lit, me caressa les cheveux pendant que je sanglotais et me raconta l'histoire de Lancelot et de Guenièvre. Une fois de plus, la promesse de sa vie, à elle, m'enveloppa comme une chaude couverture. Ce n'était pas seulement ses paroles qui me disaient que ma vie dépasserait mes rêves; c'était sa manière d'être.

Comme tout était simple quand nous avions trois, ou même neuf ou dix ans. Nous désirions surtout « devenir grande comme maman et avoir des enfants ». « Notre société, dit Jessie Bernard, fait plus d'efforts pour viriliser les garçons que pour féminiser les filles. Pour elles, ce n'est pas nécessaire. Toutes les filles vivent avec un modèle féminin. » Mais l'adolescence et l'arrivée de la sexualité modifient nos idées. Nous pouvons encore désirer être maman, mais pas comme s'y prend la nôtre. Notre mère, à nos yeux, n'est pas sexuelle.

Pour la fille qui veut sincèrement reproduire la vie de sa mère, la répétition lui apporte un sentiment de paix et de plénitude. Elle a l'impression que *tout est dans l'ordre*. Sa route est toute tracée à travers l'adolescence jusqu'au mariage qui la suit de près et la grossesse, le tout accompagné des sourires de maman et de l'approbation de la société. La fille qui veut quelque chose de différent a la vie moins belle; elle s'écarte du modèle maternel.

De toute façon, nous répétons presque toutes la vie affective de notre mère. L'idée ne nous plaît peut-être pas, mais c'est un fait. Quand nous sommes jeunes et pleines de sève, nous n'avons pas la moindre intention de renoncer à notre vitalité, à notre fantaisie, à notre esprit d'aventure. Nous ne pouvons pas imaginer que nous puissions être plus tard aussi

203

angoissées, aussi conservatrices que notre mère. Puis, un beau jour, nous nous surprenons en train de dire à notre mari de conduire moins vite, de houspiller nos enfants parce qu'ils n'ont pas encore fait leur chambre, et nous savons que nous avons déjà entendu cette voix-là. Nous pouvons nous forger un moi affectif plus satisfaisant si nous avons la chance de pouvoir compter sur l'aide de personnes qui nous aiment et dont la vie nous offre un modèle que nous pouvons suivre. Des personnes dont le plus grand mérite est, paradoxalement, de ne pas être notre mère.

Quand un vieil ami de notre mère nous raconte combien celle-ci était entreprenante et fascinante avant son mariage, c'est captivant comme un conte de fées. Toute la force de la vérité est là, mais dans un cadre irréel. On ne demande qu'à croire, mais on n'y croit pas vraiment. « Ma mère, m'a dit une femme de quarante-cinq ans, a fini par enlever toutes les glaces de ma chambre parce qu'elle trouvait que je m'y regardais trop. Et pourtant, mon père me dit qu'elle était pleine d'entrain avant leur mariage, qu'elle aimait beaucoup rire et danser. Maintenant, c'est lui qui a le sens de l'humour. Plus il gagnait en vitalité, je crois, plus elle sentait qu'elle devait maintenir un certain équilibre dans la famille. D'une certaine façon, je comprends cela très bien. Moi aussi, j'étais pleine d'entrain... avant de me marier et d'avoir des enfants. »

Au cours des réunions de famille, pendant mon adolescence, j'aimais que mes tantes me racontent des histoires sur ma mère, du temps où elle était jeune fille. Ma mère... avec différents hommes, faisant des conquêtes! Je me penche encore souvent sur les vieilles photos où on la voit parcourir à cheval de dangereux steeple-chases. C'est fantastique de penser qu'elle prenait des risques. Le temps que j'arrive, et elle avait bien changé!

Si elle avait pu me donner l'exemple de son audace, de son indépendance, de sa sexualité, cela aurait-il servi à quelque chose? J'ai connu tant de femmes admirables dont la fille rejetait l'exemple alors que ses amies essayaient de les imiter! Mais l'adolescente cherchera ailleurs, *en dehors* de sa famille immédiate, quelqu'un qui représente un monde différent, plus vaste, simplement parce que sa mère ne s'y trouve pas. Ce que j'ai appris de ma mère, c'est l'autre face de sa nature : son excès de prudence, ses angoisses, ses peurs. J'ai essayé de cacher ces traits derrière ceux, plus audacieux, que j'ai appris des autres. Je sais qu'on me considère en général comme une femme indépendante. Mais je me connais comme la fille de ma mère. La mère est la vie et l'amour personnifiés et c'est à cela que nous nous accrochons; mais pour nous détacher d'elle, il nous faut un modèle de séparation et de sexualité; et elle ne peut pas être pour nous ce modèle.

Si nous la prenons pour telle, c'est la porte ouverte aux problèmes de rivalité. La plupart des femmes médecins ou psychanalystes que j'ai interviewées savent très bien pourquoi leurs filles se sont orientées vers des activités très différentes des leurs. « Ma fille est une musicienne hors pair, une excellente cuisinière, m'a dit une psychiatre. Moi, je n'ai pas d'oreille et la cuisine ne m'intéresse pas du tout. On ne peut vraiment pas dire qu'elle tient de moi. Je comprends très bien qu'elle n'essaie même pas d'explorer les domaines qui me sont familiers. »

Je n'ai même pas prononcé le mot « rivalité » quand je me suis entretenue avec la fille de cette femme. Elle avait quinze ans à l'époque de l'interview, il y a de cela bientôt trois ans. Elle y est venue elle-même, mais pour me dire qu'il n'y avait aucune compétition entre sa mère et elle : « Les gens ne comprennent pas comment ma mère peut mener de front sa vie de famille et sa carrière. Pourquoi resterait-elle à la maison vingt-quatre heures sur vingt-quatre pour s'occuper de moi? On me dit : " Ça doit être difficile de rivaliser avec une mère comme la tienne! " Pourquoi serais-je une rivale jalouse de ma mère? Elle m'a fait comprendre que je pouvais suivre la même voie qu'elle, mais il n'y a pas de compétition. Je ne suis pas du tout attirée par son genre de vie. Elle n'est pas mon modèle. Au fond, je suis très différente d'elle. Par exemple, elle est beaucoup plus compétitive que moi. Je déteste rivaliser avec les autres. J'ai laissé tomber l'orchestre du lycée parce que je n'avais pas envie de me battre avec les autres filles pour m'y faire une place. Tout ce que j'entreprends, je le fais pour mon plaisir, et non pas pour marcher sur la tête des autres. »

Cette jeune fille a rompu tout récemment avec son fiancé quand il s'est opposé à ses projets : elle lui avait dit qu'elle voulait être avocate et continuer de travailler après leur mariage. Elle affirme qu'elle ne veut pas rivaliser avec la vie de sa mère, mais elle repousse l'homme qu'elle aime parce qu'il ne veut pas jouer le rôle de son père. (Celui-ci, en effet, a toujours encouragé sa femme à concilier le foyer et son travail de psychiatre.) Si elle trouve un homme plus conciliant, et si elle donne suite à son intention d'être avocate, sa vie sera parallèle à celle de sa mère. Et pourtant, elle nie qu'il y ait répétition. Ce n'est pas tellement le fait d'être la rivale de sa mère que cette jeune fille veut éviter, mais plutôt le sentiment que, pour viser aussi haut que sa mère, elle devra accepter une sorte de compétition psychique. Elle ne veut ni « battre » sa mère, ni être « battue » par elle. Dans n'importe quel affrontement, sa mère a tous les atouts en main, dès le début.

« Il est plus facile à la fille de se séparer d'une mère " moyenne ", dit le Dr Robertiello, si elle peut s'allier à quelqu'un d'autre, une personne qui la touche de près, comme sa grand-mère, ou son père. Pour qu'elle puisse se séparer, il faut qu'elle sente que cette personne connaît bien la route à suivre, qu'elle est plus forte, plus sage, plus indépendante qu'elle. » Ces alliés nous procurent, en marge de la mère, une source de puissance et d'énergie. Il n'est pas nécessaire qu'ils nous soutiennent physiquement, mais, dans un sens, ils agissent psychologiquement *in loco parentis*. Le vocabulaire technique leur attribue plusieurs noms; parmi les moins maladroits, on peut citer : « figures d'identification » ou « modèle de rôle ». Ils représentent pour nous un idéal sur le chemin de l'âge adulte.

L'enfance est marquée par la dépendance; la tutelle maternelle suppose que nous sommes « agies » : on nous endoctrine, on nous dit de faire ceci ou cela, de porter tel vêtement, de finir nos épinards. Les « modèles de rôle », eux, nous font accéder aux concepts du libre choix et de la libre activité. Ils voient en nous des filles « plus grandes » que nous ne le sommes pour notre mère; ils nous prouvent qu'il existe au monde des personnes autonomes, qui sont capables de se décider par elles-mêmes, d'agir et de réussir, de prendre à leur compte ce que leur vie a de meilleur et de pire. Il est évidemment possible de traverser l'enfance sans figures d'identification, mais nous en avons un besoin pressant pendant l'adolescence. Il s'agit d'une période turbulente où tous les problèmes qui n'ont pas été résolus pendant nos trois ou cinq premières années reviennent en force. La vie nous offre ici une seconde chance; mais, sans aide, sans de nouvelles images d'identification, sans l'espoir que nous apporte un allié, l'adolescence ne peut pas se passer mieux que la première période de notre vie. Nous abdiquons. Nous restons attachées.

« Les substituts de la mère? Bien sûr! m'a dit le Dr Sanger. La mère est si absolue! Elle sait très bien ce qu'elle veut faire de sa fille. " Je veux que tu sois comme ceci, comme cela... comme moi! " Si la fille a pour modèle une tante, une amie plus âgée qu'elle, un professeur, une femme exceptionnelle comme Eleanor Roosevelt par exemple, c'est merveilleux. Il en va de même si elle connaît des hommes qui aiment les femmes indépendantes. L'influence ne doit pas forcément être directe. Elle peut être indirecte et néanmoins très bénéfique. »

« Je ne vois pas quelle femme je pourrais admirer, à qui je voudrais ressembler, m'a dit une adolescente de quatorze ans dont la mère est l'une des femmes les plus remarquables que je connaisse. A part une de mes amies, qui a dix-sept ans. Elle est bourrée de vie. Je la trouve merveilleuse. Elle a des opinions bien à elle, ce qui ne l'empêche pas d'écouter les autres. Mais elle ne se laisse jamais entraîner contre sa volonté. » Deux jours plus tard, cette même jeune fille me téléphonait de très loin : « J'ai oublié de vous parler d'une autre femme, qui est un peu mon héroïne... Katharine Hepburn. »

Katharine Hepburn! Elle était également un de mes modèles. Célibataire, sans enfant, la poitrine plate... l'antithèse de ce que la mère et la société voudraient que nous soyons. Et pourtant, ma mère l'adore et les hommes, eux aussi, semblent sentir en elle quelque chose de noble, de courageux. Dans ses films, elle dépasse de beaucoup le style, l'allure et toutes les péripéties que le scénariste a prévus pour elle; nous sommes toutes conquises par sa force de caractère, son esprit d'indépendance, sa ténacité, et sa volonté de rester elle-même. Elle est l'image idéale d'une personne séparée.

Notre modèle peut être une femme que nous n'avons vue qu'un jour, ou même l'espace d'une soirée. Il peut être l'ombre fugitive d'où est née une idée que nous développerons plus tard, pour la recréer à notre façon et nous efforcer de l'imiter. « Je me souviens d'une universitaire qui est venue nous donner une conférence, à notre lycée, quand j'avais quinze ans, m'a dit une femme de trente-quatre ans qui dirige sa propre société de design industriel, et qui est mère de deux filles. Elle nous a projeté des diapositives, et je me rappelle qu'elle nous a fait un petit topo sur le sculpteur George Barnard. Je ne sais rien d'elle, sinon qu'elle préparait une agrégation et qu'elle cherchait sans doute à se faire connaître. Elle était jeune, jolie, très calme, très intelligente, tout à fait à l'opposé des " mémères " comme il faut de la petite ville où j'ai passé ma jeunesse. Pour moi, elle était comme une envoyée du ciel. Je me suis accrochée à elle. Je ne me souviens pas de ce qu'elle nous a dit, mais elle appartenait certainement à un autre monde... Et j'étais bien décidée à passer de son côté! »

Nous avons moins besoin d'une relation suivie avec cette personne que d'une image qui restera toujours présente à nos yeux. Il n'est même pas indispensable qu'elle soit encore vivante. Une femme dont nous avons lu la biographie quand nous étions petites, ou telle autre, apparue fugitivement sur l'écran de télévision, peuvent enflammer notre imagination et donner un but à notre vie, un fil conducteur, quand nous avons bouclé nos bagages affectifs et que nous ne savons où aller, ni sous quelle identité voyager. « Les psychanalystes, dit le Dr Robertiello, ont coutume de dire que la personnalité de l'enfant est formée dès qu'il atteint sa septième année. Mais quelques-uns commencent à s'éloigner de cette notion dogmatique. Personnellement, j'ai fortement l'impression qu'une personne rencontrée à douze ou quatorze ans peut apporter à votre vie des changements énormes; une personne avec laquelle on s'identifie à ces âges-là peut avoir une influence déterminante. Il suffit, par exemple, de penser au nombre de vies qui ont été changées par la rencontre d'un élève et d'un certain professeur.

« La plupart des psychanalystes — et je me sens coupable, moi aussi — se concentrent sur l'idée de la mère, en tant que personnage central; mais il nous arrive souvent, en cours d'analyse, de découvrir une personne oubliée et de constater qu'elle a joué un rôle essentiel dans l'évolution de nos patientes. L'influence de la mère et du père peut être infime comparée, par exemple, à celle de la nurse. Même au-delà de l'enfance, ce qui a été acquis par les bonnes et les mauvaises expériences peut être considérablement modifié par des modèles d'identification. »

Il nous arrive souvent de ne pas savoir ce que nous voulons. Nous avons des facultés, des talents, la possibilité d'aller loin, mais tant que quelqu'un ne nous a pas *vues,* n'a pas reconnu notre moi secret, nous restons timorées, inexplorées, incapables de poursuivre notre chemin. « Quand je suis entrée au lycée, m'a dit une femme de vingt-cinq ans, je croyais que, dès le troisième jour, tout le monde allait percer ce qui se cachait derrière mon air décontracté. On allait me dire : " J'ignore comment vous avez bien pu arriver ici... mais si vous voulez rester, vous avez intérêt à faire fonctionner sérieusement votre matière grise! " J'avais l'impression de tromper tout le monde. J'avais quinze ans quand, enfin, j'ai connu ce professeur d'anglais... Un jour, elle m'a donné la plus mauvaise note de ma vie. Je suis allée la voir : " Miss Jane, votre classe est la seule du lycée où j'ai vraiment travaillé. Pourquoi m'avez-vous donné cette mauvaise note? " Elle a eu un sourire diabolique : " Parce que vous vous contentez d'un travail moyen. Si vous faisiez des efforts, vous pourriez avoir le maximum. J'ai voulu vous secouer. " Elle m'avait eue! J'étais son esclave. Quelqu'un, enfin, voyait clair en moi, quelqu'un m'avait *vue.* Je n'ai jamais oublié miss Jane. »

L'exemple de ce qu'il ne faut pas être peut marquer d'une façon tout aussi décisive notre développement. Bien des femmes choisissent un style de vie diamétralement opposé à celui de leur mère. « Je ne pense pas ևu on doive nécessairement aimer ses modèles, dit la sociologue Cynthia Fuchs Epstein. Certains garçons essayent d'imiter leur père, alors qu'ils le méprisent. Les chercheurs n'ont pas assez tenu compte de ce genre de processus. Il est certain que l'influence des modèles de rôle peut être très subtile et passer inaperçue. » Certaines femmes, quand elles étaient petites, ont pu ne pas apprécier le fait que leur mère allait tous les jours au bureau ou préparait son doctorat. Elles peuvent lui en vouloir pendant très longtemps de ne pas l'avoir trouvée à la maison quand elles rentraient de l'école. Plus tard, quand ces mêmes filles se livreront à un travail intéressant et mèneront parfaitement leur barque, où donc pensez-vous qu'elles en auront pris l'idée?

Ce sont certainement les parents très sévères ou puritains qui constituent les modèles négatifs le plus souvent réprouvés pendant l'enfance. En général, la fille s'insurge ouvertement contre les répressions qui lui sont imposées par ses parents, tout en intégrant les valeurs de ces derniers. Autrement dit, elle désobéit aux règles et, en même temps, elle sent qu'en agissant ainsi, elle est une renégate, une mauvaise fille. « Le modèle d'identification le plus important, affirme le Dr Betty Thompson, est la personne qui peut soulager l'enfant de ce sentiment de culpabilité, autrement dit, du surmoi de la mère intégré par l'enfant. Ce nouveau modèle peut permettre à la fille de se faire une nouvelle opinion d'elle-même. Elle peut se rendre compte qu'il n'y a pas au monde qu'un seul type de modèle et qu'elle peut choisir. Si une personne que vous admirez vous fait comprendre qu'elle est capable de vous aimer malgré vos défauts, c'est très réconfortant, très apaisant. L'adolescente a d'ordinaire autour d'elle un grand nombre d'êtres avec lesquels elle peut s'identifier et qui sont susceptibles de remplir auprès d'elle de multiples fonctions. L'enfant saine tendra à choisir dans son environnement le modèle le mieux adapté à ses besoins. » Si une adolescente, dont la mère s'oppose à ce qu'elle parte, trouve un modèle fort — une enseignante, par exemple, ou une tante —, cette personne peut lui faire comprendre la raison pour laquelle sa mère freine son évolution. « Vous pouvez alors découvrir quels sont vos droits en tant qu'être humain, dit encore le Dr Thompson; des droits que vous avez eu peur d'exercer, jusqu'au moment où vous avez pu prendre modèle sur une personne pour qui ces droits sont aussi naturels que l'air qu'elle respire. »

Avant d'être psychothérapeute, Leah Schaeffer était chanteuse de jazz. « Je pense que ce sont les films que j'ai vus pendant mon adolescence qui m'ont donné l'idée de cette carrière. Le cinéma était toute ma vie. Je me souviens d'avoir été très malheureuse pendant mon adolescence. J'avais l'impression que les garçons ne m'aimaient pas et que ma mère ne comprenait pas ce que je ressentais. Jusqu'alors, nous avions toujours été très proches l'une de l'autre. Maintenant, je me sentais coupée d'elle. Mais je voulais être sexy, fascinante, porter des vêtements fabuleux et voir tous les garçons se traîner à mes pieds. Je n'ai rien eu de tout cela. Personne ne m'a aidée à en avoir ne serait-ce qu'une partie. Si bien que je me sentais terriblement seule... à part tous ces gens merveilleux que je voyais dans les films. J'ai quitté l'université pour chanter. Quand j'avais du succès, ma mère était contente. Quand je n'avais pas d'engagements elle ne voulait plus entendre parler de moi. Quand je faisais ce qu'elle aurait elle-même aimé faire — triompher en quelque chose —, elle était la personne la plus serviable du monde. Quand j'ai décidé de retourner à l'université pour devenir psychothérapeute, cela lui a plu : " Ma fille, le Dr Schaefer... "

« Quand elle me reniait, j'étais en colère, déprimée. Mais je sais maintenant qu'elle était aussi injuste avec elle-même qu'avec moi. Elle me traitait exactement comme elle s'était traitée. J'ai compris que ce n'était pas moi, Leah, qu'elle reniait. Ce qui lui déplaisait, c'était de voir en moi quelque chose d'elle qu'elle n'aimait pas. J'étais son prolongement narcissique. Quand je ne gagnais pas, elle se voyait perdante.

MA MÈRE, MON MIROIR

« De mon côté, je sentais que si ma mère ne me donnait pas ce que je désirais — son approbation et son amour —, c'était parce qu'il devait y avoir en moi quelque chose qui allait de travers. Je vivais une vie très différente de la sienne, mais j'étais encore reliée affectivement à elle. Les enfants supposent que si leurs parents omniscients, omnipotents ne leur donnent pas ce qu'ils veulent, c'est qu'il y a en eux, les enfants, quelque chose d'anormal. Dès le début, ma mère m'avait fait croire qu'elle détenait d'immenses pouvoirs. Elle savait tout. Elle pouvait tout faire. Ma vie de chanteuse elle-même — à l'extrême opposé de sa vie à elle — ne parvenait pas à me convaincre que je pouvais vivre selon ma propre identité. Ces images avec lesquelles j'avais grandi, tous ces personnages triomphants et séduisants de mes films avaient eu assez de force, assez de magnétisme pour m'aider à fuir la maison, mais ils ne pouvaient rien contre cette force encore plus puissante qui me contraignait à rester attachée à ma mère. A partir du moment où j'ai cessé d'exiger d'elle qu'elle soit une mère parfaite, le genre de mère que je désirais, nous nous sommes très bien entendues. Mais j'avais quarante-deux ans quand j'ai pu avoir cette optique. »

Jusqu'à une époque récente, les jeunes filles, pendant leur adolescence, n'avaient qu'un choix limité de modèles : il y avait si peu de domaines où les femmes, par la nature de leur travail, pouvaient s'affirmer, que les maîtresses d'école et les monitrices de camps de vacances apparaissaient régulièrement, comme de vieux amis de la famille. Aujourd'hui, mon éditrice, la femme qui est mon agent littéraire et toutes ces femmes admirables que nous pouvons connaître vous et moi, ne serait-ce que par la télévision, sont autant de modèles possibles. La pédiatre Virginia E. Pomeranz m'a dit qu'un grand nombre de ses clientes « désirent vivement que leurs filles ne consultent que des pédiatres et des gynécologues du sexe féminin pour qu'elles puissent être en contact avec de bons modèles, des femmes qui réussissent leur vie d'épouse et de professionnelle ». Et le Dr Pomeranz d'ajouter en souriant : « Pour la même raison, elles viennent à ma consultation avec leurs fils... »

Il y a pourtant beaucoup de chances pour que l'adolescente ait des relations suivies et efficaces avec des modèles sûrs et éprouvés qu'elle aura à portée de la main : le professeur d'éducation physique personnifie l'idée d'agressivité, dans le meilleur sens du terme, c'est-à-dire une agressivité bien accordée à la personnalité; jouer au tennis avec un beau style, marquer des points avec adresse au basket, ce sont des activités qui renforcent l'affirmation de soi. Les professeurs d'art dramatique sont séduisants parce qu'ils dirigent leurs élèves. En fait, toute personne qui vous prend en charge est susceptible de vous aider. Ces personnes vous apprennent à avoir de la suite dans les idées; elles vous orientent, tout en vous permettant d'adapter au nouveau rôle vos propres talents. Comme elles n'agissent pas à votre place, elles vous aident à devenir autonomes. L'idéal est que votre héroïne vous rende votre affection et votre estime ; mais, contrairement à ce qui se passait avec votre mère, vous n'avez pas constamment besoin d'elle. Elle est là quand il le faut, mais elle ne crie pas à la trahison si vous vous éloignez d'elle. Elle mène à sa guise sa propre vie et vous permet d'avoir la vôtre.

« J'ai toujours eu mes rêves préférés, m'a dit une fille de dix-sept ans qui venait d'entrer dans une petite université mixte du Middle West. Je voulais commencer des études de médecine, mais j'ai eu de telles scènes à la maison que j'ai laissé tomber l'idée. C'est alors que j'ai connu ici la doyenne des étudiantes. Je l'admirais parce que je la sentais très libérée et parce qu'elle était persuadée que toutes les portes, aujourd'hui, sont ouvertes aux femmes. Je sais maintenant que je ne serai certainement pas comme la plupart des filles du campus qui ne pensent qu'à jeter le grappin sur un garçon bien musclé. Je trouve déprimant qu'elles soient si nombreuses à n'être venues ici que pour se trouver un mari. L'attitude des garçons y est certainement pour beaucoup ; mais si je n'avais pas connu cette femme, je ne sais pas où j'en serais. A force de l'observer, de voir ce qu'elle a réalisé, je sais que je peux faire la même chose. Elle est épanouie, parfaitement accomplie. Elle n'est pas mariée, mais elle est heureuse de la vie qu'elle mène. »

Faute de trouver des modèles qui nous aideraient à coup sûr à nous séparer et à être vraiment nous-mêmes, nous pouvons finir par nous décourager et revenir à notre point de départ. Le retour à la mère, à ce stade du développement, est un échec lourd de conséquences. Il sape notre assurance et nous empêche de tenter un nouvel essai. Les adolescentes qui sont dans ce cas traîneront toute leur vie un sentiment de résignation et ne feront jamais d'efforts en quoi que ce soit. Elles seront ces éternelles victimes qui entretiennent régulièrement des relations masochistes avec des hommes dominateurs et égoïstes qu'elles sont incapables de quitter. Les modèles d'autonomie qu'elles ont pu rencontrer pendant leurs années de formation n'ont laissé en elles aucune trace. Chaque fois qu'elles entraient en contact avec une personne qui aurait pu les aider à affirmer leur identité, leur besoin de sécurité les ramenaient à l'être qui, initialement, ne voulait pas les laisser partir. Un beau jour, elles se réveillent, très étonnées, dans une situation qu'elles ne désiraient pas et sans savoir pourquoi elles en sont venues là. Dans leur vie — surtout si elles sont mères à leur tour —, elles sont prisonnières d'un modèle de comportement qui ne leur est que trop familier.

Je ne dis pas que les femmes feraient mieux de ne pas se marier, ni que le fait de ressembler à sa mère soit fondamentalement un échec. Ce qui compte, c'est que notre vie soit la conséquence d'un choix délibéré. Si, après avoir conquis votre indépendance, vous décidez librement de suivre l'exemple de votre mère, et si ce choix ne vient pas d'un sentiment de peur, de devoir ou de passivité, vous avez remporté une victoire. Vous avez opté pour un style de vie où vous pouvez vous affirmer, tout aussi valable que n'importe quel autre.

Il est ici question d'un autre type de femme, de celle qui n'avait pas envie d'imiter la vie de sa mère et qui, pourtant, se contente de la reproduire. Des alternatives ont pu se présenter, ont pu être essayées, mais elles comportaient toujours trop de risques. Elles ont pu être passionnantes pendant un mois ou deux, ou pendant quelques années, après la fin des études, mais elles ne pouvaient pas se prolonger à longueur de vie. Les jeunes femmes de ce type se sont peut-être éloignées physiquement de la maison maternelle, ont pu vivre des expériences sexuelles, ont pu jouer avec l'amour, le travail, les hommes, mais elles ne se sont jamais engagées à fond. « J'ai toujours pensé, m'a dit une jeune femme, que j'avais un côté pensionnaire, représentant ma mère, qui était vieux jeu, et un côté hippy, représentant les gens que j'ai fréquentés pendant les années qui ont suivi mon départ du foyer familial. Au fond, je ne suis vraiment ni l'un ni l'autre. J'ai souvent l'impression d'aller à la dérive. » S'appeler « Sally Smith » ne veut pas dire grand-chose : Sally a toujours été la fille de Mme Smith. Mais s'appeler « Mme Jones », ça, c'est avoir une identité!

Vraiment?

En toute justice, il faut dire que l'opinion que nous avons de notre mère fait qu'il lui est quasiment impossible, par l'exemple de sa vie, de nous aider à nous séparer. La femme indépendante, à nos yeux, est celle qui entretient avec la vie, le travail, et les hommes, des relations tout à fait différentes de celles que nous étions disposées à observer chez notre mère. Si cette dernière a une vie en dehors de nous, cette vie ne nous plaît pas; nous ne l'approuvons pas. *Elle est notre mère!* Elle devrait être là, pieds et mains liés, à nous attendre quand nous rentrons de l'école ou quand nous venons de nous disputer avec nos amis. Nous avons le privilège de pouvoir la quitter, mais elle n'a pas le droit de nous abandonner. Presque toutes les filles que j'ai interviewées et dont la mère avait une activité en dehors du foyer se plaignent d'avoir été délaissées. Je me sens moi-même coupable : j'ai dit plus haut combien j'aimais les photos prises avant ma naissance, où ma mère apparaît en amazone intrépide... mais je me souviens aussi, avec une émotion plus intense, de ma réprobation silencieuse quand elle s'absentait le soir — ce qui lui arrivait souvent —, ou quand j'observais qu'elle était plus jeune que les mères de mes amies, qu'elle ne mettait jamais de tablier et qu'elle n'avait pas un seul cheveu gris.

Nous voulons que notre mère soit « pot-au-feu », qu'elle soit « comme toutes les autres mères ». Et avec l'injustice qui caractérise les enfants, une fois que nous l'avons enfermée dans ce stéréotype, nous la rejetons parce que nous ne lui trouvons rien d'excitant, et nous nous lançons à la recherche d'un autre modèle... quelqu'un de différent qui nous dira comment nous devons nous y prendre pour quitter la maison, qui nous tendra un bras secourable, tandis que nous essayons tant bien que mal de choisir entre nos nouvelles identités chancelantes.

Ce qui rend si dramatique la relation mère-fille, c'est son étonnante réciprocité. Ce que fait l'une atteint inévitablement l'autre. « Malgré toute mon expérience professionnelle, m'a dit le Dr Schaefer, je ne peux pas m'empêcher de me sentir repoussée, abandonnée par ma fille depuis qu'elle est entrée dans l'adolescence. Katie aimait nous suivre partout, Thomas et moi, que ce soit au théâtre ou chez nos amis. Sa compagnie était très agréable, et nous aimions l'inclure dans notre petit univers. Brusquement, elle n'a plus eu envie de nous accompagner. Elle n'arrêtait pas de recevoir des coups de téléphone et elle réservait tout son temps à ses amies. Quand l'une d'elles venait la voir, elle grimpait immédiatement dans la chambre de Katie, elles bouclaient la porte et tout était réglé. Évidemment, j'étais heureuse de la voir grandir, mais il me fallait une bonne dose d'objectivité et j'avais besoin de toutes les bonnes paroles de Thomas qui me répétait qu'elle traversait une crise et qu'en réalité elle ne m'avait pas rejetée. Tout au fond de moi, j'éprouvais un besoin de représailles; j'avais envie d'être sévère pour le téléphone, de réglementer strictement les heures où elle pouvait voir ses amies. Quand on a vécu très près de sa fille, il est très difficile d'accepter qu'elle attend des autres ce qu'elle obtenait presque exclusivement de nous. »

Ici se pose une question de morale très importante. Si la mère a pour devoir de nous laisser partir, la responsabilité de notre départ n'appartient qu'à nous. Je suis d'accord avec Mio Fredland : « La mère, avec tout son amour, devrait être la meilleure des conseillères. » Mais la maturité de la jeune fille commence à partir du moment où elle sait la part de ses nouvelles expériences qu'elle doit confier à sa mère et la part qu'elle doit garder pour elle. Si nous lui disons tout, c'est-à-dire beaucoup plus que ce qu'elle voudrait savoir, c'est le signe certain que nos efforts vers l'indépendance ne sont pas sérieux. Nous agissons comme la femme adultère qui déballe ses péchés sur le lit conjugal pour implorer une absolution puérile.

« Toutes mes amies communiquent avec leur mère beaucoup mieux que je ne le fais, m'a dit une jeune fille de quinze ans. J'ai envie de confier à la mienne un tas de choses, mais je suis sûre qu'elle ne comprendrait pas. Elle pense que je ne suis pas assez mûre ni assez responsable pour me débrouiller toute seule. Elle ne croirait pas la moitié de ce que je fais et pense. » Si la mère doit faire appel à une générosité surhumaine pour encourager sa fille adolescente à s'éloigner de la maison, il serait juste que la fille ait des obligations en proportion. « La mère, dit Mio Fredland, n'attend en général pas grand-chose en retour. Dans leurs relations, elle pense surtout au bien de sa fille; mais celle-ci se soucie toujours plus d'elle-même que de sa mère. »

Fort bien. Mais, le plus souvent, quand la fille se plaint : « Je voudrais tant pouvoir parler avec ma mère », cela signifie en réalité : « Je voudrais tant qu'elle m'approuve si je lui disais que je fume de la marihuana ou que je bois dans les bars! » L'une des lois les plus dures de la croissance veut que les adolescentes se lancent dans de dangereuses explorations de la vie. C'est peut-être nécessaire, et, personnellement, je suis persuadée que ça l'est. L'un des plus grands crimes que les parents d'une adolescente puissent commettre est de paralyser leur petite chérie, de l'envelopper dans du coton pour qu'elle ne coure pas une seconde le risque d'être malheureuse. On ne cherche pas assez à faire comprendre aux jeunes filles qu'elles ne peuvent pas jouer sur les deux tableaux : elles veulent imiter les gens passionnants et peut-être dangereux qu'elles rencontrent, mais elles entendent le faire avec l'approbation totale de leur mère. Cette façon d'ouvrir le parapluie conduit au sentiment que toutes les conséquences négatives de nos actes peuvent être effacées par nos parents. Cette déformation de la réalité retarde la maturité et prolonge la symbiose.

De même que nous comprenons la femme du coureur automobile qui refuse d'aller sur la piste quand son mari exerce son dangereux métier, de même, pendant notre adolescence, nous devrions comprendre que notre mère préférerait ne pas savoir que nous couchons avec un homme de vingt-cinq ans, et que nous ne devrions pas lui demander de nous approuver. Si nous ne sommes pas assez grandes pour prendre nos responsabilités, mieux vaut nous abstenir.

Le plus étonnant, ce n'est pas tellement que tant de femmes ratent leur vie, mais qu'elles soient si nombreuses à la réussir; que nous ne soyons pas comme des enfants étouffés, à la dérive que nous ne soyons pas toutes des pygmées sexuels. Quand on y pense, comment faisons-nous pour sortir de tous ces interdits? L'ensemble des occasions de conflits mère-fille que nous avons appris à éviter — notre corps, nos colères, la masturbation, l'agressivité, la sexualité, la rivalité —, tout cela peut être interprété comme un programme de retard mental. Et pourtant, nous voilà toutes, moi écrivant ce livre, vous-mêmes élevant vos enfants, réussissant dans votre travail... Il est certain que les femmes, en majorité, parviennent à se faire une vie assez agréable. Un coup de téléphone anonyme en pleine nuit peut nous terroriser, de même que l'inconnu, dans la rue, qui nous murmure à l'oreille des obscénités, mais nous ne nous décourageons pas pour autant. Nous repartons du bon pied.

D'où nous vient tout ce courage?

« C'est quelque chose que personnellement je ne comprends pas, m'a dit la sociologue Pauline Bart. Les théoriciens prétendent que l'enfant qui a été privé d'expériences heureuses ne peut pas, plus tard, avoir une vie sexuelle satisfaisante. J'ai connu dans mon enfance les pires expériences : les doubles messages de ma mère (qui sont à mon avis plus nocifs qu'une absence totale de messages) et, pendant mon adolescence, un père qui m'accablait d'insultes, puis un mariage précoce qui fut un échec lamentable. Et pourtant, voilà où j'en suis! »

Pourquoi, en effet, Pauline Bart est-elle l'une des femmes les plus vivantes, les plus dynamiques que je connaisse, alors que tant d'autres, qui semblent avoir eu dans leur enfance un meilleur départ psychologique, me frappent par leur apathie, leur timidité, leur caractère renfermé? Il ne faut pas oublier notre héritage génétique, qui n'a rien de démocratique...

Parmi mes amies, les plus intéressantes ont eu des parents difficiles et une adolescence orageuse. Quand on essaye d'expliquer le paradoxe du dépassement — c'est-à-dire que nous soyons si nombreuses à partir à la recherche, contre vents et marées, d'un monde élargi —, il ne faut pas négliger le tempérament fondamental, ni les autres mystères de la personnalité. Alors que je pense que les modèles de rôle peuvent expliquer beaucoup de choses, je trouve qu'il est passionnant de se demander pourquoi nous choisissons telle personne pour nous aider à devenir adulte, à l'exclusion de telles autres qui, aux yeux des spectateurs, pourraient sembler plus séduisantes. Au cours de mes recherches, par exemple, j'ai constaté que des femmes comme Gloria Steinem ou Jane Fonda ne frappent pas l'imagination de la plupart des femmes. Nous pouvons les admirer, mais je n'ai jamais entendu dire à une femme qu'elle voudrait leur ressembler. Elles sont des révolutionnaires; nous sommes encore les filles de notre maman. Nous pouvons approuver et respecter les normes de vie que nous proposent ces femmes extrémistes, mais à un niveau plus profond, celui qui gouverne notre vie, nous n'avons pas encore intériorisé ni assimilé ces valeurs : elles nous gênent parce qu'elles nous semblent antimasculines, ou « non féminines ». Il faudra encore une ou deux générations pour que les femmes commencent à faire la différence entre une sorte de colère antipaternaliste généralisée, dirigée contre la société en général, et leurs révoltes personnelles. En attendant, les Jane Fonda et les Gloria Steinem sont des modèles d'indépendance et d'affirmation de soi qui ne réussissent pas à nous convaincre totalement. A quatorze ans, nous recherchons une image du sexe que nous pouvons accepter, ce qui n'est pas le cas de la star froide et consciente, ni de l'absence de sexualité que nous proposent les féministes séparatistes.

Notre modèle d'auto-individualisation n'est pas forcément notre modèle sexuel. Dans une société qui dénigre toute sexualité féminine franche et libre, nous pouvons nous estimer heureuses de trouver une seule femme sexuellement bien définie. Il ne faut donc pas s'étonner que nous recherchions si souvent comme modèles sexuels des filles « dévergondées » de notre âge. Leur vitalité est irrésistible. Étant « dévergondées », elles représentent ce que nous désirons tant réaliser; notre séparation. Même si nous ne sommes pas encore prêtes à « aller jusqu'au bout », nous avons besoin de savoir qu'il existe des filles qui n'hésitent pas à le faire. Elles sont notre avenir.

Au cours de mon enquête, j'ai connu une femme dont le comportement était nettement dénué de sensualité et même de sexualité; elle avait une fille de vingt et un ans dont l'aura exprimait exactement le contraire. J'ai eu un entretien avec cette dernière et je lui ai demandé quand, pour la première fois, elle s'était rendu compte qu'il existait des femmes dont les idées sexuelles étaient différentes de celles de sa mère. « J'avais quatorze ans, m'a-t-elle dit, quand j'ai connu une fille vraiment très belle dans la petite ville où je passais mes vacances. Tout ce que je possédais et qu'elle n'avait pas — l'intelligence, de bons parents — me semblait sans importance par comparaison avec son hâle, son corps splendide et son succès auprès des garçons. Elle avait conclu un pacte avec son boy-friend : s'il s'arrêtait de fumer, elle se soumettrait à un de ses caprices : elle ne porterait plus de soutien-gorge. Jamais je n'aurais pensé qu'on pût faire un pari aussi osé avec un garçon. Cette fille me fascinait, et, en même temps, me dégoûtait un peu, mais je ne l'ai jamais oubliée. »

Les garçons, pendant leur adolescence, trouvent plus facilement que nous des modèles sexuels. Sans voir dans leur père un Don Juan, ils remarquent qu'il réagit aux femmes, qu'il se retourne dans la rue sur une jolie fille et que la sexualité tient une certaine place dans ses conversations. Tout cela peut nous paraître déplaisant, entaché de mauvais goût, mais, du moins, les garçons peuvent penser qu'il n'y a rien de mal à être sexuel. Mais avez-vous jamais entendu une mère dire à sa fille que tel homme est beau à vous couper le souffle et qu'il a beaucoup de sex-appeal? Bien sûr, nous parlons de ses mains, de ses yeux, de la coupe de ses vêtements, mais l'allure séduisante de ses hanches, de ses épaules? Comment une mère réagit-elle en entendant une histoire grivoise? Il ne faut pas s'étonner que les femmes n'aient pas d'arrière-plan, de modèle de rôle pour réagir aux films érotiques. Pour nous, la camaraderie sexuelle n'existe pas.

Je me rappelle combien j'ai été sidérée, la première fois que je suis allée à la plage, en constatant que personne ne parlait de ces renflements fascinants qui gonflaient les slips des hommes. J'étais là, avec ma petite pelle, contemplant mon premier homme en slip de latex, et j'apprenais le grand silence des femmes.

Les hommes, aujourd'hui, commencent à s'habiller de façon à attirer sur eux l'attention des femmes. Cela est dû en partie au fait qu'ils se rendent compte qu'elles réagissent moins qu'avant au rôle masculin indifférencié. Si la majorité des femmes, aujourd'hui, continuaient de penser avec modestie que « tout ce qui porte pantalon est bon », le traditionnel complet de flanelle grise suffirait, comme par le passé, à les séduire. Comme les femmes prennent de plus en plus conscience de leur valeur et que, par conséquent, elles ont une plus grande latitude de choix, les hommes rivalisent entre eux pour attirer leurs regards.

Les femmes ne sont sans doute pas près de s'exciter devant un poster représentant un homme nu. Les psychologues prétendent que notre sexualité est moins « visuelle » que celle des hommes. Ils sous-entendent qu'il s'agit d'une réalité biologique : nous sommes nées « non voyeuses ». Je suis personnellement persuadée qu'il s'agit pour nous d'un comportement appris. Le jour où on permettra aux filles de commencer leur vie sans préjugés sexuels, nous saurons enfin si leurs yeux sont capables ou non de les exciter. Nous saurons aussi *ce qui* nous excite ; et au lieu de conformer nos désirs à l'idée que les hommes s'en font, nous créerons notre propre imagerie érotique. En attendant, les jeunes filles actuelles continuent de se tourner vers Hollywood pour avoir une image de la sexualité.

Les films ont du moins le mérite de combler un vide pénible. Au pire, ils nous donnent de la femme et du sexe une idée si outrageusement romanesque que lorsque nous passons à la réalité, nous nous demandons pourquoi ce n'est pas la même chose que quand Robert Redford serre Ann-Margret dans ses bras. Nous mélangeons sexe et romance parce que nous ne voyons jamais la femme sexuelle avec des yeux de femme. Voici ce qu'en dit la critique de films Molly Haskell : « Nous devons nous contenter des fantasmes masculins : la femme ne peut être que vierge ou putain. On nous proposait la pure jeune fille qui pouvait être notre voisine. Debbie Reynolds, Doris Day, Grace Kelly. Vers la fin des années 60, on a essayé de nous montrer des femmes sexuelles : Carrie Snodgress, dans *Diary of a Mad Housewife,* et Jane Fonda dans *Klute.* Mais ces femmes n'étaient pas source d'énergie et d'imagination pour les autres femmes. Il émanait d'elles une sorte de sentiment exacerbé, usé. » Nous ne voulions pas leur ressembler.

Les remarques générales de Molly Haskell prennent un sens personnel émouvant dans un entretien que j'ai eu avec une femme de trente ans : « J'allais au cinéma trois fois par semaine, m'a-t-elle dit. Pendant ma jeunesse, je n'avais aucune activité sexuelle; je ne me masturbais jamais, je n'avais aucun jeu sexuel avec les jeunes de mon âge; mais, à partir de ce que je voyais dans les films, j'avais une quantité effrayante de fantasmes. Les scènes d'amour me faisaient éprouver des sensations sexuelles que je ne pouvais même pas identifier. Personne ne m'avait jamais parlé de mon corps. Pour moi, mes béguins et mon goût pour les films étaient des caprices romanesques communs à toutes les adolescentes. Je ne me doutais pas que je réagissais aux personnages des films non pas de façon romanesque, mais sexuellement. J'étais incapable de donner un nom à mes sensations; comme je ne m'étais jamais caressée, comme je ne m'étais pas même regardée — on m'avait en fait dissuadée de porter mes yeux sur cette région de mon corps —, j'ai été pendant presque toute ma vie terriblement curieuse de tout ce qui était sexuel et romanesque; et en même temps tout cela me troublait. Je n'ai pas voulu me marier. J'avais peur que le fait de vivre jour et nuit avec quelqu'un fasse disparaître le " mystère ". Il me verrait telle que j'étais réellement, et non pas comme cette reine du sexe que j'avais fabriquée d'après ce que j'avais vu sur l'écran. »

Étant placées entre le grand NON que notre mère oppose à tout ce qui est sexuel, et la fausse sexualité qui nous est présentée par la société de consommation où nous vivons, il n'est pas étonnant que l'une des tâches les plus difficiles de notre adolescence soit d'élaborer cette essence même du moi que les psychiatres appellent l' « identité de genre ». Il s'agit d'une notion très intéressante.

L'identité de genre est la façon dont nous nous concevons en tant qu'être masculin ou féminin, subjectivement et non pas anatomiquement. Chacun peut jauger sa vie selon le degré de certitude avec laquelle il ressent cette identité. Jusqu'à une époque récente, le sentiment qu'avait la femme de sa féminité était sans importance. Son identité anatomique lui disait bien qu'elle était du genre féminin, mais elle était censée posséder une structure rigide de personnalité et de traits de caractère qui correspondait exactement à ce que les autres attendaient d'elle. Aujourd'hui, nous commençons à comprendre qu'en définissant certains modèles de sentiment et de comportement comme strictement *masculins* ou *féminins,* on enferme les deux sexes dans une camisole de force.

Quand, à quinze ans, j'ai lu *Le Rouge et le Noir,* je me suis identifiée non pas à la duchesse, mais à Julien Sorel, le héros audacieux et courageux qui quitte sa maison pour partir à la recherche de la célébrité et de la fortune (ce qui est une façon romanesque de dire qu'il se met en quête de son identité). Mais je gardais secrète cette identification. Il y a vingt ans, une jeune fille ou une femme « comme il faut » ne pouvait même pas imaginer qu'elle pût agir comme un homme. Comme cette identification était cachée et que j'en avais honte, elle ne pouvait être que partiellement enrichissante. Quand, au lieu de me marier comme mes amies d'enfance, je quittai la maison familiale pour aller vers le Nord, ce ne fut qu'une timide tentative pour me conformer au rôle que j'avais choisi. Étant donné que je ne pouvais pas afficher ce que je voulais faire ni ce que je voulais être, je n'étais qu'à demi responsable de moi-même. Je travaillais avec autant d'ambition que Julien Sorel, mais, contrairement à lui, dès que je réussissais et qu'on m'offrait une meilleure situation, je trouvais des excuses pour la refuser. Je couchais avec les hommes qui me plaisaient, mais j'avais constamment peur d'être abandonnée. Mes héros, mes modèles, les personnages qui m'avaient attirée dans les livres comme dans la vie réelle étaient tous des hommes. C'était très déroutant. Je voulais être femme, mais je ne voulais pas être comme les autres femmes. Je n'avais pas de modèle femme.

« Chacun a la possibilité de posséder les qualités qu'il juge soit " masculines " soit " féminines ", dit Jessie Bernard. J'aimerais que les deux sexes les aient : que les fils soient doux et tendres, et que les filles soient fortes et sûres d'elles. Cela se produira peut-être, maintenant que les pères commencent à s'occuper de leurs enfants. » L'idée moderne de la définition des sexes est, pour les femmes, plus riche et plus complexe qu'elle ne l'a jamais été. La jeune fille en cours de transformation, qui peut disposer du minimum de latitude en ce qui concerne le choix de son identité de genre, essayera de renforcer sa personnalité selon ses propres goûts en empruntant certains traits de caractère aux hommes et aux femmes qui l'entourent et qu'elle admire. Elle peut choisir d'être une « fille-fille », selon l'expression d'une chanson pop, c'est-à-dire un être démodé, possessif; ou elle peut intégrer les caractéristiques d'une femme si moderne que les chanteurs pop ne lui ont pas encore trouvé de nom : un être sexuellement riche, qui possède cet aplomb habituellement réservé aux hommes. Ou un mélange des deux. J'avais dix-neuf ans quand mon grand-père, homme très autoritaire, me demanda un jour, au beau milieu d'une discussion : « Mais qui donc t'a appris à répliquer ainsi? » « C'est toi! » lui rétorquai-je. Si nous nous sentons à l'aise dans notre identité de genre, il ne nous arrivera jamais de penser que nous pouvons nous « tromper » en étant ce que nous sommes. « Puisque je suis une femme, me disait récemment une amie, tout ce que je fais est féminin. »

Mais j'ajouterai ici une restriction importante. Je pense que la notion d'identité de genre est en train de se transformer pour nous permettre de mieux nous adapter aux complexités de la vie; mais je crois aussi que ce changement ne correspond pas encore à un sentiment profond et universel... Nous vivons selon une échelle de valeurs quasiment schizoïde.

« Tout en approuvant les slogans d'avant-garde qui prônent la liberté sexuelle, dit le Dr Robertiello, nous constatons que l'idée que se fait la femme de son identité de genre, que ses sentiments subjectifs ayant trait à sa féminité sont beaucoup plus en relation avec son concept de mère qu'avec son concept d'être sexuel.

« Je m'explique. Prenons par exemple le cas d'une divorcée mère de famille qui a une quantité d'amants. Elle est incapable de se considérer comme une femme accomplie si elle ne s'acquitte pas de ses fonctions de mère. Comment pourrait-elle vivre des expériences sexuelles satisfaisantes si elle a l'impression d'être une femme indigne? Elle peut passer au lit des moments agréables, mais elle y ajoute des sous-entendus péjoratifs. Au lieu de dire : " Je suis vraiment une femme appétissante et sexuelle ", elle dit : " Ce que je fais est très mal; je ferais mieux d'être à la maison et de m'occuper de mes enfants! " »

J'irai même plus loin que le Dr Robertiello. Il n'est même pas besoin d'être mère pour voir que notre identité de genre est davantage reliée à la maternité qu'à la sexualité. Tant que nous n'avons pas reproduit le modèle de la vie de notre mère, nous vivons pour la plupart avec un sentiment d'échec, d'incomplétude.

J'aurais pu vous dire, par exemple, que j'étais totalement engagée dans ma décision de ne pas avoir d'enfant; et pourtant, tandis que j'écrivais le premier chapitre de ce livre, ma prévention contre l'instinct maternel était si violente, si excessive que j'étais presque incapable de la dépasser. Je ne pouvais pas être tout à fait logique, parce que je me défendais. Toute l'intellectualisation du monde ne m'avait pas encore persuadée qu'en m'opposant à mon éducation, je n'avais pas abandonné mon identité de genre, ma vraie féminité.

Des femmes qui ont quinze ans de moins que moi m'ont dit qu'il leur est plus facile que pour la génération précédente de choisir le genre de vie qu'elles désirent. Dans la mesure où cette idée est vraie, je suis sûre qu'elle a quelque chose à voir avec les modèles proposés par la vie d'autres femmes. Les jeunes femmes d'aujourd'hui ont un avantage certain sur celles des générations précédentes, et en consolidant les gains obtenus par leurs aînées, elles deviendront elles-mêmes des modèles pour celles qui les suivront. Le jour viendra où les femmes se sentiront aussi bien dans leur peau quand elles font l'amour avec leur mari ou leur amant que quand elles tiennent leur bébé dans leurs bras... c'est une perspective qui mérite que nous fassions des efforts!

Dans une étude passionnante, la sociologue Pauline Bart apporte des précisions sur les ravages que subit la psyché des femmes qui substituent la *maternité* — qui est l'un des éléments possibles de l'identité de genre — à la *féminité,* qui en constitue l'ensemble. Cette étude est fondée sur des rapports hospitaliers concernant 550 femmes dépressives de Los Angeles, de quarante à cinquante-neuf ans. « J'ai eu en outre vingt entretiens, dit le Dr Bart. Quand j'ai posé à ces femmes des questions sur la sexualité, elles s'arrangeaient pour esquiver. Si je leur demandais de classer les rôles sexuels par ordre d'importance, l'un de ces rôles qui était " avoir des rapports sexuels avec mon mari " ne venait jamais en première ou en seconde position, rarement en troisième. »

Dans une autre partie de ce test, le Dr Bart montrait aux femmes douze images simples mais suggestives en leur demandant d'inventer une histoire sur la vie des femmes qu'elles avaient sous les yeux — une technique projective classique et éprouvée. L'une des images représentait une femme allongée sur un lit, une jambe repliée, vêtue d'un déshabillé de dentelle noire. « C'était une photo très sexy », dit le Dr Bart, que la plupart des sujets repoussaient automatiquement. Celles qui la choisissaient niaient le contexte sexuel. Elles disaient par exemple : « C'est la photo d'une femme qui vient de coucher son bébé, et elle est elle-même très fatiguée. » L'idée menaçante du sexe était immédiatement remplacée par une association sécurisante avec la maternité. Si le Dr Bart demandait pourquoi la photo était rejetée, on lui disait quelque chose comme : « Oh! la femme qui est là n'a pas une bonne moralité! »

« Ces femmes, conclut le Dr Bart, étaient incapables d'affronter la sexualité. Elles étaient extrêmement conventionnelles, stéréotypées, des femmes qui suivaient à 150 p. cent les règles selon lesquelles, surtout, la femme ne doit pas être sexuelle. » Peut-on douter que cette incapacité de mettre en relation féminité et sexualité soit en grande partie responsable de l'état dépressif dont souffraient non seulement les femmes interviewées par le Dr Bart, mais aussi l'ensemble de la race féminine?

Alors que les modèles de rôle et les figures d'identification nous aident à nous séparer de notre mère, les substituts jouent dans notre vie un rôle différent. Les psychologues pour enfants limitent habituellement le sens du mot « substitut » aux tout premiers remplaçants de la mère, ces êtres dont nous gardons souvent un souvenir très vague, presque mythique, mais qui ont joué un rôle important en nous élevant aussi bien affectivement que physiquement. Ce sont les nurses, les nourrices, les gouvernantes, les grand-mères, les grandes sœurs qui nous donnaient chaleur et tendresse quand notre mère, pour quantité de raisons, n'était pas disponible, physiquement ou psychologiquement. Pendant cette période de notre vie où nous étions très dépendantes, avant d'être prêtes pour la séparation, et où nous avions par-dessus tout besoin d'affection, ces substituts maternels nous ont appris la plupart des traits d'activité et de personnalité que nous gardons pendant toute notre vie.

Nous avions besoin de leurs sourires, et c'est dans leurs yeux que

221

nous cherchions l'amour et l'approbation dont nous avions besoin. « Elles sont nos mères psychologiques, dit Betty Thompson, celles qui nous enseignent nos sentiments. Beaucoup de femmes qui ont une mère biologique froide, renfermée, grandissent avec la spontanéité, la vitalité, l'éclat du regard ou la voix chaleureuse du substitut qui les a tenues dans leurs bras et qui a répondu à leurs besoins quand elles étaient bébés. »

« J'appelle " maman " la femme qui a été ma nurse pendant six ans, dit Joan Shapiro, qui est professeur d'aide sociale à l'université Smith. J'ai son sens de l'humour, ses gestes, son amour de la musique, de la danse et des activités de plein air. Quand ma fille allait la voir, elle me retrouvait tellement en elle qu'elle l'appelait " grand-mère ". Elle me considère tellement comme sa fille aînée que ses enfants, maintenant adultes, sont jaloux. »

En raison des impératifs de croissance qui s'imposent à nous pendant l'adolescence — où nous avons besoin d'expérimenter la liberté sans pour cela rompre le lien maternel —, le besoin de substitut se présente de nouveau. A douze ou quatorze ans, nous revivons la phase de rapprochement (nous avons besoin de « faire le plein ») que nous avions déjà connue à deux ou trois ans. Au cours de l'adolescence, ce substitut de la mère, qui nous aidera à nous séparer, est souvent une fille de notre âge. Nous nous accrochons l'une à l'autre pour nous sentir en sécurité, tout en envisageant les aventures à venir. Ces passions brûlantes, qu'elles soient ou non accompagnées de pratiques homosexuelles, sont considérées à raison comme un besoin de refuge et de maternage réciproque, beaucoup plus que comme une pulsion purement sexuelle. « Le premier amour, dit Betty Thompson, est habituellement la répétition de la relation affective de l'Éden, celle qui existait entre votre mère et vous. » L'adolescente est amoureuse du souvenir de cette relation, ou d'un fantasme qui lui permet d'évoquer ce qu'aurait pu être cette relation. « Même dans ces aventures oppressantes, ajoute le Dr Thompson, où la fille ne peut pas supporter d'être éloignée de son flirt, ne serait-ce qu'une seconde, il s'agit de la répétition de la relation infantile. Il est facile de voir que le garçon joue le rôle de substitut maternel. »

Heureuse est l'adolescente qui a une relation avec une personne qu'elle admire et qui lui rend son amour! Cette personne joue le double rôle de substitut et de modèle. Elle peut offrir à l'adolescente la première occasion de résoudre une contradiction apparente : le désir d'être libre par rapport à sa mère et, en même temps, le désir de créer une relation intime avec quelqu'un. Le substitut a, entre autres, le grand avantage de trembler moins pour nous et d'être moins concentré sur notre personne que ne l'est notre mère; l'intensité affective de la relation est moins brûlante. En outre, notre peur d'être à nouveau engloutie par notre mère est considérablement soulagée. Le substitut nous fournit l'appui de l'ancienne sécurité maternelle, ce qui nous rend libre d'affronter l'avenir. Si nous continuons d'avoir de la chance, nous retrouverons ce sentiment avec un autre, plus tard dans notre vie. Ce merveilleux équilibre entre deux personnes peut nous préparer au mariage.

« Dans mon travail comme dans ma vie personnelle, dit le Dr Shapiro, j'ai constaté qu'une expérience précoce et réussie avec un substitut maternel peut vous donner un certain flair pour découvrir plus tard les personnes intéressantes. Les substituts éventuels sont sensibles à une sorte d'aura qui vous entoure et qui leur indique que vous pouvez avoir besoin d'eux. D'un côté, il y a celles qui désirent être maternées ; de l'autre, celles et ceux qui seront heureux d'assurer ce maternage. »

Il y a une grande différence entre les substituts de l'enfance et ceux que nous trouvons pendant l'adolescence. La nurse ou la grande sœur qui nous consolaient et nous tenaient dans leurs bras quand nous étions bébés, le faisaient de leur propre volonté. Les substituts de l'adolescence, les gens dont le corps, l'approbation, le contact et l'estime ont pris tant d'importance dans l'évolution de notre croissance, *ont été choisis par nous*. Nous sommes maintenant assez grandes, assez formées pour savoir à peu près ce que nous voulons. Nous devions être nourries, baignées, tenues dans les bras ; maintenant, nos besoins sont surtout psychologiques. Et pourtant, les substituts de l'enfance et ceux de l'adolescence subissent un sort commun : l'oubli. Nous avons tendance à les renier, ou à réduire leur importance.

« Je me souviens de cette nurse, quand j'étais petite, m'a dit une fille de quinze ans. J'adorais plier le linge avec elle. Je l'appelais " Mamie ". Encore aujourd'hui, j'aime plier le linge. » Elle aime aussi avoir quelqu'un près d'elle et a un goût de l'intimité que sa mère, froide et insensible, ne comprend pas. « Ma fille, m'a dit cette dernière, vit quelque chose de très intense avec son boy-friend. Personnellement, ça ne m'est jamais arrivé quand j'avais son âge. Elle est beaucoup plus sentimentale que moi. Je ne sais vraiment pas d'où elle tient ça. » Personne ne sait où cette jeune fille a appris son comportement affectif. « Encore aujourd'hui, j'aime plier le linge »... dans son esprit, l'héritage qu'elle tient de sa nurse ne va pas plus loin que cela.

Une autre femme m'a parlé de l'influence qu'un professeur a eu sur sa vie, mais elle a tendance à le cacher : « Quand j'avais quatorze ans, mon professeur d'anglais m'a beaucoup changée. Je lui dois ma passion de la lecture ; elle m'a aussi appris à tirer le maximum de mon intelligence. Elle n'était pas belle, et c'est ce que lui reprochaient mes amies. Je dois avouer à ma grande honte que je n'ai jamais dit à qui que ce soit combien je l'admirais. J'ai tiré d'elle le maximum et je me suis sauvée en courant. Je ne l'ai jamais remerciée, jamais, et j'en ai encore du remords. »

Cette étrange ingratitude n'a rien à voir avec l'intelligence, ni avec l'âge. « Ce n'est que tout récemment, dans mon propre groupe d'analyse, dit le Dr Robertiello, que je me suis souvenu de l'importance qu'avait eu pour moi l'un de mes oncles. Il avait dix-neuf ans quand j'en avais cinq; il a sans doute été le personnage essentiel de mon enfance. Même pendant toutes les années où je me suis soumis à une psychanalyse, il n'est jamais apparu au niveau de ma conscience. J'ai aujourd'hui cinquante et un ans, et jusqu'ici, je l'avais totalement refoulé. »

Je n'ai donné que trois exemples; mais au cours de mes recherches en vue de ce chapitre, je me suis sans cesse retrouvée en présence de ce refus. Même si je leur demandais si quelqu'un les avait maternées, ou si elles s'étaient identifiées à un personnage, la plupart des femmes que j'interviewais marquaient un temps d'arrêt, haussaient les épaules et me disaient : « Non, vraiment, je ne vois personne. » Pas de substitut, pas d'héroïne, pas de modèle! Est-ce que ces femmes me mentaient?

Je ne le pense pas. Quand elles écartaient le sujet, je ne sentais en elle aucune révolte, aucune réaction de défense. Elles minimisaient même l'influence de leur mère : « Il faut croire que je me suis faite toute seule », me disaient certaines avec un petit sourire modeste.

« Je pense que ce type d'oubli, m'a dit le Dr Robertiello, peut venir du sentiment qu'il est déloyal, vis-à-vis de ses parents, de reconnaître l'importance qu'ont pu avoir d'autres personnes. Nous sentons, ne serait-ce qu'inconsciemment, que nous devons trop aux modèles de rôle de notre enfance, et nous leur tournons le dos. C'est un peu une façon de défendre nos vieilles notions d'omnipotence. Nous pouvons admettre que nos parents ont joué un rôle dans notre formation. Après tout, c'est normal. Mais que nous ayons eu besoin d'autres personnes? Oh, non! »

Le simple fait de nous avouer que nous avons autrefois préféré quelqu'un à notre mère nous amène à nous accuser de froideur, d'égoïsme, d'ingratitude à son égard. Nous « oublions » parce que nous nous sentons coupables de garder des souvenirs. « Il arrive souvent, précise le Dr Helene Deutsch, qu'une femme soit incapable de se rappeler l'importance qu'une nurse a pu avoir dans son développement affectif, pour la seule raison qu'elle se sent coupable vis-à-vis de sa mère d'avoir pu éprouver ces sentiments d'amour envers une autre femme. »

Ce sentiment de culpabilité naît de la symbiose. Pour les personnes qui sont encore attachées, admettre qu'il existe quelqu'un d'autre, c'est s'exposer à la colère, à la vengeance, et peut-être à l'abandon du partenaire symbiotique. Nous ne pouvons pas supporter longtemps cette pression. Aujourd'hui, quand la mère a un travail hors de la maison, l'enfant ne peut pas se contenter d'elle. Il a besoin non pas d'une autre personne qui serait là, froide et passive, comme un poste de télévision, mais d'un être vers lequel il peut se tourner et dont il peut ouvertement tirer de l'affection sans avoir l'impression qu'il rend sa mère jalouse. Les adolescentes, tout particulièrement, connaissent de grands changements de manières, de mœurs et de perspectives d'avenir. Elles ont besoin de tout l'amour qu'elles peuvent trouver chez le plus grand nombre possible de gens; elles ont besoin de pouvoir accéder, en dehors de leur mère, à différents modèles de rôle.

Mais il faut que les mères commencent à renoncer aux avantages illusoires d'une symbiose trop prolongée. La solution la plus facile qui s'offre à elles est de confier à leur mari une partie du maternage. « Le sexe de la personne qui joue le rôle de la mère, dit Mio Fredland, n'a pas tellement d'importance. » Certains hommes sont maternels. Certaines femmes ne le sont pas. Peu importe à l'enfant d'où lui vient l'affection. « Le maternage, dit Jessie Bernard, est trop important pour être confié exclusivement aux femmes. Il doit être partagé. »

Il est pourtant certain que la plupart des pères n'ont pas encore appris à être responsables de leur enfant au même degré que les femmes. « Quand je suis à mon travail, m'a dit une jeune mère, je ne peux pas m'empêcher de me demander avec inquiétude si mon mari a fait manger Susie. Je sais que quand nous sommes tous les deux à la maison, il ne se réveille pas quand le bébé pleure. Je suis seule à l'entendre. Comment pourrais-je compter sur lui? »

Et pourquoi ne le pourrait-elle pas? Les hommes ne sont pas tellement fautifs. Tant que la mère mettra son point d'honneur à être la seule personne sur laquelle on puisse compter pour élever son enfant, elle n'acceptera jamais qu'un tiers s'occupe de sa fille et la comprenne comme elle sait le faire. Comme le père ne se sent jamais entièrement responsable, il se contente bien vite d'une part inférieure à celle qui devrait lui revenir.

« Dans la famille moderne, dit le Dr Betty Thompson, la relation mère-fille est en passe d'être sérieusement modifiée. Il y aura plus d'une personne à assurer le maternage. Certains hommes peuvent être de merveilleuses mères. Ils sont prêts à établir à n'importe quel moment une relation de substitut avec l'enfant. » Cette idée est appuyée par le Dr Fredland : « J'ignore ce qui fait qu'une femme est maternelle. Je connais des femmes qui ont reçu de leur mère biologique un maternage déplorable et qui, néanmoins, sont très maternelles. D'autres, qui ont eu un maternage convenable, ne sont pas du tout maternelles. Je pense qu'en réalité il y a nécessairement eu *quelqu'un* qui a été très maternel avec elles. Ce n'est pas forcément la mère, ni une autre femme. Peut-être le père, ou un oncle. »

MA MÈRE, MON MIROIR

Les garderies d'enfants et le travail à mi-temps sortent du propos de ce livre, mais il faut remarquer que toute structure impliquant l'intervention d'un substitut est automatiquement sciée à la base si les mères n'apprennent pas à renoncer à certaines de leurs responsabilités pour ce qui peut arriver éventuellement à l'ensemble de la famille. On ne peut pas être à la fois totalement mère, totalement gagne-pain et totalement femme. Les filles de ces femmes intègrent les angoisses et les jalousies de leur mère. Même si elles gagnent quelque chose au contact du substitut, le cadeau sera empoisonné par la crainte de trahir les sentiments fusionnels de la mère. La fille perd sur les deux tableaux. Elle souffre de l'absence de sa mère et se trouve aux prises avec sa propre ambiguïté par le fait qu'elle se livre à l'affection du substitut.

« Freud pensait que la vie est souvent la meilleure des médecines, dit le Dr Fredland. Certaines expériences, certaines personnes avec lesquelles l'adolescente entre en contact peuvent réparer les dégâts précoces. L'enfant est très malléable. La névrose durcit, déforme cette matière souple. Mais si l'enfant a la chance de vivre des expériences heureuses, par exemple avec un substitut, la névrose peut guérir, tout au moins en partie, et la structure affective de base peut avoir l'occasion de retrouver une forme plus saine. »

Si la mère, du fond du cœur, sait qu'elle a été la meilleure mère possible, étant donné les circonstances, elle peut accepter que sa fille ait besoin de trouver dans sa vie d'autres modèles. « Mais si elle a conscience de n'avoir pas été une bonne mère, dit le Dr Sanger, son sentiment de culpabilité la rendra furieuse. Elle se montrera terriblement hostile envers tous ceux qui pourraient le mieux aider sa fille. Comment pourrait-elle s'avouer qu'elle n'a pas été cette mère idéale que, selon la société et sa propre mère, elle aurait dû être? C'est sa féminité qui est en jeu. »

Les assistantes sociales rapportent le cas, extrêmement fréquent, de ces mères qui revendiquent leur liberté tout en voulant que leur fille leur reste attachée de façon primaire. « Les pires mères que j'ai vues, dit Mio Fredland, sont celles qui, à la seconde même où elles voient leur fille s'attacher à une nourrice ou à n'importe quelle autre personne, se débarrassent de l'intruse. Elles détestent l'enfant, elles détestent leur rôle de mère et tout ce qui se rapporte à lui, mais elles ne peuvent pas souffrir que leur fille s'attache affectivement à un tiers. »

La mère qui ne peut pas supporter les substituts réagit ainsi parce qu'elle reste attachée symbiotiquement à sa fille et qu'elle redoute la rupture. Une autre peut avoir la même réaction parce qu'elle n'aime pas vraiment son enfant et craint qu'un substitut ne révèle cette absence d'amour. De toute façon, la fille est perdante. Quand elle sera mère à son tour, elle se souviendra de l'angoisse de sa propre mère qui estimait que confier son enfant à l'amour et aux soins d'une autre c'était se conduire en « mauvaise mère ». Elle ne s'estimera jamais en droit d'agir ainsi avec son enfant, même si les circonstances économiques exigent qu'elle s'absente de chez elle pour gagner sa vie.

Beaucoup de femmes, aujourd'hui, doivent accepter les risques, les fatigues, les corvées qui étaient autrefois l'apanage du monde du travail masculin, mais elles ne renoncent pas pour autant aux risques, aux fatigues et aux corvées propres à leur qualité de mères. « Un petit garçon de trois ans, dit Jessie Bernard, peut déclarer : " Je veux être astronaute, pompier et soldat! " Nous savons très bien qu'avec l'âge il comprendra qu'il ne peut pas être tout cela à la fois et qu'il réduira ses prétentions. Mais les petites filles reçoivent un " programme secret " : en surface, on leur dit qu'elles ont autant de droits que les garçons à avoir une carrière, à être médecin ou avocate; mais il y a un message tacite : avant tout, tu seras mère. Et la fille se dit : " Oui, je serai avocate, mais je créerai aussi une famille. " On n'accorde pas assez d'importance au fait que, dans notre société, il est très difficile de s'organiser pour être à la fois avocate et mère de famille. De même, le petit garçon se trompe quand il dit : " Je veux être pompier *et* astronaute. " »

Certaines femmes parviennent à travailler à plein temps tout en étant mères à plein temps, mais c'est au prix d'un effort surhumain, et il n'est pas possible d'imaginer une société rationnelle composée de femmes aussi exceptionnelles. C'est trop demander, et les femmes qui échouent se révoltent, et *sans savoir pourquoi*. D'autres jeunes femmes se rendent compte qu'elles peuvent concilier mariage et carrière, mais décident qu'elles ne peuvent pas en même temps être mères. « Je pense, dit le Pr Jean MacFarland, qu'il convient de dire aux femmes que le fait de travailler et d'être mère en même temps mérite que l'on fasse des efforts; mais elles ne doivent pas penser une seconde que c'est facile. Certaines femmes, parmi les meilleures, choisissent de ne pas être mères, non pas parce qu'elles n'en ont pas envie, mais parce qu'elles se rendent compte qu'il est impossible de mener à bien les deux tâches. Il s'agit d'un choix dramatique, dont la société ne peut que souffrir. »

Au cours d'une interview, j'ai demandé à une sociologue éminente si elle avait eu dans sa vie des images d'identification importantes. Après un long silence, elle m'a dit : « Ma mère admirait beaucoup Margaret Sanger[1]. Elle possédait une biographie de cette femme, et je l'ai lue. Sur un certain plan, ma mère était vraiment merveilleuse. Et je pensais que les

---

1. Infirmière américaine (1883-1966) également connue sous son nom de jeune fille : Margaret Higgins. Elle a été l'une des pionnières de l'éducation sexuelle et du contrôle des naissances. (N.d.T.)

femmes qui voulaient réformer la société étaient également merveilleuses. Comme elles, je voulais aller changer le monde, faire du bien autour de moi. Je venais d'une famille très politisée, mais je ne peux vraiment pas dire que je me suis identifiée à quelqu'un. Peut-être à une tante, qui était médecin. J'en veux beaucoup à ma famille. Elle ne m'a jamais présenté d'autre solution que le mariage : il était convenu que j'irais à l'université pour avoir deux cordes à mon arc, mais il n'était pas question que je me consacre sérieusement à une carrière. Et il y avait une femme médecin dans la famille! On m'a laissée avec le sentiment que je devais me marier. Si bien que quand ce gros balourd a demandé ma main, je l'ai épousé. Je me suis vraiment mariée dans le seul but de fuir le domicile familial. C'était stupide! »

Cette femme est maintenant divorcée. Son histoire commence avec le nom de Margaret Sanger, elle fait allusion à sa tante médecin, mais elle conclut à l'absence totale de figures d'identification et manifeste une bonne dose de colère. On pourrait croire qu'elle dirait aujourd'hui : « C'est grâce à Margaret Sanger et à ma tante que j'ai eu l'idée et le courage de devenir sociologue. » Mais au lieu d'insister sur l'influence positive que ces femmes ont exercée sur sa vie, elle continue de se révolter contre sa famille, y compris sa mère, si « merveilleuse ». Sa révolte ne provient-elle pas du programme secret que lui a inculqué sa mère : « Oui, tu peux avoir un métier, mais il faut d'abord que tu sois épouse et mère. »

Combien cette colère contre la mère peut être destructive, plus tard, dans notre vie! Nous pouvons très bien dire : « Je n'en veux pas à ma mère », mais pourquoi sommes-nous si contrariées si notre fille ne range pas sa chambre, ou si notre mari rentre en retard? Notre colère est anachronique. Nous avons transféré notre colère de notre mère à quelqu'un de plus « sûr ». C'est injuste, déroutant, et cela nous amène à des scènes interminables, parce que le véritable objet de nos fureurs n'est jamais exprimé, ni même conscient. Examiner de près nos colères jamais résolues, même lorsque nous avons atteint l'âge adulte, ce serait réveiller ces émotions infantiles d'abandon et de représailles que nous n'avons jamais dépassées.

En réalité, si nous regardions la vérité en face, nous pourrions très bien nous accommoder aujourd'hui de cette colère. Si nous refusons de l'identifier, elle empoisonne tout amour réel que nous pouvons éprouver pour notre mère. De même que les modèles et les images de vie indépendante nous ont glissé entre les doigts, de même nous constatons que nous sommes de plus en plus la femme angoissée, tatillonne et sexuellement timorée que nous n'avons jamais voulu être. Cette colère contre la personne qui a étouffé notre confiance envers tout autre modèle qu'elle-même nous ronge sous le déguisement de la passivité, du conservatisme et de la résignation.

« Chez les femmes, dit le Dr Betty Thompson, la passivité peut être le fait de leurs humiliations, de leurs appréhensions, de la faiblesse de leur moi, ou de leur terreur à l'idée qu'elles pourraient avoir besoin d'une aide. Mais trop souvent, cette passivité n'est que colère refoulée. » Les hommes ont le droit d'être durs et coléreux; mais nos colères sont considérées comme « non féminines ». Nous avons d'abord un mouvement de colère; puis nous nous sentons coupables de l'avoir eu, et nous l'étouffons. Il en résulte une personnalité passive-agressive, un être qui camoufle sa colère derrière une apparence de politesse : « Où as-tu envie d'aller ce soir, ma chérie? » demande le mari, pas tellement pour que sa femme lui cite le nom d'un restaurant, mais dans l'espoir d'entendre dans sa réponse quelque chose qui lui dira qu'elle est contente de sortir avec lui. « Où tu voudras... », dit la femme, le privant ainsi, sciemment, de la satisfaction affective qu'il espérait; elle cache son désir de le frustrer et de le contrarier en feignant de prendre à la lettre la question qui lui a été posée. « La personnalité passive-agressive, dit le Dr Thompson, est comme une voiture qui ne peut progresser qu'en marche arrière. » Cette personne ressemble à la fillette de deux ans qui refuse obstinément de faire ce qu'on attend d'elle. En disant « Non! » elle se sent forte. Ses refus renforcent son moi, même si on lui demande simplement de faire quelque chose qui est favorable à son progrès. Le désir naturel est orienté vers la vie, et l'enfant se sent frustrée quand sa croissance est freinée, même si elle serre elle-même le frein.

La colère est un sentiment négatif, mais elle constitue quand même un lien. Elle retarde la séparation : tant que nous sommes en colère contre notre mère, elle occupe dans notre esprit la place principale, et nous sommes encore et toujours sa « petite fille ». « Vous êtes en colère? pourrait dire le thérapeute, eh bien! laissez tomber! » ou plutôt : « Laissez-la tomber! » Mais non, nous préférons posséder cette colère, plutôt que rien du tout.

Un jour que je parlais avec le Dr Robertiello, il me dit, après un temps de réflexion : « Nancy, pourquoi ne voulez-vous pas admettre que votre mère ne vous aime pas? »

Pendant une seconde, j'ai cru que j'allais le gifler. Puis, poussée par un de ces réflexes qui nous permettent de nous mettre à l'abri, j'ai changé de sujet. Mais sa phrase résonnait dans ma tête. Pour la première fois, depuis que j'avais avec le Dr Robertiello des discussions professionnelles, se présentait un sujet que je n'avais pas envie d'aborder avec lui.

J'y ai pensé pendant des semaines. J'avais parfois des mouvements de retrait, mais j'y revenais toujours. Comment avait-il pu me dire une chose pareille? Ce fut bientôt comme une douleur familière, une rage de dents chronique, jusqu'au moment où je me suis sentie soulagée... Bien sûr, qu'elle ne m'aimait pas! Certainement pas de cette façon parfaite, idéalisée que j'avais désirée toute ma vie depuis ma plus tendre enfance.

J'allai aussitôt voir le Dr Robertiello pour lui dire combien je me sentais libérée maintenant que j'avais compris la signification de sa petite phrase, si troublante. « Mais, Nancy, me dit-il, vous déformez le sens de mes paroles. Je ne vous ai jamais dit que votre mère ne vous aimait pas " parfaitement ". D'après tout ce que vous m'avez raconté sur vos relations avec votre mère, je vous ai dit qu'elle ne vous aimait pas, un point c'est tout. »

Toute histoire des relations mère-fille a deux versions et le Dr Robertiello ne connaissait que la mienne. Pour la première fois, depuis que je travaillais à ce livre, je comprenais que ma propre version n'était pas simplement déformée par l'absence de la voix maternelle, mais aussi par certains sentiments personnels que je refusais d'affronter.

Si je me suis toujours sentie libre de reconnaître la place importante que ma nurse et ma tante ont tenu dans ma vie, c'est que ma mère les a facilement acceptées. Elle n'a jamais hésité à admettre tout ce que je leur devais et à leur exprimer sa gratitude. Combien de fois l'ai-je entendue dire à des amies combien elle leur devait, combien elle était heureuse que je les aie trouvées! N'est-ce pas là de l'amour?

Le revers de la médaille a quelque chose d'extravagant : j'en veux à ma mère de ne pas m'avoir donné elle-même ce que j'avais trouvé chez ces deux substituts! C'est exactement l'histoire de la femme qui a un amant trop complaisant; elle est heureuse qu'il la reprenne alors qu'il se sait cocu, et en même temps, elle est furieuse contre lui : « Pourquoi ne m'a-t-il pas mise à la porte? C'est donc toute l'importance que j'ai pour lui! »

Je n'ai jamais voulu mettre ma mère au courant de ma colère. Cela ne servirait pas à grand-chose. Elle ne comprendrait pas. Et même si elle comprenait, que pourrait-elle y faire maintenant? J'ai dépassé l'âge des rages puériles, mais je n'en serai jamais débarrassée si je n'accepte pas l'idée qu'elles existent et si je refuse de voir leur raison d'être. Sinon, je me mettrais dans la situation de ces femmes qui, selon l'expression du Dr Sanger, « tentent d'arracher l'amour de leur mère en la secouant comme un prunier ».

Il faut espérer que, dans un avenir relativement proche, les mères, au lieu de s'y opposer, accepteront avec joie la nécessité, pour leur fille, de se trouver des modèles de rôle et des substituts. Ce qui pourrait également élever les relations mère-fille à un niveau adulte, c'est que nos propres vies deviennent un modèle pour notre mère. Voici ce que m'a dit une divorcée de vingt-huit ans : « Ma mère a cinquante-trois ans. La dernière fois que je suis allée la voir, elle m'a dit : " Je n'ai jamais pensé qu'il serait possible de coucher avec un autre homme que ton père, jusqu'au moment où j'ai vu comment tu vivais, toi. " »

Ce renversement des rôles, où la fille apprend quelque chose à sa mère semble soulager les deux femmes des exigences de la symbiose et de la colère où elles restent figées. Même si nous avons dépassé la symbiose, nous pouvons forger un lien nouveau et affectueux en devenant *son* modèle de rôle. « Ma mère s'est mise à travailler quand j'ai eu quatorze ans, m'a dit une femme de vingt-neuf ans. Tout ce qu'elle faisait était destiné à rendre mon père heureux et à lui donner l'impression qu'il réussissait sa vie. Je me suis mariée pendant ma deuxième année d'université. Je voulais une famille et j'étais résolue à être une épouse traditionnelle, comme ma mère. Mais tout s'est passé autrement. L'homme que j'ai épousé était exactement comme mon père, il n'a jamais réussi à trouver un emploi stable. J'ai commencé par suivre l'exemple de ma mère et j'ai tout fait pour que cet homme réussisse. J'ai trouvé un travail à mi-temps, je suis retournée à l'université, je voulais être aussi forte que l'avait été ma mère en aidant mon père. Finalement, je n'ai pas pu tenir le coup. Je l'ai laissé tomber.

« J'étais heureuse d'être sortie d'un mauvais mariage. J'ai trouvé une bonne situation. Tout aurait pu être merveilleux, si je n'avais pas senti en moi cette terrible colère. Je pensais qu'elle était dirigée contre mon mari. J'ai bientôt compris qu'elle l'était surtout contre ma mère. J'avais été une bonne fille, j'avais fait tout ce qu'elle m'avait appris à faire et ça n'avait pas marché. En un sens elle m'avait menti sur les réalités de la vie.

« Je vous dirai maintenant ce qui m'a aidé à soulager cette révolte. J'ai pu voir récemment combien ma propre vie avait influencé ma mère. Elle prend aujourd'hui des décisions que, sans moi, elle n'aurait jamais prises. Par exemple, elle a pu dire à mon père, après trente-trois ans de mariage : " Tu feras ce que tu voudras, mais je ne vais plus refuser les promotions qu'on me propose pour t'éviter de te prendre pour un raté. J'irai aussi loin que je peux dans mon métier. " Jamais elle n'aurait dit ça avant de voir comment j'organisais ma vie. Je suis très fière d'elle quand je la vois faire des progrès et accomplir des choses qu'elle aurait dû faire depuis longtemps. Ces années qu'elle a passées à m'élever prennent pour moi plus de sens, plus d'importance. Vous ne pouvez pas savoir combien je suis fière de savoir que ma propre vie a donné à ma mère sa seconde chance. »

Si notre mère peut croire à notre nouvelle identité au point de s'appuyer sur elle, nous pouvons croire en elle, nous aussi. Nous n'avons pas perdu notre mère. La dette est payée.

Chapitre 8

Les hommes : ce grand mystère

Aujourd'hui encore, je dessine des « M ». Quand je griffonne pendant que je téléphone, quand je trace des signes dans le sable, ce sont toujours des « M ». « M », c'est Morgan, et Morgan, c'est l'Homme Incarné, l'Homme-Mystère, l'Homme Inaccessible. Dès le début — j'avais environ treize ans — je me suis concentrée sur Morgan. Je ne le quittais pas des yeux, bien qu'il ne m'ait jamais touchée, sauf pour me donner des bourrades. Chaque fois qu'une fille de la bande allait trop loin dans les taquineries, pour essayer de tirer de lui quelque chose (mais quoi?), il avait un mouvement de retrait, puis il décochait à la fille un petit crochet rapide dans le gras du bras. Il le faisait froidement, sans un mot, comme s'il chassait une mouche. Nous étions très fières de pouvoir montrer un bleu signé Morgan! Il nous avait touchées!

Morgan faisait partie d'une bande de garçons de notre âge, avec lesquels, nous les filles, faisions nos premières armes. Nous allions ensemble au cours de danse. C'étaient leurs photos que nous conservions dans nos portefeuilles « garantis pur cuir naturel », avec des photos de classe dédicacées : « Je t'adore! Mary-Beth ». Encore deux années, et nous allions mépriser les garçons de Charleston pour briguer les faveurs des cadets de la Citadelle (officiellement, une école militaire, en réalité, le sanctuaire des fils de famille du Sud). Mais pendant toutes ces années, et au-delà, je devais rester fidèle à Morgan en imagination. Il représentait pour moi un idéal de virilité, l'homme qui allait se planter devant moi et faire de moi une femme. Il était la promesse de ma sexualité, il portait au rouge ma fièvre hormonale, il était la douleur avec laquelle je vivais, en attendant... Je me suis habituée aussi à aimer cette attente, et j'aimais tant l'Amour qu'il y a encore en moi quelque chose qui attend Morgan. Mon mari sait qu'il m'arrive, la nuit, de rêver de Morgan et il sourit de ce qu'il appelle ma « fixation sentimentale ». Comment pourrait-il comprendre? Il a été élevé à New York, l'une des villes les moins adolescentes du monde, à l'abri de la touffeur sexuelle des petites villes du Sud, des cinémas en plein air, des petits drugstores et d'un matriarcat qui s'accommode de la suprématie masculine. En outre, c'est un homme. Seules les femmes peuvent comprendre l'attente, ces années où on apprend à rêver, sans croire vraiment que ça arrivera, sans bien savoir de quoi il s'agit quand, enfin, ça arrive.

Je me demande parfois quelle sorte d'homme est devenu Morgan. Je m'imagine assise en face de lui, moi devenue très belle, très sexuelle, et lui souffrant à son tour de cette brûlure insupportable dans le bas-ventre. Dans mon fantasme, nous ne sommes pas dans un bar chic de New York, mais dans un petit drugstore intime de Charleston; et tandis que je ressemble à l'une de ces femmes somptueuses que l'on peut voir sur les publicités de vodka, Morgan, lui, a encore quatorze ans. Lorsque je retourne à Charleston, ce qui est très rare, je ne cherche jamais à avoir de ses nouvelles. Je ne veux pas détruire mon vieux fantasme en le confrontant à la réalité. Comment pourrait-on actualiser un dieu? Pour moi, je verrai toujours Morgan penché sur le volant de sa Chevrolet noire, avec son blouson marron aux manches retroussées, le visage fermé, dur. Morgan ne souriait jamais.

Quand il jeta son dévolu sur l'une de mes meilleures amies, je continuai de rêver de lui. Rien ne pouvait abîmer ce qu'il représentait pour moi. C'est à cette époque-là que ma mère nous annonça tranquillement, au beau milieu d'un dîner, qu'elle allait se remarier. Je renonce à exprimer ce que fut ma colère. Je quittai la table. Ma tante Kate m'accompagna jusqu'à la Battery et s'assit près de moi sur un banc du parc, à côté des boulets de canon. Moi, renfrognée, je regardais fixement Fort Sumter. Elle me parla des jours qu'elle avait vécus à l'université, et, une fois de plus, à la lumière de sa vie, tout me parut possible.

Je ne peux pas m'empêcher de me demander dans quelle mesure la décision de ma mère était en rapport avec le fait que toutes les femmes de la maison vivaient une période de sexualité latente. Nous étions là toutes les quatre, ma mère, tante Kate, ma sœur et moi à avoir besoin d'un homme, et besoin aussi de nous trouver une identité. Ma tante s'est mariée un an après ma mère. Ma réaction à l'annonce du remariage de ma mère était puérile, mais beaucoup moins importante que mon propre besoin d'éclaircir le grand mystère des hommes. En fin de compte, l'arrivée d'un homme dans notre maison ne me bouleversa pas plus que l'intervention d'une autre fille dans la vie de Morgan. Mon heure viendrait. Quand je pensais à Morgan, je faisais une grande croix sur la fille.

Pour me rapprocher de Morgan, je sortis avec un de ses amis, un gros footballeur, fâcheusement plus petit que moi et qui vivait dans la mauvaise partie de la ville (Morgan avait un faible pour les voyous). J'étais persuadée que Morgan comprenait mon sacrifice et m'approuvait en silence. J'eus des rendez-vous le vendredi soir aux cinémas en plein air avec des mortels de moindre importance, sans cesser de dessiner des « M » sur la couverture bleue de mon bloc-notes et dans les marges de l'*Iliade*, d'*Ivanhoé* et de la *Géométrie élémentaire*. J'écrivais aussi les noms d'autres garçons pour jeter un voile sur l'intensité de ma passion ; chaque fois que je contemplais cet océan de noms, un seul me sautait aux yeux, prodigieux. Dans les bras des autres garçons, parfois, j'atteignais cet état d'apesanteur qu'une série de baisers pouvait me faire atteindre, mais, le soir, quand je m'enfermais dans la bibliothèque de la maison pour entendre mes disques favoris, c'était pour Morgan que je soupirais, que je me mourais d'amour.

Ces fantasmes ne produisirent rien de bien réel. Pour que j'obtienne les sensations que je recherchais il n'était même pas nécessaire que Morgan se matérialise dans mes rêves. Mais c'était lui qui donnait une forme humaine à mes désirs, c'était son nom que je mettais, le soir, sur la première étoile que je voyais dans le ciel. Je n'attendais pas de lui des expériences sexuelles, je ne rêvais pas de vivre avec lui dans une fermette couverte de lierre. Je voulais sentir ses yeux sur moi, je voulais qu'il me voit, qu'il me donne le sentiment de ma plénitude ; je voulais qu'il ait besoin de moi, pour que tous ces désirs qui rendaient les clairs de lune si douloureux puissent s'embraser dans le grand crescendo de la chanson de Tony Bennett, *Il n'y a pas de demain*.

Après s'être fait les griffes sur les garçons qui fréquentaient le cours de danse de Mme Larka, le groupe de filles dont je faisais partie était prêt à se manifester sur un terrain sexuel plus raffiné : la parade des cadets, qui avait traditionnellement lieu chaque vendredi après-midi sur l'esplanade de la Citadelle. Comme des générations de jeunes filles de Charleston l'avaient fait avant nous, nous savions instinctivement que notre tour était venu de nous engager dans la procession rituelle des voitures qui se dirigeait vers la parade en uniforme de 4 heures. Sans qu'on nous ait rien dit, sans y être invitées, nous alignions nos voitures en bordure de l'esplanade, le pare-chocs arrière contre les casernes, le capot (avec nous élégamment perchées dessus) pointé vers cette mer d'uniformes bleus qui paradaient pour nos beaux yeux. C'est sans doute là que j'ai appris à repérer sans coup férir une paire de fesses bien tournées, à apprécier le plaisir poignant que l'on peut éprouver à la vue de la double courbe en S dont parlent les manuels d'histoire de l'art. Aucune d'entre nous ne disait un mot de la tunique affolante, étroitement serrée par une fermeture à glissière; ni par la parenthèse inversée, vraiment séduisante, dessinée dans le dos par deux bandes d'un bleu plus sombre qui mettaient en valeur les volumes de l'épaule, de la taille et des hanches. Nous ne pensions même pas à la véritable raison qui nous faisait venir à ces parades : nous exhiber nous-mêmes. C'était nous qui avions besoin d'être regardées, d'avoir sur nous des regards d'hommes; nous formions, en quelque sorte, un ravissant étal de boucherie sudiste. Quelque part, dans ce flot d'hommes, il y avait quelqu'un qui ferait de nous l'élément d'un couple, qui nous donnerait de l'envergure, de la valeur, de l'aisance. « Une femme seule n'est rien du tout. »

C'est là un message que les mères adressent encore à leur filles. Ma propre mère ne m'en a rien dit, mais je le connaissais bien. On ne m'avait pas appris à rêver d'un avenir sans homme, où je pourrais m'épanouir toute seule. Je n'avais pas la moindre idée de ce que pouvait être un homme, mais je savais qu'il m'en faudrait un, nécessairement. Après la parade, tout se passait comme au cours de danse. Fini les tambours et les clairons, le spectacle et les rêves. Nous replongions dans la réalité; des centaines d'hommes rompaient les rangs et s'avançaient vers nous, les filles en détresse; tout notre avenir, toute notre importance étaient entre leurs mains. Ils nous choisissaient d'un air décontracté, sélectionnant celle-ci, dédaignant celle-là, inconscients pour la plupart de la réelle puissance qu'ils détenaient sur nous. Les filles qui avaient la chance de porter sur leur sweater en cachemire l'insigne du régiment de leur cadet n'étaient pas soumises à la tension nerveuse que subissaient les autres : quelqu'un les désirait. Les autres, assises sur leur capot, souriaient d'un air détaché, comme s'il était sans importance qu'un uniforme s'arrête devant elles, pour leur offrir la vie.

A mon tour, j'ai eu, moi aussi, mon lot de cadets. Je les ai aimés les uns après les autres. Je les retrouvais aux sauteries de fin d'année, aux fêtes d'étudiants; je collectionnais les gants blancs à crispin et d'autres pièces d'uniforme démesurément grandes. En fait, je ne me souviens pas de ne pas avoir été amoureuse. Je pourrais classer mes amours de ces vingt années d'après les chansons sentimentales qui les berçaient. Chaque homme avait sa propre musique. Plus tard, j'ai eu des jobs merveilleux, mais mon support affectif, l'air dont j'avais besoin me venait encore des hommes. Je devais la vie à ma tante, mais j'étais bien la fille de ma mère.

Être amoureuse devint une habitude. Je ne songeais pas à me marier, mais je voulais croire que chaque amour serait immortel. Je ne voulais pas d'un mari, je ne voyais pas dans l'homme que j'aimais le père éventuel de mes enfants. Ce qui me soutenait, c'était la promesse des hommes, le besoin de savoir qu'à chaque tournant m'attendait un autre garçon, plus merveilleux que le précédent. Je confondais les hommes et la vie. Comme on ne peut jamais être absolument sûre de ne pas être abandonnée, j'aimais l'homme du moment avec une sorte de frénésie. S'il ne me téléphonait pas, j'étais anéantie. Sa présence, la certitude qu'il tenait à moi, me rendaient capable de séduire le monde entier, et même d'être gentille avec ma sœur. C'était un peu comme si j'adorais un dieu qui pouvait me donner et me prendre la vie, un dieu apaisant qui me permettait de travailler en classe, de participer aux repas familiaux et de ne pas laisser apparaître aux yeux du monde l'être perturbé que j'étais tout au fond de moi. Morgan était, et est encore l'Inaccessible.

Grandir dans le Sud est différent. On s'en rend compte peu à peu. La moiteur renforce la priorité culturelle : les hommes d'abord. Quand je suis remontée vers le Nord pour entrer à l'université, mon premier geste fut de montrer à ma camarade de chambre ma collection de photos d'un certain Sam. Elle pourrait me connaître à travers lui. Je lui parlai de mon été au soleil avec Sam, et je lui montrai la bague de sa promotion, qu'il m'avait donnée. Elle me parla de son travail de vacances. Bien sûr, elle fit également allusion à son flirt, mais je compris qu'il y avait autre chose dans sa vie. Aucune des filles que je connaissais dans le Sud n'avait travaillé pendant l'été. Nous ne trouvions rien de mieux à faire que de nous allonger sur le sable brûlant et de fasciner les garçons avec nos corps luisants d'huile solaire. Quelque chose en moi faisait écho à ce que je découvrais dans le Nord. Je voulais qu'il y eût des hommes dans ma vie, mais je voulais me libérer de ma peur d'être repoussée par eux. Intuitivement, instinctivement, je savais que le fait de trouver d'autres sources de vie, des satisfactions qui s'ajouteraient à celles que j'obtenais des hommes, me libérerait, comme l'hypnotisé se libère de l'hypnotiseur.

Mon histoire n'a rien à voir avec la beauté et la puissance de la nature, avec celle du brin d'herbe qui cherche dans la faille d'une pierre son chemin vers le soleil... Pendant toutes ces années de délire romantique, obsédée par le besoin des hommes, j'allais en quelque sorte contre la nature. Et c'est toujours vrai.

Un soir, avant mon départ pour l'université, je me suis retrouvée avec Morgan sur le siège arrière d'une voiture. Enhardies par le pas que nous allions faire loin des garçons de notre jeunesse, mon amie Kathy et moi avions téléphoné à Morgan et à son ami Steve. Nous allâmes tous les quatre à un cinéma en plein air et, soudain, me voilà en travers du siège, dans les bras de Morgan! Il m'embrassa, et je commençai à m'envoler vers un septième ciel que je n'avais jamais atteint. C'était le début, pensai-je, d'une longue soirée d'extase, d'étreintes, de baisers, dans cette voiture aux glaces de plus en plus embuées. Morgan glissa la main entre mes

237

jambes. Je la repoussai, la tête enfouie aux creux de son épaule, espérant que comme tous les autres garçons avec lesquels j'étais sortie il accepterait ma loi. Mais Morgan était un dieu, et il ne l'était pas devenu en se soumettant aux lois des femmes.

« Tu comprends, Nancy, entre toi et moi, ça ne peut pas marcher. C'est ça que je veux, et toi tu ne veux pas. » Il me dit cela très gentiment, avec une assurance toute masculine.

Jusqu'au moment où j'ai connu Bill, je n'ai jamais rencontré un homme dont je respectais les règles tout autant que les miennes, un homme aussi sûr de lui. Je tracerai probablement des « M » jusqu'à la fin de mes jours, mais maintenant, du moins, je sais pourquoi.

La sexualité est le grand champ de bataille où s'affrontent la biologie et la société. Elle naît bien avant que nous nous estimions suffisamment adultes pour jouer avec ses flammes merveilleuses. La mère est le premier bataillon qui se lance dans la mêlée. Elle est soudain prise au dépourvu. Elle est encore jeune, pas encore prête à refréner sa propre sexualité pour mieux chaperonner la nôtre. Peu importe le prix de son sacrifice, peu importe qu'elle s'y prenne bien ou mal, de bon ou de mauvais gré... nous lui en voulons pour son intervention. Peut-on remercier son bourreau?

Son travail commence à l'aube de notre enfance, dès que nous touchons nos organes génitaux. Elle dit « Non! » Cette expérience, l'une des plus importantes de la vie, marque le début du rôle qu'elle jouera sans désemparer. Aux yeux de sa fille, elle sera celle qui dit éternellement non. Les hommes se situent à l'opposé : ils disent oui au sexe, à l'audace, à la liberté. Contrairement à la mère, ils ne sont ni rigoristes ni pudibonds. Ce sont des gredins libidineux, des démons paillards, et nous attendons avec impatience le moment où nous aurons affaire à eux. Mais cette attente s'éternise sous l'œil vigilant de la mère.

Quand notre mère nous empêche de mettre la main entre nos jambes, quand, plus tard, elle nous fait comprendre par un regard, par le ton de sa voix, par un geste, par son attitude, que nous faisons quelque chose de mal, elle est, pour la société, ce qu'il est convenu d'appeler une « bonne mère ». *Il s'agit en réalité de nous couper de notre propre corps.* « Dans notre culture, dit le Dr Robertiello, les femmes sont élevées dans l'idée que les hommes, comme par miracle, feront d'elles des êtres sexuels. Elles n'ont pas le droit de s'en charger elles-mêmes. » Il n'est donc pas étonnant que les hommes nous paraissent si mystérieux. Comment pourrions-nous

238

comprendre des créatures si puissantes qu'elles peuvent même commander à la sexualité? « Les femmes, dit le Dr Schaefer, ont l'habitude de dire : " Il m'a donné un orgasme. " Je leur réponds : " Personne ne peut vous donner un orgasme. Quand vous en avez un, c'est vous qui vous le donnez. " » Les expressions de ce genre sont généralement considérées comme des locutions sémantiques qu'il ne faut pas prendre à la lettre. La femme pense qu'elle a besoin d'un homme pour naître à la vie. Sa passivité lui est inculquée et on fait tout pour la renforcer.

Freud écrivait en 1915 : « Quand la mère contrarie ou interrompt l'activité sexuelle de sa fille, elle remplit une fonction naturelle dont les grandes lignes sont tracées par des événements de [sa propre] enfance ; elle est puissamment et inconsciemment motivée et reçoit l'approbation de la société. Il appartient à la fille d'échapper par ses propres moyens à cette influence et de décider par elle-même, sur une base large et rationnelle, de la part de plaisir sexuel qu'elle acceptera ou refusera [1]. »

Ce jugement de Freud paraît assez pertinent. Il situe la responsabilité de notre sexualité là où elle doit en effet résider : en nous-mêmes. Mais il parle d'une époque où nous sommes assez grandes pour décider « sur une base large et rationnelle » de la part de sexualité que nous pouvons nous accorder.

Pour la plupart d'entre nous, cette époque n'est pas encore celle de l'adolescence. Le refoulement qu'impose la mère à notre sexualité recrée en chacune de nous le mythe de la Belle au bois dormant, et notre avenir devient pour nous un mythe complémentaire : un jour mon prince viendra... le chevalier à l'armure de lumière qui réveillera ma sexualité endormie. Nos Lancelots boutonneux font sourire nos parents, mais à nos yeux, ils nous arrivent sur une nuée de gloire. Nous nous rivons à eux, menottes aux mains et chaînes aux pieds, prisonnières de ce que nous éprouvons quand ils nous serrent dans leurs bras. Ils nous soulagent pour un temps de notre attente, de notre sommeil, de notre passivité. Quand nous ne sommes pas dans leurs bras, nous vivons de fantasmes, jusqu'au moment où ils nous reprennent et nous soulagent à nouveau. Je ne parle pas du soulagement de l'orgasme, mais de celui de la tension créée par la peur qu'aucun homme n'aura de nous un besoin égal à celui que nous avons de lui. Évidemment, cette tension est sexualisée ; elle fait partie de la progression rythmique vers l'orgasme, mais nous apprenons à l'apaiser sans recourir au grand frisson interdit. Nous finissons par trouver plus de soulagement dans la certitude qu'il ne nous quittera jamais que dans la

---

1. Sigmund Freud, « Un cas de paranoïa allant à l'encontre de la théorie psychanalytique de la maladie », *Standard Edition of Complete Psychological Works of Sigmund Freud*, p. 261.

présence en nous d'une partie de son corps. *Cette certitude devient plus importante que ne le sera jamais l'orgasme.*

La grande réalité de la présence du pénis dans notre corps n'égale jamais, pour beaucoup de femmes, ce substitut précoce : la sécurité. Et une sécurité étroite/contrôle — est l'antithèse de l'orgasme/abandon. Après des heures de baisers et de caresses, les jeunes filles regagnent leur chambre; leur jolie culotte est trempée, mais aucune frustration sexuelle ne les empêchera de dormir. Nous avons des sommeils de plomb, dans nos lits virginaux, parce que nous avons passé dans ses bras assez de temps pour croire une fois de plus, du moins pour un soir, que « tout sera merveilleux, je ne te quitterai jamais, je t'aimerai toujours ». Qui il est, ce qu'il veut (*faire l'amour et rien d'autre*), tout cela a moins d'importance que cette sécurité imaginaire que nous avons l'impression de recevoir de lui à jamais. Est-il étonnant qu'après un an ou deux de mariage, tant de femmes se réveillent dans les bras d'un étranger? « Comment ai-je bien pu l'épouser? »

« J'étais fille unique dans une maison pleine de femmes, raconte l'actrice Elisabeth Ashley. Aussi les hommes, pendant mon enfance et ma jeunesse, étaient-ils pour moi un mystère. Ma mère avait beaucoup souffert, mais comme tant de femmes de sa génération, elle se croyait obligée de cacher ses cicatrices. Montrer sa douleur, c'était perdre sa dignité. Elle était vraiment féministe avant la lettre mais très secrète, forte, idéaliste et courageuse. Elle s'était assigné la mission de m'apprendre à être indépendante. Et elle a réussi. Mais les hommes, avec tout leur mystère, avaient encore cet énorme pouvoir.

« Dans un sens, les hommes étaient pour nous ce que sont les drogues pour la génération actuelle. On dit aux gosses : " Si vous les utilisez, vous serez à jamais leur esclave. " Les hommes étaient notre " défonce ". Ils étaient imprégnés d'un romanesque mystique, dangereux, irrésistible, de tout ce qui constitue, au fond, la pierre angulaire de tout esclavage [1]. »

Les jeunes filles, aujourd'hui, tendent à établir des relations amicales avec les hommes là où, il y a dix ou vingt ans, il n'y aurait eu place que pour un amour romanesque. Cependant, quand vient l'heure des expériences sexuelles, le taux des grossesses et des avortements chez les adolescentes est effrayant. Les jeunes filles attendent encore de leurs partenaires sexuels quelque chose de merveilleux, de magique, de mystique. Tout autant que les générations qui les ont précédées, elles s'imaginent

1. Citation extraite d'une interview d'Elisabeth Ashley, par Ila Stanger. L'article était intitulé : « Des femmes hors du commun vous parlent de la vie de célibataire. » *Harper's Bazaar*, mars 1975.

que l'amour transformera en réalités les paroles des chansons. Les affairistes du rock-business savent très bien que pour une fille qui réussit dans la chanson, il y a une bonne douzaine de super-stars de sexe masculin : les filles rêvent en musique, mais pas les garçons.

Dans une étude récente, l'éducatrice Patricia Schiller a constaté que les adolescentes, en général, ne lisent pas de livres pornographiques et que la vue d'hommes nus ou en pantalons moulants ne les excite pas. Elle a constaté par ailleurs que le principal stimulant sexuel chez les jeunes filles de tous les groupes socio-économiques était la musique, et tout particulièrement les paroles des chansons [1]. Ce n'est pas du sexe que rêvent les jeunes filles. C'est de l'épanouissement inconnu et mystérieux que les hommes sont censés leur apporter. Par exemple, un important fabriquant de vibromasseurs m'a dit que quand il fait de la publicité dans la presse universitaire, il constate que le rendement est nul. Les femmes adultes peuvent acheter ses produits après avoir vu les annonces publiées dans les magazines pour adultes, mais les jeunes filles désirent tirer leurs satisfactions de mystères sur lesquels aucun vibromasseur ne peut avoir d'effet.

« Nos vies, en tant que femmes, dit le Dr Schaefer, sont pleines de fantasmes. Nous avons le fantasme de notre père, tel que nous l'imaginons, et le fantasme de ce qu'il est d'après ce que dit de lui notre mère. Nous avons le fantasme de l'homme idéal que nous voudrions épouser et le fantasme du type d'homme que nous épouserons dans la réalité. Nous avons le fantasme de ce que notre vie devrait être; nous sommes pour la plupart incapables d'affronter les réalités de notre vie parce que nous avons toujours à l'esprit le fantasme de ce qu'elle aurait dû être. » Selon un lieu commun, le désir est père de la pensée. Il serait sans doute plus juste de dire que le désir est mère de la pensée.

« Comment saurai-je que c'est vraiment de l'amour? » demande l'adolescente à sa mère, qui lui répond : « Quand il sera là, tu le sauras. » Et un beau jour, sans crier gare, la prédiction maternelle devient réalité. Le fait d'être dans les bras de notre amant crée en nous une sensation de chaleur, d'amour, de bonheur que nous n'avons jamais connue jusqu'alors... c'est du moins ce que nous croyons. Mais c'est étrange, tout nous paraît familier. Nous sommes envahies par l'étrange impression d'avoir déjà vécu la même chose. Nous avons toujours su que ces émotions existaient, et nous avons simplement attendu leur retour. *Tout nous semble normal, naturel.*

1. Cette étude était intitulée : « Effet des mass media sur le comportement sexuel des adolescentes »; elle a été diffusée par l'Association américaine des conseillers et thérapeutes sexuels, dont le Dr Schiller est le président.

« Si le sentiment d'amour, à ces moments-là, est tellement satisfaisant, dit le Dr Robertiello, c'est que dans toute situation hétérosexuelle parfaitement acceptable, la femme reproduit la même intensité de satisfaction que celle qu'elle a éprouvée autrefois à l'occasion d'une autre étreinte : à l'époque où elle était bébé, dans les bras de sa mère. » Comme cette notion est vaguement désagréable, comme elle menace quelque peu notre identité de genre, en tant que femmes, nous la refoulons. Malgré toute leur virilité, les hommes peuvent nous faire connaître des moments où ils nous rappellent tellement l'amour que nous avons connu avec notre mère que nous avons peur de l'admettre. Nous enveloppons notre sentiment dans un nuage de mystère.

Mais ils nous apportent aussi la sexualité! Il est facile de ne pas être consciente du fait que les sentiments tendres que nous éprouvons avec les hommes sont enracinés dans les premières expériences que nous avons vécues avec notre mère, quand nos sentiments actuels, et tout aussi réels, d'excitation sexuelle sont profondément ancrés dans le présent : *cet* homme, *cet* instant, *ses* bras, *son* corps. La différence entre les deux notions est extrêmement importante. Elle nous aide à expliquer la vie des femmes.

Quand les deux éléments existent — le maternage *et* la sexualité explicite — le mariage (ou l'aventure) est considéré comme sérieux, et il se prolonge pendant quelque temps. Si le maternage inconscient que nous avons appris à attendre de notre mère est absent d'une relation homme-femme, on dit que cette relation est « purement sexuelle », et elle ne tarde pas à prendre fin. D'après mon expérience personnelle, ce que la vie peut nous offrir de plus enrichissant dépend plus souvent de la satisfaction de besoins inconscients que de celle des exigences physiques.

« Au cours de ces dix dernières années, précise le Dr Schaefer, l'évolution la plus importante de la pensée psychanalytique a consisté à remonter à une période plus ancienne que celle du triangle œdipien. Nous étions trop centrés sur le trio mère-père-enfant; nous commençons maintenant à nous attacher à la dualité mère-enfant, qui est beaucoup plus ancienne. » Que cela nous plaise ou non, dans l'immense majorité des familles américaines, le personnage essentiel pour l'enfant — quel que soit son sexe — est la mère. C'est à travers elle que nous établissons tout d'abord le modèle qui dominera nos relations avec autrui. « Quelle que soit la personnalité de la mère, dit le Dr Robertiello, c'est bien ce qu'elle nous apprend. Elle est notre premier modèle. C'est à travers elle que nous apprenons à affronter la réalité; elle est aussi pour nous le modèle des gens que nous aimerons fréquenter. »

Les adolescentes qui se rendent compte que leur mère n'aiment pas les hommes en général, ou leur père en particulier, subissent une influence dévastatrice. « Si la fille aime son père, dit le Dr Schaefer, le négativisme de sa mère suscite en elle un conflit. Elle ne se sent pas libre d'aimer son père si sa mère ne l'aime pas, si elle ne cesse de le dénigrer, de l'accabler de reproches. La fille peut faire bloc avec son père, mais cette complicité sera accompagnée d'un sentiment de culpabilité. Ses relations avec les hommes seront la répétition de l'attitude de sa mère vis-à-vis de son père : un harcèlement perpétuel. Le père ne gagnait pas assez d'argent, il était moins malin que les autres, c'est ce que retiendra la fille de la vie de famille. »

Et le Dr Schaefer poursuit : « Les maris se révoltent souvent contre ces femmes acariâtres. Ils se comportent comme des enfants désobéissants, têtus. Ils pourraient mieux faire, mais ils s'en abstiennent, dans le seul but de contrarier leur femme. Dans une famille de ce genre, la fille grandit avec l'idée que les hommes ne sont pas des êtres solides, sur lesquels on peut s'appuyer, mais des enfants irresponsables, en rébellion constante contre les femmes. »

À l'opposé, on trouve les filles qui disent d'elles-mêmes : « Je suis bien *la fille de mon père*. » Ces femmes refusent avec intransigeance tout lien, toute similitude avec leur mère. « Je me suis toujours sentie très près de mon père. Il était plus sévère, mais jamais aussi mesquin que ma mère. »

Bien sûr! Il abandonnait à la mère toutes les besognes les plus ingrates, mais nécessaires — à commencer par l'apprentissage de la propreté, cette lutte titanesque, si facilement oubliée. Elle tenait le bout merdeux du bâton, au propre et au figuré.

Papa est comme un dieu, non seulement parce qu'il est distant et possède ce pouvoir d'attraction sexuelle, mais parce que, comme ces cadres supérieurs qui laissent aux sous-fifres le soin de propager les mauvaises nouvelles, il cède à sa femme l'exercice de la discipline quotidienne, le soin de nous priver d'argent de poche et de plaisirs quand nous ne sommes pas sages et de nous obliger à faire ou à manger des choses que nous n'aimons pas. Quand papa rentre à la maison après une journée de travail, la tension, entre notre mère et nous, a atteint son point culminant. Lui, il part de zéro. Nous sommes pour lui comme un dessert à la fin de la journée. Nous nous révoltons moins quand il nous demande de rentrer de bonne heure à la maison, parce que nous n'avons pas dû nous battre avec lui à longueur de journée à propos de cent autres choses. « Quand j'étais jeune, je ne parlais jamais à ma mère, m'a dit une femme de trente-cinq ans. C'était avec mon père que je me sentais le plus moi-même, et c'était formidable. Je me sentais parfaitement en sécurité. Dès qu'il quittait la pièce, cette impression disparaissait. » J'ai demandé à cette femme si elle passait beaucoup de temps avec son père. Elle m'a dit qu'elle ne l'avait connu qu'à cinq ans, après la guerre. Le souvenir le plus important qu'elle a de lui, c'est « le jour où il m'a accompagnée au train quand j'ai quitté la maison, à seize ans ». Il m'a dit : " N'oublie pas que tous les gens que tu connaîtras ne seront pas aussi gentils que ceux qui vivaient dans la maison. " Je pense que c'était sa façon à lui de faire allusion à la sexualité ». Cette vague allusion est son meilleur souvenir d'éducation sexuelle et constitue un exemple de ce qu'elle appelle « les relations profondes et enrichissantes " qu'elle entretenait avec son père.

« Les femmes de ce genre, dit le Dr Robertiello, ont l'illusion d'être plus près de leur père que de leur mère. Peut-être obtenaient-elles de lui un amour plus pur, mais elles n'étaient certainement pas plus près de lui. Demandez au plus affectueux des pères combien de temps il passait en contact direct avec sa fille. Cela se réduira peut-être à une dizaine de minutes par semaine. Un système de communication en tête à tête, vraiment intime et significatif entre un père et sa fille? C'est rare, très rare! » En raison de son silence, de son absence, de son mystère, il n'est pas étonnant que nous fassions du papa l'homme le plus merveilleux du monde. Son contour indécis fait de lui une matière idéale pour nos rêves.

On dit que les « filles de leur père » se débrouillent mieux avec les hommes quand elles sont devenues adultes. Elles sont des « femmes à hommes », ont avec le sexe fort des affinités que les autres femmes sont désolées de ne pas avoir. En réalité, ces femmes éprouvent souvent les pires difficultés à trouver un homme qui puisse se hausser au niveau de l'image idéalisée de la virilité qu'elles se sont faite d'après leur père. Même si, grâce à un bond magique dans le temps, elles pouvaient se trouver en présence de leur père quand il avait vingt-cinq ans, *il ne ferait pas l'affaire.* Il serait encore bien loin du fantasme.

Toutes nos interactions réelles, fondamentales, personnelles sont orientées du côté de notre mère. C'est avec elle que nous élaborons les éléments essentiels qui sont à la base de notre caractère et de notre personnalité. La mère est le marteau et nous sommes l'enclume, et notre esprit se forge peu à peu à force de discussions et d'ententes au sujet de notre alimentation, de notre apprentissage de la propreté, de l'amour que nous recevons et de la discipline qui nous est imposée, de nos rivalités, des réalités de la vie et de notre acheminement vers la séparation.

Si le père est le dessert de la vie, la mère en est la viande et les pommes de terre quotidiennes. C'est une question de mots; nous pouvons *préférer* affectivement notre père, mais nous sentir *plus près* de notre mère. Celle-ci n'a pas son charme, mais avec elle, du moins, nous savons où nous en sommes. Elle nous est plus familière que toutes les personnes que nous pouvons connaître. Plus tard, nous sommes attirées par ceux (hommes ou femmes) qui éveilleront en nous les sentiments que nous éprouvions autrefois avec elle. Même si ces personnes ne valent pas grand-chose, même si elles nous maltraitent, nous repousserons les critiques des autres; nous dirons que nous les trouvons « sympathiques » et, s'il s'agit d'une femme, nous en ferons notre amie; s'il s'agit d'un homme, nous le mettrons dans notre lit. Nous aurons l'illusion de revenir à la maison.

« J'ai connu beaucoup de femmes, dit le Dr Robertiello, qui vous diront qu'elles étaient folles de leur père et qu'elles ont même épousé un homme qui lui ressemblait. Mais si on les connaît mieux, on constate très souvent que le mari, quelle que soit son apparence physique, possède intérieurement la personnalité de la mère. La fille dont la mère était froide et narcissique, mais qui recevait d'elle assez d'affection pour pouvoir éprouver à son égard des sentiments positifs, épousera souvent un homme également froid et narcissique. Ayant appris à supporter pendant son enfance ces traits de caractère, elle les tolérera de la part de son mari. Son inconscient et ses fantasmes lui disent qu'il s'intéresse à elle de cette façon stupide et bizarre qu'avait sa mère de l' " aimer ", derrière sa froideur et son narcissisme. Que nous soyons homme ou femme, nous épousons souvent en premières noces un être qui possède la personnalité de notre mère. Si votre mère n'était pas quelqu'un de bien, vos ennuis ne sont pas près de finir! »

« Quel genre d'homme était mon premier mari? m'a dit une femme. Il était froid, comme ma mère. Encore aujourd'hui, ma fille appelle son père " la Machine ". Je n'avais aucune raison d'être allergique à ce type d'homme. Comme ma mère était mon modèle, j'y étais habituée. C'est comme si vous viviez dans une partie du pays où le sol est pauvre... vous n'en souffrez pas, parce que vous ne connaissez rien d'autre. »

Ce genre de comportement inconscient, et souvent autodestructif, est même commun aux femmes qui pensent détester certains aspects de leur mère au point de la prendre pour modèle négatif : ce qu'il ne faut pas être. Voici, par exemple une femme de vingt-sept ans qui se moque ouvertement du caractère « adjudant » de sa mère et qui estime ressembler davantage à son père. Même si elle sent que sa vie et ses actes sont en contradiction avec cette envie de ressembler à son père, elle est incapable de voir combien le modèle maternel conditionne ses relations avec les tiers :

« Non, je ne ressemble pas du tout à ma mère. Je suis plutôt comme mon père. Toutes mes amies prennent mes parents pour modèle; elles pensent que leur mariage est solide, mais moi, je sais que ma mère est une chipie. Nous l'appelons l' " adjudant ". Elle est tracassière, et mon père est la patience faite homme. Je me rappelle que je me moquais de la susceptibilité de ma mère, tellement elle était irrationnelle. Mais j'ai été tout aussi irrationnelle avec ma fille aînée. Je me fâchais pour un rien. Elle me dit souvent, d'un ton très calme : " Voyons, maman! " quand je m'agite dans toutes les directions. »

Cette femme pense que son identification à certaines réactions de sa mère n'est qu'une sorte de comportement aberrant, une manie « bizarre » tout à fait à part, qui n'a rien à voir avec la façon dont elle mène sa vie en général. Mais les femmes de ce type refoulent une plus grande partie de leur modèle qu'elles ne le pensent. « Elle agira probablement comme sa mère d'une façon plus importante, plus subtile, m'a dit le Dr Robertiello, mais elle ne se l'avouera pas. Toute son histoire est fondée sur un refoulement total. En réalité, elle se conduit comme sa mère, tout en sachant consciemment qu'elle ressemble à son père. Les femmes n'aiment pas penser qu'elles ont en elles ces traits maternels qu'elles détestaient par-dessus tout mais, qu'elles le veuillent ou non, ce sont bien ces traits qu'elles ont intégrés. Il est extrêmement désagréable de savoir que vous avez hérité de votre mère tout ce que vous haïssiez chez elle. Mais c'est exactement ce qui se passe. En psychothérapie, c'est là que nous trouvons le maximum de résistance. »

Comme les femmes acariâtres sont pénibles à vivre et en même temps très nombreuses, je vais essayer de donner un autre exemple qui illustre la genèse de leur caractère. Il s'agit cette fois d'une adolescente de seize ans, mais le mécanisme de refoulement fonctionne aussi puissamment chez elle que chez les épouses et les mères dont j'ai déjà parlé. « J'espère que je ne tracasserai pas mon mari comme maman le fait avec papa! m'a-t-elle dit. Mais je me suis souvent surprise en train d'assommer mon ami avec mes criailleries. C'est ce que je déteste le plus chez ma mère, mais c'est plus fort que moi. Mon ami me disait souvent : " Tu me harcèles exactement comme ta mère le fait avec ton père. " Quand il me dit ça, j'ai la chair de poule. Il y a une grande intimité entre mon père et moi. Il est beaucoup plus tolérant que ma mère. Un jour il m'a dit qu'il espérait que je romprais avec la tradition des mégères de la famille. »

Cette histoire est tout à fait classique. Cette jeune fille affirme qu'elle est plus près de son père, mais elle se comporte comme sa mère. Elle prétend détester le caractère acariâtre de sa mère, mais elle l'imite. La proximité, l'identité de sexe, le besoin de protection de la mère... une quantité de forces la poussent à prendre sa mère pour modèle et non pas son père. Elle intègre à la fois ce qui lui plaît et ce qui ne lui plaît pas.

Les femmes qui réussissent dans leur profession pensent souvent consciemment qu'elles ont modelé leur vie sur celle de leur père adoré, qui a très bien réussi dans la vie. A les entendre, leur succès est la preuve de l'intimité qu'elles avaient avec lui. Elles marchent sur ses traces. Elles ont en partie raison.

Dans sa thèse de doctorat, à Harvard, Margaret Hennig a enquêté auprès de vingt-cinq femmes cadres supérieurs ; elle a constaté que toutes, sans exception, s'identifiaient à leur père et étaient fortement liées à lui ; c'était, dans tous les cas, un homme qui attachait une grande importance à sa carrière. Leur mère, en général, était une femme traditionnelle, non compétitive, qui ne s'intéressait guère à ce qui se passait hors de la maison et qui n'était jamais apparue dans la vie de leur fille comme un géant menaçant qui aurait pu capter entièrement l'attention du père. Ces femmes avaient « possédé » leur père dès le début.

Elles n'étaient pas non plus considérées par leur père comme un substitut du fils ; leur père ne se croyait pas obligé de jouer un rôle sexuel (du moins en ce qui concernait leur fille), si bien que celles-ci ne confondaient pas l'identité de genre féminine avec la notion masculine selon laquelle l'ambition et le succès sont exclusivement réservés aux hommes [1].

Et pourtant, au cours de mes recherches, j'ai rencontré plus d'une femme cadre qui, tout en étant froides et efficientes au bureau (comme leur père), connaissaient un changement affectif profond quand elles se mariaient ou quand elles avaient une aventure sérieuse avec un homme. Souvent, le changement n'était apparent qu'après coup.

« J'ai toujours été très près de mon père, m'a dit une de ces femmes. Il était pour moi le plus bel homme du monde, et le plus intelligent. Quand il était à la maison, je ne le quittais pas d'une semelle et quand il s'apprêtait à partir, je me tenais à deux pas de lui, guettant le signe qui m'autoriserait à l'accompagner. Il me parlait non pas comme à une gosse, mais comme à une adulte... il m'a raconté l'histoire de Don Quichotte et celle de l'implantation des Mormons dans l'Utah. Je ne me rappelle pas que ma mère ait eu une opinion quelconque sur cette intimité. Tout se passait comme si nous étions invisibles. C'était une maman très affectueuse, très aimante, mais je ne voulais pas avoir la même vie qu'elle. C'était pour mon père que je passais mes examens. Comme j'étais plus ambitieuse et plus aventureuse que mes amies d'enfance, je m'appelais moi-même " la fille de mon père ". C'était me ranger dans une catégorie où je me sentais à l'aise. Après la licence, j'ai continué mes études, parce que je voulais être un grand professeur, comme mon père. J'avais toujours eu l'intention de me marier. Quand je l'ai fait, il y a cinq ans, j'ai commencé à changer. Apparemment, tout était comme avant, mais, sur un certain plan, j'avais tendance à faire passer mon travail après mon rôle

1. La thèse de doctorat de Margaret Hennig a été décrite en 1970 (université Harvard). Elle était intitulée : « L'évolution de la carrière chez les femmes cadres ». Margaret Hennig a poussé plus loin son travail dans un livre écrit en collaboration avec Anne Jardin : *The Managerial Woman*.

d'épouse. A mesure que je m'enfonçais dans le mariage, je sentais que ma réussite, en tant que personne, était surtout attachée à ce rôle. Je pense que cette nouvelle attitude avait beaucoup à voir avec la relation qui existait entre mon père et ma mère.

« Toute ma vie j'avais refusé d'admettre que je ressemblais à ma mère, mais, une fois mariée, je me suis sentie mal à l'aise. Pour la première fois de ma vie, cette chose extraordinaire qui existait entre mon père et moi m'échappait peu à peu. En tant qu'épouse, je ne pouvais pas le prendre pour modèle. Quand vous avez toujours eu une idée très nette de ce que vous êtes et de ce que vous voulez faire, il est vraiment très déroutant de voir combien le mariage peut vous changer; vous vous surprenez soudain à basculer dans le seul rôle que vous refusiez... la façon dont votre mère se comportait avec votre père. Le mouvement s'accélère quand vous devenez mère à votre tour. Je peux vous raconter une chose curieuse qui s'est passée quand ma fille est née. La banque m'a téléphoné pour me demander pourquoi, brusquement, je signais mes chèques " Mme Philip Henderson ", alors que j'avais toujours signé " Sheila Henderson ". Il me fallut un certain temps pour comprendre qu'à partir du moment où j'étais devenue mère, j'avais cessé d'être *moi;* j'étais devenue la mère de Karen, la femme de mon mari, Mme *Philip Henderson.* »

Les différents rôles qu'ont joués nos parents dans les premières années de notre vie fournissent certains indices qui nous permettent de comprendre pourquoi tant de femmes, pourtant brillantes dans leur travail, retombent si souvent dans des rôles régressifs à partir du moment où elles se marient : la mère commence à nous apprendre à être femme et épouse bien avant que notre père vienne nous dire ce qu'il faut faire pour réussir dans notre travail. La façon dont nous nous conduisons dans notre vie active est en relation avec des modèles de comportement et de sentiments que nous avons acquis relativement tard. Ces notions sont plus conscientes, et peuvent être manipulées plus rationnellement que les besoins acquis préalablement avec notre mère. « Le père, dit le Dr Robertiello, peut servir de modèle en ce qui concerne ce qu'il convient de faire au bureau; mais le comportement à la maison, avec les hommes, à un rendez-vous, au lit, c'est-à-dire partout où interviennent des émotions fondamentales, toutes ces relations se structurent autour de l'image de la mère. Les femmes calquent leur comportement avec les hommes sur le modèle de ce qu'elles ont observé entre leur mère et leur père; ou *entre leur mère et les hommes,* ce qui, en général, revient à peu près au même. »

Si la mère était craintive et masochiste, la fille peut très bien être un lion dans son travail; mais dans ses relations intimes, elle acceptera des hommes qu'elle ne voudrait pour rien au monde embaucher dans son bureau, ou qu'elle ne remarquerait même pas dans la rue. Si la mère est dominatrice et/ou symbiotique, nous nous comportons de la même façon qu'elle avec les hommes. « C'est quelque chose que l'on peut observer tous les jours, dit le Dr Robertiello. Une femme vous dira qu'elle s'identifie à un homme qui ressemble à son père et que c'est ce type d'homme qu'elle recherche. Puis elle épouse quelqu'un qui la replace dans le lien inconscient que sa mère lui imposait. »

Cela illustre très bien ce que Freud appelait la « compulsion de répétition ». C'est le refus de renoncer à la toute-puissance infantile. « Tout est centré, dit le Dr Robertiello, sur la conviction inconsciente que l'on peut revenir en arrière et prendre une mauvaise mère, comme celle qu'on a eue, pour en faire aujourd'hui une bonne mère. La répétition est due à l'incapacité d'admettre que nous avons essuyé un échec avec notre mère, qu'elle ne nous aimait pas assez ou qu'elle ne nous aimait pas comme nous l'aurions désiré. Cette fois-ci, pensons-nous, ça ne se passera pas de la même manière! »

Ce mécanisme explique le pouvoir magnétique de M. X., de cet homme redoutable qui prétend nous aimer alors qu'il ne nous aime pas du tout. Pourquoi le chic garçon qui vient vers nous avec tout son amour nous semble-t-il si insignifiant? Pourquoi son amour nous paraît-il si insipide à côté de notre chance de conquérir le cœur de M. X.? Parce que le modèle d'amour que nous offrait notre « mauvaise » mère est réincarné dans M. X. Avec lui, nous avons une deuxième chance de conquérir l'amour de notre vie, celui qui nous a échappé la première fois. L'amour du gentil petit voisin? Ce n'est pas avec lui que nous aurons l'occasion de réussir là où nous avons échoué autrefois.

Notre idée la plus nette de notre père est celle que nous nous faisons à travers ce qu'il accomplit pour notre mère et, par extension, pour nous. Il est cette force extérieure mystérieuse qui assure le pain quotidien, qui fait pleuvoir sur la famille, comme un père Noël, tous les bienfaits de la vie... la maison, l'auto, la machine à laver, les vacances, l'argent qui permettra la jolie robe que nous porterons à une occasion longtemps rêvée. Dans les familles où la mère travaille également, sa contribution au budget familial est généralement inférieure à celle du père. Elle a ses propres raisons de maintenir ce statu quo : la plupart des femmes ont besoin de sentir que leur mari est le principal ravitailleur, et c'est cette notion qu'elles transmettent à leur fille.

La mère, d'autre part, veille sur toutes ces richesses. Elle administre le budget au jour le jour, elle nous accorde ou nous refuse notre argent de poche. Si nous sommes « gentilles », nous obtenons des « extras »; c'est une forme de comportement que nous avons observée entre elle et notre père. Pour nous aussi, l'argent qui nous est présenté comme une récompense par un homme a plus de signification que celui que nous gagnons par nous-mêmes. « Mon mari me donne mon argent de poche, m'a dit une femme qui gagne elle-même beaucoup d'argent; l'argent a quelque chose de très sexuel. »

Le père est capable de largesses; la mère rechigne pour un sou. Elle passe un temps fou à chercher la boutique où elle pourra économiser trois cents sur une boîte de *cornflakes*. Quand nous avons envie d'aller à un camp de vacances onéreux, c'est le père qui prononce le « oui » définitif. Si nous voyons un film où Steve MacQueen, au restaurant, paye la note en jetant quelques gros billets sur la table et s'en va sans attendre la monnaie, nous réagissons par une certaine chaleur sexuelle. C'est bien comme ça que sont les hommes! Ils vivent dans un monde si libéral qu'il n'est pas question d'ergoter sur une addition. Mais quand nous déjeunons avec nos amies, notre mesquinerie est notoire : « Dis donc, tu as pris une salade de chou en supplément... Et toi, Sally, tu as bu deux verres de vin! »

Il ne faut donc pas s'étonner que bien avant d'avoir envisagé si (et comment) elle va nous préparer à avoir avec les hommes des expériences sexuelles, notre mère nous a déjà donné une image de la vie où ils sont indispensables. On songe à ces photos, dans les magazines de mode, où les hommes sont en arrière-plan, sans caractère, ou homosexuels; qu'importe qui *ils sont;* ce qui compte, c'est que leur présence permet aux femmes de mieux se définir. La robe coûte cher, mais sans un homme, sans un troupeau d'hommes qui se traînent aux pieds de la femme qui la porte, ou qui l'aident à descendre de voiture, la photo serait beaucoup moins persuasive *pour les clientes éventuelles.*

Notre évolution, aujourd'hui, tend à nous éloigner de ce tableau; et pourtant, l'idée que c'est aux hommes que nous devons la notion de notre propre valeur est tellement intégrée à la réalité féminine que la majorité des femmes pensent qu'il est aussi difficile de repousser cette idée que de nier la loi de la pesanteur. Quand je dis que les femmes ont encore besoin que les hommes « s'occupent d'elles », cela peut sembler anachronique, totalement dépassé; il est trop facile d'écarter cette idée si on ne retient d'elle que sa signification superficielle. Bien sûr, les femmes n'ont pas besoin des hommes pour payer leurs factures ou pour chasser les importuns. Mais nous avons besoin que les hommes s'occupent de nous parce que nous ne croyons pas que nous sommes visibles, que nous existons, s'il n'y a pas un homme dans notre vie... de même qu'autrefois, quand nous étions bébés, nous nous sentions perdues, abandonnées, condamnées à mourir, si notre mère ne surgissait pas au moment où nous étions effrayées de notre solitude.

« Non, j'insiste, je veux payer ma part », disait une jeune femme amie

250

qui était venue se joindre à la table où nous déjeunions, mon mari et moi. Mais quand elle a fouillé dans son porte-monnaie, elle a constaté qu'elle n'avait pas assez d'argent. S'il le peut, l'homme, quand il sort, a sur lui plus d'argent que ce qu'il croit indispensable. Il veut pouvoir faire face à l'imprévu. La femme, par son éducation, a tendance à ne prendre que le strict nécessaire, ce qu'il faut pour rentrer chez elle en taxi. Dans son esprit, la jeune femme dont je viens de parler voulait se conduire en femme moderne et responsable. Quelque chose de plus profond, qui lui a été inculqué depuis sa plus tendre enfance, a veillé à ce qu'elle ne le soit pas.

Ce qui rend cette irresponsabilité si effrayante, c'est que les femmes commencent à comprendre que les libéralités des hommes sont beaucoup moins désintéressées qu'ils ne le prétendent. « Mon ami n'a pas beaucoup d'argent, m'a dit une fille de seize ans. Je lui ai dit que je ne voyais aucun inconvénient à payer ma part, mais ça ne lui plaît pas tellement. Il n'arrête pas de sortir avec ses copains, ce qui, en principe, ne lui coûte pas trop cher. Quand ça lui arrive, il veut que je reste à la maison. Il pourrait très bien sortir avec moi s'il ajoutait mon écot à ce qu'il dépenserait avec ses amis. Mais non, je suis censée rester chez moi quand il n'est pas d'humeur à me voir... car c'est bien de ça qu'il s'agit quand il me dit qu'il est fauché. Si je sors seule, si je vais sans lui à une partie, il est furieux. » Si l'homme ne vous « laisse » partager les dépenses que quand cela lui convient, l'indépendance qu'offre l'argent est aussi frelatée que la qualité de la relation.

En faisant des hommes des pères Noël, la mère porte un coup terrible au problème de rivalité qui existe entre nous. Papa n'est pas cette créature sexuelle, cet homme séduisant que nous désirons toutes les deux. Il est en réalité un merveilleux ravitailleur, certainement affectueux, mais aussi confortable et aussi peu érotique qu'un chauffe-eau. Comment pourrait être sexuel cet homme qui travaille à la limite de l'infarctus, qui rentre à la maison si fatigué et si grognon qu'il a tout juste la force d'effleurer d'un baiser le front de maman? De plus, maman cimente notre alliance: papa n'est pas l'enjeu de notre rivalité, mais un adversaire grincheux que nous bernons d'un commun accord: « Nous ne lui dirons pas que ta robe a coûté quarante-cinq dollars, mais seulement vingt-cinq... »

Il y a une énigme dans ce tableau séduisant, sécurisant de la vie domestique que nous présente la mère. La voici donc, nous répétant que papa est un homme merveilleux, qu'il se tue au travail pour nous, qu'il adore sa femme, qu'ils vivent tous les deux un mariage idéal. Mais pourquoi est-elle toujours prête à manigancer sournoisement ces petites tricheries qui le font passer pour un imbécile? A-t-elle oublié qu'ils ont eu une scène terrible la semaine dernière? Le père, la plupart du temps, ne semble-t-il pas s'ennuyer avec elle, passant au bureau, au café, avec ses amis, plus de temps qu'elle ne le voudrait? Quand elle parle des bienfaits du mariage (qu'elle oppose aux dangers du sexe), nous perdons pied avec la réalité. Une partie de nous-même est favorable au mariage, mais son propre mariage nous refroidit. Il manque quelque chose. Elle n'arrête pas de nous répéter que le sexe est plein d'aléas; que les garçons sont des vauriens qui n'ont qu'une idée en tête. Nous sommes encore jeunes, mais nous savons déjà que la vie ne vaut pas la peine d'être vécue sans le piment que lui ajoutent les garçons. Comment pourrions-nous faire confiance aux promesses de notre mère? Elle nous présente les hommes sous un jour si dangereusement grisant que le sexe devient bientôt l'unique et perpétuel objet de nos préoccupations.

Nous nous arrangeons de cette réalité de la vie en décidant que notre mère est bonne et que c'est nous qui sommes mauvaises. Dans ces conditions, il est normal que les filles se sentent désemparées et en veulent à leur mère si elle divorce et se met à revenir à la maison avec des hommes différents. Ces nouveaux venus ne sont pas de gentils papas, bien rassurants, et qui payent le loyer. Est-il vraiment possible qu'elle veuille avoir une vie sexuelle, après nous avoir répété pendant tant d'années que le sexe est mauvais, inutile, dangereux et que, surtout, il ne doit jamais en être question entre nous? Elle a rompu le lien symbiotique : elle tient beaucoup plus à cet intrus qu'à nous. « Il n'y a aucune rivalité entre maman et moi, m'a dit une jeune fille de quinze ans dont la mère a installé son amant au domicile familial. C'est avec lui que je suis en rivalité, quand maman s'occupe plus de lui que de moi. Quand je serai grande, je crois que je me marierai, au lieu de vivre comme le fait maman avec cet homme. Je ne veux pas avoir la même vie que ma mère. » Cette jeune fille, parmi ses amies, a la réputation d'être naïve et antisexuelle.

Le Dr Sonya Friedman, qui est conseillère conjugale, parle d'une situation analogue, où la fille a eu une réaction diamétralement opposée : « Quand la mère, à trente-cinq ans, a installé son amant à la maison, sa fille s'est sentie si gênée qu'elle a cessé de recevoir ses amis. Ils demandaient : " Qui c'est, cet homme? Il n'est pas ton père. Pourquoi dort-il dans la même chambre que ta mère? " La jeune fille ne pouvait pas supporter ces questions. Les enfants ont un sens très étroitement défini de la moralité, du bien et du mal. Je n'ai pas été du tout étonnée quand cette jeune fille s'est lancée d'elle-même dans des expériences sexuelles délirantes. »

Quand la mère laisse entendre que l'intérêt qu'elle porte aux hommes n'est pas uniquement dû à des soucis de confort domestique, contrairement à ce qu'elle nous avait toujours dit, elle enlève aux hommes tout leur mystère. Ils sont sexuels, et nous voulons ce qu'elle a. La digue qui contenait la rivalité est soudain rompue. La fille exprime souvent sa colère en trouvant l'homme le plus ouvertement sexuel qu'elle puisse trouver, pour défier sa mère, pour revenir à elle.

La mère ne ment pas délibérément. Elle désire vraiment que nous reproduisions sa vie, ce qui est pour elle une façon de se valoriser à ses propres yeux. Elle entoure la vie de mystères, parce que, si nous savions le peu qu'elle sait, nous pourrions ne pas répéter le cycle; si nous rejetions ses choix, elle se sentirait anxieuse et coupable : « Où donc me suis-je trompée? »

Une fois de plus, le désir est « mère » de la pensée. Comme le dit le Dr Schaefer, la mère s'imagine vraiment que son mariage est, sinon parfait, du moins mieux réussi que la plupart des autres. S'il ne l'était pas, pourquoi aurait-elle fait tant de sacrifices? Voici ce que dit Gladys McKenney, qui enseigne dans un collège secondaire d'une ville de banlieue du Michigan :

« Les filles ne sont que trop conscientes des contradictions que comportent la plupart des mariages : la mère qui, d'un côté, vante la beauté du mariage et qui, de l'autre, vit une relation lamentable. Il est difficile que la fille reconnaisse : " Papa et moi n'avons pas été toujours très heureux ensemble. " Dans les familles que je connais, dont le statut socio-économique est supérieur à la moyenne — ce qui est le cas de la plupart des familles de la cité résidentielle où j'enseigne —, il existe entre le mari et la femme une forte animosité qui ne peut pas être exprimée. Les enfants en ont conscience, mais elle est cachée, refoulée. » La fille reçoit un double message : il arrive que nous nous détestions, mais il vaut mieux appeler cela de l'amour.

Le mystère s'épaissit.

« La mère, dit le Dr Schaefer, n'a qu'une façon de préparer sa fille aux réalités de la vie du couple : en étant franche en ce qui concerne sa propre vie conjugale. Si elle dit une chose à sa fille et en fait une autre, la contradiction crée les pires difficultés. C'est ce que j'appelle le Grand Mensonge : la fille se trouve coincée entre ce que lui disent ses parents et ce qu'ils vivent en réalité. » Nous ne demandons qu'à croire que la vie conjugale de notre mère est aussi merveilleuse que ce qu'elle nous en dit, mais du fond de notre cœur, nous savons que tout est loin d'être aussi rose. Il nous reste ce portrait idéal du père, mais nous n'avons pas la moindre idée de ce qu'il faut faire pour atteindre ce but idéal. Tout ce que nous savons, en attendant, c'est que nous devons écarter tous les hommes qui ne nous feront pas éprouver ce sentiment idéalisé. C'est à ce signe que nous reconnaîtrons l'homme qui nous est destiné, quand, enfin, il se manifestera : il nous transportera dans ce lieu magique dont notre mère nous a tant parlé...

MA MÈRE, MON MIROIR

Les mères élèvent leurs filles comme des oies blanches parce qu'elles croient à la divinité de l'innocence. Sur le plan de la sexualité, toutes les mères sont catholiques. Elles font des prières pour que leur fille garde son innocence; et en même temps, elles prient le ciel que leur fille, naïve et immaculée, se trouve un homme... On veillait étroitement sur la virginité des vestales parce qu'on savait que la sexualité serait leur perte. Nos mères nous gardent vierges et sottes parce qu'elles savent que le sexe, tout en nous étant destiné, sera également notre perte. A la lumière d'une telle fatalité, la pensée rationnelle, intelligente, n'a aucune chance de s'imposer. L'innocence doit être respectée, telle est l'idée dominante. Dans tous les cas où j'ai pu interroger séparément la fille et la mère, c'était toujours la même chanson. La mère : « Ma fille? Elle sait tout! Elle l'a appris à l'école, avec ses amies, dans la rue. Je n'avais absolument rien à ajouter. » Mais chaque fois que je me trouvais en face de la fille, qui avait quatorze, quinze ou seize ans, je constatais qu'elle ne savait rien du tout. Son corps, la contraception, autant de réalités qu'elle a peur de connaître. Où donc a-t-elle appris cette répugnance à se familiariser avec elle-même dans un monde où les informations sexuelles n'ont jamais été aussi accessibles?

Nos difficultés commencent avec l'ambivalence de la mère. S'il lui est difficile de s'exprimer, il nous est impossible de l'écouter. « Personne ne vous parle des sentiments que vous éprouverez quand vous vivrez intimement avec un homme, dit le Dr Schaefer. A la décharge de la mère, qui donc pourrait vous préparer à ce phénomène fantastique qu'est l'orgasme? Beaucoup de femmes sont si peu préparées à l'orgasme qu'elles le refusent. Elles lui résistent. Elles sont parfaitement capables de l'éprouver, mais elles sont effrayées par les sensations, les sentiments qui l'accompagnent.

« Mettez-vous à la place de la mère qui essaye, face à sa fille, de mettre les points sur les i. Ce n'est pas parce que, étant plus âgée, elle peut accepter certaines réalités sexuelles (et même les accueillir avec joie), ce n'est pas pour cela qu'elle ne sera pas prise de panique quand elle voudra mettre ces réalités sous les yeux de sa fille. Et voilà qu'un garçon embarque l'adolescente dans sa voiture... La mère sait très bien qu'à un moment donné, au cours de la soirée, la voiture s'arrêtera quelque part. Elle sait que sa fille attend des sensations agréables des baisers qu'elle recevra. Elle sait aussi que le garçon espère que sa partenaire caressera son pénis. Comment la mère pourrait-elle expliquer tout cela à sa fille si la sexualité lui donne à elle-même des complexes de culpabilité? »

« Beaucoup de femmes sont capables de voir un homme avec objectivité tant qu'elles n'ont pas couché avec lui, dit Sonya Friedman. Puis tout se détraque. Elles s'attachent à lui de façon déraisonnable. Il prend pour elles une importance affective hors de toute proportion. Voici une femme qui, hier encore, était calme et rationnelle, qui convenait qu'il ne s'agissait que d'un flirt sans importance, un déjeuner de soleil, et qui, aujourd'hui, se met à gémir : " J'ai besoin de lui, je le veux, sans lui je mourrai! " J'espère que cette façon de penser est en train de disparaître. C'était vraiment trop affreux, pour les filles de ma génération, quand, à chaque aventure un peu risquée, elles se sentaient terriblement coupables et/ou avaient terriblement " besoin " du garçon; et surtout, cette idée impérative que si on le désirait sexuellement, on devait à tout prix l'épouser.

« A mesure qu'on approche de la maturité, dit le Dr Friedman, on gagne la force intérieure de rester intacte. Vous pouvez jouir physiquement et affectivement de quelqu'un sans vous lier à lui, sans rester pendue au téléphone avec l'espoir qu'il appellera. J'espère que c'est ce que ma fille est en train d'apprendre : qu'elle est pleine de possibilités, qu'elle peut se considérer comme une personne à part entière, et qu'elle n'échangera pas tout cela pour une relation dominée par l'idée qu'elle ne peut pas vivre sans son partenaire. »

Nous comptons sur le mariage pour nous libérer de notre culpabilité sexuelle. Mais il y a une contradiction : l'épouse attend de son mari qu'il soit fortement érotique, magiquement viril, qu'il l'éveille sexuellement, mais en même temps, elle veut sauvegarder une ambiance affective pleine de tendresse, de chaleur, d'attentions délicates. « Non!... ne mets pas ta main là! » disons-nous quand il menace de séparer tendresse et érotisme. L'homme ne comprend plus : « Si elle ne trouve pas ça excitant, qu'est-ce qu'il lui faut! » Mais, depuis une vingtaine d'années, nous avons tenu nos mains éloignées de notre corps. Comment pourrions-nous lui expliquer ce que nous voulons, alors qu'on ne nous a jamais permis d'explorer notre propre sexualité?

Le plus déroutant, le plus atterrant, c'est que notre mère nous dit d'une part que les hommes sont dangereux, qu'ils ne méritent pas notre confiance, qu'ils sont des enfants égoïstes qui nous laisseront tomber un jour, et, d'autre part, qu'un avenir magnifique nous attend si nous épousons l'un d'eux! Dans notre culture, la « bonne mère » ne dira jamais à sa fille qu'elle peut ne pas se marier, ou que le mariage n'est pas forcément ce qu'il y a de meilleur au monde. La peur, la méfiance que certaines mères inculquent à leur fille à l'égard des hommes seront reportées plus tard sur chaque homme qui interviendra dans sa vie. L'expérience amoureuse, le mariage, seront compromis dès le départ. La fille, souvent, en voudra à tous les hommes à cause de ce qu'un seul homme a fait à sa mère, ou simplement de ce qu'elle lui en a *dit*.

Les femmes se plaignent à juste titre des don Juan pour qui la personnalité de la fille ne compte pas. « Ce type couche avec n'importe qui. » Les hommes retournent le compliment quand ils disent d'une femme : « Elle est prête à épouser le premier venu. » Un beau jour, nous nous réveillons comme des somnambules en disant : « Je n'ai pas choisi! Ça faisait partie du programme : je me suis mariée, j'ai eu un enfant, deux enfants, un chien, une maison de campagne, etc. »

A quinze ans, nous n'avons, bien sûr, plus rien de mystérieux pour les garçons. Mais ils se méfient, très conscients d'être encore tout près de la domination et de la promiscuité féminines : la mère est toujours là, qui rôde autour d'eux. Les jeunes gens ont autant besoin que nous d'intimité et d'amour, mais ils n'ont que faire de toutes ces histoires de « bonnes femmes » (la mère) : la dépendance, les règles, le contrôle. Les garçons, comme les filles, voient dans l' « autre » l'occasion d'échapper à la mère; ils comptent les uns et les autres sur une alliance qui les aidera à se séparer d'elle pour de bon. Mais comme ils ignorent, les garçons tout autant que les filles, ce que peut être une relation homme-femme autre que celle, fusionnelle, qu'ils ont connue à la maison, ils reproduisent entre eux la même situation. « Faire une fin », donne aux garçons comme aux filles l'impression de se mettre en sécurité. Le plus souvent, ils sont comme des noyés qui s'agrippent par la gorge. Ce sont les hommes, en général, qui rompent les premiers l'étreinte mortelle. Ils ont surtout l'avantage de pouvoir choisir, d'avoir connu des expériences de séparation. Ils ne sont pas disposés à accepter une relation à n'importe quel prix. Leur soupir de soulagement, le jour de la rupture, est bien connu. Mais on ne dit pas assez que les femmes, elles aussi, peuvent se sentir étouffées. Mais elles acceptent de l'être : n'importe quoi pourvu que la relation continue!

Quand s'estompent le romanesque et les fantasmes, quand nous voyons les hommes tout nus, débarrassés de leur grand mystère, quand nous constatons qu'ils sont tout simplement des êtres humains, comme nous, nous nous révoltons! Quand nous avions quinze ans, notre mère nous paraissait vieux jeu; nous nous prenions pour des pionnières de la sexualité, nous violions des domaines qui l'auraient horrifiée... si elle l'avait su. Que s'est-il donc passé? Soudain notre vie a perdu sa splendeur, et nous nous rendons compte que nous ne sommes pas allées plus loin qu'elle. *Nous lui ressemblons!*

Tout cela explique notre colère injustifiée, quand nos hommes nous disent : « C'est fou ce que tu peux ressembler à ta mère! » Peut-être sentons-nous confusément qu'il est injuste de prendre cette petite phrase pour une accusation, mais nous avons tellement peur de comprendre que nous sommes aussi a-sexuelles que nous semble l'être notre mère! « Quelle impression cela te fait-il d'être une femme? » m'a demandé ma mère le jour où j'ai commencé à avoir mes règles. Sa question était plutôt banale, mais je me suis sentie très gênée. Je n'avais pas du tout l'impression d'être une « femme », et toute discussion de femme à femme sur la féminité et la sexualité me mettait mal à l'aise. Ce sont les hommes, et non pas la menstruation, ni ma mère, ni d'autres femmes, qui allaient préciser ma féminité et m'aider à la comprendre. La préparation de ce livre m'a confirmé quelque chose que mon corps et mon esprit avaient compris depuis longtemps : le fait d'être le témoin passif de la vie de notre corps est un choix que nous faisons ou que nous ne faisons pas. Les femmes, aujourd'hui, commencent à se rendre compte que leur sexualité ne peut leur être conférée par personne d'autre qu'elles-mêmes. Si les hommes gardent leur mystère, c'est en raison de leurs « différences » intrinsèques et non d'un certain pouvoir qu'ils détiendraient sur nous. De nos jours, les jeunes femmes ont quelque chose de mystérieux pour nos mères, parce qu'elles sont devenues les agents actifs de leur sexualité.

Chapitre 9
La perte de la virginité

Pendant l'été qui suivit ma première année d'université, ma tante Kate attendit son premier enfant, et comme ma famille, pendant l'hiver, était allée s'installer dans le Nord, je suis restée avec elle à Charleston. Nous étions en train de peindre la chambre du futur bébé et nous parlions du prochain mariage de ma meilleure amie, qui m'avait choisie comme demoiselle d'honneur, quand ma tante me dit en passant qu'elle était arrivée vierge au mariage. Étant donné l'atmosphère — le mariage de mon amie, la grossesse de ma tante, l'éloignement de ma mère —, on pourrait penser que nous nous mîmes aussitôt à parler de sexualité et de contraception. Il n'en fut rien.

Ne me considérant pas comme « sexuelle », je ne posai aucune question. Elle ne pouvait rien me dire de plus sur ce sujet sans se sentir gênée, à part que sa virginité avait eu une grande importance pour son mari. Notre conversation était décontractée, éloignée de toute morale, ponctuée par de grands coups de pinceaux de peinture bleu pâle. C'était toujours de cette façon simple, naturelle, que ma tante me faisait part de ce qui comptait dans sa vie. Ses commentaires allèrent se perdre dans ma vision romanesque de ce qui m'attendait, et je me hâtai de tout « oublier ». Quand j'y repense, je me rends compte qu'en réalité son message s'était gravé dans mon cerveau.

Contrairement à ma tante, je n'étais plus vierge quand je me suis mariée, mais cela n'amoindrit pas ma dette envers elle. Je suis allée dans une université du Nord, comme elle; j'ai été actrice, puis écrivain, comme elle. C'était bien ce que je voulais faire, mais c'était elle qui m'en avait donné l'idée. Si le modèle de sa vie ne m'avait pas aidée à m'extirper de ce

259

bain tiède sudiste où j'avais grandi, je me serais sans doute mariée aussi jeune que toutes mes amies. Sa façon d'être, son image, me permirent d'avoir des expériences sexuelles à mon heure, et sans sentiment de culpabilité. C'est ce que je lui dois; non pas un système de règles qui auraient freiné mon évolution, mais un modèle d'autocontrôle que je pouvais utiliser chaque fois que j'en avais besoin. Nos modèles ne peuvent rien faire de mieux que de nous guider par la main et de nous laisser partir; nous ne pouvons mieux les récompenser qu'en devenant nous-mêmes, et non pas elles. Chaque fois que je tenais serré sur moi le septième voile de ma virginité au nez de mon amoureux du moment — après l'avoir aidé à enlever les six premiers — ce n'était pas parce que j'avais dans les oreilles le cri de ma tante qui résonnait comme les trompettes du jugement dernier : *Garde-la!* C'est que, tout simplement, je n'étais pas prête. L'exemple de sa vie me suffisait. Mon corps avait tout connu, sauf l'ultime pénétration; j'étais vierge en esprit. La nuit où j'ai perdu ma virginité, ce fut aussi important, aussi mémorable, que les rites nuptiaux de n'importe quelle vierge élevée chez les nonnes!

Au cours d'un après-midi ensoleillé, pendant ma deuxième année d'université, il m'arriva d'ouvrir un manuel de médecine oublié sur une table par le flirt de l'une de mes amies. Je tombai sur un paragraphe qui disait que l'on peut être enceinte sans pénétration. Les spermatozoïdes les plus vivaces, disait-on, pouvaient remonter en frétillant dans le vagin humide, même si on n'en faisait pas plus que Steve et moi, la veille au soir, dans sa voiture. J'interrompis ma lecture pour compter sur mes doigts le nombre de jours qui s'étaient écoulés depuis mes dernières règles. Je compris que les prochaines n'arriveraient pas!

Mon destin avait voulu que j'ouvre le livre à cette page; ce n'était que l'un de ces petits gestes apparemment sans importance qui peuvent marquer toute une vie... Je voulus approfondir le texte pour me rassurer, mais je me perdis dans le jargon médical. Le Grand Rideau s'était entrouvert quelques secondes pour me livrer un message, et, tout aussi rapidement, il se refermait. J'étais enceinte! J'en étais sûre, et il n'y avait personne vers qui je pouvais me tourner. Jamais je n'avais connu une fille célibataire qui avait été engrossée. Jamais personne ne m'avait parlé d'avortement. J'étais follement amoureuse de Steve, mais le mariage était hors de question. J'avais beaucoup trop de choses à faire. Incapable de décider quoi que ce soit, je restai en plan avec ma panique.

Il ne me vint même pas à l'esprit de téléphoner à ma mère. Je n'allais vers elle que quand j'étais au sommet de ma gloire. Je ne pouvais pas supporter de la voir angoissée et je veillais à ce qu'elle ne me voit jamais dans le même état. Je rôdais dans les parages de l'infirmerie de l'université, avide de savoir la vérité, mais incapable de former la phrase dans ma tête : « Je crois que je suis enceinte, aidez-moi ! » Moi ! La présidente de ma classe, la secrétaire de l'union des étudiantes ! Que diraient les gens quand ils découvriraient l'autre face de ma personnalité, la gourgandine qui avait l'intention de passer sa vie le sexe d'un homme entre ses jambes, n'importe où, dans les autos, sur les plages, dans n'importe quel endroit sombre, hors de la vue (tout juste !) des autres ? On me fuirait, on me chasserait ! J'étais pétrifiée.

Je téléphonai à Steve ; mais ses paroles rassurantes perdaient de leur force à mesure que les jours passaient, tandis que mon angoisse augmentait. Il me dit que j'avais une chance sur un million d'être enceinte. J'étais victime de la millionnième ! J'avais six jours de retard. Le septième jour, en me réveillant, je vis une belle tache rouge sur le drap. Dans un accès de mysticisme, j'invoquai mon Dieu : « Oh, merci ! Merci ! Je ne recommencerai plus jamais ! »

Ce vendredi-là, je pris rendez-vous pour le week-end, et dès le samedi matin, Steve et moi, nus comme des vers, nous étions dans les bras l'un de l'autre, sur le lit à baldaquin de la chambre d'amis de sa sœur, à Beacon Hill, son sexe en mouvement entre mes jambes, mon vagin brûlant et humide, tandis qu'un spermatozoïde intrépide s'apprêtait à courir sa millionnième chance. Y a-t-il au monde quelque chose d'aussi stupide qu'une vierge de dix-huit ans ?

J'ai déjeuné récemment avec un homme que j'avais cessé de voir quand j'avais dix-neuf ans. Il avait lu un de mes livres, et quand j'ai entendu sa voix au téléphone, j'ai souri, en me souvenant du grand lit de plumes de Kitzbühel, du vin, des massages que nous nous faisions après le ski, des journées où nous ne skiions pas. Je l'avais aimé comme une folle, mais quand il m'a parlé mariage en m'offrant un livre de saint Thomas d'Aquin (il était catholique) pendant notre dernière nuit, je me suis contentée de le laisser graver ses initiales sur mon bras. Je ne songeais pas encore au mariage : j'en étais encore à mes débuts. Mais j'avais envie de lui donner quelque chose, et je lui ai donné mon bras. Nous étions au lit, étourdis par le vin et les au-revoir, et je serais incapable de dire où nous sommes allés chercher l'idée de ce tatouage autographique, à mi-chemin entre mon coude et mon poignet. C'est le souvenir le plus précis de Kitzbühel et de lui ; ce caprice me ressemblait tellement peu.

Mais lui, il avait un autre souvenir. Il me dit en plein déjeuner : « J'ai failli prendre ta virginité. Tu étais ce que nous appelions une " demi-vierge ". Tu te souviens de notre dernière nuit ? J'ai été sur le point de m'enfoncer. Si je ne t'avais pas dit : " Nancy, tu te rends compte de ce que nous faisons ?... " »

MA MÈRE, MON MIROIR

« Mais tu ne l'as pas mis dedans, dis-je. Il faut être deux pour sauver un pucelage. Tu étais ce que nous autres vierges appelions " la providence des vierges en détresse ". »

Ma mère vint me voir avant que je m'envole pour San Juan (Porto Rico) où, pour la première fois, j'allais gagner ma vie, dans un journal de langue anglaise. Elle arriva avec mon beau-père et un couple ami au théâtre d'été de Cape Cod où j'avais fait un stage de vacances. Je leur avais réservé les meilleures chambres dans le meilleur hôtel, la meilleure table dans le meilleur restaurant et bien sûr, j'avais retenu pour eux les meilleurs fauteuils d'orchestre pour le spectacle de ce soir-là. J'étais fière de ma mère. Elle était jolie, jeune et ne me critiquait jamais.

« Tu sais, me dit-elle en admirant mon installation d'été, mes amis, ma parfaite organisation, Susie aurait aimé mener le même genre de vie. Mais elle est si irresponsable ! » Ma sœur aînée vivait encore à la maison familiale. Ma mère cessa rapidement de se préoccuper des difficultés existentielles de ma sœur. Elle se tourna vers moi en souriant, me mit la main sur l'épaule et dit : « Oh, Nancy ! Tu as toujours su te débrouiller toute seule. Tu ne m'as jamais donné d'inquiétudes. »

J'ignore à quelle époque ma mère et moi avions conclu ce marché. J'avais l'impression que nous n'avions jamais vécu autrement. Je ne ramenais jamais de mauvaises nouvelles à la maison. Vers ma vingtième année, nous avions certainement perfectionné le pacte : puisque je ne lui causais pas de soucis, elle n'avait pas le droit de se mêler de ma vie. Je me débrouillais toute seule. Ce soir-là, au dîner, je lui ai présenté ma grande passion du moment, cette fois un acteur sans talent. J'ai précisé qu'il allait me conduire en voiture à New York, où nous passerions ensemble la nuit avant de m'envoler pour San Juan. Ma mère ne me demanda pas où j'allais descendre à New York, ni si j'avais assez d'argent pour payer mon billet d'avion; elle ne me demanda pas non plus ce que je faisais avec ce jeune homme si peu reluisant, dont les manières et l'origine ne convenaient certainement pas aux endroits comme il faut que j'étais censée fréquenter. Au contraire, elle eut pour lui des petits sourires modestes, et elle me donna un chèque de vingt-cinq dollars soigneusement plié.

« Si tu as besoin de quelque chose, n'hésite pas à m'avertir », ajouta-t-elle en sachant que je n'en ferais rien. Soudain, à la dernière seconde, son visage eut cet air songeur et triste qu'il avait toujours quand nous nous séparions. « Oh, Nancy... », commença-t-elle en me tendant les bras en hésitant. Je lui rendis son étreinte avec moins de chaleur que je ne l'aurais voulu, furieuse contre moi-même d'être incapable d'offrir à ma mère ce qu'elle attendait de moi. Pourquoi ces adieux me laissaient-ils toujours pleine de remords? J'agitai ma main par la portière jusqu'au premier virage, tandis que mon acteur filait vers New York. Mon grand-père m'avait dit que je pouvais utiliser sa suite à l'hôtel Plaza. Pas un mot de mise en garde, même pas de lui. Je portais, gravés sur mon front, ces mots : « Nancy sait se débrouiller toute seule. » Cette nuit-là, avec mon acteur, je fis *presque* tout.

A San Juan, je partageais un appartement avec deux amies. Nous étions toutes vierges. La nuit de la pendaison de crémaillère, quelqu'un nous offrit un petit palmier où étaient suspendues trois coques d'œufs, symboles de fertilité. L'idée nous amusa beaucoup... et nous nous empressâmes de faire pousser du lierre dans le bidet.

Avant la fin de l'année, nous avions toutes les trois perdu notre virginité, l'une après l'autre. Pas un mot sur la contraception. Pas le moindre diaphragme dans l'appartement. Une certaine nuit, j'avais été réveillée par des bruits qui provenaient de la terrasse. En levant la tête, j'avais vu de mon lit une des deux filles en train de faire l'amour avec un homme que je n'avais jamais vu et qu'elle ne devait jamais plus revoir. Ce fut bientôt mon tour. Le lendemain, en descendant en bus l'avenue Ponce de Leon, je fus très étonnée de constater que mes bras bronzés étaient toujours couverts de taches de rousseur. Je n'avais pas changé.

Des peuplades primitives aux sociétés les plus développées, la sagesse inconsciente de la race humaine a compris le besoin qu'avaient les garçons d'être confirmés dans leur virilité par des rites pubertaires : le Bar Mitzvah, l'initiation à la chasse, etc. « A partir d'aujourd'hui, tu es un homme ! »

Dans les civilisations évoluées, les premières expériences sexuelles peuvent être retardées de quelques années. Mais le jeune homme a été averti : « Le moment est venu pour toi de rompre avec tes habitudes puériles et de te séparer de ta famille. » Il attend depuis si longtemps ce cérémonial de la séparation que, le jour où elle a lieu, il ne doute pas de sa valeur. Sa mère pleure de joie, son père est fier. Il sait lui-même qu'il vient de franchir l'un des pas les plus importants de sa vie. Quand viendra l'heure de ses premières expériences sexuelles, celles-ci seront la suite naturelle de son rite de passage.

Il n'existe pratiquement rien de comparable pour les jeunes filles. Pas de rituel, pas de formation progressive vers la féminité. Notre seul acte symbolique est la perte de notre virginité, qui se passe dans la clandestinité et sans applaudissements. Attendons-nous d'être mariées? L'acte sexuel, comme le mariage lui-même, est censé accomplir quelque chose qui aurait dû demander des années d'évolution et de préparation. L'acte de séparation est remplacé par une autre forme de symbiose : maintenant qu' « il » a pris notre virginité, nous aimera-t-il toujours? Nous téléphonera-t-il demain? Ne nous abandonnera-t-il pas pour une autre? Au lieu de nous libérer, d'éveiller notre curiosité, de nous armer pour l'avenir, notre première véritable expérience sexuelle nous remplit de l'angoisse postcoïtale, qui nous fait régresser : « Garde-moi! Promets-moi de n'aimer que moi, comme je n'aimerai que toi! »

Toutes les femmes se souviennent de la « première fois »; de la robe qu'elles portaient ce jour-là, du plafonnier de la chambre, du contact de la moleskine de la voiture. Tout est enregistré dans un compartiment hermétique de la mémoire. Nous avons vécu le rite d'initiation. Un acte qui nous dit que nous ne sommes plus des fillettes et que nous avons rejeté la loi de la mère. Nous sommes « grandes », nous sommes adultes, nous sommes « sexuelles », c'est-à-dire séparées... Mais ce n'est pas du tout vrai.

Nous comptons sur la sexualité, beaucoup plus que sur tout autre élément de notre vie, pour devenir des adultes. Notre mère ne désirait pas nous voir quitter la maison, elle ne voulait pas non plus que nous nous lancions dans une carrière; mais, par-dessus tout, elle nous interdisait la sexualité. Nous avons raison de penser que nos premières expériences sexuelles sont autant de pas qui nous éloignent d'elle, mais cela ne suffit pas. « Comme les femmes ne sont pas préparées à la vie sexuelle, dit le Dr Robertiello, l'acte de la défloration vous fait porter un fardeau impossible. Il est incapable d'accomplir tout ce qu'on attend de lui. Contrairement à la rupture de l'hymen, la séparation n'est pas un acte physique, mais affectif. Elle doit commencer dès les premières années de la vie et se renforcer progressivement pendant toute la période de développement. Il ne faut pas s'étonner que tant de femmes soient déçues par le sexe et s'en désintéressent. Après en avoir eu peur pendant longtemps, elles en attendent tout à coup des miracles. Mais on ne devient pas indépendante par miracle. » La séparation n'est pas quelque chose qui vous « arrive » un beau soir sur le siège arrière d'une voiture, ou qui vous est offerte par un mari dans la chambre nuptiale.

Quelle bénédiction si les femmes pouvaient être délivrées de leur pucelage dès la naissance! Une intervention anodine les libérerait à jamais d'un label qui, plus que toute autre chose, brouille nos idées sur la sexualité; le marché des vierges serait balayé une bonne fois pour toutes; les mères seraient débarrassées d'une angoisse qui n'a rien à voir avec le cœur profond, l'âme, le caractère de leur fille; au lieu d'être des gendarmes, elles pourraient se comporter plus facilement en éducatrices

LA PERTE DE LA VIRGINITÉ

aimantes. Au lieu de penser que nous « perdrons » en une seule nuit ce trésor mystérieux qui se cache entre nos jambes, nous pourrions comprendre que notre sexualité se tient entre nos oreilles et qu'il appartient à nous seules de la conquérir.

Tout acte délibéré, toute victoire sur l'angoisse et le refoulement nous donnent un regain de courage, nous facilitent l'effort qui suivra. Imaginons donc une aire de développement où la jeune fille *pourrait* pratiquer sa sexualité et apprendre à se sentir séparée de sa mère : idéalement, tout se passerait facilement, tranquillement, discrètement, en toute sécurité et sans blesser les sentiments de quiconque. Chacune s'autodéterminerait et se débrouillerait toute seule... et se procurerait une autosatisfaction qui ne pourrait avoir de conséquences que pour elle-même : *la masturbation*. La nature est vraiment pleine de ressources!

Et pourtant, au début des années 50, Kinsey pouvait écrire : « Aucun type d'activité sexuelle n'a autant perturbé la majorité des femmes que la masturbation [1]. » Et en 1964, le Dr Schaefer constatait que la totalité des femmes qui avaient participé à son enquête sur la sexualité féminine — parmi elles se trouvaient quelques psychothérapeutes confirmées — étaient angoissées par la masturbation [2]. Et il ne faut pas croire que la révolution sexuelle de la dernière décennie ait changé nos idées : d'après l'enquête de Robert Sorenson, en 1974, les femmes d'aujourd'hui se masturbent peut-être plus que leurs aînées, mais elles parlent encore d'une « réaction de défense » et d'une « certaine gêne [3] ».

Le sujet lui-même continue d'être chargé d'angoisse pour la femme, qu'elle se masturbe ou non. Pourquoi? Voici la réponse du Dr Schaefer : « L'angoisse est en relation avec le refus d'être responsable de son propre plaisir — de ses propres fantasmes — et même de son propre orgasme. »

Si nous ne comprenons pas pourquoi nous ne nous masturbons pas, nous ne pouvons pas comprendre non plus pourquoi, lorsque nous faisons l'amour, nous sommes incapables de demander à notre partenaire ce que nous désirons. Si nous ne nous sentons pas libres de nous toucher, comment pourrions-nous nous ouvrir au plaisir avec un tiers. Lorsque notre mère a commencé à éloigner nos mains de notre entrejambe quand nous étions bébés, nous n'avons pas insisté parce que nous étions reliées à elle par un lien symbiotique; tout ce qu'elle voulait, nous le voulions aussi.

« Quand j'avais six ans, m'a dit une jeune fille qui était en deuxième année d'université, je n'ai jamais établi une relation entre la masturbation

1. A. C. Kinsey et autres, *Sexual Behavior in the Human Female*, p. 170.
2. Leah Schaefer, *Women and Sex*, pp. 88-106.
3. Robert Sorenson, *Adolescent Sexuality in Contemporary America*, pp. 129-145.

et les jeux sexuels de l'enfance, et l'acte sexuel. Je me vois encore, couchée sur le ventre, les jambes écartées, me tortillant jusqu'à ce que " ça me fasse du bien ", selon mon expression. Je me sentais si peu coupable que je conseillais à mes petites amies d'en faire autant. La culpabilité n'a commencé que quand ma mère m'a surprise en pleine action et m'a grondée. Jusque-là, vraiment, je ne mettais pas en rapport le plaisir que je me donnais avec la sexualité. Je pensais que l'acte sexuel était une manœuvre extrêmement rapide à laquelle on avait recours quand on voulait avoir un bébé. Je suis encore trop tendue pour me servir d'un tampax. L'année dernière je suis tombée amoureuse d'un baratineur qui m'a décidée à coucher avec lui. Dieu, que ça m'a fait mal! La seule chose qui me plaisait était de me trouver dans ses bras. Il est parti à l'armée et je n'ai plus jamais eu de ses nouvelles. Depuis, je n'ai eu de relations intimes avec personne. »

Cette jeune femme aimait se masturber jusqu'à ce que sa mère lui ait fait comprendre qu'il s'agissait d'une action sexuelle qu'il ne fallait pas commettre. Elle a continué de se masturber, mais cette partie de son corps la rend si mal à l'aise qu'elle ne peut même pas se servir d'un tampon. Si elle n'aimait pas se caresser, comment pouvait-elle croire que quelqu'un aimerait le faire? Quelle chance avait-elle de se choisir délibérément un partenaire sexuel? Elle s'est laissée choisir, il l'a séduite par ses belles paroles, il lui a fait mal et il l'a abandonnée. « Fille sage » jusqu'au bout, on croirait à l'entendre qu'elle était à peine là. « La seule chose qui me plaisait était de me trouver dans ses bras. » Symbiose.

« Je ne peux pas vivre sans lui! » se lamente l'épouse abandonnée. Est-ce le cri d'une femme adulte ou d'un bébé? Meure-t-elle de la perte de sa sexualité ou de l'absence de quelqu'un dont elle pourrait dépendre?

Il ne faut donc pas s'étonner de ce que la plupart des femmes n'estiment pas que le fait d'entrer dans la sexualité constitue une rupture avec les modèles symbiotiques de l'enfance; le sexe devient une recherche de l'intimité perdue, sur un mode différent. « Je suis heureuse de m'être gardée pour Steve, m'a dit une jeune femme. La première fois, c'était merveilleux. J'avais l'impression d'être une partie de lui. » Ce sont de très beaux sentiments, sincèrement éprouvés. Mais il y a là une confusion entre deux idées importantes. L'intimité et le sexe ne sont pas synonymes. Tant que nous les mélangeons, nous compromettons nos chances de tirer la meilleure part de l'un et de l'autre.

Je crois que le sexe est un absolu, une fin en soi. Les sentiments tendres peuvent venir en supplément, ils ne sont pas la raison d'être du sexe. Le sexe, plus l'amour, c'est merveilleux; mais le sexe peut être passionnant sans l'amour, ou sans intimité. Si nous n'abordons la sexualité que pour renforcer l'union symbiotique, nous comprenons bientôt que nous avons voulu faire accomplir au sexe une fonction qu'il ne peut pas bien remplir. Il tire son énergie de la mise en contact de deux corps; pour que l'étincelle jaillisse, il faut qu'il y ait un intervalle entre eux. Si le sexe est utilisé comme un sirop de mélasse pour coller ensemble deux individus déjà enchevêtrés comme les différents étages d'un gâteau, ils peuvent très bien ne pas se quitter, mais le sexe se noie dans un lac de miel.

En dépit de notre éducation, nous sommes nombreuses à éprouver, du moins momentanément, le frisson de la séparation. « Après cette première nuit, m'a dit une jeune femme, j'ai ressenti une forte impression de puissance. » Une autre : « Je me sentais transportée, soulagée d'un fardeau. » Et une troisième : « C'était merveilleux! J'étais arrivée; j'étais enfin une femme! » Malgré les lieux communs, ces paroles expriment une émotion intense; nous sentons qu'il s'agit de femmes qui ont vécu leur moi authentique, ne serait-ce qu'un instant, qui ont fait ce qu'elles ont voulu, qui se sont engagées dans cet antre redoutable contre lequel on les avait mises en garde, et qui y ont trouvé une fontaine de plaisirs. Elles vivaient selon leur propre réalité, et non celle de leur mère.

Mais cette soudaine affirmation du moi est troublante. L'expérience qui me permet de tirer du plaisir de mon corps, de ma peau, de mes seins, de mon vagin, est source de joie, mais en même temps, elle me fait peur. Rien ne vous indique plus clairement que vous pouvez voler de vos propres ailes qu'une bouffée de sexualité. C'est merveilleusement bon à vivre, mais nous avons instinctivement un mouvement de retrait. Tout cela est trop étranger à la seule identité qui, nous a-t-on appris, soit admissible pour les femmes : je suis une fille bien, donc il m'est interdit d'être vraiment sexuelle.

« Du jour où j'ai perdu ma virginité, m'a dit une femme de vingt-huit ans, je me suis sentie libre. J'avais l'impression d'être plus attirante, mais je n'ai pas modifié pour autant mon modèle sexuel. Après cet événement, je suis sortie pendant neuf mois avec un autre homme avant de me décider à coucher avec lui. Je ne pensais toujours pas que le sexe était quelque chose de très bien. Dans ma tête, j'étais toujours vierge. J'avais eu des rapports sexuels avec un seul homme, ce qui ne voulait pas dire qu'il ne faut pas attendre d'être mariée... »

Si vous avez souri en vous reconnaissant dans ce que m'a dit cette femme, vous comprendrez ce qui suit : une partie d'elle-même voulait coucher avec un homme; l'autre partie, plus importante, ne le voulait pas. Elle désirait encore être sage, obéir aux règles maternelles, être aimée pour sa continence sexuelle. Nous voulons toutes être femmes; nous voulons en même temps rester la fille de notre mère. C'est dans cette ambiguïté que nous vivons. Le sexe n'a pas réussi son tour de magie.

267

MA MÈRE, MON MIROIR

Le monde nous voit en tant que femmes; nous avons hérité de toute l'expérience sexuelle de la race féminine. Pourquoi ne le sentons-nous pas? Pourquoi ne sommes-nous pas ces êtres sexuellement mûrs que nous rêvions d'être quand nous étions encore vierges et que nous nous préservions pour cette aventure fabuleuse : la perte de notre virginité? Nous nous hâtons de confirmer la légitimité de notre titre de femme. Les tréteaux sont dressés, le spectacle va commencer... Qui es-tu? Cette petite fille que tu as peur d'être encore et toujours? Non! Je suis la femme que tout le monde envie pour son époux merveilleux, pour sa maison de rêve, pour ses voyages autour du monde, pour ses six amants, ses seize robes de chez Saint-Laurent, pour le tableau de famille pour cartes de Noël qu'elle peut présenter. Certaines d'entre nous se servent aussi des hommes et du sexe pour se mettre en valeur, accumulant les aventures pour étouffer leur peur subjective de n'être que du toc. Manque-t-il quelque chose à ta vie sexuelle? Non! Je suis la femme qui a eu quatre orgasmes la nuit dernière, dix-sept amants différents le mois dernier. Et pourtant, au milieu de la nuit, même si, couchée près de l'homme que nous aimons, nous faisons le compte de tous nos avantages, en pensant qu'il ne nous manque rien de ce qu'une femme peut désirer, nous continuons de douter. Ce n'est que cela? Nous décidons que le sexe est surestimé. Nous ne comprenons pas qu'en essayant de vivre notre sexualité comme une forme de symbiose, nous ne lui donnons pas une chance de pouvoir s'épanouir.

Le début de la menstruation et la perte de la virginité sont l'antichambre du monde adulte. « La menstruation, dit le Dr Schaefer, est le premier pas biologique, tandis que la perte de la virginité serait plutôt le premier pas émotionnel vers l'âge adulte. » La menstruation est quelque chose qui échappe à notre contrôle; nous sommes par contre responsables du moment, du lieu, du choix du partenaire de nos premières expériences sexuelles. Ce sont des choses que nous pouvons décider de contrôler. Mais, pour la plupart, nous ne le faisons pas.

Je ne veux pas dire que nous ne formulons pas explicitement notre « oui », ni que nous sommes violées. Apparemment, nous sommes tout à fait consentantes; mais il faut distinguer entre le consentement qui est la marque d'un choix actif, et le consentement hésitant, passif qui traduit une absence de décision : « Je ne sais pas très bien où j'en suis... Fais de moi ce que tu veux. » Pour l'œil de la caméra, la femme choisit l'homme, décide de décroiser ses jambes. Subjectivement, de l'intérieur, nous ne voyons pas les choses de la même façon : nous voulons être « prises malgré nous », nous voulons « succomber ». Désirons-nous qu'il nous caresse les seins? Nous n'en soufflons pas un mot. Voulons-nous qu'il accélère ou ralentisse ses mouvements? Nous nous taisons encore. Nous communiquons avec notre amant à grand renfort d'espoirs et de prières.

Aimerions-nous qu'il nous embrasse entre les jambes? L'idée nous met si mal à l'aise que nous ne sommes même plus sûres d'en avoir envie. Nous préférons nous mettre à la merci de l'instant, nous nous laissons manipuler, notre corps poussé comme ci, nos jambes disposées comme ça. C'est lui qui a tout fait, ce n'est pas moi!

« Si les femmes pouvaient dire subjectivement : " J'ai décidé de faire ceci, et c'est bien ce que je veux ", et si elles en étaient vraiment convaincues, leur développement ferait un grand progrès, dit le Dr Robertiello. Mais, ce faisant, elles accentueraient la séparation, et c'est ça qui est effrayant. » Quand nous étions les petites filles de notre maman et que nous vivions sous son toit, il était normal que nous tenions plus ou moins compte de ses restrictions. Mais est-il normal qu'une femme qui est en âge de coucher avec un homme soit encore prisonnière de règles qui l'empêchent de faire et demander ce qu'elle veut?

Le lendemain matin, nous interrogeons notre miroir : « Est-ce que, maintenant, je suis une femme? » Nous revenons sur cette première fois, qui reste entourée de mystère : qu'est-ce qui manquait? Tout simplement le sentiment d'avoir agi de notre plein gré. Nous n'avons pas décidé de faire notre entrée dans la vie sexuelle. L'expérience n'était pas *nôtre*. Nous avons « laissé faire ».

« Quelle déception, après tant d'années d'attente, se rappelle une femme. Je prévoyais un séisme. Je n'ai même pas eu un frisson. » Après des années de « non » nous décidons de nous jeter au feu. Le grand plongeon... et on s'arrête net. C'est comme le boulet qui tombe à un ou deux mètres du canon. Une décision capitale... qui ne mène à rien.

Quels sont les hommes que nous choisissons pour cet événement primordial? En général un chic garçon, qui a quelque chose de familier; qui, le plus souvent, n'a pas plus d'expérience que nous. Nous arrive-t-il de choisir un démon sexuel? Vous pouvez parier que l'un ou l'autre ne fait que traverser la ville : il ne sera pas. là demain pour nous rappeler notre secrète imprudence, pour faire comprendre à nos amis, à notre mère que nous ne sommes que des « pas grand-choses ».

De toute évidence, c'est bien une expérience sexuelle que nous voulons vivre, mais nous choisissons un homme qui a de l'entregent, qui travaille sérieusement et gagne bien sa vie, qui saura nous prendre en charge. Ce sont peut-être des raisons de s'attacher à quelqu'un, de l'aimer, de l'épouser, si c'est bien cela que nous voulons. Mais rien de tout cela ne caractérise un partenaire sexuel. C'est un homme que notre mère approuverait. En fait, il est souvent la version mâle de la mère. Il n'est donc pas étonnant qu'il ait du succès auprès d'elle. Il n'éveille pas en elle l'idée dangereuse du sexe contre laquelle elle nous a mise en garde et qu'elle préfère elle-même ne pas envisager. Les femmes se rengorgent : « Il m'a choisie entre toutes! » Nous refusons de voir que nous avions certaines raisons bien à nous de le choisir.

« On parle toujours de ces hommes qui n'ont qu'une idée en tête, m'a dit une femme de trente-cinq ans. Personnellement, je n'en ai jamais rencontré un seul. On dirait que je porte une étiquette sur le front. Ils savaient que j'étais intacte et intouchable, si bien qu'ils ne tentaient même pas leur chance. Même après mes années d'université, les hommes n'ont pas essayé de m'attirer dans leur lit. Pour eux, j'étais toujours celle qu'ils voulaient épouser. Jamais ils n'avaient vu une vierge aussi authentiquement vierge! »

Il existe certainement des hommes qui sont attirés par les vierges, de même qu'il y en a qui les fuient. Mais cette femme laisse entendre que c'est le pur hasard qui lui envoyait ceux de la première espèce, jamais ceux de la seconde. Son attitude était passive; il se trouve que seuls les hommes non sexuels, les « épouseurs », étaient attirés par elle. Elle ne les choisissait pas activement. En réalité, elle ne voulait *voir* qu'eux. Elle se signalait à leur attention par sa façon de s'habiller, par son entourage, ses attitudes corporelles, son langage. Si un gredin de l'autre espèce l'approchait, vous pouvez être sûre que sa décision devenait moins passive : « Non! » disait-elle s'il lui proposait de sortir avec lui. Tout cela, maintenant, est oublié. Mais son histoire prend un tour intéressant quand elle poursuit :

« En fin de compte, ma curiosité s'est avivée. Je *voulais* avoir des expériences sexuelles. Et j'ai connu Pete. Mais je n'ai pas eu d'orgasme. Savez-vous ce qu'il a osé me dire? Que j'étais frigide! Le salaud! » Quand elle s'est enfin décidée à coucher avec un homme, elle en a choisi un qui l'a qualifiée d'a-sexuelle. Elle peut, aujourd'hui, le traiter de salaud, mais il lui a procuré une satisfaction si profonde qu'elle est incapable de se l'avouer : il lui a dit qu'elle sauvegardait sa virginité psychique, à tel point qu'il avait été incapable de l'entamer.

« Si seulement, dit encore cette femme, quelqu'un m'avait dit ce que je suis bien décidée de dire un jour à mes filles : je leur conseillerai de feindre l'orgasme. C'est peut-être une façon de perpétuer les mensonges féminins, mais, en ce qui me concerne, je sais bien que mon mariage aurait été tout différent. Je leur dirai, à mes filles : " Si c'est tellement important pour lui, cette histoire d'orgasme, apprenez à faire semblant! " »
Pas un mot sur le fait que ses filles pourraient apprendre à dire à un homme ce qu'elles voudraient qu'il fasse pour qu'elles atteignent réellement l'orgasme, au lieu de lui mentir; il est certain que cette femme ne se doute même pas que sa sexualité, son orgasme dépendent d'elle, et non pas de son partenaire. Telle est l'histoire effarante d'une mère très

bien intentionnée qui n'a rien appris au cours de ces vingt dernières années.

Nous décidons d'accepter qu'un homme nous caresse les seins. Pendant des années, nous avons eu honte de notre corps. On nous a appris à cacher notre poitrine. Nos seins ne sont pas ce qu'ils devraient être : ils sont trop petits, ou trop gros. Nous espérons que sa main, comme par miracle, nous fera changer d'opinion à leur égard. Stupide! Un homme pénètre notre vagin, ce champ de bataille de notre vie émotionnelle... Nous espérons que nos sensations n'ont rien à voir avec l'apprentissage de la propreté, la masturbation, la menstruation. Quelle prétention! Aussi séduisant que soit le plaisir qu'il nous promet, notre vagin a été également à l'origine de nos pires humiliations, de nos pires angoisses. C'est à cause de cette partie de notre corps que nous avons eu peur de perdre notre mère. Cette peur nous a fait prendre à notre compte son idée que le vagin, bien loin d'être une source de plaisirs, n'est en fait qu'une source d'angoisses et de désagréments. Ce fut une pénible victoire sur nous-même, mais elle nous valut l'amour de notre mère. Comment pourrions-nous renoncer à cette attitude vis-à-vis de notre corps intime, alors que nous avons payé si cher pour l'acquérir? Nous tentons un compromis : nous lui permettrons de toucher notre vagin, mais nous n'en tirerons aucun plaisir.

Nous coucherons avec lui, mais nous ne jouirons pas.

Intuitivement, nous nous rendons compte que la réalité de notre partenaire commence à s'estomper. Nous faisons de lui une ombre, une projection. Il est plus « mère » qu'amant. Nous avons peur qu'il nous rejette si nous lui laissons voir ces désirs et ces appétits sexuels « sales » que détestait notre mère; c'est ce qu'aurait fait notre mère si nous ne lui avions pas caché toutes ces choses honteuses qui existaient en nous.

Nous nous expliquons tout cela en décidant qu'il s'agit d'un sentiment de « culpabilité »; c'est un mot passe-partout qui se contente de coller une étiquette négative sur ce que nous ressentons sans rien expliquer du tout. « Ce qui est important, dit le Dr Robertiello, c'est le sentiment qui se cache derrière la " culpabilité ". L'angoisse réelle de la femme vient de ce qu'elle craint, en acceptant délibérément l'acte sexuel, de se séparer, de se couper de son éducation, ce qui l'obligerait à être responsable de sa vie. Il est toujours plus facile de ne pas rompre avec la tradition. Ce qui est difficile, c'est d'essayer de se frayer un nouveau chemin, de s'efforcer d'être indépendante. Pour la plupart des femmes, le fait de s'avouer qu'elles sont toujours prisonnières de leurs exigences de bébés est le comble de la honte. C'est alors qu'intervient le mot " culpabilité ". Il donne un ton sérieux, adulte, à une angoisse infantile. »

Il ne s'agit donc pas d'un sentiment de culpabilité, mais d'un sentiment de peur... la peur d'avoir rompu avec le type de fille qu'approuvait notre mère. La peur de la séparation.

Par exemple, quand, secrètement, vous étiez allée très loin avec un garçon, ou si vous aviez fait l'amour avec lui, ne vous sentiez-vous pas soulagée lorsque, rentrée à la maison, vous trouviez votre mère en train de faire la vaisselle, comme s'il ne s'était rien passé? Votre tumulte intérieur était dû à la partie non séparée de votre moi, qui vous faisait croire *avec certitude* que votre mère « savait ». Comment aurait-elle pu le savoir? Quand vous étiez bébé, elle savait quand vous aviez faim, quand vous vous étiez mouillée; elle était tellement en harmonie avec vous qu'elle pouvait lire dans votre esprit. Le moi non séparé a peur qu'elle puisse encore le faire.

Poursuivons : quand vous avez fait l'amour une seconde, puis une troisième fois, la « culpabilité » ne diminuait-elle pas? La première expérience vous a donné l'impression que vous vous sépariez de votre mère. Vous avez vécu cette expérience, vous vous y êtes habituée. Après tout, vous n'avez pas tellement mal agi. Les plaisirs sexuels étaient si agréables qu'ils en valaient vraiment la peine. Le fait d'avoir un deuxième, un troisième rapport sexuel n'augmente pas votre degré de séparation. Tout simplement, vous recommencez au même niveau, si bien que vous vous sentez moins coupable.

Maintenant, introduisons un nouvel élément : vous menez de front deux relations sexuelles. Une fois de plus, le vieux sentiment de « culpabilité » vous étreint. Une fois de plus, vous vous sentez soulagée quand vous rentrez à la maison où votre amant, ou votre mari lit tranquillement son journal, comme s'il ne s'était rien passé. Vous avez accentué votre degré de séparation en vous permettant une vie sexuelle d'une nature plus « interdite » qu'auparavant; une fois encore, vous êtes rassurée en constatant que le monde ne s'est pas écroulé. Ce n'est pas d'un sentiment de culpabilité post-coïtal que vous souffrez, mais d'une angoisse post-coïtale. Le sexe vous a coupé de la fille sage qu'aimait autrefois votre mère. Comme cette peur est vague, vous pouvez ne pas l'associer à la perte de cette mère de l'enfance, qui vous approuvait. Il y a en réalité plus de chance pour que vous la mettiez en relation avec la crainte de perdre l'homme, votre amour-propre; et aussi vos amies femmes, ou la fille qui partage votre appartement, si vous avez été trop ouvertement sexuelle... Mais de toute façon, c'est encore et toujours la peur de perdre quelque chose.

Il est question ici, non pas de l'aspect moral de la sexualité, ni même de l'opportunité de mener en même temps deux liaisons. Chacun jugera. Ce que nous avons en commun pour la plupart, c'est la peur de perdre l'être aimé parce que nous pensons que, d'une façon mystérieuse, ce que nous avons fait avec un autre n'a rien de secret pour lui. La véritable culpabilité se situe au niveau de la conscience, et on la ressent, que quelqu'un sache ou non ce qu'on a fait. L'angoisse de la femme non séparée signifie qu'elle redoute que son partenaire *sache* : « Il le lira dans mes yeux. » Elle a peur de le perdre.

Au cours d'une enquête dirigée par Ira Reiss, dans le cadre de l'université du Minnesota, une fille de dix-neuf ans a déclaré : « J'en fais beaucoup moins, sexuellement, que ce que me permettraient mes idées. Mais je me sens quand même coupable. Je pense qu'en principe il est très bien d'avoir des rapports sexuels avant le mariage, mais, jusqu'ici, je n'en ai pas encore eu. J'éprouve ces sentiments de culpabilité même quand j'ai des flirts assez poussés [1]. » Dans une autre enquête de la même université, le Dr Reiss a constaté des similitudes frappantes entre les activités sexuelles préconjugales et extra-conjugales. « On pourrait s'attendre à ne trouver des vierges que dans le groupe des filles qui ont eu des expériences préconjugales; celles qui disent : " Je me permets tout, sauf... ", et qui estiment quand même avoir préservé leur virginité. Mais notre enquête a montré qu'il se passe la même chose dans le groupe extra-conjugal, où les femmes disent : " Oui, j'échange des baisers et des caresses avec d'autres hommes que mon mari. Mais je ne fais l'amour qu'avec lui. " Il y a même des femmes qui disent : " Il m'arrive d'avoir des rapports sexuels oraux, mais je reste fidèle à mon mari puisque je ne vais jamais jusqu'au coït [2]. " »

Même actuellement, au dernier quart du XXᵉ siècle, le coït reste un symbole très puissant. Il nous situe dans une nouvelle catégorie. Il implique un abandon, une séparation, une rupture. C'est ce qui attire les femmes, et c'est ce qui leur fait peur.

A l'époque où nous étions toutes petites, notre mère nous aidait à faire nos premiers pas. Le fait qu'elle était certaine de notre succès nous aidait à persévérer. Quand arrive le moment de notre développement sexuel, elle nous communique ses propres sentiments : nos masturbations, nos fantasmes sexuels, tout ce qui concerne le plaisir de notre corps est tenu secret et refoulé. Comme notre mère n'a jamais admis qu'il pût y avoir une rivalité entre nous, nous n'avons pas pu apprendre par l'expérience que nous pouvions gagner un domaine qu'elle refusait de nous céder et que la bataille ne pouvait nuire ni à elle ni à nous.

Une jeune fille de dix-neuf ans me parle de sa mère... Elles sont très proches l'une de l'autre, mais comme la plupart d'entre nous, elle est

---

1. Cette enquête a porté sur 300 étudiants de l'université de l'Iowa. Ses conclusions figurent dans un livre d'Ira Reiss : *The Social Context of Premarital Sexual Permissiveness*, pp. 105-125.

2. Il s'agit d'une enquête en cours, dirigée par Ira Reiss.

incapable de toucher du doigt ce qui ne va pas entre elles. « Quand j'avais onze ans, dit-elle, je voulais un soutien-gorge. Toutes mes amies en avaient un, mais ma mère ne voulait pas en entendre parler. Un soir où nous dînions chez des amies, elle dit devant tout le monde que j'étais ridicule, à mon âge, de vouloir porter un soutien-gorge. J'étais morte de honte. » Plus tard, au cours de la même entrevue, elle me dit : « Ma mère est une de ces femmes qui ne peuvent pas s'empêcher de parler. Si elle se trouve dans un groupe, c'est toujours elle qui est le point de mire. Si je reviens à la maison avec un homme qui est plus âgé que moi, par exemple, elle l'accapare. Je ne peux pas placer un mot. Ça me met vraiment mal à l'aise. »

Dans l'esprit de cette fille, il n'y a aucun rapport entre ces incidents qui ont eu lieu à huit ans d'écart. L'idée d'une rivalité entre sa mère et elle est inconcevable. Elle n'a jamais pensé que sa sexualité naissante pût donner à sa mère l'impression de vieillir. La mère, de son côté, n'aimerait pas s'avouer qu'elle tente de séduire le flirt de sa fille... un homme qui a vingt ans de moins qu'elle! Si on disait à cette mère qu'elle agissait en rivale de sa fille, elle le nierait. Sa principale critique au sujet du comportement de sa fille se résume ainsi : « Elle n'est pas assez responsable. »

Comment pourrait-elle l'être? Chaque fois qu'elle a essayé de se séparer, d'être « sexuelle », sa mère s'est interposée, sans cesser de nier toute interférence. N'étant pas entraînée à se considérer en tant que femme, à découvrir qu'elle peut être « sexuelle » tout en conservant l'amour de sa mère, la fille évite la rivalité en se conduisant d'une façon irresponsable. Elle m'a dit que quand elle a perdu sa virginité, elle n'a pas utilisé de contraceptif. Ce type de comportement signifie : « Tu vois, maman, je n'y comprends rien. Je suis entrée dans la sexualité, mais seulement sur la pointe des pieds. Je n'ai pas ton expérience. Ne te mets pas en colère contre moi. Je suis encore si petite! »

Le moi authentique n'est pas encore né. Il faut le gagner de haute lutte. La régression vers la peur vous fait signe. Si vous admettez que les restrictions de l'enfance vous empêchent de faire quelque chose que vous estimez légitime, vous vous diminuez. Nos vieux besoins de symbiose sont là, rampants, envahissants, comme les lianes de la forêt vierge; on doit se battre pour préserver ce qu'on a gagné la semaine dernière, le mois dernier, l'année dernière. Les activités sexuelles ne font pas de vous une femme. Elles viennent vous récompenser, après coup, d'avoir su faire de vous une femme.

Et pourtant, certaines filles, qui n'ont pas eu de rapports sexuels, renforcent par ce refus leur autonomie. « Si une jeune fille s'estime encore trop jeune pour affronter les réalités sexuelles, dit le Dr Robertiello, et si elle dit " Non! " elle affirme, ce faisant, sa personnalité. Elle est plus séparée que celles de ses amies qui se lancent dans des aventures sexuelles " pour faire comme les autres ". » Si elle décide de rester vierge jusqu'à son mariage, non pas en raison de la désapprobation de sa mère et de la société, mais parce que la chasteté préconjugale fait partie de son propre système des valeurs, il s'agit bien d'un acte d'indépendance... contrairement à ce qui se passe pour la fille qui saute dans le lit de l'homme qu'elle aime par peur de le perdre.

L'autonomie permet à une fille de dire « non » d'une façon aussi significative que si elle disait « oui ». « Il arrive très souvent, dit Gladys McKenney, que les adolescentes qui n'ont pas eu de rapports sexuels pendant leurs années de lycée, soient celles qui font des projets bien réfléchis, qui veulent, par exemple, continuer leurs études à l'université. Elles ne sont pas encore prêtes pour le sexe et résistent à toutes les pressions des filles de leur groupe d'âge : elles ne se lancent pas dans des aventures sexuelles pour imiter les autres. Elles observent leurs compagnes les plus " affranchies ", se demandent peut-être pourquoi elles se comportent ainsi, mais sans jamais les condamner. Elles ne donnent pas l'impression de se réserver parce que le sexe leur fait peur. Tout simplement, elles ne veulent pas encore vivre leur sexualité. »

Celle qui se demande : « Que pensera-t-il de moi demain? » abandonne le pouvoir aux mains d'un autre. La question qu'il faut se poser est celle-ci : « Que penserai-je de moi demain? » L'autonomie consiste à prendre ses propres responsabilités et non pas à se conformer aux valeurs et aux programmes d'autrui.

Nous avons tendance à penser que nos amies, les hommes qui passent dans notre vie, nos camarades de lycée, d'université, notre situation, sont autant de chemins qui nous éloignent de notre mère, autant de choix qui peuvent nous permettre d'affirmer notre indépendance. Ils le sont parfois; mais en général ce n'est pas vrai. La société, les autres, les institutions renforcent ce que nous a appris notre mère en ajoutant leur pression aux vestiges de l'influence maternelle qui subsistent dans notre inconscient et qui rendent encore plus difficiles les efforts que nous faisons pour construire notre identité.

J'ai beaucoup insisté sur la mère, considérée comme force dominante dans le comportement de la fille, mais les règles imposées par la mère n'auraient pas tant de poids sans l'approbation de la société. En réalité, la mère est le tout premier agent que la société charge de nous acculturer selon ses normes. Quand nous quittons le domicile familial pour tenter d'établir notre propre cadre moral, le patron, l'entreprise, nos collègues de bureau, nos amies et nos amants ne font souvent que compliquer nos conflits. Ils semblent nous dire : « Voilà ton travail, ton appartement;

voilà ce qu'est l'amitié, la vie sexuelle; ce que tu fais ne regarde personne. » Ce qui est déroutant, c'est que, à travers ce langage, nous entendons le double message qui nous est si familier.

Prenons, par exemple, les hommes... Nous imaginons qu'ils sont aussi différents que possible de notre mère. Ne nous ont-ils pas prêché sans cesse la sexualité? Ne nous ont-ils pas également encouragées à briser les règles maternelles? Et pourtant, que sont-elles leurs règles, à eux? « Les garçons savent très bien jusqu'où une fille ira, m'a dit une adolescente de seize ans. C'est à nous de savoir quand il faut mettre le holà. Autrement, le garçon peut très bien dire tout à coup : " Je t'aime, mais il faut que nous cessions de nous voir. " La fille ne comprend pas. Elle a fait ce qu'il l'a suppliée de faire, mais au lieu de s'engager davantage vis-à-vis d'elle, le voilà qui se dérobe! »

Cette attitude est assez classique. On peut dire que le garçon a besoin de plus de temps pour ses études, pour sa carrière. Il dira peut-être qu'il se sent étouffé, entravé par la relation. Mais nous savons qu'il s'agit d'autre chose et nous nous sommes déjà condamnées. En réalité, il nous a dit : « *Je t'aime, mais tu as enfreint une de mes règles secrètes, si bien que je vais cesser de t'aimer.* » Nous sommes allées trop loin.

Quoi qu'il en dise, il désirait surtout quelqu'un qui fût moins menaçant pour le rôle que lui a assigné la société : une « fille bien ». « Quand j'étais célibataire et que les hommes essayaient régulièrement de me pousser vers leur lit, m'a dit une femme qui parlait au nom de tant d'autres, malgré l'insistance et les supplications du type, je refusais toujours. Je savais que si nos relations devenaient sérieuses, il aurait fini par protéger et aimer plus que moi ma virginité. Que se serait-il passé si j'avais cédé? Je me le demande. Que veulent vraiment les hommes? Une vierge ou une " bonne affaire "? »

En nous mettant ainsi en porte à faux, comme le faisait notre mère, les hommes compromettent les efforts que nous faisons pour trouver notre direction, à une époque où nous abordons la sexualité et où nous sommes, par conséquent, plus vulnérables.

Dans une enquête qu'elle a menée sur le campus de l'université de l'Iowa, le Dr Ira Reiss a constaté qu'un tiers des filles qu'elle a interrogées acceptaient en principe l'idée des relations sexuelles préconjugales, mais qu'elles n'avaient pas encore mis en pratique cette notion. Les garçons qu'elles rencontraient et trouvaient sympathiques étaient trop ambigus. « Ces filles, dit le Dr Reiss, pensaient que si l'homme faisait l'amour avec elles, ce serait toujours avec un préjugé; qu'il éprouverait pour elles un certain mépris et ne tarderait pas à rompre [1]. » Si nous prêtons à nos flirts

1. Voir ci-dessus, note p. 273.

ces intentions, il ne faut pas s'étonner que nous remettions le sexe à plus tard.

La plupart des sociologues que j'ai interrogés sont d'accord pour reconnaître que les jeunes garçons d'aujourd'hui admettent plus facilement que leur père que les femmes soient indépendantes et sûres d'elles... ce qui était autrefois l'apanage des hommes. Il s'agit là d'un changement important. Mais il ne s'ensuit pas que ces mêmes jeunes gens soient disposés à accorder aux femmes l'égalité sexuelle. Dans sa récente enquête sur les étudiants, *Les dilemmes de la masculinité,* le Pr Mirra Komarovsky a pu constater que la plupart d'entre eux se sentaient plus à l'aise quand ils étaient le partenaire le plus expérimenté. « Quand je fais l'amour avec une fille qui en sait plus que moi, je panique! » lui a dit un de ses correspondants. Et un autre : « Quand je suis avec une fille plus experte que moi, je me sens tout drôle, moins viril. » Et le Pr Komarovsky conclut : « En majorité, ils n'exigent pas que leur future partenaire soit vierge, mais ils refusent les filles " faciles " [1]. »

La définition de cette « facilité » continue d'être ambiguë : « Tant qu'on se contente de flirter, m'a dit une fille de dix-neuf ans, les hommes vous disent que ça leur est égal, que vous soyez vierge ou pas. Mais quand ils trouvent la femme de leur vie, ça devient très important. Le type peut admettre à la rigueur que vous ne le soyez pas, mais il fera comme s'il était *le premier.* »

Les médias envoient aux femmes ce message : « Vous vivez dans un monde formidable, sexuellement libéré! » Sous-entendu : « Mais faites comme si vous n'en saviez rien! » Voici ce que m'a dit une divorcée très séduisante de trente-trois ans :

« Le jour où j'ai fait la connaissance de cet homme, il m'a dit au dîner qu'il aimait mon style, mon indépendance. Quand je me suis retrouvée dans son appartement, je me suis dit : " Nous n'en sommes plus à l'ère victorienne. C'est notre premier rendez-vous! Et alors? " Je lui ai fait comprendre que j'acceptais de coucher avec lui. Après tout, il m'avait dit avec admiration que j'étais une femme " en avance sur son époque! " Dès que nous avons été au lit, j'ai compris que j'avais commis une erreur. Ce fut un vrai gâchis. »

J'ai demandé à différents sexologues si cette histoire était fréquente. « Je suis toujours sidérée quand ce genre de situation intervient dans une séance de thérapie de groupe, m'a dit le Dr Schaefer. Un homme, par exemple, parle d'une expérience du type de celle que vous venez de mentionner. " Que faut-il penser d'une femme qui a toujours un diaphragme dans son sac, à tout hasard? " Il est un peu gêné de dire ça,

1. Mirra Komarovsky : *Dilemmas of Masculinity,* pp. 78-81.

mais il n'en pense pas moins, et les autres hommes du groupe hochent la tête en signe d'approbation. " Nous ne leur demandons pas d'être vierges, disent-ils, *mais quand même...* " »

La société, elle aussi, tient lieu de mère. Gladys McKenney, qui enseigne dans un lycée, n'est pas autorisée, par exemple, par la loi du Michigan, à enseigner le contrôle des naissances dans ses cours de préparation au Mariage et à la Famille. « J'ai seulement le droit de répondre aux questions des élèves, dit-elle. Mes gamines savent très bien que la loi est dépassée et que cette façon de leur présenter les informations n'est que pure hypocrisie. »

Malgré l'explosion des jeunes, les choses ne vont guère mieux dans les universités. « Il n'y avait pas de gynécologue, ni de bureau d'informations contraceptives, pas plus au campus qu'en ville, m'a dit une étudiante d'un État de l'Ouest. Avec une amie, je me suis adressée aux administrateurs de la fac et je leur ai demandé d'appointer sur place une gynécologue. Ils ont assez facilement accepté d'en embaucher une à mi-temps... à condition qu'elle ne prescrive aucun contraceptif. » Ce genre d'histoire m'a été répété, avec quelques variantes, dans une douzaine d'États.

Les jeunes femmes ne peuvent même pas compter sur l'aide inconditionnelle de leurs sœurs. Elles sont divisées par les normes parentales et culturelles. « Je suis responsable de la Commission du statut de la femme à mon université, m'a dit une étudiante de dix-neuf ans. Il n'y avait pas de bureau de contraception au campus et il fallait avoir vingt et un ans ou un billet signé des parents pour avoir le droit d'aller voir en ville un gynécologue. Je recevais des coups de téléphone de filles qui me disaient : " J'ai un gros problème, mais je ne peux pas te dire de quoi il s'agit... " En ce qui concerne les maladies vénériennes, par exemple, elles sont même incapables de prononcer le nom des maladies. Je voulais que ma meilleure amie m'aide à fonder et à faire fonctionner un bureau de contraception. " Tu n'y penses pas! m'a-t-elle dit. Tout le monde va savoir que je prends la pilule! " »

Est-il étonnant que, après avoir « décidé » d'avoir une vie sexuelle, ce « non » que nous avons intériorisé pendant toute notre vie soit encore présent en nous? Nous pouvons permettre à notre corps de faire ceci, ou cela, mais notre esprit et notre consentement affectif restent à la remorque. Et il en résulte cette façon très étrange, stupide, quasiment suicidaire dont les femmes abordent la sexualité; en refusant de la regarder en face, elles pensent résoudre leurs problèmes. C'est le phénomène du « coup de folie ».

« Nous n'avons pas envie de nous préparer aux expériences sexuelles, m'a dit une fille de dix-huit ans. Nous attendons simplement que ça nous arrive, surtout la première fois. Il faut que ce soit spontané. Nous voulons être prises au dépourvu, emportées malgré nous. Il y a un office, en ville, où nous pouvons nous renseigner et obtenir gratuitement notre premier contraceptif... Mais nous n'y allons pas : si tout est prévu, il n'y a plus rien de romantique. »

Le phénomène du « coup de folie » n'est pas uniquement réservé aux très jeunes. Des femmes de tous les âges l'utilisent pour rationaliser leur comportement sexuel : « Ça a été plus fort que moi », disent-elles avec un sourire complice, comme si on devait convenir d'emblée que leur petite formule explique tout : « Vous êtes une femme, vous aussi, alors vous me comprenez, n'est-ce pas? » « Évidemment, je ne voulais pas être enceinte, m'a dit une divorcée de trente-cinq ans qui venait de se faire avorter. Vous comprenez... c'était si fantastique, et cet homme était si extraordinaire! De plus, je ne risquais rien. Comment aurait-il pu me rendre enceinte? Mes règles, en effet, s'étaient terminées quatre jours plus tôt... » Quand je lui dis qu'elle venait sans doute d'entrer dans sa période la plus féconde, elle m'a répondu d'un air stupéfait : « Moi qui croyais qu'on comptait à partir de la fin des dernières règles! »

Dans les chansons populaires destinées aux femmes on peut entendre des choses de ce genre : « Tu m'as ensorcelée » (autrement dit, je ne voulais pas faire l'amour avec toi)... « J'ai perdu la tête dans tes bras... » « Ne me reprochez rien! » Le message sous-entendu est toujours le même : « D'habitude, je ne suis pas comme ça. Ce n'est pas mon genre. J'ai vraiment perdu la tête. »

Nos rêves éveillés eux-mêmes (ce domaine où nous pouvons jouer en toute sécurité avec des idées nouvelles) s'inscrivent dans le cadre de la symbiose. Pendant les cinq années où j'ai enquêté sur les fantasmes sexuels féminins, j'ai constaté que les mêmes thèmes revenaient sans cesse : le viol, la domination de l'homme, la force. Filles « honnêtes » jusqu'au bout, nous laissons l' « autre » agir à notre place.

J'insiste sur ce point : aucune des femmes que j'ai interrogées ne m'a dit qu'elle désirait être réellement violée. L'objet du désir de viol est purement imaginaire, dégagé de toute responsabilité sexuelle. Seule l'idée de la force impressionnante de la brute peut nous soulager de notre peur de désirer ce que représente la sexualité. « Les femmes sont presque aussi fortes que les hommes, dit le Dr Sonya Fredman, ou, du moins, elles pourraient l'être. Mais elles aiment exagérer l'écart entre la force féminine et la force masculine, jusqu'à en faire une différence monstrueuse. Elles se servent de leur sentiment de faiblesse pour rester comme des enfants, irresponsables et dépendantes. » Je n'y suis pour rien... Si seulement je n'avais pas tant bu... Si je n'avais pas perdu la tête... S'il n'y avait pas eu ce merveilleux clair de lune... *Il a fait de moi ce qu'il a voulu!*

Combien de femmes ont perdu leur virginité ou connu leurs moments d'abandon les plus intenses avec un inconnu, le steward d'un bateau de croisière, le bel interprète romain? « Ces femmes, dit le Dr Schaefer, ont une double mentalité. Elles vont en Europe vivre un tas d'aventures; puis elles rentrent au bercail où elles redeviennent des petites filles bien sages. Elles peuvent de nouveau se priver d'activités sexuelles pendant des mois. Elles se disent : " L'Europe n'existe pas... c'est un pays de contes de fées. Ce qui compte, c'est quand je me retrouve à la maison, dans le domaine de maman, où je peux redevenir une bonne petite fille. " Bien sûr, elles se comportent mieux que les femmes qui n'ont aucune vie sexuelle; mais si elles se sont permis cet écart, c'est parce qu'il avait lieu à un endroit où il ne risquait pas de menacer le lien mère-fille, qui est pour elles essentiel. »

Les jeunes femmes, aujourd'hui, perdent probablement leur virginité avec des garçons auxquels elles sont affectivement attachées. Vera Plaskon s'occupe des adolescentes au bureau de planning familial et à la clinique gynécologique de l'hôpital Roosevelt. Elle n'a que vingt-neuf ans, mais ne se souvient que trop bien de la façon dont les jeunes filles perdaient leur virginité à l'époque de son adolescence. « C'était en général pendant une période de loisirs, dit-elle, avec un étranger et non pas avec un garçon de leur entourage familial. Aujourd'hui, les filles ont leurs premières activités sexuelles au sein d'une relation importante. L'affectivité intervient davantage. Cela ne veut pas dire qu'elles soient plus responsables. Les sentiments ne se traduisent pas par des actes. Il est extrêmement rare qu'une adolescente vienne me dire : " J'ai l'intention d'avoir des rapports sexuels, dites-moi ce que je dois utiliser. " Elles préfèrent laisser venir, sans y penser à l'avance; elles veulent " perdre la tête ". »

Un organisme scientifique comme le SIECUS (office d'information et d'éducation sexuelle US) cite lui-même le phénomène du « coup de folie » comme une raison apparemment suffisante qui permet aux femmes de renoncer à l'usage du diaphragme ou de la pilule. « ... Elles ne peuvent pas s'imaginer préparées en permanence pour le coït. Pour qu'il puisse avoir lieu, elles ont affectivement besoin d'être prises malgré elles [1]. »

Incroyable! Jamais, dans l'histoire du monde, les jeunes femmes n'ont eu à leur disposition autant d'informations sur la contraception. Et pourtant, le taux des grossesses préconjugales est plus élevé aujourd'hui qu'il y a vingt-cinq ans. Dans les années 50, Kinsey constatait que 20 p. cent des femmes qui avaient eu des rapports sexuels avant le mariage devenaient enceintes. Dans leurs enquêtes plus récentes, une génération plus tard, Zelnik et Kantner constatent que 30 p. cent des femmes qui se

1. Guide SIECUS N° 5, « Les critères sexuels préconjugaux ».

LA PERTE DE LA VIRGINITÉ

trouvent dans les mêmes conditions sont enceintes [1]. Dans l'ensemble, le taux des grossesses non désirées a augmenté de 50 p. cent!

« Toutes les femmes sont au courant de la contraception ou peuvent l'être, m'a dit l'anthropologue Lionel Tiger. Dans le livre que j'ai écrit avec Robin Fox, *l'Animal impérial*[2], nous comparons le rayon des produits de beauté d'un drugstore avec celui des contraceptifs. Les jeunes femmes semblent parfaitement capables de comprendre les 25 000 produits du rayon des produits de beauté, qu'elles peuvent utiliser sur différentes parties de leur corps selon des millions de permutations et de combinaisons. Mais, le plus souvent, elles semblent incapables de se débrouiller au rayon des contraceptifs, où il s'agit, somme toute, d'une affaire infiniment moins compliquée. Si on essaye d'analyser ce comportement, on ne peut pas s'empêcher de penser que quelque chose de très puissant doit pousser ces femmes à agir souvent très à l'écart de leur plan rationnel. »

Il y a bien sûr, plusieurs explications. Chacune a sa logique et convient d'une façon acceptable à l'indécision des jeunes femmes en ce qui concerne les contraceptifs, ou au mauvais usage qu'elles en font. « Si votre éducation a fait de vous une partenaire passive, dit Jessie Potter, vous n'êtes pas faite pour le diaphragme. Si vous empêchez votre fille de se toucher, elle sera une piètre utilisatrice des contraceptifs. Si vous les habituez à penser que les activités sexuelles ne peuvent être belles qu'avec l'homme qui sera leur mari, vous les destinez à attendre, à fuir leurs propres responsabilités. »

Parmi les autres explications du refus de la contraception, on peut citer les réactions de révolte, la religion et les grossesses calculées dans le but d'obliger le partenaire au mariage ou dans celui de se prouver que l'on peut avoir un enfant. Les garçons jurent aux filles qu'ils sont capables de se contrôler et de se retirer à temps... ils ne le font pas, ce qui est encore une autre explication. Beaucoup de femmes ont la phobie des contraceptifs. Le Dr Helen Kaplan, psychiatre à la clinique Payne Whitney, dit que les femmes ont le désir profond, inconscient d'être fécondées par un homme qu'elles aiment. Toutes les autorités que j'ai rencontrées ont confirmé cette opinion. Le fait est que toutes ces explications s'adaptent très bien au besoin de « perdre la tête » et le renforcent; tous les

---

1. Ce pourcentage, obtenu par Zelnik et Kantner, a été publié en 1972 par la Commission nationale de la croissance démographique et de l'avenir américain. L'enquête ne portait que sur des jeunes de quinze à dix-neuf ans. « Mais des enquêtes récentes, dit Ira Reiss, qui ont été organisées par le ministère américain de la Santé, de l'Éducation et du Bien-être, confirment les constatations de Kinsey et de Zelnik-Kantner. »
2. Collection « Réponses », Éditions Robert Laffont.

281

spécialistes de la sexualité ajoutent ce besoin à toutes leurs autres explications.

« Pour évaluer le pouvoir d'attraction terrible que ce désir de succomber malgré elles exerce sur les femmes, dit le Dr Robertiello, il faut comprendre qu'il s'agit d'un *moyen d'éviter la séparation*. Si la femme a l'impression qu'il existe des forces qui lui font perdre la tête, elle se sent confirmée dans son rôle de dépendance. Si elle n'y pouvait rien, ce n'est donc pas sa faute si elle a enfreint les règles maternelles; par conséquent, sa mère continuera à l'aimer. En cédant à un coup de folie, elle renonce à sa liberté, à son indépendance; elle a eu des rapports sexuels, mais c'était malgré elle. Elle ne voulait certainement pas désobéir à sa mère! Elle n'avait pas le choix. »

Dès notre naissance, nous avons en nous quelque chose de « masculin », selon l'expression qu'utilise la société : c'est notre appétit sexuel. Notre mère s'est efforcée de le contrôler. A mesure que nous grandissions, elle nous a passé le relais. Être sexuelle, c'était « perdre le contrôle », comme un animal, comme un homme. Étant donné que nous étions censées être « féminines », nous nous développions avec la peur de notre appétit sexuel. Nous apprenions à nous contrôler sévèrement, à contrôler l'homme, à contrôler la situation.

Les hommes ont beaucoup de mal à comprendre ces problèmes de contrôle, typiquement féminins. Les jeunes garçons sont perplexes quand leur petite amie a peur d'être caressée par lui ou de lui rendre ses caresses. « Les grandes adolescentes sont horrifiées à l'idée qu'un garçon puisse désirer un échange d'attouchements qui s'apparentent à la masturbation, dit Jessie Potter. J'essaie d'expliquer aux garçons : " Comprenez bien... On lui a interdit à elle-même de poser à cet endroit-là ne serait-ce que le bout du doigt... " Le garçon ne peut pas comprendre, parce qu'il a touché son pénis chaque fois qu'il a uriné, et en bien d'autres occasions. Les garçons peuvent se masturber les uns devant les autres, mais il n'existe rien de comparable pour les filles. Ils s'attendent à ce que la petite amie apprécie autant qu'eux ce genre de caresses. Je demande à la fille d'essayer de comprendre que le garçon ne modifiera pas la bonne opinion qu'il a d'elle si elle accepte cet échange de caresses, ni d'ailleurs l'opinion qu'il a de lui-même, et que son désir n'a rien d'obscène. Ce n'est pas parce qu'il souhaite ce genre de relation sexuelle qu'elle cessera d'être la chic fille qu'elle veut être. Ils se trouvent l'un en face de l'autre comme deux étrangers venus de planètes différentes. S'il désire lui caresser les seins, rien ne lui permet de comprendre ce qu'elle pense de cet empiétement sur cette partie de son corps qu'on lui a appris à tenir secrète. Et il a l'impression d'être rejeté et de ne pas pouvoir être aimé. Par une réaction d'autodéfense, pour récupérer ce qu'il a perdu de son moi, il décide qu'elle doit être frigide. La fille, de son côté, ne comprenant pas qu'on lui a appris à se réserver, conclut souvent qu'elle est incapable d'aimer. »

Beaucoup de jeunes femmes sont terriblement angoissées à l'idée que si elles se permettent d'être sexuelles, elles deviendront des filles faciles, des putains. Pourquoi la mère (la société) imposerait-elle ces chaînes de dix tonnes si le sexe n'avait pas cette force colossale, s'il n'était pas aussi dangereux? Pour peu que nous abaissions la barrière, nous deviendrons des esclaves du sexe! « Les femmes, en ce qui concerne la sexualité, font une fixation globale, dit le Dr Robertiello : il s'agit d'une pulsion si puissante qu'elle domine toutes les autres forces. Les hommes n'ont pas peur de cette force sexuelle; et ils ne craignent pas d'en perdre le contrôle; ils marquent même des points en étant sexuels. Les femmes, non. »

Une relation contrôlée, c'est ce que nous connaissons le mieux. Nous pouvons dire que nous voulons que l'homme soit plus fort, plus intelligent, plus grand que nous, et que nous désirons qu'il nous domine au lit. Cela ne signifie pas que nous n'avons pas envie de le contrôler. Ce que nous savons de l'intimité du couple, de ce qu'il faut faire pour la conquérir et la garder, nous le tenons de l'attitude de notre mère à l'égard de notre père... et à notre égard. Le contrôle exercé par la mère est la preuve de son amour. Certains hommes ne réagissent pas quand nous leur parlons d'un amour éternel, d'autres, effarés, sautent au plafond. Pour être juste envers les deux sexes, il faut reconnaître que beaucoup de femmes n'ont pas conscience de toute la manipulation que suppose le contrôle. Elle se déguise en amour : « Si tu m'aimais vraiment... » Il se sent coupable, et fait tout ce que nous lui demandons.

Notre mère était peut-être une personne paisible, effacée. Elle affirmait peut-être ne rien comprendre aux questions d'argent, qu'elle abandonnait aux soins de papa. Mais nous savions qu'elle avait l'art d'obtenir de lui et de lui faire faire tout ce qu'elle voulait. Nous savions aussi que ce talent avait quelque chose à voir avec sa faiblesse, sa féminité. *Tant que nous sommes encore vierges nous savons déjà que notre virginité nous confère une forme de puissance, de contrôle sur les hommes.*

« J'avais peur de faire l'amour, m'a dit une étudiante de dernière année. Je craignais, en allant jusqu'au bout, de ne plus avoir aucune prise sur lui. Si je ne le tenais pas par là, je perdais tout mon pouvoir. Une fois qu'on a franchi le pas, on ne sait jamais si c'est la conquête ou soi-même qui est important; à mesure qu'on grandit, quatre-vingt-dix fois sur cent, c'est la conquête. »

L'accroissement de l'expérience ne diminue pas notre peur de la toute-puissance du sexe. « Oh, non! pas du tout! les règles de l'adolescence n'ont eu aucune influence sur ma vie sexuelle d'adulte, m'a dit une femme de vingt-huit ans. Quand j'ai décidé de commencer, j'y suis allée franchement, mais j'ai toujours été monogame. C'est une sorte d'autodéfense. La seule façon de se protéger, c'est de surveiller son comportement... sinon, on se laisse glisser. »

Quand nous échappons au contrôle de notre mère et que nous permettons à l'homme de pénétrer peu à peu dans notre vagin, selon le rite progressif de la perte de la virginité, nous concluons une sorte de pacte, analogue à celui qui existait entre notre mère et nous : « Je te permets de me caresser là, mais il faut que tu me promettes de ne jamais me quitter. Si, par amour pour toi, je piétine les lois maternelles et te fais don de ce trésor inestimable, jure-moi qu'il ne m'arrivera jamais rien de mal, et que tu prendras soin de moi, comme elle l'a fait. »

L'homme est amené à assumer la fonction de protecteur au lieu et place de la mère absente. La symbiose continue. Après tout, l'interdiction du sexe, cette source de colère qui nous est familière depuis toujours, ne doit pas obligatoirement nous détruire! Nous pensions que les hommes étaient tout-puissants, superindépendants, mais nous pouvons nous servir de la sexualité pour les contrôler. « C'est en se refusant sexuellement, dit Sonya Friedman, que les femmes se donnent le maximum de puissance. »

« Mon premier amant est resté avec moi pendant un an et demi, m'a dit une femme de trente ans. Je ne voulais pas l'épouser, mais je ne voulais pas non plus qu'il me quitte. Le sexe m'a donné le pouvoir de le garder. Avant, j'avais conscience de mon impuissance. Maintenant, je ne dirai pas que je suis sexuellement experte, mais je sais du moins que c'est un moyen de retenir les hommes. »

Tout cela coûte cher à la femme. Pour pouvoir continuer notre chantage, nous devons contrôler nos propres désirs, être avares de nos plaisirs. « Quand je passe le week-end avec un type, dit une jeune femme de vingt-huit ans, tout est merveilleux tant que je suis avec lui, surtout au lit... Mais le lundi matin, quand je retourne à mon travail, les bons souvenirs s'effacent, et j'ai le sentiment bizarre d'avoir perdu quelque chose. Malgré moi, je me sens vis-à-vis de lui dans une position de faiblesse. Et je commence à faire des manières à propos de notre prochain rendez-vous. Je me déteste moi-même, mais c'est plus fort que moi. » Par une sorte d'ironie amère, après nous être libérées avec joie du contrôle maternel, nous sommes malheureuses de ne plus le subir, et nous le rétablissons avec l'homme. Nous n'y gagnons pas un amant, nous changeons simplement de mère.

Mes propres idées sur la sexualité sont différentes de ce qu'elles étaient il y a dix ou quinze ans, si bien que je m'attendais à découvrir chez les jeunes femmes d'aujourd'hui des changements spectaculaires dans leur comportement et leurs attitudes vis-à-vis de la virginité. Ma mère elle-même, après avoir été inébranlable pendant des années, a été influencée par ce qu'elle a vu et lu, et surtout, peut-être, par ce qu'elle a pu observer chez ses voisins, dont les enfants ont atteint l'âge sexuel dans les années 60. « Si votre fille fait une fugue, dit le Dr Sidney Q. Cohlan, si elle est enceinte, si elle épouse un hippy ou si elle se drogue, il faut bien, si vous voulez rester en relation avec elle, que vous admettiez certains des changements qui ont affecté le style de vie de sa génération. Ces changements ne vous plaisent peut-être pas, mais vous les accepterez plus facilement si vos voisins, eux aussi, les acceptent. »

Si j'avais perdu ma virginité ces temps-ci, et non pas dans les années 50, où le sexe était encore tabou, je m'y serais certainement prise autrement. « En 1936, 20 p. cent seulement des adultes estimaient que, dans certaines circonstances, il n'y a rien de mal à faire l'amour avant le mariage, m'a dit le Dr Ira Reiss. Il s'agissait d'une enquête effectuée à l'échelle nationale. En 1970, ils étaient 50 p. cent à penser de même. Si nous prenions aujourd'hui un échantillon national, je suis sûre que plus de la moitié des parents diraient que, dans certains cas, c'est très acceptable. »

Je n'ai donc pas été étonnée quand le gynécologue A. Kaufman m'a dit que les mères qui viennent le consulter pour leur fille s'inquiètent beaucoup moins de la perte de sa virginité que d'une grossesse éventuelle : « Elles en sont venues à admettre que la jeune fille qui entre à l'université n'arrivera pas forcément vierge à la fin de ses études. Elles n'auraient certainement pas accepté cela il y a dix ans. » Le Dr Kaufman se hâte de préciser que les New-yorkaises qui viennent le voir font partie d'une sous-culture particulière ; mais je me demande si ces mères libérales ne sont pas sur la même longueur d'onde que les étudiantes adolescentes et de plus de vingt ans de l'ensemble des États-Unis ; elles constituent, elles aussi, une sous-culture particulière.

« Ce qui a vraiment changé, dit Wardell Pomeroy, ce sont les attitudes. Il s'agit donc plus de l'approche que de la pratique. Beaucoup de personnes en disent plus qu'elles n'en font. De cet énorme changement d'attitude, naîtra plus tard un changement de comportement (ce que font les gens en réalité, et non pas seulement ce qu'ils prétendent faire). Le phénomène n'a pas encore une valeur statistique. On ne peut pas changer aussi rapidement. On accepte certaines normes, certaines idées, mais il faut plus qu'un livre ou un film pour modifier un comportement, et plus qu'une génération. »

Parlons chiffres... Il y a plus de 200 millions d'individus aux USA aujourd'hui, le double de la population d'il y a cinquante ans. Quand deux fois plus de gens font quelque chose, on est porté à croire que « tout le monde » le fait, qu'il y a vraiment quelque chose de changé. En fait, ce n'est que plus visible. Le monde change, c'est vrai, mais certainement pas aussi vite. De nos jours, on parle beaucoup plus qu'avant de la sexualité, et elle est généralement mieux acceptée. Les non-vierges, naguère, étaient très discrètes. Aujourd'hui, elles s'expliquent à la télévision. Et nous disons : « Oui, vraiment, tout a changé! »

Gladys McKenney rappelle qu'une lycéenne, il y a quelques années, n'aurait jamais avoué avoir perdu sa virginité. « Évidemment, dit-elle, certaines n'étaient plus vierges, mais elles me le confiaient en secret. Dans leur classe, personne ne le savait. Elles ne voulaient pas s'exposer au jugement de leurs camarades. Dans l'une de mes classes, ce dernier semestre, il y avait un groupe de filles qui parlaient librement de leurs ébats sexuels; elles étaient toutes d'accord pour ne pas épouser un garçon avec lequel elles n'auraient pas couché. Je savais que, dans la même classe, les filles d'un autre groupe ne fréquentaient guère les garçons. Comme elles ne voulaient pas révéler leur inexpérience, elles se taisaient. Ce qui a changé, voyez-vous, c'est la franchise de celles qui ont vécu des expériences sexuelles. La perte de la virginité a cessé d'être stigmatisée. Mais cela ne veut pas dire qu'il ne s'agit plus d'un événement important. »

« Le dépucelage, m'a dit une fille de dix-neuf ans, n'a que l'importance qu'on veut bien lui accorder, selon qu'on considère ou non le sexe comme quelque chose de tout naturel. »

Nous voudrions tellement être plus libérales en ce qui concerne le sexe! En tant que mères, nous ne voulons pas que nos enfants grandissent avec nos refoulements sexuels. Nous changeons *nos* attitudes, et nous nous imaginons que cela changera *leur* vie. Nous observons que leur comportement est beaucoup moins chargé de culpabilité que ce que nous aurions pu rêver dix ans plus tôt et qu'ils s'identifient beaucoup plus avec leur génération qu'avec celle de notre jeunesse. Nous parlons d'orgasmes multiples et de bisexualité, et nous considérons comme dépassées toutes ces idées primaires sur la sanctification de la virginité. Mais en dépit de nos nouvelles attitudes, de nos airs décontractés, nos filles ne nous croient pas. Elles se sentent mal à l'aise chaque fois que nous abordons le sujet de la sexualité. Et nous en souffrons. Ne faisons-nous pas d'énormes efforts pour comprendre leur monde? N'avons-nous pas fait vers elles la moitié du chemin?

La mère qui se pose ces questions est certainement aussi sincère qu'elle le croit, mais, une fois de plus, elle met dans le même sac les attitudes et les sentiments profonds. Les filles peuvent prêter l'oreille aux propos de leur mère; mais, en réalité, elles intègrent ce qu'elles ressentent tout au fond d'elles-mêmes. Leurs idées sur leur corps, leur érotisme, leurs limites sexuelles font partie d'elles-mêmes d'une façon si fondamentale qu'elles les transmettent involontairement à leur fille. Elles les tiennent de leur propre mère, qui les tenait elle-même de la sienne. Quand elles parlent sexualité avec leur fille, ou quand elles ont elles-mêmes des activités sexuelles, l'ancien et le nouveau se mélangent en elles; un mélange de ce qu'éprouvait leur mère et de ce qu'elles voudraient ressentir.

Une enquête sur les attitudes et le comportement parents-enfants, dans le cadre de l'université de l'Illinois, a fait apparaître une relation insignifiante entre, d'une part ce que les parents disent de leurs propres attitudes sexuelles, et, d'autre part, ce qu'en disent leurs enfants. Mais il existait un rapport très étroit entre la façon dont les enfants *percevaient* leurs parents et le comportement de ces mêmes enfants. Si, par exemple, une fille de dix-sept ans disait : « Mes parents sont très peu permissifs », la plupart du temps, elle se trompait, mais il était très probable qu'elle fût très sévère avec elle-même. Et si une fille de dix-huit ans disait, toujours dans le cadre de cette enquête : « Mes parents sont très permissifs », là encore, elle pouvait se tromper sur l'attitude de ses parents, mais elle était elle-même, probablement, très permissive à l'égard d'elle-même. Les enquêteurs concluaient que la *perception* de la permissivité des parents est plus importante, en ce qui concerne le comportement probable de la fille, que les paroles qu'ils prononçaient réellement [1]. Autrement dit, si une fille pense que sa mère — quoi que dise celle-ci — a des idées larges en ce qui concerne les expériences sexuelles pré-conjugales, il y a bien des chances que la fille soit elle-même permissive.

Si la mère a sincèrement essayé de modifier son attitude, la fille peut disposer d'une certaine liberté d'expérience, ne serait-ce que pour voir dans quelle mesure sa mère pense vraiment ce qu'elle dit. Si la fille a du courage, et si elle a de la chance, et si elle est suffisamment approuvée par la société et ses camarades, elle peut commencer sa vie sexuelle, à l'abri des vieilles inhibitions. Plus tard, la réalité viendra renforcer ses nouvelles idées : il est plus facile, plus agréable de vivre ainsi. Plus tard encore, tout le terrain gagné par cette fille sera transmis à ses enfants. Tel est le travail qui s'effectue de « génération en génération », dont parle le Dr Pomeroy.

Certaines mères sont capables de cette évolution. Pour la majorité, ce n'est pas facile. Si nous prenons ce décalage (le temps que met le *comportement* à se conformer au discours relatif à la liberté sexuelle), et si nous lui ajoutons le décalage encore plus considérable de nos sentiments les plus intimes (est-ce que ce que je fais est *bien?*), il est évident que très

1. J'ai été mise au courant de cette enquête par Ira Reiss. Elle a été réalisée par Robert Walsh, dans le cadre de sa thèse de doctorat (1970) intitulée « Étude des attitudes sexuelles des parents et de leurs propres enfants ». Walsh a effectué ses recherches à l'université de l'Illinois et a obtenu ses diplômes à l'université de l'Iowa. Il enseigne actuellement à cette première université.

peu de mères sont assez intégrées sur les trois niveaux pour pouvoir transmettre à leur fille un message derrière lequel celle-ci ne percevra pas les anciens sous-entendus angoissés qui lui sont si familiers : si toutes ces idées rendent ma mère si nerveuse, sur quoi dois-je m'appuyer? Sur ce qu'elle dit, ou sur ce qu'elle ressent en réalité? Par exemple :

Deux filles en savent aussi long l'une que l'autre sur la pilule. La première la prend méthodiquement, avant d'avoir des rapports sexuels. Quand, tôt ou tard, elle pénètre dans la chambre, sa peur d'une grossesse possible, tout au moins, sera atténuée. L'autre fille ne la prend pas, ou par intermittence. Les statistiques disent qu'aucune des deux n'est vierge et qu'elles appartiennent l'une et l'autre à la société libérée des années 70. Mais la qualité respective de leur expérience sexuelle est totalement différente. Pourquoi? Parce que l'attitude de la première fille vis-à-vis du sexe, son comportement et ses sentiments profonds sont en harmonie. N'étant pas confrontée aux conflits que provoquent les doubles messages, elle s'est sentie libre de décider de prendre la pilule. On ne constate que trop souvent dans les réunions de conseil thérapeutique que les mères célibataires sont au courant de la pilule mais qu'elles ne l'utilisent pas, ou d'une façon inappropriée. Elles ont dans la tête une attitude libérale vis-à-vis du sexe; à un niveau plus profond, elles sont très différentes, beaucoup plus disposées à se réprimer.

« Du fond de leur cœur, m'a dit Vera Plaskon, les mères d'une fille qui fréquente les services contraceptifs du planning familial sont contre les activités sexuelles précoces. En même temps, appartenant aux classes moyennes, elles veulent être " in ". Elles réactivent donc les fantasmes de ce qu'elles auraient aimé faire dans leur jeunesse, ou de ce qu'elles feraient aujourd'hui si elles étaient à la place de leur fille. Elles transmettent ces fantasmes à leur fille, avant que celle-ci soit prête. " Quand tu voudras prendre la pilule, n'hésite pas à m'en parler ", disent-elles à leur gamine de treize ans. Il ne leur vient même pas à l'esprit que la fille n'est sans doute pas assez évoluée pour entendre de tels propos. Leur attitude peut être beaucoup plus subtile : la mère peut ne pas se rendre compte qu'en achetant à sa fille les vêtements et les produits de beauté les plus récents et les plus séduisants, elle cherche à faire d'elle ce qu'*elle* aurait voulu être quand elle était jeune, avant la révolution sexuelle. Une fois que sa fille vit ses fantasmes, la mère, automatiquement, entre en rivalité avec elle et, *de plus*, le comportement qu'elle a eu lui donne un complexe de culpabilité. C'est peut-être inconscient, mais très déroutant pour la fille.

« Je parlais récemment avec une adolescente qui est très en avance sur ses quinze ans. Elle m'a dit en riant que sa mère lui répète sans arrêt de s'adresser à elle dès le moment où elle aura besoin d'un contraceptif. " Mais vous auriez dû voir sa tête quand elle a su que je n'étais plus

288

vierge! " dit-elle. La plupart des filles ne sont pas aussi précoces et n'ont pas du tout envie de rire. Elles ne savent que faire. Et, en fin de compte, il y a beaucoup de filles qui voudraient vraiment que leur mère leur dise un " Non! " net et *sincère*. A quinze ou dix-sept ans, elles sont incapables de faire front à tant de liberté... à leur propre évolution, et à celle de leur mère. La fille ne sait pas exactement ce que sa mère attend d'elle. La mère n'en sait rien elle-même. Chez les mères " libérées " de New York, j'ai souvent constaté, à un niveau très profond, les mêmes doutes, les mêmes angoisses que j'avais observés chez des femmes qui venaient d'arriver d'Amérique centrale ou du Sud, c'est-à-dire du cœur même de la culture " macho ". Ces mères n'ont jamais regardé en face ces sentiments, si bien qu'elles adressent à leur fille ce message contradictoire : " Vis avec ton temps. Fais ce que tu veux! " Mais quand la fille rentre à la maison à 3 heures du matin, sa mère lui crie qu'elle se conduit comme une putain! »

« La mère, dit le Dr Robertiello, peut avoir très inconsciemment le désir inexprimé de voir sa fille jouir d'une sexualité dont elle a été elle-même privée ; mais elle oppose souvent à cette sexualité un blâme ambigu qui peut être pris pour un encouragement. Par exemple, une adolescente vient parler à sa mère de son dernier rendez-vous : elle a failli faire l'amour. La mère esquisse un sourire (message muet d'approbation) et presque en même temps elle pousse les hauts cris et dit à sa fille qu'elle lui tordra le cou si elle ose aller jusque-là. »

Les doubles messages de ce genre-là sapent notre puissance de raisonnement et ne nous indiquent aucune ligne de clivage. Dans notre confusion, ne sachant quel chemin prendre, nous renonçons à faire usage de notre volonté : ou bien nous nous « laissons séduire » par un homme, ou bien nous revenons à notre mère. Dans les deux cas, il ne s'agit pas d'un choix délibéré. Ce n'est que le besoin de dépendre de quelqu'un. Nous enregistrons le double message maternel, et, d'une façon typiquement symbiotique, nous transformons en acte les deux parties du conflit maternel : un jour nous sommes sages, et nous disons non au garçon. Le lendemain, nous nous conduisons en mauvaises filles, et nous nous retrouvons enceintes. Notre mère pouvait-elle s'attendre à autre chose?

J'ai demandé au Dr Robertiello comment une mère pouvait adresser à sa fille un message la poussant à être enceinte. « La grossesse et le coït, m'a-t-il dit, sont souvent confondus et étroitement liés dans l'esprit des gens. Être enceinte, c'est apporter la preuve qu'on a fait l'amour. Si la femme a trente-cinq ans, si elle est mariée et se trouve enceinte de six mois, on ne voit là aucun contexte sexuel. Mais si une adolescente, par exemple, a une amie de quinze ans qui attend un bébé, elle peut voir la lueur qui s'allume dans les yeux de sa mère et qui veut dire : « Ça c'est une fille sexy! Une dévergondée! »

MA MÈRE, MON MIROIR

Si notre mère nous dit qu'elle n'est pas certaine que deux et deux font quatre, nous lui disons en souriant que, pour nous, ça ne fait aucun doute. Dans le domaine de l'arithmétique, du moins, nous sommes séparées d'elle. Si ses paroles, à propos de notre amie de quinze ans qui est enceinte, sont négatives, et si, en même temps, nous voyons une petite étincelle dans ses yeux, nous réagissons à cette seconde d'excitation. Malgré toutes nos peurs réelles et nos attitudes à l'égard d'une grossesse possible, nous pensons tout au fond de nous que ce n'est pas tellement catastrophique. Nous avons intégré les désirs inconscients de notre mère et nous calquons sur eux nos actions, comme s'ils étaient nôtres.

Dans une enquête sur les filles qui fréquentaient le bureau de contraception d'un campus universitaire et celles qui ne le faisaient pas, Ira Reiss a constaté que les premières croient avoir deux fois plus d'attrait pour les hommes que les autres; et, plus qu'elles, elles estiment avoir autant de droit que les hommes aux initiatives sexuelles. « La pilule, dit le Dr Reiss, a le mérite de permettre aux femmes de prendre la responsabilité de leurs décisions. Elles peuvent dire à leur partenaire : " Écoute-moi bien; si tu ne veux pas faire l'amour, c'est ton droit, mais ne viens pas me dire que c'est parce que tu as peur de me mettre enceinte. Tu as nécessairement une autre raison, et tu ferais mieux de t'en occuper sérieusement. Prends tes responsabilités, mais sans faux-fuyants [1]. " »

La décision de prendre la pilule est la preuve d'une bonne intégration. La fille qui fréquente le service contraceptif montre par son comportement qu'elle estime avoir droit à une vie sexuelle. En agissant conformément à leurs paroles, en se préparant, par l'usage des contraceptifs, aux conséquences de leurs actes, elles montrent que leur comportement, leur attitude et leurs réactions profondes sont en parfaite harmonie.

Dans mon esprit, leur autonomie est mise en relief dans un autre domaine où la plupart des femmes manifestent d'ordinaire une grande insécurité : *pour savoir qu'elles sont sexuellement attirantes, elles n'attendent pas qu'un homme le leur dise.* Leur comportement m'indique qu'elles ont apprécié elles-mêmes leur apparence et leur corps, qu'elles ont jugé qu'elles étaient attirantes et qu'elles pouvaient donc avoir des rapports sexuels.

J'insiste pourtant sur le fait que ce n'est pas en fréquentant les services d'information sur la contraception qu'elles sont devenues plus autonomes. C'est prendre l'effet pour la cause. Elles étaient séparées *avant*

---

1. Cette enquête concernait 500 étudiants de l'université mixte du Minnesota, entre les années 1970 et 1972. Elle était intitulée : « De l'usage des contraceptifs avant le mariage; enquête et quelques recherches théoriques », et a été publiée dans le *Journal of Marriage and Family*, août 1975, pp. 619-630.

d'y aller. Et c'est *pourquoi* elles y sont allées. La pilule ne les a pas rendues autonomes. C'est leur autonomie qui leur a permis de décider de la prendre.

Selon la théorie psychanalytique classique, si une fille a des rapports sexuels préconjugaux et surtout si ses expériences sont décevantes ou se terminent par une grossesse, c'est l'expression d'une révolte. Le sexe était pour cette fille le moyen de se venger de l'oppresseur; elle faisait exactement le contraire de ce que voulait sa mère. C'est encore souvent le cas, mais, de nos jours, les psychiatres pensent que la révolte n'est que l'un des symptômes et non pas l'expression de l'ensemble du problème... qui est l'absence de séparation.

Il ne faut pas confondre révolte et séparation. Tant que l'effort de rupture n'est pas ressenti par nous comme un progrès mais comme une réaction contre la mère, il est encore un processus symbiotique. La révolte se transforme en séparation quand elle a pour but l'épanouissement personnel. « La révolte contre la famille, dit le Dr Robertiello, est souvent le signe que nous lui sommes encore attachés. On lutte contre quelqu'un dont on devrait être séparé depuis longtemps. »

La difficulté de comprendre la révolte commence avec l'aura romantique qui l'entoure. Pour les chercheurs qui étudient le développement humain, elle a une signification bien précise, en rapport avec le temps. Quand nous avons deux ans, notre révolte est justifiée. C'est la période du « NON », que traversent tous les enfants. Une autre période de révolte intervient pendant l'adolescence, mais, cette fois, il ne suffit pas de dire non. Si certains mouvements vers l'autonomie n'accompagnent pas l'esprit de rébellion des filles de seize ans, il manque de sincérité et marque la survivance du lien mère-fille. Nous pouvons avoir plus d'activités sexuelles que nous le désirons vraiment, ou boire excessivement, mais en même temps, si nous poursuivons normalement notre scolarité, si nous savons prendre nos responsabilités pécuniaires, on peut dire que les éléments de la révolte sont au service de la séparation.

Mais à vingt-cinq ans, à trente-cinq ans, l'ère des révoltes devrait être révolue depuis longtemps. Si nous ne savons pas régler nos propres affaires, si nous ne payons pas nos factures, si nous arrivons régulièrement en retard au bureau, si nous nous livrons sans joie à une quantité d'aventures sexuelles, alors la révolte est indice d'immaturité. La révoltée, qui est contrainte de mettre systématiquement le signe moins quand on attend d'elle le signe plus, a simplement des réactions vis-à-vis des tiers. Elle n'est pas libre de suivre son propre chemin, de décider de ne pas tergiverser. Elle est encore et toujours attachée, toujours dans l'expectative : Donnez-moi quelque chose à quoi je puisse dire « non ».

Quand nous observons les jeunes femmes d'aujourd'hui, nous

envions leur aisance sexuelle, libérée de tout sentiment de culpabilité. Malgré tout ce qu'on a pu dire, penser, écrire, expérimenter au cours de la dernière décennie, la plupart d'entre nous n'ont pas atteint cette sexualité épanouie que les jeunes semblent avoir acquise dès leur naissance. Elles semblent tellement à l'aise dans leur sexualité! On dit d'elles qu'elles sont « libérées », ce qui est une autre façon de dire qu'elles sont « séparées ».

Nous retrouvons ici le vieux problème philosophique de l'apparence et de la réalité... Vues de l'extérieur, ces jeunes femmes semblent en effet être libres. On a l'impression qu'elles ont mené à bien leur révolte contre les règles antisexuelles qui nous ont coûté si cher. Dans notre combat pour l'autonomie, la sexualité était le principal champ de bataille; chaque degré de liberté que nous gagnions était plus difficile à acquérir que tout le reste.

Pour celles d'entre nous qui ont grandi avant les années 60, les règles étaient dures et tenaces, surtout en ce qui concernait le sexe. Notre mère ne faisait pas mystère de son désir de réprimer, d'inhiber notre sexualité... ou notre révolte. Le message que nous transmettait son attitude était nettement négatif. Ce « non » était renforcé par son comportement; il nous venait du plus profond d'elle-même. Elle était tout d'une pièce : ou bien nous nous conformions à ses principes, ou bien nous rassemblions tout notre courage pour lui dire : « J'en ai assez de toi, maman, je vais me débrouiller toute seule. » Avec elle, nous avions un terrain solide sur lequel nous pouvions appuyer nos pieds méfiants. Dans une ambiance de colère et de querelles, la séparation entre notre mère et nous se précisait peu à peu; peut-être ne parvenions-nous pas à l'autonomie, mais, du moins, nous connaissions la position maternelle.

Si nous avons été élevées d'une manière trop permissive, la séparation peut devenir difficile. Les règles sont vagues, élastiques. Il est très rare qu'on nous interdise de faire telle ou telle chose. Nous disposons d'un plus grand nombre d'alternatives séduisantes. De cette façon, nos désirs sont manipulés et utilisés contre nous. On ne nous interdisait pas de jouer avec ce détestable petit voisin. Mais chaque fois qu'il apparaissait à l'horizon, notre mère nous emmenait manger une glace. Si nous étions mises à la porte du lycée, c'était regrettable, mais on nous trouvait une nouvelle école, mieux adaptée à notre caractère. En ce qui concerne le sexe, si nous enfreignions la règle générale (s'il en existait une) ce n'était pas la fin du monde. Si nous arrivions à provoquer une scène, dans l'intention d'établir clairement la différence entre notre mère et nous (séparation), notre mère, une fois de plus, glissait rapidement sur un autre terrain, pour nous montrer qu'elle était d'accord avec nous : « Tu ne peux pas savoir comme je suis heureuse de voir que tu te sens libre d'exprimer ta colère devant moi. C'est extrêmement sain! » Comment pourrait-on se séparer de quelqu'un qui vous colle à la peau avec toute son admiration? Notre révolte est incapable d'accomplir sa tâche principale : la séparation. On n'obtient jamais un « non » bien net. On manque d'un appui solide pour se hisser vers l'autonomie.

C'est difficile. Nous aimons notre mère, mais elle est toujours là, *à nous cerner*. Nous voulons nous séparer d'elle (même si nous ne nous servons pas du mot) mais nous ne pouvons pas obtenir d'elle une règle du jeu précise. Si nous voulons fuir en Inde, elle payera notre billet d'avion en nous demandant de lui téléphoner en PCV si nous avons envie de rentrer à la maison. Les adolescentes élevées d'une façon permissive n'ont pas l'expérience d'une relation séparée et ne la cherchent pas. Nous sommes attirées par ce que nous connaissons. Les filles permissives choisissent des garçons permissifs, et ils s'accrochent les uns aux autres.

En surface, les relations de ce genre paraissent plus libres, plus faciles que celles qui existent entre des êtres nettement définis. Si l'un des partenaires veut aller au cinéma et si l'autre veut aller danser, aucun des deux ne veut imposer son choix. Sans discuter, ou à peine, ils font appel à un compromis et décident d'aller patiner. Aucun des deux n'est vraiment satisfait, mais la relation n'a pas été troublée, du moins pour le moment. Tout est sucré, flou, amical. Le sexe lui-même devient indifférencié. (Ce n'est pas par hasard si l'ère de la permissivité est aussi celle de l'unisex.) Les jeunes ne se regardent plus à la lumière de la différence des sexes, comme si l'autre venait de la planète Mars. On les a habitués à avoir avec les tiers des relations paisibles, sans histoires, *sans séparation*.

« Dieu merci! m'a dit la mère d'une fille de dix-huit ans, les jeunes que je rencontre aujourd'hui sont moins tourmentés par le sexe que je ne l'ai été. Ils semblent avoir entre eux des relations naturelles. Ma fille a avec les garçons des contacts amicaux. Le sexe n'est plus cette chose cauchemardesque qui a empoisonné ma génération. Il tient infiniment moins de place dans leur vie. »

En ce qui concerne la camaraderie et l'absence de peur, il y a certainement progrès. Mais cette femme dit quelque chose qui a sans doute plus d'importance qu'elle ne le pense : que la sexualité ne joue pas un très grand rôle dans la vie de sa fille; et cela soulage son angoisse. Elle comprend intuitivement qu'on peut être très proche d'une personne du sexe opposé, et même l'aimer profondément, sans nécessairement la voir sous un jour sexuel. Si la sexualité de votre fille vous fait peur, ou si vous l'enviez, vous estimez que cette évolution des jeunes vers des relations « amicales » est positive.

Les filles qui ont été choyées, qui n'ont pas pu se développer séparément peuvent très bien avoir des activités sexuelles; mais cela ne veut pas dire qu'elles soient devenues autonomes. C'est peut-être même le contraire : si elles ont cette vie sexuelle (ce don de la nature qui nous aide à devenir adultes), c'est pour rester enfants, pour créer avec l' « autre » une relation chaleureuse, affectueuse qui ressemble à celle qu'elles avaient autrefois avec leur mère; elles n'ont jamais pu dépasser cette relation, et elles ne connaissent rien d'autre. La preuve en est que ce type de relations « sexuelles » entre jeunes cesse souvent d'être vraiment sexuel pour devenir une amitié tendre, amoureuse. Et c'est peut-être ce qu'elles étaient depuis le début. « J'ai couché avec un tas de copains avant de perdre ma virginité, m'ont dit beaucoup de jeunes femmes. Nous ne faisions pas l'amour. Nous nous aimions bien, tout simplement, et nous étions bons amis. » Est-ce cela, la véritable liberté sexuelle?

Voici ce qu'en dit le Dr Schaefer : « Le type d'union symbiotique que l'on peut observer aujourd'hui chez les jeunes de treize, quatorze ans qui entretiennent déjà des relations stables retarde la séparation ou, plus exactement, est une réaction de défense contre la séparation. Vous les voyez ensemble jour et nuit. Ces relations semblent manquer de dynamisme. La symbiose empêche ces jeunes de s'intéresser à tout ce qui est extérieur au petit nid qu'ils se sont construits. Ils restent assis côte à côte dans une chambre, silencieux, polis, amicaux. Plutôt que de s'ouvrir à tout ce que leur offre la vie, ils ont choisi de se replier sur eux-mêmes. » Comme ils ne se sont pas sentis libres d'explorer les autres alternatives, on ne peut pas dire qu'il s'agit vraiment d'un choix.

Certains sociologues sont allés jusqu'à prétendre que l'ère de l'inégalité des sexes est en train de disparaître. Ce serait un progrès, mais si la monogamie est le seul choix possible, où donc est la liberté? « On disait volontiers que les adolescentes étaient seules à se comporter ainsi, dit Betty Thompson, mais on constate aujourd'hui que les garçons les imitent, qu'ils refusent même de faire attention aux autres filles. » Apparemment, il s'agit d'amour et de fidélité. Quelques années plus tard, ce n'est plus la même chose; quand la symbiose a tué chez eux tout ce qu'il pouvait y avoir de sexualité, ils envahissent les tribunaux de divorce en pleurnichant : « J'ai besoin d'espace! » Ils se sont donné la liberté d'avoir entre eux des rapports sexuels, mais au prix d'un manque d'espace individuel.

Si les personnes qui ont été élevées à l'époque de la non-permissivité jalousent la sexualité sans culpabilité des jeunes actuels, ceux de la génération influencée par Benjamin Spock semblent avoir perdu la faculté qu'avaient leurs aînés d'orienter leur vie vers un but bien défini. « La révolte de la génération permissive, dit le Dr Robertiello, est étouffée dès le départ. Les jeunes ont souvent de grandes difficultés à savoir ce qu'ils veulent. Ils sont toujours à la recherche du paradis que leur a promis leur mère. » Leur liberté est illusoire, puisqu'ils repoussent la réalité pour s'attacher en vain à ce qui n'existe pas.

« Quand vous êtes une enfant gâtée, dit Betty Thompson, quand les autres agissent à votre place, vous passez à côté des réalités de la vie. Si vous cassez votre bicyclette, votre mère dit aussitôt : " Ne t'en fais donc pas. On va t'en acheter une autre. " Si votre père et votre mère ont veillé à ce que vous ayez tout ce que vous désiriez, vous n'avez pas pu apprendre à être responsable de vous-même. Ce qui manque, c'est la conscience qu'il existe au monde des choses que l'on ne peut pas acheter. Quand une fille dit : " Je ne veux pas me mettre un diaphragme avant d'aller à un rendez-vous ", elle fuit ses responsabilités et fait régresser l'évolution de son caractère. Ce n'est pas se conduire en être séparé, adulte. Ce n'est pas même romantique. C'est de l'enfantillage. » L'insouciance, le manque de prévoyance et le désordre, pour l'observateur, peuvent prendre le masque de la liberté; mais en réalité, ils nous enchaînent par une série de conséquences.

A dix-sept ans, nos problèmes d'autonomie nous viennent d'une certaine direction; à trente-sept ans, d'une autre. L'autonomie est la proclamation et l'affirmation du moi; le sexe est l'une de ses expressions. « Je suis femme, voici ma vie, voici mon corps; je ferai d'eux ce que je voudrai, parce que c'est ce que je désire, et non parce que je veux revenir à toi. »

J'ai attendu d'avoir vingt et un ans pour perdre ma virginité. Il m'a fallu aussi beaucoup de temps pour finir ce chapitre... Des questions restées sans réponse défilaient dans ma tête comme une bande de téléscripteur : comment la perte de la virginité de la fille peut-elle affecter ses relations avec sa mère? Devrait-elle attendre d'avoir quitté la maison pour que sa mère ne s'en mêle pas? Est-ce que le fait qu'elle n'a pas encore quitté la maison ne prouve pas qu'elle n'est pas encore prête à avoir des activités sexuelles?

Nous sommes en août. Tout le monde est à la plage, sauf moi, et, heureusement, le Dr Robertiello. Une fois de plus, je me fraye un chemin parmi les joueurs de base-ball de Central Park pour aller le voir. Le Dr Robertiello m'écoute jusqu'au bout, puis : « Nancy, dit-il, vous posez les mauvaises questions. Elles montrent que vous essayez encore de protéger une structure erronée. Vous essayez de situer le problème de la sexualité féminine dans le cadre de sa relation avec la mère. Le sexe, plus que toute autre chose, ne devrait rien avoir à faire avec la mère. Pourquoi voudriez-vous que la défloration d'une fille change quelque chose à ce qui se passe entre elle et sa mère? Vous parlez comme si la mère *savait* que sa fille a des rapports sexuels, comme si elle était dans la tête de sa fille;

295

c'était vrai quand celle-ci était petite et croyait que sa mère pouvait lire dans son esprit. Cette façon de penser est typiquement symbiotique. Et si la fille commence sa vie sexuelle avant d'avoir vraiment quitté la maison maternelle? Il est évident que l'intimité et le secret aident effectivement la séparation. Vos questions, le fait que vous n'arrivez pas à finir ce chapitre, tout est en relation avec ce problème : comment prolonger l'attachement à la mère tout en étant une personne sexuellement affirmée? Ce n'est pas étonnant que vous ne puissiez pas répondre : il n'y a pas de réponse... on ne peut pas être en même temps sexuelle et en relation symbiotique avec la mère. »

C'était absurde! Ma sexualité avait toujours été la marque la plus sûre de ma séparation, de mon identité. Richard Robertiello me trahissait! Je suis sortie en tempête de son bureau.

La nuit dernière, j'ai rêvé que j'étais de retour à Londres où j'ai autrefois vécu. J'étais chez mon imprimeur, où j'examinais les illustrations prévues pour un livre que j'avais écrit sur un sujet dont je ne sais absolument rien : l'économie politique. On allait bientôt s'en rendre compte, et ce serait un scandale! Soudain, toujours dans mon rêve, j'ai été saisie d'une angoisse encore plus terrible : je n'avais pas téléphoné à ma mère! Et impossible de trouver un téléphone! Je me suis réveillée en proie à une panique intense.

En réalité, je peux rester des mois sans téléphoner à ma mère. Ce n'est pas par hasard si mes démêlés avec toutes ces idées relatives à la perte de la virginité m'ont immédiatement plongée dans un rêve où je risquais de perdre ma mère. Ce chapitre avait révélé une faille : intellectuellement, je me considérais comme une personne sexuelle, de même qu'intellectuellement j'avais été capable de transcrire mes idées sur le papier; subjectivement, je ne voulais pas regarder en face ce que j'avais écrit, c'est-à-dire qu'en me déclarant totalement indépendante sur le plan sexuel, je me déclarais séparée de ma mère. Tant que je n'avais pas fini ce chapitre, tant que je restais aveugle aux implications de ce que j'avais écrit, je pouvais garder tout au moins l'illusion que je peux être sexuelle tout en ayant l'amour et l'approbation de ma mère.

Cette honte d'être encore dépendante, de vouloir encore être attachée à la maman, même après avoir atteint l'âge adulte, est universelle. « Je le ressens moi-même, m'a dit un jour le Dr Robertiello. Je me réfère toujours à ma sexualité pour me prouver mon autonomie. »

La séparation est un processus que personne n'achève totalement. On ne peut que tendre à la réaliser. Finie mon illusion que je suis une personne à part entière, nantie d'une identité sexuelle en acier trempé! Comme c'est humiliant! J'ai du moins la consolation de savoir que Richard Robertiello en est au même point.

Chapitre 10
Les années de célibat

Dès mon enfance, j'ai eu le plus grand respect pour l'argent. Aucune des petites filles que je connaissais ne partageait ma passion. A dix ans, j'organisais des sortes de ventes de charité. Ma mère m'observait avec un petit sourire nerveux. A treize ans, je rougissais quand on se moquait de la tirelire de verre qui était posée sur ma table de travail; mais je ne voulais pas changer, il me fallait toujours plus d'argent. J'économisais sur mon argent de poche, je volais des pièces dans les poches des habits suspendus dans la penderie et j'arrondissais mon pécule en battant ma sœur au Monopoly. Susie était aussi incapable de faire des économies que de gagner à n'importe quel jeu.

Ma tirelire avait la forme d'une mappemonde. Quand mon magot atteignit l'équateur, je me sentis bien. Mais je ne pouvais partager avec personne mon sentiment de bien-être. Dans la famille, seul mon grand-père aimait l'argent autant que moi. Il en avait beaucoup, mais ce que j'admirais le plus, chez lui, c'était son côté grand seigneur. Contrairement à ma mère, il dépensait sans remords. Sa manière d'être proclamait avec une certaine logique : « C'est comme ça qu'on réussit dans le monde », et il payait largement les notes de restaurant et offrait aux autres et à lui-même de très belles choses. La manipulation de l'argent donnait des angoisses à ma mère, et elle m'apprit à ne jamais discuter les prix. Son attitude me déroutait; il était tellement évident que, sans argent, on ne peut acheter le moindre produit d'épicerie... Pourquoi, pour elle, l'argent était-il si secret, si répugnant?

J'ai appris à associer la saleté de l'argent avec mes mauvais côtés. En dehors de mon argent de poche, je ne demandais jamais d'argent à ma mère. Je comprenais qu'il ne s'agissait pas seulement d'argent. Si j'avais terriblement envie de quelque chose, il m'arrivait souvent de le voler. Pendant ce temps, ma mère en soupirant, se plaignait de ma sœur, « qui laissait l'argent glisser entre ses doigts » ; c'était moins une critique qu'une façon « petite fille » de s'apitoyer sur elle-même et sur Susie : « c'est comme ça que sont les femmes ». Je comprenais qu'il valait mieux être comme elles que comme moi. C'était un terrible dilemme : comment pourrais-je avoir ce que l'argent procurait à mon grand-père si je devenais comme ma mère, c'est-à-dire dépendante de lui ? Mais si je devenais comme lui — non féminine —, qui donc s'intéresserait à moi ?

Dès le début de mes années d'adolescence, je cachai ma passion secrète pour l'argent, comme je cachais ma grande taille en pliant mes genoux quand je dansais. Quelqu'un, certainement, s'intéresserait à moi si j'étais plus petite et plus pauvre. A force de marcher les genoux pliés, j'ai eu de pénibles problèmes de colonne vertébrale à partir de trente ans... Mais mon besoin de poser ma tête sur une épaule, alors que mes cavaliers avaient quelques centimètres de moins que moi, était plus fort que tout. Quand arriva la mode des talons plats, j'exultai : encore un ou deux centimètres de perdus ! « Tu abîmes ta peau », me disait ma mère quand je me laissais rissoler au soleil de la Caroline. J'étais moins visible bronzée que toute blanche. « Attends d'avoir trente ans », disait-elle encore. Elle aurait pu tout aussi bien me dire d'attendre d'être morte. Mon unique problème était de franchir le cap de mes quinze ans.

Quand j'eus dix-neuf ans, je dis à ma mère que je voulais aller en Europe ; l'idée lui sembla si invraisemblable qu'elle accepta de doubler la somme que je réussirais à économiser, ne serait-ce que pour mettre fin à toute discussion. Que je puisse économiser de l'argent dans un tel but était pour elle aussi inimaginable que l'idée qu'une de ses filles pût voyager si loin de la maison. Elle n'avait jamais quitté la côte Est des États-Unis, et quand, vers la fin de sa trentaine, elle dut parcourir toute seule en train les mille et quelques kilomètres qui séparent Charleston de Buffalo, son père dut établir pour elle un réseau très compliqué d'amis auxquels elle pouvait téléphoner en cours de route en cas de besoin. Pour être juste avec elle, je dois reconnaître qu'elle ne chercha pas d'échappatoire quand je sortis de ma tirelire la moitié de la somme que j'avais prévue pour mon voyage. J'avais considérablement sous-estimé les frais, mais jamais je n'ai télégraphié à la maison pour en avoir davantage. Et elle ne me le proposa pas. Nous avions conclu un marché : une petite fille peut parfaitement économiser de l'argent dans une mappemonde, mais à partir du moment où elle casse sa tirelire pour pouvoir se rendre dans un monde que sa mère ne connaît pas, elle change radicalement la relation. Dans le jeu de « qui s'occupe de qui », les derniers jetons ont changé de main : « Pas assez pour vivre, trop pour mourir », c'est ainsi que mon mari, dans un de ses romans, parle de l'argent de poche que les jeunes filles obtiennent à la maison.

J'avais raison de ne pas en demander davantage; on ne peut pas accepter de l'argent sans établir des liens. Je ne pouvais pas me mettre en colère contre sa pingrerie : j'avais encore besoin d'elle. J'ai tort d'être en colère contre elle maintenant, bien que le fait d'avoir tort ou raison n'ait rien à voir avec les colères puériles. Toute histoire de séparation mère-fille a deux aspects; de mon côté, je voulais m'éloigner de la maison pour connaître un monde plus étendu; de son côté, elle voyait que je la quittais. Aucune des deux ne pouvait s'avouer que je voulais en avoir plus qu'elle, dépasser ce qu'elle était.

Son abdication a facilité mon départ; mais on a beau désirer ardemment de nouveaux territoires, ils arrivent toujours trop vite; on ne comprend pas qu'en quittant sa mère, on prétend être soi-même. J'avais beau désirer mon indépendance, essayer de me sentir en sécurité dans la peau de cette femme que je voulais être, elle m'a toujours manqué, j'avais toujours besoin de me sentir attachée à elle. J'ai toujours eu peur que ma confiance en moi me rende moins féminine, moins semblable à elle, et donc moins susceptible d'établir entre les hommes et moi cette relation que je souhaitais si ardemment. C'était moi qui l'avais quittée, mais mes sentiments me disaient que j'avais été abandonnée. Je lui reprochais injustement de me laisser aller, de me rendre dépendante des hommes pour ce qu'elle ne pouvait pas me donner et que l'argent ne pouvait pas remplacer.

Je n'ai jamais eu confiance en mon apparence physique. Dans l'un des contes des *Mille et Une Nuits,* le génie enfermé dans la bouteille jure, pendant les mille premières années qu'il récompensera son libérateur. Pendant le second millénaire, il promet de se venger sur quiconque lui rendra la liberté. Quand, enfin, je commençai à devenir présentable, il y avait trop longtemps que j'attendais cette heure. Élevée dans l'idée de la puissance de la beauté — celle des autres —, j'avais depuis longtemps trouvé une compensation dans ma personnalité. Je souriais même dans mon sommeil... Qui pourrait me résister, malgré mon manque d'attraits? Puis, au beau milieu de mon premier job, mon arrière-train prit une belle tournure. Je voyais dans la glace un visage sur lequel on se retournait. Mais ça n'allait pas plus loin : un reflet qui pouvait disparaître. Je ne croyais qu'au visage, souriant et charmant, mais « drôle », avec lequel j'avais grandi. Mes charmes trop tardifs étaient comme un de ces héritages inattendus qui vous font pénétrer dans un monde où vous êtes seul à ne pas être né; je ne pouvais pas leur faire confiance. J'appris à porter des robes moulantes, serrées aux fesses et à croiser les jambes avec un art qui n'était pas de mon âge. J'aimais les compliments et je faisais tout pour en avoir, mais j'avais l'impression qu'ils étaient destinés à quelqu'un qui se trouvait derrière moi.

Je me mis à mon premier travail avec ferveur. Quand on me félicitait de la quantité d'espaces publicitaires que j'avais vendus, j'accusais le coup avec une certaine gêne. Je ne pouvais pas accepter non plus ce genre de compliments. Et pourtant je les méritais dans une certaine mesure. J'étais gênée d'être complimentée pour un talent qui n'était pas vraiment le mien. Vendre des espaces publicitaires pour un journal n'était pas tellement mon rayon. Je voulais être écrivain, exprimer des choses d'une façon qui permettrait à Nancy Friday de se faire comprendre. Je voulais faire quelque chose qui serait vraiment dans mes cordes pour pouvoir croire aux compliments dont j'avais tant besoin. Mais quand on me proposa de travailler pour la rédaction du journal, je trouvai des excuses; je m'enfuis dans la direction opposée et me mis à doubler et à tripler ma vente d'espaces publicitaires, chose que je détestais, mais qu'il était si facile de faire avec mon nouveau derrière et mon ancienne personnalité. Je ne fis que le minimum de reportages. Et je me disais : « Pourquoi? » C'était très déroutant : je n'avais jamais rien raté, j'aimais prendre des risques. De quoi avais-je peur?

Je me contentais de compromis. Au lieu de succès qui auraient pu avoir pour moi une signification, je recherchais ceux qui en avaient une pour les autres. Ma récompense venait de l'opinion que les autres se faisaient de moi et non de celle que j'avais de moi-même. C'était comme si je mangeais une nourriture déjà mâchée, sans saveur et sans pouvoir nutritif. Superficiellement, ça marchait. Les hommes me couraient après, on m'offrait de meilleures situations; aux yeux du monde, j'avais une identité. Mon patron tomba amoureux de moi. Pendant un moment, je crus qu'il m'avait « vue » et que ce qu'il avait vu lui plaisait. La joie que me procurait ma nouvelle conquête se transforma rapidement — comme toujours — en peur d'être abandonnée. Je savais que ce n'était pas moi qu'il aimait, mais le portrait merveilleux et truqué que j'avais projeté. Un moment d'inattention de ma part et il verrait l'enfant jalouse et vulnérable que cachait tout ce clinquant, l'enfant qui avait besoin de s'accrocher à lui comme à une bouée de sauvetage. Un petit coup d'œil à ma réalité, et il s'enfuirait. Je lançais au monde des signaux qui disaient que j'étais une professionnelle sérieuse qui réussissait dans son travail et une femme sexuelle. Je connaissais mon secret honteux : je n'avais pas fait la moindre tentative en direction de ce qui importait le plus.

Je revenais à la maison de ma mère avec mes conquêtes et mes jobs. C'était là, pensais-je, que j'en tirais le maximum de plaisir. Dans sa maison, ils acquéraient un dernier poli, et mon histoire avec ma mère se définissait comme elle ne l'avait jamais fait auparavant. Je n'avais jamais compris les jeunes femmes qui apportaient leurs angoisses à la maison ; je n'y revenais qu'avec mes triomphes. Je ne sais pas ce qui me plaisait le plus, l'admiration que ma mère portait à ma vie de célibataire, ou cette sensation de vie accrue que j'éprouvais quand je me mettais en contact avec mon univers sous son propre toit. A l'aube de mes vingt ans, j'avais l'impression que, par une sorte de miracle, j'avais l'occasion de récrire notre vie commune. La maison n'était plus l'endroit que je devais quitter, mais celui où je revenais de mon plein gré. Je n'étais plus cette fille dénaturée qui voulait quitter sa mère ; je revenais avec des cadeaux, des histoires, des succès et des gens que je pouvais partager avec elle. Et elle pouvait enfin me donner quelque chose.

J'étais fière de ma mère. Si on l'avait placée dans une étable, elle en aurait fait une pièce bien à elle, rien qu'en y disposant un fauteuil. Maintenant que je l'avais quittée, je pouvais l'aimer. La distance avait donné de la valeur à tout ce qui l'entourait et qui avait été le cadre de mon enfance : les ors, les verts et les blancs de sa salle de séjour, les fleurs, les boîtes à cigarettes en argent, les meubles d'osier blancs sur la pelouse, tout m'était plus cher que du temps où cela m'appartenait, quand c'était tout ce que j'avais. Et même son anxiété, sa timidité, qui m'avaient tant perturbée quand j'étais enfant, me semblaient maintenant adorables, et suscitaient chez ses hôtes des émotions qui les ralliaient tous autour d'elle. Avant les repas, nous la suivions, verre d'apéritif à la main, dans sa grande cuisine confortable, comme si nous ne voulions pas la perdre de vue, comme pour la protéger. Elle dressait des tables élégantes, préparait des plats merveilleux, avec une facilité dont je ne me souvenais pas. Je commençais à voir chez ma mère des aptitudes que j'enviais. « Je me demande pourquoi nous nous retrouvons toujours tous ensemble à la cuisine », disait-elle en souriant, et toute rougissante, à ce nouvel inconnu que j'avais ramené à la maison ; et je lui touchais le bras en disant : « Mais, maman, c'est parce que nous avons fort envie d'être là ! » N'étant pas devenue comme elle, je l'aimais.

Dans ma maison, je me sentais bien, je m'adoucissais, je perdais ma nervosité. Là, les hommes semblaient m'aimer davantage. Je les présentais tous à ma mère, sachant qu'elle serait de mon côté. Une nuit passée avec eux dans le lit à colonnes de la ravissante chambre d'amis, et, comme dans un conte de fées, ils étaient à moi pour toujours. Qu'y avait-il donc en elle qui les rapprochait tant de moi ? Je m'arrangeais souvent pour qu'ils puissent passer avec elle des moments en tête à tête. Après avoir grandi

301

avec l'idée que toutes les filles, sauf moi, avaient de bonnes relations avec leur mère, et maintenant que toutes mes amies étaient brouillées avec leur famille, ma relation avec ma mère pouvait s'épanouir. Nous avions des tas de choses à partager; elle aimait mon genre de vie, et quand mes amants me voyaient avec elle, tout se passait comme si je prenais à leurs yeux une nouvelle dimension : j'étais une célibataire sexuelle qui savait se débrouiller toute seule, mais ils devaient certainement se dire que la fille d'une femme aussi féminine ne pouvait être elle-même qu'une vraie femme!

Tout en étant fascinée par ma vie, ma mère ne voulait pas en connaître tous les détails. Elle ne m'a jamais demandé pourquoi je n'épousais pas un de ces hommes, ni pourquoi je ne m'attachais pas à l'une de mes carrières possibles au lieu de courir le monde. De mon côté, j'évitais toujours de la renseigner. Je pris l'habitude de la prendre par l'épaule, de la taquiner en plaisantant sur ses cheveux roux et sur sa naïveté. Et je me mis à l'appeler « Poil de carotte », ce que personne ne lui avait jamais dit. De temps en temps, j'essayais d'être seule avec elle. Mais quand l'ambiance joyeuse et les hommes étaient absents, je sentais revenir chez elle sa vieille tristesse (triste de quoi?) et en moi, ce vieux sentiment de culpabilité (coupable de quoi?).

Très tard, un soir, alors que mon beau-père était allé se coucher, elle reprit son refrain préféré : « Je n'ai jamais eu de soucis avec Nancy, dit-elle à l'homme qui était à côté de moi. Elle a toujours su prendre ses responsabilités. » Tant que je vivais à la maison, ces mots éveillaient en moi une sorte de fierté. Maintenant que je m'étais mise à mon compte, je comprenais combien ils étaient faux. J'eus une bouffée de colère, si violente que j'eus envie de la frapper. « Quelque chose ne va pas, ma chérie? » me demanda ma mère. « Non, tout va bien. » Mon ton était glacé.

Aujourd'hui, je dois reconnaître qu'il était presque impossible à ma mère de comprendre ma colère. Qu'aurait-elle pu faire pour moi? Mon appartement m'attendait dans une autre ville, j'avais un travail, et cet homme, près de moi. Jamais je n'avais été aussi autonome, jamais je n'avais eu aussi peu besoin d'elle. Peu importe. Ce soir-là, je partis me coucher sans ajouter un mot.

Le lendemain matin, l'incident était oublié. Mais je savais que cette colère était en moi et, devant ma mère, je redoutais un nouvel accès, comme l'épileptique attend avec appréhension sa prochaine crise. Je ne voulais pas la faire souffrir et, surtout, je ne voulais pas savoir qu'il y avait en moi quelque chose qui n'était affecté en rien par mes succès d'adulte et que je ne pouvais pas plus contrôler que l'enfant ne peut maîtriser ses larmes.

J'essayais de tout compenser avec les hommes; d'obtenir d'eux toutes les richesses de la vie. Il y avait là une telle source d'énergie et d'amour que je ne songeais même pas à me marier. Pourquoi m'arrêter en chemin alors qu'à chaque tournant de rue il y avait peut-être un autre homme prêt à m'ouvrir de nouveaux horizons? Les uns après les autres, ils m'avaient appris beaucoup de choses sur la littérature, le théâtre, l'art et la politique. Il ne me venait jamais à l'esprit que je pouvais, comme les hommes, apprendre beaucoup de choses par mon propre travail.

Mes jobs étaient importants pour moi et je travaillais dur, mais mon succès cachait un piège. Si je restais en place un certain temps, ma façon responsable d'aborder mon travail me valait des promotions et des augmentations de salaire, ce qui risquait de compromettre ce que j'attendais des hommes. Ils allaient apercevoir la personne agressive, « non féminine », qui s'était toujours cachée en moi et qui n'offrait au monde extérieur que l'image d'une femme charmante, besogneuse, mais par-dessus tout dépourvue d'ambitions. Je ne pouvais être séduisante que si je ne prenais pas trop d'autorité, si bien que je refusai des tâches qui auraient pu faire de moi une sous-directrice; et je travaillais avec un acharnement accru à mes projets brillants mais à court terme, pour bien montrer que j'étais quand même sérieuse. J'étais persuadée que seuls les hommes pouvaient me donner vie. Quand un coup de téléphone attendu n'arrivait pas, je me sentais mourir; quand nous avions eu une scène, je ne pensais plus à mon travail, et quand je sentais qu'il y avait une rupture dans l'air, je me sentais paralysée. Mais je ne téléphonais à la maison que lorsque j'avais de bonnes nouvelles à annoncer. Même quand je me sentais au sixième dessous, je croyais sincèrement que mon salut ne pouvait venir que des hommes.

Ben est le seul homme dont je ne sois pas fière. J'avais fait sa connaissance à une réunion d'amis; s'il m'avait demandé d'emblée si je voulais l'épouser, j'aurais accepté sa proposition avec autant d'enthousiasme qu'au cours des mois qui suivirent. Il me faisait faire un grand bond en arrière : il était aussi beau et aussi stupide que les Princes Inaccessibles qui avaient hanté mon adolescence. Il aurait comblé les espoirs de ma famille : il était membre des clubs comme il faut, il avait les relations qu'il fallait, et il sentait bon. Tandis que d'instinct, tout ce qu'il y avait en moi de raisonnable, de valable, d'intellectuel me disait de le repousser, un vieux moi oublié lui criait : « Prends-moi! Fais de moi une vraie femme! »

Je pouvais rester des heures à ses pieds à bourrer ses pipes pendant qu'il lisait un roman à la mode. Je tirais sur l'ourlet de ma robe et je rampais pour plaire à ses amis, tous devenus mornes et querelleurs à force d'avoir trop d'argent et de ne rien faire dans la vie. Quand je me déshabillais pour lui, je sentais venir le moment où il allait me laisser tomber, et je m'allongeais près de lui, incapable de trouver le sommeil; pour la première fois de ma vie, je me sentais incapable de quitter un homme. J'essayais de me persuader que je ne l'épouserais pas, mais je savais déjà qu'il ne me le demanderait pas. A force de penser que je ne pourrais pas vivre sans lui, ce que je redoutais se produisit : il me quitta. « Tu m'étouffes », dit-il.

J'ai téléphoné à ma mère. Sa voix m'accueillit, libre comme d'habitude de cette angoisse qu'elle éprouvait pour ma sœur. Je ne lui dis pas que c'était fini entre Ben et moi. Je voulais retourner notre contrat, me défaire de la responsabilité que j'avais assumée en partageant les sentiments de culpabilité de ma mère, en me faisant la protectrice de sa timidité. Je voulais être de nouveau son enfant. « Pourquoi me traites-tu toujours comme si je pouvais me débrouiller toute seule? lui demandai-je. Pourquoi ne te fais-tu jamais de souci pour moi? » La voix de ma mère baissa d'un ton.

Elle ne savait que faire de cette révolte d'une fille qui, avec ses situations et ses hommes, régnait avec maîtrise sur un monde qu'elle n'avait jamais connu. « Oh, Nancy! dit-elle, un jour, tu auras une vie stable, avec quelqu'un de très bien, et tu seras prête à construire ton nid. » Ce n'était pas du tout ce que je désirais entendre. Ce moi désespéré qui cherchait un appui — qui avait besoin d'une mère — avait enfin montré le bout du nez et avoué sa peur. Ma mère refilait tranquillement le travail à un homme qui venait de prendre la fuite. Je compris, pendant ce terrible moment de régression, toutes mes brillantes défenses étant tombées, qu'avant tout, en ce qui me concernait, elle n'avait jamais accepté sa tâche de mère. Nous avions conclu dès le départ un faux marché : je ne m'étais jamais séparée d'elle. Comme Ben, c'est elle qui m'avait quittée. J'avais toujours dit « je pars » pour éviter l'humiliation de savoir que j'avais été mise à la porte.

Ses silences m'avaient toujours dit que les hommes sont attirants, qu'ils sont la réponse à tous les problèmes de la vie, mais aussi que, d'une certaine manière, ils sont dangereux. Tout se passait comme si elle avait raison. Je ne pouvais pas continuer toute seule. J'avais besoin de quelqu'un. J'avais besoin d'une mère. J'avais surtout besoin de lui dire que, pour moi, elle n'avait jamais été une bonne mère.

Comment lui exprimer tout cela! Je voulais lui faire mal, l'obliger à s'inquiéter pour moi, provoquer chez elle une angoisse profonde qui serait la contrepartie de ce que j'éprouvais moi-même. N'avait-elle pas été abandonnée par mon père? Unie à elle, du moins, dans une symbiose de terreur et de chagrin à propos des hommes que nous avions perdus, je ne serais plus seule. Toutes les frayeurs que je lui avais épargnées tout au long de ma vie étaient encore là. Je les avais simplement mises de côté et, maintenant, j'allais déballer tout le paquet. Je voulais me venger de ce qu'elle m'avait rendue aussi faible. Et je l'ai fait. Oh, oui! Je l'ai fait.

Nos années de célibat! La première fois que nous sommes livrées à nous-mêmes, notre seconde chance de former notre personnalité! La confiance en soi totale, le sens exact de notre valeur sont des buts à poursuivre, même s'ils ne doivent jamais être atteints pleinement. Avec ces années de célibat commence l'un de nos grands rites de passage. La vie devient plus fluide, plus malléable; les formes et les structures anciennes s'en vont en lambeaux, d'autres se présentent. C'est notre grande chance de dépasser l'éducation passive que nous a donnée notre mère, de prouver qu'elle avait tort de croire que nous ne sommes rien sans l'appui de quelqu'un.

« Je pense, m'a dit une fille de dix-huit ans, qu'il est très important pour une femme d'avoir une vie indépendante après le lycée ou l'université, et avant le mariage. Elle peut ainsi découvrir qu'elle est capable de se suffire à elle-même; qu'elle n'a pas besoin d'un homme pour survivre. Il y a tant de filles qui se dépêchent de se marier. C'est effrayant de penser qu'elles ne sauront jamais si elles sont capables de se débrouiller toutes seules et que, toute leur vie, elles devront nécessairement dépendre de quelqu'un. »

L'approche de sa séparation et de son indépendance donne à cette jeune fille le goût de l'aventure et un sentiment de puissance. La vie s'ouvre toute grande devant elle, avec ses choix innombrables. A dix-huit ans, on a l'impression de pouvoir faire n'importe quoi. « J'aimerais avoir un appartement bien à moi, dit-elle encore. Mon frère a quitté la maison quand il avait dix-sept ans. Mais ma mère est persuadée que je suis incapable de me suffire à moi-même. » Nous devons lutter à chaque pas contre l'héritage de peur que nous a laissé notre mère.

Voici l'envers du décor :

« Mon mariage me plaît, affirme une femme de trente-deux ans, et pourtant, il m'a rendue plus timorée que quand j'étais célibataire. Sans mon mari et mes enfants, qui suis-je? » Ni les bras de son mari, ni la tête de son enfant sur son épaule ne peuvent calmer son angoisse : que deviendra-t-elle si elle est séparée d'eux? Elle a atteint l'objectif qui, d'après l'éducation qu'elle a reçue, devait mettre fin à son insécurité; mais il n'en a rien été. Quand la fille de cette femme sera grande, comment pourrait-elle espérer que sa mère l'aide à partir?

Ces deux jeunes femmes, d'une façon poignante, résument les

différents stades de notre séparation. Tout d'abord, nous avons le vif désir de vivre notre vie, d'être libre de toute attache, d'agir à notre guise. Mais derrière cette ardeur juvénile, cette avidité d'explorer le monde, une angoisse nous menace, qui peut durer toute la vie. En ayant un mari et des enfants, nous nous accomplissons, mais nous prenons en même temps une lourde responsabilité. Nous régressons; nous devenons aussi dépendantes d'eux que nous l'étions de notre mère. La radio est envahie de chansons où il est question de filles qui souffrent de leur solitude; mais les statistiques nous prouvent que les jeunes femmes célibataires qui ont un bon niveau d'instruction et qui gagnent décemment leur vie constituent le secteur de la population qui est le moins exposé aux dépressions nerveuses. Par ailleurs, les flashes publicitaires de la télévision nous montrent des jeunes mères souriantes qui ont l'air de se sentir en sécurité dans leur mariage, leur maison, leur vie de famille; mais les mêmes statistiques nous disent que les femmes mariées qui vivent au foyer avec des enfants en bas âge sont parmi la partie de la population la plus déprimée [1].

Cette fille de dix-huit ans s'apprête à foncer tête baissée dans la vie; mais qui peut dire qu'elle ne finira pas par connaître le désespoir de cette femme de trente-deux ans?

La peur de la liberté (que nous appelons « besoin de sécurité » pour mieux la camoufler) est enracinée dans la moitié de notre être qui est encore infantile; nous cherchons l'homme qui prendra la place de la mère que nous n'avons pas réussi à quitter. Tant que nous gardons notre besoin de symbiose, nous ne croyons pas que nous pouvons vivre en toute indépendance. La petite fille croit que si elle devient trop « forte », trop autonome, sa mère décidera qu'elle peut se débrouiller toute seule et cessera de s'occuper d'elle. Nous ne sommes pas entraînées à compter sur nous-mêmes, si bien que nous devons continuer de vivre comme des enfants : impuissantes, vulnérables.

L'amour met en sommeil l'enfant qui est en nous. Si nous doutons de l'amour, si nous le perdons, si nous avons la folie de croire que dans un monde de quatre milliards d'individus nous ne trouverons jamais un autre amour, alors nous tirons cette petite fille de son sommeil. Elle a peur, et

1. Voir l'article de Jessie Bernard « Homosociality and Female Depression » publié en 1977 par le *Journal of Social Issues*. Dans cet article, le Dr Bernard constate que les femmes qui n'ont jamais été mariées ont une meilleure santé mentale que les hommes qui sont dans le même cas. Elle cite les travaux effectués par la psychologue Lenore Radloff, qui montrent que « les femmes jamais mariées jouissant d'un très gros revenu, avaient une excellente santé mentale, à égalité avec les hommes mariés. Il est intéressant de noter que la catégorie des personnes des deux sexes qui n'ont jamais été mariées est la seule où les femmes ont une santé mentale meilleure que celle des hommes ».

c'est ce qui nous déconcerte. Plutôt que d'accuser le destin ou la perfidie masculine — solution de facilité qui nous évite d'affronter le vrai problème — nous ferions mieux de remettre en cause la relation qui existait autrefois entre cette petite fille et sa mère. « Je suis désolée, je n'étais plus moi-même », disons-nous quand nous n'avons pas pu maîtriser notre colère, quand, dans l'agonie de l'amour perdu, nous l'avons espionné, poussées par la jalousie; quand notre rage est hors de proportion avec le comportement blessant de l'homme que nous aimons. Bien sûr que nous n'étions pas nous-mêmes! Notre colère était celle de l'enfant craintif qui est encore en nous, qui prend toute menace d'abandon pour une condamnation à mort.

« Le problème essentiel de beaucoup de femmes, dit la sociologue Cynthia Fuchs Epstein, est cette piètre opinion qu'elles ont fondamentalement d'elles-mêmes. » Si, comme tant de femmes, nous sommes dépendantes, faibles, angoissées, comment pourrions-nous croire qu'un homme soit capable de nous aimer? Il est évident, pensons-nous, qu'un jour ou l'autre il verra clair en nous et nous quittera. Le travail principal de nos années de célibat consiste à inverser cette opinion.

Et tout d'abord à nous prouver que nous sommes les agents actifs de notre propre vie et non pas des êtres passifs, à jamais manipulés par autrui. Le mariage peut être une excellente chose, mais il n'est trop souvent qu'un retour à la symbiose : l'envie de nous perdre dans quelqu'un de « plus fort », de plus valable que nous, et de renoncer à notre identité. En nous attachant à un homme pour la vie, nous avons peur de mourir si, un jour, nous sommes privées de lui. Qu'importe s'il nous affirme : « Je t'aime. » C'est si facile à dire! Ce qui compte, c'est le rôle primordial qu'il joue pour l'enfant symbiotique qui est en nous.

« Ma femme est extraordinaire! m'a dit un homme avec un orgueil sincère. Elle est une mère merveilleuse, une cuisinière hors pair, et quand je vois tous les ennuis que mes amis ont avec leur épouse, je tombe à genoux et je remercie Dieu de m'avoir donné une femme si merveilleuse. » Il ne viendrait jamais à l'esprit de cet homme qu'il puisse quitter sa femme. Mais elle m'a confié en tête à tête : « Je vis dans l'angoisse qu'il rencontre un jour une autre femme. Un homme si brillant! Qu'est-ce qu'il peut bien trouver en moi? » N'ayant pas le sentiment de son identité — en dehors de lui —, elle n'existe pas à ses propres yeux.

« Ce désir qu'a la femme de se subordonner à l'homme est un modèle de dépendance qu'elle a appris de sa mère, dit le Dr Schaefer. Pour échapper au sentiment qu'elle peut être décorative, mais fondamentalement sans aucune valeur, elle devient la " femme qui vit dans l'ombre d'un homme qui réussit ". Elle ne fera aucun effort de son côté. Mais même si elle réussit, même si elle aide l'homme à renforcer ses succès, le sentiment de sa propre valeur diminue. Plus l'homme prend de l'importance, plus elle a peur d'être abandonnée, d'être réduite à rien. »

Jusqu'à nos années de célibat, nous nous soumettons aux règles des autres. Il est bon que nous constations que le ciel ne tombe pas sur notre tête si nous remettons ces règles en question. Le besoin puéril de se sentir en totale sécurité vingt-quatre heures sur vingt-quatre est le plus grand danger qui menace notre vie. Si nous n'avons pas le loisir de tâter le terrain à nos risques et périls, nous tremblerons pour nous, comme le faisait notre mère. Nous avons le droit de dépenser à notre guise l'argent que nous gagnons. Si notre mère paye notre loyer, elle a le droit de faire entendre sa voix dans notre appartement. J'ai lu dans le *New York Magazine* l'histoire d'une fille de vingt et un ans à qui on demandait de figurer dans un petit film télévisé de propagande électorale. Elle accepta « pour faire plaisir à ses parents ». « Du temps où je vivais avec eux, dit-elle, ils voulaient que je sois républicaine [1]. »

Les années de célibat nous offrent notre première chance d'agir en sorte que les réalités existentielles de notre vie nous apprennent que nous sommes des êtres « nouveaux », que nous ne sommes plus des enfants. Si nous réussissons à rompre avec la maison et à constater que nous pouvons vivre sans l'appui affectif immédiat de notre mère et de notre famille; si nous choisissons des amis qui renforcent notre individualité et non pas parce qu'ils sont « gentils », ou qu'ils habitent sur le même palier que nous; si nous rencontrons des hommes avec lesquels nous pouvons explorer ces plaisirs que notre mère nous a toujours interdits; si nous ne refusons pas les expériences de la vie et si nous estimons, même si elles sont très pénibles, qu'il est passionnant de connaître une existence beaucoup plus élargie que ce que nous pouvions imaginer; si nous trouvons un travail qui, non seulement nous procure le plaisir de nous savoir économiquement indépendante mais qui, aussi, renforce notre amour-propre parce que nous l'accomplissons bien... alors, nous avons souscrit à notre nom un compte en banque sur lequel nous pourrons tirer pendant toute notre vie. *J'ai eu l'immense plaisir, pendant un certain temps, de me débrouiller toute seule. S'il le faut, je peux recommencer. Mon monde ne s'écroulera pas si l'« autre » m'abandonne. Son départ me causera une douleur profonde, mais il ne me détruira pas.*

Nos angoisses ont pour nous quelque chose d'attrayant quand nous les déguisons en « savoir-vivre », en bon sens, en « sécurité d'abord » et même en forces positives. J'aimais croire que je m'étais faite moi-même. Bien des femmes que j'ai interrogées ces temps-ci avaient la même

1. Extrait d'un article intitulé « Je pleure pour le parti de Lincoln et pour mon père », par Richard Reeves, *New York Magazine*, août 1976, p. 8.

impression. Nos vies sont tellement différentes de celles de nos mères! Et pourtant, je sais qu'en dépit de tout ce que j'ai accompli par mon travail et par mon mariage, une partie craintive de moi-même demeure à l'écart de mes succès. Je ne suis pas née avec cette peur, ce besoin constant d'être rassurée par l'amour.

« Je suis très indépendante, très ambitieuse, m'a dit une femme de vingt-sept ans. Pour le moment, il n'y a pas d'homme dans ma vie, parce que je n'en ai pas trouvé un seul qui m'aurait traitée en égale et qui, en même temps, m'aurait fait sentir que je suis femme, autrement dit que j'ai besoin d'être prise en charge. » Dans son esprit, il n'y a aucune contradiction entre « être égale » et « être prise en charge »!

« J'ai refusé la promotion qu'on me proposait pour pouvoir jouir de ma liberté et de tout ce que peut m'offrir la vie, m'a dit une autre jeune femme. J'aime mon travail, et je me donne de la peine, mais je ne veux pas qu'il soit mon unique souci. »

C'est un sentiment que je partageais quand j'étais célibataire. Mais je sais maintenant que la liberté était la dernière des choses que je souhaitais... je veux parler de la vraie liberté, celle que procure l'autonomie. La liberté que je me procurais en ne travaillant pas « comme un homme » était une attitude destinée à montrer à celui que j'aimais que, tout en réussissant dans mon travail, je n'étais pas obsédée par le succès. J'avais besoin de lui. Comment aurais-je pu accepter la responsabilité d'un très haut poste alors que d'un moment à l'autre je pouvais me précipiter à l'aéroport pour supplier mon amant de ne pas s'envoler sans moi vers Paris? Quel est le job qui aurait pu compenser mon sacrifice si je devais renoncer à partir avec lui? Pour le moi symbiotique, la séparation n'est pas la liberté, mais une menace de mort.

Un magazine à diffusion nationale demandait récemment un article à Leah Schaefer. Elle essaya de l'écrire, se bloqua, et finalement annula la commande. « Je leur ai dit que je n'avais pas le temps, dit-elle, mais en réalité j'ai compris que mon refus avait quelque chose à voir avec la notoriété qu'allait me conférer cet article. Le succès ne me gêne pas quand je suis en tête à tête, dans le secret d'une situation thérapeutique. J'étais pétrifiée à l'idée que des millions de gens liraient mon article. Encore aujourd'hui, je travaille à me séparer de ma mère. » La mère du Dr Schaefer est morte il y a cinq ans.

Pendant nos années de célibat, nous avons un allié puissant dans ce combat qui nous mène vers la séparation et la maturité; c'est notre sexualité. Elle nous fait prendre des risques, nous tire à hue et à dia, nous introduit dans un monde plus élargi que la famille, qui comble notre vie de dangers, de plaisirs et de déceptions qui font de nous des êtres adultes à mesure que nous apprenons à leur faire face. C'est pourquoi la maison de

309

notre mère nous paraît maintenant trop petite pour deux. Tant que nous vivions avec elle, nous devions nous soumettre à ses lois. Comment pourrait-elle nous donner plus d'espace dans ces pièces, sous ce toit où elle nous a protégées et chapitrées pendant dix-huit ou vingt ans? « Je pense que certaines mères se sentent à l'aise dans leur sexualité, dit Sonya Friedman, mais je sais que celle de leur fille les gêne terriblement. La fille de dix-huit ans est au summum de ce que la culture américaine appelle sa « sexualité » alors que sa mère est considérée comme étant sur son déclin. Le magazine *Vogue* peut essayer de rassurer ses lectrices en leur disant que la vie commence à quarante ans, mais ces femmes entendent depuis leur enfance des chansons ridicules du genre : « Tu n'as que seize ans, tu es si belle, et je t'aime ! »

Dès le moment où notre sexualité commence à pointer en nous, notre mère la désigne comme sa pire ennemie. Elle sait par-dessus tout que c'est elle qui nous séparera. Elle ne peut même pas l'appeler par son nom, et elle nous dit : « Tu es si irresponsable ! » « Ne me réponds pas comme ça, tu es impertinente ! » « Pourquoi fermes-tu à clé la porte de ta chambre ? Pourquoi portes-tu ce pull moulant ? Ces hauts talons ? » Etc. Maintenant que nous voulons partir, nous faire une place dans le monde, nous sommes incapables, nous aussi, de reconnaître que la sexualité y est pour quelque chose. Nous sommes sa fille, et le plaisir charnel n'est pas « comme il faut ».

« Ma mère n'a jamais eu le courage de le dire, mais je sais très bien que quand j'ai quitté la maison elle a pensé : " Tu veux partir pour pouvoir coucher avec tout le monde ! " En réalité, elle m'a dit : " Pourquoi veux-tu partir ? Tu as pourtant ici une belle maison ! " » C'est une femme de vingt-six ans qui parle; elle est en train d'écrire sa thèse de maîtrise sur les difficultés qu'éprouvent les jeunes filles à quitter la maison maternelle. « Évidemment, j'étais partie quand je m'étais mariée, mais, après mon divorce, je suis retournée à l'université pour finir mes études et je suis revenue vivre avec mes parents. J'y suis restée deux ans, jusqu'au moment où j'ai pu subvenir à mes besoins. Quand je me suis mise à chercher un appartement, ce fut un drame; j'étais la vierge qui allait s'exposer aux dangers et aux turpitudes du monde sexuel. Ma mère ne voulait pas savoir que j'avais déjà été mariée. Mais je savais que je devais partir. »

Quand sa fille la quitte, la mère se sent souvent coincée entre ce qu'elle sait et ce qu'elle ressent. La même jeune femme poursuit : « Sur les quarante femmes que j'ai interrogées pour ma thèse, toutes ont eu des difficultés à partir, sauf si c'était pour se marier. En réalité, les mouvements féministes n'ont pas touché tellement de femmes, même dans une ville en principe aussi libérale que New York. La grande majorité des mères qui ont répondu à mon questionnaire s'estimaient rejetées par leur fille dès le moment où elle les quittait. Une de ces mères m'a dit : " Je comprends très bien qu'une personne ait envie de vivre seule. " *Une personne.* Mais pas sa fille.

« Ces mères n'ont pas envie d'agir comme elles le font, mais quelque chose les pousse à le faire. »

Cette enquête ne concernait que quarante femmes issues de différentes classes économiques et culturelles, mais mes propres recherches m'ont montré que les mères d'un haut niveau d'instruction, libérales et très attachées à leur carrière, se sentent elles-mêmes angoissées par le départ de leur fille. Voici ce que m'a dit une femme de quarante-cinq ans qui est responsable d'un service où travaillent quinze personnes : « J'ai élevé mes trois filles sans interrompre mon travail. Mais quand la plus jeune m'a quittée, à dix-huit ans, ce fut pour moi un calvaire. Je ne pouvais pas la laisser partir, quoique, intellectuellement, je savais que je devais l'accepter. J'avais un mari que j'aimais, une situation qui me plaisait, mais ça ne m'aidait pas à me résigner. Je me sentais rejetée. »

D'après l'Office national des statistiques, 40 p. cent des femmes âgées de vingt à vingt-quatre ans étaient célibataires en 1975, presque le double de ce qui existait en 1960. Ces chiffres semblent indiquer qu'il y a eu une véritable révolution. En termes de statistique immobilière, ce serait exact : le fait d'avoir en propre un appartement vous donne l'illusion d'être séparée. Mais sur le plan des sentiments, à quel point sommes-nous indépendantes ? Quand nous quittons la maison, notre mère peut nous soumettre à une sorte de chantage affectif ; ou encore elle peut nous aider à meubler notre nouveau studio, et nous souhaiter chaleureusement bon voyage quand nous démarrons pour une nouvelle vie. Mais, de toute façon, nous emmenons son angoisse dans nos bagages. « Les filles, dit Mio Fredland, connaissent comme leur poche les véritables sentiments de leur mère. »

Avec toutes ces appréhensions maternelles qui s'agitent profondément en nous, il n'est pas surprenant que la révolution, jusqu'ici, soit surtout épidermique. Dès qu'elle a quitté la maison, la fille est enchantée d'avoir du travail et de l'argent bien à elle, mais si on lui propose une promotion, elle hésite. Elle a peur, en se passionnant pour sa carrière, que les hommes aient l'impression de ne pas avoir grand-chose à lui offrir. Elle a des expériences sexuelles, mais elle veut toujours être séduite malgré elle ; et la plupart du temps, elle ignore la contraception. Quand elle se trouve avec ses amis, elle se comporte comme la femme nouvelle, audacieuse, qu'elle a toujours désiré être. Quand elle est en visite au domicile maternel, elle redevient la petite fille soumise qu'elle espérait laisser derrière elle (elle s'exprime même d'une façon différente). Quand elle rencontre des gens pour la première fois, elle leur dit ce que, selon elle, ils désirent entendre, au lieu de traduire ce qu'elle ressent vraiment. A l'occasion d'une partie, elle ne se dit pas : « Y a-t-il ici quelqu'un qui pourrait m'intéresser? » Au contraire, elle se demande : « Qu'est-ce que tous ces gens pensent de moi? » Le matin qui suit un rendez-vous agréable ou une expérience sexuelle réussie, les plaisirs de la nuit font place à l'angoisse : « Est-ce qu'il me téléphonera? »

Quelques-uns de ces traits vous semblent-ils familiers?

Nous jouons bravement les affranchies; nous mettons notre point d'honneur à allumer nous-mêmes nos cigarettes. Mais tout au fond de nous, nous doutons de l'authenticité de l'image que nous projetons. Notre mère, elle aussi, a pu nous dire de belles paroles, mais, au fond, elle a peur que sa fille soit incapable de se débrouiller toute seule. (Elle n'a pas tellement bien réussi de ce côté-là quand elle était célibataire.) Nous n'intégrons pas les paroles officielles, pleines de confiance de notre mère, mais ses appréhensions non exprimées.

« De nos jours, dit Sonya Friedman, il y a de plus en plus de filles qui prétendent vivre indépendantes; mais le cordon ombilical est toujours là : c'est le téléphone. » Pour soulager notre « culpabilité », nous téléphonons à maman. Mais nous ne sommes jamais totalement soulagées parce que nous savons très bien que ce que nous éprouvons n'est pas de la culpabilité. Après tout, nous ne nous sommes pas rendues coupables d'un crime épouvantable. Ce que la fille symbiotiquement attachée appelle *culpabilité,* est en réalité de la *peur*... la peur de perdre sa mère à chaque pas qui l'éloigne d'elle, vers l'indépendance.

« — Qu'est-ce qui éveille chez vous le plus de culpabilité? ai-je demandé à une femme.

— Ma mère.

— Quelle est la pire des choses que vous puissiez imaginer?

— Un coup de téléphone, en pleine nuit, qui m'annonce sa mort. »

J'ai eu l'occasion d'interviewer la mère de cette jeune femme. Voici sa propre version : « Je sais que ma fille se sentirait coupable si elle ne passait pas chez moi les fêtes de Noël. J'éprouvais la même chose quand j'avais son âge. Alors, cette année, c'est moi qui me suis déplacée. J'aime être avec elle, mais je ne me sens pas à ma place dans son appartement. J'aimerais mieux rester à la maison avec mes amis. J'aime beaucoup ma fille, mais je me serais sentie coupable si j'avais abrégé mon séjour, si bien que je suis restée jusqu'à la fin des vacances. » Que de *culpabilité!* Que d'*amour!* La confusion des termes n'est dépassée que par la confusion affective où la mère et la fille se placent l'une par rapport à l'autre.

Nous dissimulons notre attachement à notre mère derrière les kilomètres que nous mettons entre elle et nous et derrière l'évidence de notre nouveau métier et de notre vie sexuelle. Par exemple, avant de retourner à l'université pour terminer ses études de médecine et devenir psychothérapeute, Leah Schaefer, comme je l'ai déjà dit, a réussi une belle carrière de chanteuse de jazz. Ses tournées l'ont menée dans tous les coins du pays, elle gagnait bien sa vie, avait des rapports sexuels avec les hommes... une vie qui semblait diamétralement opposée à celle de sa mère. Qui aurait osé dire qu'elle n'était pas indépendante?

A vingt-quatre ans, elle a décidé de se soumettre à une opération de chirurgie esthétique. « Je vivais à Hollywood, raconte-t-elle. Si je n'avais pas été dans le show business, je ne pense pas que j'aurais été assez courageuse ni assez narcissique pour la subir. Du côté de mon père, on a un nez parfait, comme celui que j'ai maintenant. Mais j'avais un long nez romain, comme ma mère. Avec une bosse. Pendant l'opération, j'étais anesthésiée localement, si bien que je pouvais entendre ce qui se passait. Il y a eu ce craquement terrible, puis le docteur a dit : " Ça y est, la bosse est partie. " J'ai soudain eu l'impression qu'on venait de m'arracher un organe essentiel.

« Je croyais que c'était pour ne pas l'inquiéter que je n'avais pas parlé à ma mère de cette opération. La vraie raison, c'était que je voulais changer un trait de mon visage que j'avais en commun avec elle. En fait, quand j'ai été débarrassée de cette bosse, ce fut comme une véritable séparation affective; c'était la première fois que je me décrochais d'elle. Peu à peu, j'ai commencé à croire à mon nouveau pouvoir de séduction. Depuis mon adolescence, j'étais folle des garçons, mais ce nez empoisonnait mon existence. Quand je chantais dans un trio, j'étais sûre que les gens ne disaient pas : " Ils chantent vraiment bien! " mais : " Tu as vu cette fille affreuse, avec son grand nez? " Du jour au lendemain, j'ai eu des boy-friends, par douzaines. Je pensais que c'était grâce à mon nouveau nez. Plus tard, j'ai compris qu'avant cette opération je ne m'étais jamais considérée comme différente, séparée de ma mère. Elle niait sa sexualité, jurait qu'il s'agissait d'une chose dénuée d'importance. Si bien que, de mon côté, je niais la mienne. Après l'opération, je pensais que c'était ce changement d'apparence qui m'avait séparée de ma mère. Ma véritable séparation s'est effectuée au moment où je me suis considérée comme un être sexuel. Ce qui attirait les hommes, ce n'était pas l'aspect de mon visage, mais ce que je ressentais vis-à-vis de moi-même. »

Notre sexualité évolue dans la bonne direction... Avant que nous nous mariions, pour la première fois de notre vie, se forme un lien qui peut être plus puissant que celui qui existait entre notre mère et nous : celui qui nous attache aux hommes. « Il était généralement admis, dit le Dr Robertiello, que les hommes doivent connaître toutes sortes d'expériences sexuelles avant de se marier. Aujourd'hui, on pense la même chose des femmes. Ces expériences sexuelles ne sont pas nécessairement débridées. Les catholiques, par exemple, ou les baptistes, s'imposeront des limites plus strictes que les autres. Faute de mieux, la femme, à l'église, peut par exemple s'asseoir à côté de l'homme de son choix. Les femmes devraient essayer de se ménager des expériences avec des hommes différents pour que le sexe opposé leur paraisse moins étranger, moins redoutable ; et aussi pour qu'elles se sentent capables d'attirer un homme et de l'intéresser. Pour certaines femmes, ces expériences peuvent se limiter à une promenade la main dans la main ; pour d'autres, elles peuvent être une succession d'orgies. Les années de célibat sont la période où l'on peut vivre le maximum d'expériences. »

C'est aussi le moment où l'on peut élargir et renforcer l'indépendance (et la séparation) qui a déjà été acquise. Sinon nous établirons avec les hommes des liens qui prendront la forme d'une symbiose régressive, et les plaisirs sexuels seront étouffés par un besoin de sécurité. Ce qui existe entre l'homme et nous perd peu à peu sa charge magnétique, sa puissance, et, au mieux, la relation se fait tendre et amicale ; au pire, elle n'est plus qu'un pacte de dépendance et de contrôle réciproque.

Les bonnes expériences renforcent notre désir d'autonomie ; les mauvaises peuvent nous faire souffrir, mais elles nous apprennent en même temps que nous pouvons leur survivre. L'indépendance rend notre vie moins inquiétante. Plus nous avons confiance en nous, plus les poisons de la vie féminine peuvent diminuer. Nous cessons de craindre que, si quelqu'un que nous aimons s'en va, nous ne pourrons jamais en retrouver un autre. Nous n'avons plus besoin d'enfermer notre amant dans une gangue d'acier ; ne se sentant pas étouffé (symbiose) il n'aura pas envie de nous quitter. Nous apprenons à éviter d'être notre propre ennemie.

Le fait d'avoir des expériences avec un certain nombre d'hommes, d'entretenir avec eux des types de relation différents, nous aide à mettre le doigt sur ce qui, *régulièrement,* ne va pas. Les hommes nous font toujours souffrir, les hommes finissent toujours par nous abandonner. C'est en grande partie notre faute : *c'est nous qui les choisissons.* « Même si une compulsion psychique vous oblige à vous jeter dans les bras de mauvais garçons qui vous détruisent, dit le Dr Robertiello, il vaut mieux passer dix fois par là que de fuir les hommes sous le prétexte qu'ils peuvent vous faire souffrir. De cette façon, vous pourrez au moins situer votre problème et voir comment vous pouvez le résoudre. » L'intimité de nos années de célibat nous donne le temps et l'occasion de nous mettre au travail.

L'intimité, le secret, favorisent la séparation. Pour la première fois de notre vie, personne ne sait ce que nous faisons. A moins que nous ne le criions sur les toits. « Mon mari et moi, dit le Dr Leah Schaefer, disons souvent à notre fille que certaines choses appartiennent à notre intimité ; non pas niées, ni cachées, mais intimes, privées. Elle comprend maintenant que nous fermions notre porte de temps en temps. Parfois, elle se boucle dans sa chambre en disant : " J'ai besoin d'intimité. " »

Faute d'avoir pu disposer d'une certaine intimité personnelle quand nous étions très jeunes, notre domaine privé, plus tard, nous donne une impression de malaise. Si on nous interdisait de fermer à clé la porte de notre chambre, si notre mère passait son temps à « mettre de l'ordre » dans les tiroirs de notre bureau, à nous poser des questions sur nos amis et nos coups de téléphone, nous grandissions avec la sensation désagréable que l'intimité est coupable. Maintenant, nous redoutons toujours que quelqu'un devine nos pensées les plus secrètes. Nous nous sentons « coupables » quand nous faisons quelque chose qui déplairait à notre mère, nous ne sommes pas sûres qu'elle ne puisse pas le découvrir. Comme par réaction, certaines femmes se précipitent vers leur mère pour tout lui raconter. Elles pensent qu'en partageant ainsi leur vie, en restant en étroit contact avec elle, elles expriment leur gratitude, elles la récompensent de tout ce qu'elle a fait pour elles quand elles étaient petites. Cependant, sous prétexte d'accomplir un tendre devoir, n'anticipent-elles pas sur leur peur : « Elle finira par tout savoir! »? N'est-ce pas une façon de lui demander d'être la complice de notre sexualité, pour mieux nous la faire pardonner?

« Ma mère m'a-t-elle demandé si j'étais encore vierge? dit une femme de vingt-deux ans. Je lui ai dit que je l'étais, mais je lui ai menti. Je ne suis plus vierge. Elle m'a demandé si je lui parlerai de mes premières expériences sexuelles. Je lui ai répondu : " Certainement pas. C'est mon affaire! " » Cette jeune femme n'est séparée de sa mère que par quelques maisons; elle est timide, effacée, et n'a eu que peu de contacts avec les hommes. Mais son degré de séparation, les efforts qu'elle fait pour la réaliser sont de beaucoup supérieurs à ceux de cette autre femme, qui voyage beaucoup à travers le monde et qui ne compte plus ses aventures sexuelles : « Ma mère et moi sommes de très grandes amies, bien que nous soyons très différentes l'une de l'autre. Nous n'arrêtons pas de nous téléphoner. Je l'ai même appelée de Paris la première fois que j'ai fait l'amour. Récemment, je n'ai pas eu de chance. Je me suis retrouvée enceinte. Je lui ai téléphoné pour lui dire que j'allais me faire avorter. Elle a été vraiment très chic. Mais je n'ai pas trouvé chez elle cet appui dont j'avais vraiment besoin. Ce fut comme une douche froide. J'aurais voulu qu'elle m'appelle trois fois par jour, ou même qu'elle prenne l'avion pour venir s'occuper de moi. »

Cette femme veut jouer sur les deux tableaux : parler à sa mère de sa vie sexuelle, comme à une copine, et, en même temps, elle veut que sa mère prenne soin d'elle, comme elle le faisait quand elle était petite. « Le sexe est quelque chose que l'on doit assumer soi-même, dit le Dr Schaefer, quelque chose que l'on doit placer sous sa propre responsabilité. Les femmes qui racontent à leur mère tous les détails de leur vie sexuelle ne respectent ni leur intimité ni la sienne. Elles se replacent d'une façon ou d'une autre sous son influence. Elles lui donnent le pouvoir de faire des commentaires, d'accorder ou de refuser son approbation, dans un domaine où elle n'a absolument rien à voir. »

C'est un problème difficile, aussi bien pour les parents que pour les enfants. « Je ne vois aucun inconvénient à ce que ma fille ait des expériences sexuelles, dit le Dr Robertiello. C'est à elle de prendre toute seule ses décisions. Mais tout change si elle revient à la maison avec un garçon pour passer la nuit avec lui. Elle empiète sur *ma* vie privée, m'implique dans une situation où je ne tiens pas du tout à intervenir. On taxe souvent d'hypocrisie les parents libéraux qui refusent pourtant d'héberger les amants ou les maîtresses de leurs enfants. Je ne suis pas d'accord. S'ils se sentent gênés, ces parents ont parfaitement le droit de dire : " Allez faire ça ailleurs. Ça ne me regarde pas. " Les enfants ont le droit d'avoir une vie sexuelle, mais les parents ont le droit de refuser d'être leur complice. »

Certaines mères préfèrent ne rien savoir de la vie sexuelle de leur fille parce que cela leur donne, à elles aussi, plus de liberté. « Ma fille m'en dit parfois plus que ce que je voudrais entendre, m'a dit la mère d'une fille de vingt-quatre ans. Tous les détails, atroces pour moi, de ses aventures. Elle avait dix-neuf ans quand elle m'a demandé d'aller avec elle acheter un diaphragme. J'ai refusé. Ça me paraissait *trop* intime. Elle savait que je ne la désapprouvais pas, mais j'estimais qu'elle devait garder pour elle certains aspects de sa vie de femme. Si vous ne pouvez pas vous passer de maman pour aller chercher un diaphragme, c'est que vous êtes encore trop jeune pour en mettre un. »

Une femme de vingt-cinq ans m'a dit qu'elle ne voit aucun inconvénient à ce que son amant passe la nuit dans son appartement, mais qu'elle se sent très nerveuse si sa mère lui téléphone pendant qu'il est là. « J'ai l'impression qu'elle voit tout, qu'elle sait qu'il est nu dans mon lit pendant que je lui parle. Je ne veux pas qu'elle sache. J'ai l'impression de mener une double vie. » Cette jeune femme retourne une situation qui, au départ, est saine : elle se reproche de cacher sa vie sexuelle à sa mère, alors qu'elle a tout à fait raison de le faire. Et pourtant, si elle est encore symbiotiquement attachée au point d'avoir l'impression que sa mère peut lire dans son esprit quand elle lui téléphone, il n'est pas surprenant que son comportement sexuel soit chargé d'angoisse. Le Dr Schaefer estime toutefois qu'elle se comporte bien : « Avec le temps, la simple répétition de l'expérience la débarrassera de son angoisse. »

Comme pour toutes les expériences de la vie, plus on fait quelque chose, plus on se sent à l'aise et moins on se sent inhibé. C'est une question d'entraînement. L'idée paraît toute simple, mais sans avoir jamais été entraînées à l'indépendance, les jeunes femmes de dix-huit ou vingt ans se trouvent brusquement plongées dans une nouvelle vie. Les problèmes de la séparation, qui n'ont jamais été réglés à un âge approprié, les assaillent soudain et les paralysent. Comme on les a encouragées toute leur vie à ne pas être autonomes, elles ne sont pas préparées à une vie indépendante. La première fois qu'elles vont à une fête sans être accompagnées, elles tremblent de peur. La quatrième ou la cinquième fois, c'est déjà plus facile. Les petits garçons sont entraînés à être indépendants; les petites filles ne le sont pas.

Le fait de rencontrer et de connaître un grand nombre d'hommes pendant nos années de célibat peut nous aider à comprendre que notre capacité de vie est de beaucoup supérieure à ce que nous imaginions. Un seul homme, auquel nous nous attachons trop tôt, peut nous étouffer, comme nous l'avons toujours été. La dépendance symbiotique qui existe dans la plupart des mariages empêche les femmes de devenir adultes. La divorcée, ou la veuve, qui se retrouve seule au monde à trente ou cinquante ans, se conduit avec les hommes comme une adolescente : « S'il me quitte, je mourrai ! »

Pour la plupart, nous nous marions. Personne ne peut prédire que l'union sera durable. Notre amour nous fait sortir de nous-mêmes, mais notre sécurité est en nous. Si, pendant nos années de célibat, nous accumulons les négligences, si nous ne payons pas nos factures, si nous avons l'habitude de perdre nos clés, si nous écrivons à maman pour lui demander l'argent du loyer, si nous passons le plus clair de notre vie à attendre le prince charmant, si nous fondons notre valeur non pas sur nos réalisations mais sur les hommes qui nous ont échappé... alors, nous nous sommes vraiment mises dans une situation désespérée : maman avait raison de dire que nous sommes trop fragiles pour pouvoir survivre par nos propres moyens.

Par une ironie du sort, ce comportement irresponsable et désordonné était à moitié prévisible. Étant donné l'éducation que nous avons reçue, on peut même dire que, pour nous, c'est une véritable réussite. « Les femmes sont comme ça ! » soupirent les gens, à demi exaspérés, à demi charmés, et ils signent un chèque pour nous sauver de la saisie, nous offrent leur épaule pour pleurer quand nous avons perdu notre travail à force d'arriver en retard au bureau ou quand, une fois de plus, nous ne nous remettons pas d'une déception amoureuse. Non, les femmes ne sont pas « comme ça », mais elles le deviennent.

Il semble que les choses soient en train de changer. Sur les affiches publicitaires, ce sont des femmes célibataires qui nous sourient; elles sont le symbole de notre époque. A voir les vedettes de la télé, du cinéma, des magazines, le célibat paraît merveilleux et facile. « Si tu n'arrives pas à te débrouiller toute seule, ma petite, semblent nous dire ces créatures triomphantes et efficientes, c'est qu'il y a chez toi quelque chose qui cloche. Regarde les autres : pour elles, tout va bien. » Pour le prix d'un magazine, des pseudo-modèles de rôle nous promettent une vie de célibataire magnifique. Il suffit d'ouvrir les bras. Le succès, l'amour, l'indépendance et, par-dessus le marché, la liberté, tout cela sera à vous.

Et pourtant, cette image idéale de la célibataire repose sur un mensonge : il s'agit du programme caché, de ces habitudes de dépendance qui sont, vous a-t-on appris, l'essence même de votre féminité et qui se trouvent profondément enracinées dans votre système de valeur; elles sont fondées sur votre premier modèle de rôle (la mère) et renforcées par l'ensemble de notre culture : la femme célibataire est un être « non fini ».

Quand Helen Deutsch commença ses études de médecine, sa mère « considéra que c'était une tare pour toute la famille. Elle voulait que je me marie, que je sois comme les autres filles. Était-elle fière de mes succès? " Fière " n'est pas le mot, bien que cette profession dont ils ne voulaient pas, me permît d'aider mes parents. Quand, finalement, je me suis mariée, ce fut en présence de deux témoins. La cérémonie terminée, ils s'empressèrent de mettre ma mère au courant. Ce fut seulement à ce moment-là que ma mère sut que je lui avais enfin donné quelque chose de solide ».

Helen Deutsch a quatre-vingt-treize ans. Mais quand j'ai interrogé une femme de soixante ans plus jeune, j'ai entendu le même refrain : « Ma mère était contente de me voir réussir dans mon travail. Après tout, elle avait voulu que j'aille à l'université. Mais, parmi toutes ses amies, elle était la seule mère dont la fille était encore célibataire. Quand j'eus une promotion et que le journal local parla de moi, ma mère eut enfin quelque chose à montrer à ses amies. J'étais heureuse qu'elle pût être fière de moi, mais je souffrais un peu de voir toute l'importance qu'elle accordait à l'opinion des voisins. Je sais qu'en me mariant je mettrai un comble à son bonheur... si je me marie un jour! »

« Les mères d'aujourd'hui, dit le Dr Deutsch, veulent que leurs filles se fassent médecins ou avocates, mais elles désirent par-dessus tout qu'elles se marient. Pourquoi pas? Il est bon qu'une femme se marie. Mais si la fille accomplit une carrière brillante, la mère ne sera peut-être pas trop déçue de voir qu'elle reste célibataire; cette réussite peut satisfaire le narcissisme de la mère, un narcissisme que l'on peut qualifier de " normal ". »

Même aujourd'hui, les femmes mettent longtemps à récolter les fruits de leur travail. « Les hommes sont seuls, semble-t-il, à briguer les récompenses, dit Jessie Bernard. Les jeunes femmes ont du mal à se faire au soleil une place à la hauteur de leur talent. » Dans la plupart des carrières, elles commencent au bas de l'échelle. Quand elles se marient, c'est d'emblée un succès. C'est une solution si facile !

Beaucoup d'hommes, de nos jours, commencent à penser que le destin des femmes ne se limite pas à la cuisine et à la chambre d'enfants. Ils se moquent gentiment du chauvinisme de leur père qui préférait les femmes « féminines » et « non agressives ». *Mais dès qu'ils songent sérieusement à se choisir une fille bien à eux, ce sont ces qualités-là qu'ils recherchent.* Dans son livre *Les dilemmes de la virilité,* la sociologue Mirra Komarovsky fait remarquer que l'homme aux idées larges, qui prétend approuver le mouvement féministe, voudra souvent épouser une femme qui se consacrera à sa maison. Et il ne voit pas pourquoi elle n'exercerait pas un métier tout en étant une parfaite ménagère. Comme le dit un étudiant qui a participé à l'enquête de Komarovsky, la mère d'un enfant d'âge pré-scolaire a parfaitement le droit de travailler à l'extérieur, « pourvu, bien sûr, que tout aille bien à la maison, que les enfants n'en souffrent pas et que le travail de l'épouse ne gêne en rien la carrière de son mari [1] ».

J'aimerais cependant ajouter ici un mot à la décharge des hommes. L'une des grandes protestations féminines de notre époque prétend que les femmes sont freinées parce que les hommes « ne les laissent pas faire ». C'est parfois vrai. Mais, le plus souvent, ce ne sont pas les hommes, ni la société qui nous freinent. Nous nous en chargeons nous-mêmes. S'il est vrai que le principal objectif des femmes doit être d'assumer leur indépendance, elles doivent mettre sur leur propre compte leurs succès comme leurs échecs, sans recourir à l'excuse passe-partout, et si pratique, de la méchanceté des hommes.

« Je veux être avocate, m'a dit une femme de vingt et un ans, mais il y a en moi quelque chose qui lutte contre mon indépendance. Je m'en rends compte dans mes relations avec les hommes. Mon ami m'affirme qu'il croit en ma carrière, mais quand il me dit : " Je ne veux pas que tu fasses ceci ou cela ", je réponds automatiquement : " OK, je ne le ferai pas. " C'est comme si j'étais hypnotisée. » C'est effrayant de savoir qu'on en est là. Elle a entendu la voix de l'enfant symbiotique qui est en elle. Ce n'est pas l'homme qui a mis en place cet enfant.

« Nous adressons aux jeunes femmes des messages ambivalents, dit Jeanne McFarland, professeur d'économie à l'université Smith. Nous leur donnons cette éducation admirable qui tend à les rendre compétitives. D'autre part, nous leur disons : " Ce qu'il te faut avant tout, c'est un mari, alors, n'insiste pas trop sur la compétition. " Les hommes n'aiment

1. Komarovsky, p. 31.

pas les femmes qui prétendent rivaliser avec eux. Ils aiment mettre les femmes sur un piédestal... des déesses du foyer, de la socialisation et de toutes sortes de " bonnes " choses dont ils n'ont pas le temps de s'occuper. C'est un signal complexe : " Entre dans la compétition, mais ne le fais pas trop bien. " Est-il étonnant qu'en dépit de tous ces bavardages sur les femmes qui réussissent, nous ayons peur tout au fond de nous? Avec l'autonomie, nous avons plus à perdre qu'à gagner. »

Voici une femme de vingt-neuf ans, qui fait une très belle carrière dans le journalisme : « J'ai passé le dernier week-end au lit, avec mon nouvel ami. Jamais je n'avais passé tant de temps en tête à tête avec un homme depuis presque un an. Vous vous rendez compte! Nous avons bouclé la porte et nous avons fait l'amour, bavardé... c'était merveilleux. Toute ma tension avait disparu. J'en oubliais mon travail. Le lundi matin, je suis rentrée à mon journal, et le mardi soir, je l'ai revu. Dans le taxi qui me conduisait vers lui, je sentais déjà monter mes sentiments d'hostilité. Dès la première minute, j'ai été odieuse avec lui, tout en me disant : " Merde! Je suis en train de tout f... en l'air. Lui et moi, c'est fini! " Deux heures plus tard, nous étions réconciliés. Mais je crois que je ne vais pas continuer de le voir; je travaille trop et mon job a trop d'importance pour moi. Tout se passe comme si je ne pouvais pas me permettre ces week-ends. Je les désire, mais ils me font peur. Il me faut toute une journée pour me remettre au travail, et quand je le revois, je suis une vraie peste. »

Les femmes qui accordent, comme cette journaliste, beaucoup d'importance à leur travail, craignent souvent de perdre leur allant, leur énergie si elles s'attachent à un homme. Après avoir goûté aux plaisirs de l'autonomie, cette jeune femme repousse son partenaire parce qu'elle a peur de s'engloutir dans une relation dépendante. Mais son vrai problème, bien sûr, est la survivance de ses besoins fusionnels. Elle a peur de se laisser reprendre par ses anciens sentiments puérils, dès le moment où elle entrouvre la porte. L'intensité de son besoin de dépendance apparaît nettement dans cette hostilité qu'elle oppose à l'homme qui, sans le vouloir, menace de la ramener à un état de symbiose.

Et voici le revers de la médaille : c'est l'histoire d'une femme de trente-quatre ans dont les appréhensions ont été éveillées non pas parce qu'un homme prenait trop de place dans sa vie, mais parce que son succès professionnel menaçait de l'éloigner de lui. Son métier de promotrice d'une maison de mode lui faisait faire la navette entre New York et la Californie. Depuis huit ans, elle vivait par intermittence avec un acteur qui, comme elle, était souvent en voyage. « Cette situation nous convenait à tous les deux, m'a-t-elle dit. De temps en temps, nous parlions mariage, mais nous étions d'accord pour juger que le moment n'était pas venu. Tout allait si bien entre nous! Il me manquait, mais quand nous étions ensemble, c'était très intense, vraiment merveilleux. L'année dernière, j'ai été nommée sous-directrice de la société qui m'emploie. J'étais la première femme de la maison. J'étais arrivée! Du jour au lendemain, je me suis pendue au téléphone. Je le suppliais : " Pourquoi n'es-tu pas près de moi? J'ai besoin de toi. Tes bras me manquent! " Je pleurais tout le temps, l'accusant de m'abandonner; je me sentais horriblement seule, alors que j'aurais dû triompher. » A la suite de ces nouvelles exigences, ils se séparèrent. Leur type de relation n'est sans doute pas le rêve de toutes les femmes, mais il correspondait exactement à ce qu'ils désiraient tous les deux; tout s'est écroulé quand elle a dû affronter l'angoisse que son succès professionnel lui apportait.

Pour la plupart d'entre nous, la fin de nos années de célibat n'arrive que trop tôt. Elles ressemblent à des vacances mouvementées à Paris. Passionnant! « Mais c'est quand même bon de se retrouver chez soi! » Et chez soi, bien sûr, c'est le mariage. C'est le modèle de vie que nous connaissons le mieux. Même si c'est un ratage, même si nous sommes malheureuses, nous avons du moins l'illusion de la vie de famille. « Quels sont les buts de la vie? » demande le Conseil national de l'assurance-vie dans son enquête annuelle : « Une vie de famille heureuse? Gagner beaucoup d'argent? Réussir sa carrière? Se développer en tant qu'individu? » En 1975, 80 p. cent des participants, hommes et femmes, de dix-huit ans et plus, ont choisi « la vie de famille heureuse ». *Ce qui ne veut pas dire qu'ils en avaient une.*

Nous avons un modèle inoubliable de l'art d'être épouse, qui repose non seulement sur les relations qui existaient entre notre père et notre mère, mais aussi, de façon plus significative, sur nos propres relations avec notre mère. C'est ce couple « ma mère et moi » que nous tenterons de reconstituer avec les autres. Plus nous avions besoin d'elle, plus elle nous récompensait. Devenues adultes, c'est encore la dépendance qui nous est proposée comme norme. C'est comme si on tendait un verre de whisky à un alcoolique. « Ce qui se passe, dit le Dr Robertiello, c'est que l'idée culturelle de la dépendance des femmes vient renforcer l'éducation que les femmes ont reçue pendant leur enfance. C'est le pire des pièges que l'on puisse leur tendre. On peut parler ici d'option féminine par excellence. »

Et comme tant de pièges, il est appâté avec du miel.

Cette option dit que, chaque fois qu'elle le veut, la femme peut renoncer à elle-même et trouver l'homme qui la prendra en charge... Alors, pourquoi lutterait-elle pour se faire, auparavant, une place au soleil? Ce prétendu privilège est si profondément ancré dans notre psyché que, très souvent, nous n'avons pas conscience de l'utiliser comme un atout que nous aurions dans notre manche. « Les hommes sont si compétitifs! Je ne vois pas pourquoi je me donnerais tant de mal... » La société, évidemment, applaudit la femme qui réagit de cette façon, qui attend son heure, avant de prendre sa décision. En voilà toujours une qui se retire de la compétition, qui acceptera d'accomplir gratuitement ces corvées ménagères que les hommes détestent tant. Renoncer à soi-même, confier à un homme la responsabilité de sa propre vie, ce n'est pas se conduire en femme, mais en enfant.

Près de trois femmes sur cinq qui se marient pour la première fois (57,9 p. cent) ont vingt ans ou moins [1]. Pour un très grand nombre de jeunes femmes, le comble du bonheur est encore de se marier le jour même où elles obtiennent leur diplôme scolaire ou universitaire. Elles n'ont que dix-huit ans, et elles souscrivent un engagement pour la vie! Les tribunaux de divorce sont encombrés de gens qui ont découvert trop tard l'éclat factice de la grande promesse.

« La plupart des femmes, dit la sociologue Cynthia Fuchs Epstein, pensent qu'elles n'ont pas d'autre choix que d'être épouses et mères. Elles s'imaginent incapables de réussir à leur propre compte. C'est quelque chose qui ne figure pas dans leur programme. Elles ne commencent à se rendre compte qu'elles peuvent réussir qu'à partir du moment où elles se présentent sur le marché du travail et obtiennent une situation décente. »

Les femmes, souvent, doivent subir l'expérience d'un mariage raté avant de comprendre que la prétendue sécurité qu'offre le mari pour toute la vie n'est qu'un mythe douloureux. « Ces femmes, dit Cynthia Epstein, deviennent souvent des professionnelles qui prennent leur carrière très au sérieux. Elles ne renoncent pas forcément aux hommes, mais leur révolte, devant la fin de leurs illusions, leur a ouvert les yeux. Elles ont appris que les hommes ne peuvent pas être l'unique source de leurs satisfactions. »

Cependant, les femmes qui se concentrent sur leur carrière doivent faire face à des problèmes que les hommes ne connaissent pas. « On n'encourage guère les femmes, dit Cynthia Epstein, à dire à un homme : " Non, je ne peux pas te voir ce soir. J'ai trop de travail. " Elles n'ont pas l'habitude de penser qu'elles peuvent s'absorber totalement dans leur métier. Cela ne veut pas dire qu'elles en soient incapables. Il s'agit simplement d'une ressource qu'elles n'ont pas encore exploitée. »

Devant ces pressions, beaucoup de femmes orientées vers une carrière décident d'ajourner leur mariage. A l'occasion d'une enquête auprès de femmes choisies au hasard, dans le *Who's Who of American Women,* le Pr Elisabeth Tidball a constaté que sur quinze cents femmes profession-nellement brillantes, sept cent cinquante environ (la moitié) étaient

---

1. Chiffres valables pour l'année 1975, publiés par le ministère du Commerce, service des statistiques.

mariées [1]. Elles avaient retardé leur mariage en moyenne de sept ans après leurs études universitaires pour pouvoir se consacrer entièrement à leur carrière. Dans l'enquête de Margaret Hennig auprès de vingt-cinq femmes qui étaient cadres supérieurs, toutes pensaient qu'il fallait choisir entre le mariage et la carrière [2]. Quand elles atteignaient vingt-cinq ans, selon l'expression du Dr Hennig, « elles mettaient momentanément en réserve leur féminité ». Vers trente-cinq ans, elles rééquilibraient leur _ vie, reprenaient contact avec leur féminité, et la moitié d'entre elles se mariaient.

Nous ignorons si ces femmes étaient fâchées de devoir refouler leur vie sexuelle pour faire leur chemin dans leur métier. Personnellement, je l'aurais été! Nous avons toutes été témoins de la colère des femmes qui ont fait ce choix... des femmes sans homme. Elles ont été déçues par quelqu'un ou quelque chose... les hommes, la société, les structures de travail de notre culture. Il y a des exceptions, des femmes indépendantes qui ont une vie heureuse tout en se passant totalement des hommes. Une partie du respect qu'elles inspirent est due à l'idée que très peu de femmes réussissent à résoudre ce problème : vivre sans homme et en même temps sans colère.

Pour la vaste majorité de celles qui n'ont pas résolu le problème, on pourrait dire que, logiquement, elles devraient diriger leur colère contre l'éducation anachronique qui continue de lier féminité et dépendance... mais ce serait retourner la colère contre la mère. La colère est alors dirigée vers le Prince Charmant qui ne s'est pas montré, et elle se transforme en un sentiment amer à l'égard de l'ensemble des hommes.

« Les femmes, dit le Dr Cynthia Fuchs Epstein, se trouvent écartelées dans leurs conditions de travail. Elles doivent prendre un ensemble de décisions en se fondant sur des systèmes de priorité différents (parmi lesquels l'amour, l'amitié, le mariage, les enfants) et en général sans cohésion entre eux. » Si une femme se passionne pour sa carrière, elle craint que ce soit aux dépens de l'amour. Si elle accorde trop de temps à sa vie sentimentale, elle a peur de compromettre sa carrière.

Je ressens moi-même ces contraintes. En passant devant une glace, hier, j'ai cru voir le visage de ma mère, une expression bien à elle que je n'aime guère : l'angoisse. Plus je travaille, moins je me sens féminine.

1. Elisabeth Tidball est professeur de physiologie au Centre médical George Washington, Washington. Un compte rendu de son étude sur les femmes qui travaillent est paru dans *The Executive Women*, vol. 2, N° 6, février 1975, pp. 1-2.
2. Margaret Hennig a passé sa thèse de doctorat en 1970, à l'école supérieure de gestion des affaires, université de Harvard. Cette thèse est intitulée : « Évolution de la carrière des femmes cadres. »

MA MÈRE, MON MIROIR

« Nancy, j'entends bien vos questions, mais vous ne comprenez pas mes réponses. » C'est une psychanalyste qui parle. Je lui avais demandé pourquoi les femmes se moquent des sentiments de valeur qui accompagnent le succès. Sa réponse était entrée par une oreille et sortie par l'autre. J'ai dû la rappeler dans la soirée pour lui faire répéter ce qu'elle m'avait dit. J'envisage de lui demander de venir dîner chez moi pour pouvoir l'entendre me complimenter sur mes talents bien féminins de cuisinière; mais mon travail d'écriture m'absorbe tellement que je renonce à l'inviter. En même temps je me sens plus déprimée, moins féminine que jamais. J'ai avec mon mari une scène violente, et je me plonge dans mes papiers, me privant de sa compagnie. Pourquoi? Le matériel refoulé montre le bout de l'oreille : je m'éloigne de lui avant qu'il ne s'éloigne de moi... un petit jeu que je jouais avec ma mère quand j'avais six ans.

C'est de la folie!

N'allez pas croire que le fait d'avoir écrit tout cela m'ait libérée! Je l'ai déjà oublié. Freud, lors de ses premières analyses, était déçu de constater que les prises de conscience de ses malades n'amélioraient pas leur condition quand il leur faisait apparaître leurs conflits intérieurs. C'était comme s'il allumait une lampe devant eux : « Je la vois! » s'écriait le malade. Puis la lampe disparaissait, le malade « oubliait » une fois de plus, le conscient n'avait pas gagné de terrain, le refoulement avait tout obscurci.

Les psychanalystes sont résignés depuis longtemps à la nécessité de remettre sans cesse sur le chantier ces fragments de lucidité introspective, de rendre sans relâche leurs malades conscients des relations refoulées avant qu'elles soient vraiment appréhendées, avant que la vérité libératrice et affective soit intégrée une bonne fois pour toutes. Question de pratique, une fois de plus. Les femmes opposent une résistance à la réalité de leurs relations avec la mère. Elles préfèrent les imaginer à leur façon, ce qui leur évite de tirer des conclusions.

Un psychiatre avec lequel j'avais eu un entretien dans le cadre de ce livre, montre à sa femme le chapitre que j'ai écrit sur la rivalité mère-fille. Ils ont une fille de quatorze ans. La mère lit le chapitre, le commente d'un bout à l'autre et conclut : « Oui, c'est vraiment très intéressant, mais ça ne me concerne pas du tout. » Une heure plus tard, elle éclate en sanglots. « Dans une semaine ou deux, m'a dit le psychiatre, elle voudra sans doute m'en parler. Vous-même, Nancy, n'avez-vous pas attendu des mois, ou même des années, avant de reconnaître que certains des thèmes dont nous avons discuté touchaient de près votre vie? »

Le refoulement est un processus inconscient. Il n'a rien à voir avec notre intelligence. Nous pouvons très bien ne rien avoir oublié de tout ce que nous avons appris, avoir un QI de 160 et refuser obstinément de

« reconnaître » des faits qui ont marqué notre relation avec notre mère... et comment nous les avons reproduits avec les autres, plus tard dans notre vie.

La peur de perdre notre mère ne suppose même pas qu'on ait eu préalablement avec elle une relation affective enrichissante. Certaines femmes détestent franchement leur mère; d'autres ne se souviennent même pas d'un geste de tendresse, d'un seul moment d'intimité. Pour que le lien symbiotique existe, il n'est pas nécessaire d'avoir aimé votre mère, ni même qu'elle ait été toujours disponible pour vous. En fait, il arrive parfois que les relations mère-fille les plus pénibles soient le fruit de l'imagination de la fille, qui prend ses désirs pour la réalité.

Dans ce dernier cas, la relation mère-fille culturellement idéalisée est plus importante que la réalité. En tant qu'enfants, cette symbiose qui nous a été refusée nous manque si vivement que, plus tard, nous en avons peut-être plus besoin que les femmes qui en ont été moins privées que nous. C'est trop pénible, trop humiliant pour que nous puissions l'admettre. Nous disons d'un air détaché : « Je n'avais aucune intimité avec ma mère », ou bien, avec soulagement : « Dieu merci, ma mère m'a moins étouffée que ma sœur. » Il existe encore un autre système de défense, un mouvement de révolte qui envoie tout promener : « Quand ma fille est née, j'ai décidé de ne pas l'élever comme je l'ai été! » Formules gratuites... un maquillage que l'on met sur une cicatrice pour la cacher.

« Mes parents sont très stricts en ce qui concerne la sexualité, m'a dit une célibataire de vingt-neuf ans. Pour ma part, je ne veux pas que le sexe soit automatiquement lié à une relation sentimentale durable. J'aime pouvoir faire l'amour sans me sentir affectivement attachée. Récemment, j'ai fait la connaissance d'un homme qui me plaisait beaucoup. J'ai couché avec lui dès le premier soir. J'ai été ennuyée qu'il ne me rappelle pas. J'ai reçu de lui un billet où il ne fait même pas allusion à cette nuit-là. » Quand je lui ai suggéré qu'elle avait peut-être vécu là une expérience humiliante, elle a protesté avec véhémence : « Non! Certainement pas! Ce n'était pas de l'humiliation. Tout simplement, après cette histoire-là, je n'ai pas eu envie de sortir avec d'autres types. » A la fin de notre entretien, alors que je me disposais à la quitter, elle m'arrêta : « Au fait, oui... Je me suis certainement sentie humiliée. » Le rideau du refoulement s'était levé pendant quelques secondes. Sera-t-elle un jour capable d'intégrer son attitude contradictoire : avoir des rapports sexuels sans s'attacher à ses partenaires, et réagir avec désespoir quand un homme la prend au mot?

« Quand une femme couche avec un homme qui, par la suite, ne lui donne plus de ses nouvelles, dit le Dr Robertiello, elle se sent ulcérée. Elle a l'impression d'avoir été manipulée, trompée, roulée. Cela remonte au sentiment précoce de trahison et d'abandon éprouvé pour la première personne qui vous a fait croire que si vous vous soumettiez à elle, elle serait toujours à votre disposition. » Consciemment, cette femme a pris une décision personnelle et rationnelle en ce qui concerne les hommes en général. Au niveau de l'inconscient, elle a réagi comme s'ils étaient une mère.

L'homme ne partage pas avec nous ce conflit. Plus il a du succès avec les femmes, plus il sent qu'il peut avoir des relations amoureuses et sexuelles plus satisfaisantes. La différence vient de ce que *nous établissons entre les hommes et nous une relation symbiotique;* nous transférons sur notre mari ou notre amant notre besoin de la mère. Il n'est donc pas étonnant que nous ayons plus de difficultés qu'eux à organiser notre temps : tant d'heures pour l'amour, tant d'heures pour le travail. Dans l'amour symbiotique, notre manque est si grand qu'il absorbe tout notre temps.

« J'ai toujours pensé que je pouvais avoir à la fois l'amour et le travail, dit le Dr Schaefer, et j'ai donc eu l'un et l'autre. J'ai été élevée dans cette idée parce que mes deux parents aimaient travailler. Il me semblait tout naturel qu'on pût aimer *et* travailler. Des hommes m'ont dit : " Si tu m'épouses, je te laisserai travailler. " Et je répondais : " Tu me *laisseras* travailler? " Je n'avais pas besoin de leur permission. C'est leur éducation qui fait croire aux femmes qu'elles doivent exclure les hommes de leur vie si elles veulent se consacrer à un travail intéressant. Ce que nous croyons finit par arriver. »

Bien que le travail qu'accomplissent les femmes et les récompenses qu'elles en tirent puissent laisser croire au monde extérieur qu'elles sont les égales des hommes, elles courent quotidiennement un risque que la plupart des hommes ne connaissent pas. « Ce n'est pas juste, m'a dit une femme. Je suis son égale sur tous les plans, mis à part que je sais qu'il a le loisir de me quitter. Il sera sans doute malheureux, mais il peut aller dans un bar et voir ses amis. Il travaillera peut-être plus dur pour me chasser de son esprit. Moi, j'attendrai comme une somnambule son coup de téléphone. C'est ça que je trouve injuste. »

C'est comme une maladie chronique : nous ne prenons vraiment au sérieux notre travail que si l'amant ou le mari nous donne l'assurance qu'il nous aime encore. La puissance de l'émotion que nous éprouvons quand il nous quitte remonte à notre enfance, du temps où nous avions peur d'être abandonnées. Nous n'arrivons jamais à nous débarrasser de cette peur. Comme on ne nous a pas appris à vivre seules, nous pensons que nous ne pouvons pas survivre à la solitude. Les hommes réagissent à notre peur. Ils se sentent plus puissants. Notre attitude renforce cette vieille et terrible leçon : ils tirent leur force de notre faiblesse.

Quand on parle du travail en tant qu'élément favorisant l'indépendance de la femme, il n'y a aucune raison de ne penser qu'à des emplois qui auraient l'assentiment des snobs et des élitistes. La standardiste qui accomplit convenablement son travail a conscience de sa maîtrise et de sa compétence. Si nous sommes capables de bricoler dans notre appartement, c'est encore un domaine où nous avons appris à dominer les détails routiniers de la vie, sans dépendre de l'homme. La femme qui est fière de sa position de secrétaire irremplaçable a tout autant conscience de sa valeur que la directrice. La société peut attribuer à ce que nous faisons une valeur pécuniaire et une valeur statutaire différentes, mais les deux peuvent concourir à renforcer nos sentiments d'autonomie.

Sans sous-estimer l'importance du chèque de fin de mois qui leur permet de vivre, certaines femmes estiment que les travaux qu'elles accomplissent en dehors du bureau sont, affectivement, plus enrichissants. Elles peuvent peindre ou écrire pendant leurs week-ends, s'occuper de politique ou donner une partie de leur temps à la Croix-Rouge. Cela ne veut pas dire que l'amour-propre de la dilettante soit automatiquement renforcé. Il faut encore que l'activité soit assez importante pour compenser le sacrifice des heures supplémentaires et des activités sociales. Autrement, ce surplus de travail n'est pas suffisant, sur le plan affectif, pour procurer à la femme un sentiment accru d'autonomie. Sans véritable engagement, ce n'est qu'un jeu. Si elle se moque de perdre, elle ne fera aucun progrès vers l'indépendance quand elle gagne.

La liberté est à la mode. Tout le monde la revendique, et surtout la célibataire qui est pourtant prête à y renoncer du jour où elle trouvera l' « homme de sa vie ». « Je n'arrive pas à trouver un homme qui s'occuperait sérieusement de moi ! » C'est une plainte qu'on entend souvent, même de la part de femmes qui ont un métier, comme celles qui viennent consulter le Dr Schaefer : « Je leur dis que le monde est rempli d'hommes qui se sentent plus virils s'ils ont la responsabilité d'une femme. Mais il y a un prix à payer. Vous ne pouvez pas vous mettre sous la coupe d'un homme et en même temps lui dire ce qu'il faut faire. Quand vous étiez petite, pour que votre mère s'occupe de vous, vous vous efforciez d'être telle qu'elle le souhaitait. Vous avez la même dette vis-à-vis de l'homme dont vous dépendez. Beaucoup de femmes veulent gagner sur les deux tableaux. Je dis à ces femmes qu'il n'y a rien de mal à vouloir être prise en charge, du moment que l'on sait ce qu'il faut payer en échange de ce qu'on obtient. »

Les femmes reprochent aux hommes d'avoir peur de l'intimité, d'être incapables d'aimer, etc. Si l'homme se comporte ainsi, c'est peut-être parce qu'il est sensible à la partie tacite du message amoureux de la femme : « Prends-moi en charge ! » Il se peut qu'il l'aime vraiment. Ce qui

327

lui fait peur, ce n'est pas l'intimité du couple, ni la tendresse, mais la menace du fardeau à porter. Même si les hommes, que nous avons connus pendant nos années de célibat, ont été élevés dans l'idée qu'il est très viril de supporter tout le poids d'une femme, peut-être étaient-ils trop jeunes, ou trop pauvres, pour pouvoir assumer une pareille responsabilité. Peut-être aussi n'avaient-ils nulle envie d'aliéner leur liberté. « Le problème, pour la femme, dit le Dr Schaefer, est que cette idée, selon laquelle l'homme ne l'aime pas s'il ne la prend pas en charge, est si profondément enracinée en elle qu'elle ne se rend pas compte de ce qu'elle impose personnellement à l'homme. Elle se contente de juger qu'il est froid, maussade, égoïste, et qu'il la rejette. L'idée qu'il l'aime sincèrement et l'idée qu'il est responsable d'elle sont si enchevêtrées qu'elle est incapable de les distinguer l'une de l'autre. N'en était-il pas de même avec l'amour maternel ? »

Matina Horner a écrit en 1968 [1] sa thèse de doctorat sur « la motivation des femmes qui fuient le succès ». Dès le début des années 70, ses idées étaient déjà partagées par le grand public. Ce qu'elle disait s'adressait universellement et directement aux femmes, dans un domaine où elles étaient incapables de trouver par elles-mêmes une réponse. Peu importe que d'autres sociologues aient reproché à ses travaux d'être incomplets et d'être fondés sur une enquête qui ne concernait que quatre-vingt-dix femmes, appartenant toutes à la même université. « Évidemment, disons-nous, tout cela explique mon angoisse, mes échecs, mes ambiguïtés vis-à-vis de mon travail. Je suis une femme comme les autres, c'est tout. J'ai la peur bien féminine du succès. » Selon Matina Horner, nos peurs ne sont pas d'ordre biologique, elles sont socialement déterminées. Ce qui est appris peut être désappris. En outre, de toute façon, la société paternaliste est responsable de tout.

Je me demande parfois si les conclusions de Matina Horner n'ont pas fait aux femmes plus de mal que de bien. Avant même d'essayer de faire des efforts, nous connaissons le slogan (« la peur du succès ») et il influence notre comportement. L'échec nous apparaît comme une vieille connaissance, il est la preuve de notre féminité. Nous commettons la même erreur quand nous lisons certains romans féministes ; toujours prêtes à nous identifier à d'autres femmes, nous nous reconnaissons dans les héroïnes, ces femmes toujours vaincues, accablées, traitant souvent leur misère avec humour, même pour se déprécier. Il est agréable de savoir que nous ne sommes pas les seules à bouillir de colère quand notre

1. La psychologue Matina Horner a préparé son doctorat à l'université du Michigan. Sa thèse était intitulée : « Différences chez les deux sexes en ce qui concerne les motivations et les réalisations dans des circonstances non compétitives. »

mari rentre tard, à perdre notre identité s'il ne rentre pas du tout. Mais il ne s'ensuit pas que le fait de nous identifier aux échecs des autres nous aide à surmonter les nôtres.

J'ai pourtant le sentiment que Matina Horner avait raison. Oui, nous avons « peur du succès ». Mais il faut considérer l'expression dans son contexte. On expliquait la peur du succès en insistant sur le châtiment œdipien : si on élimine maman pour avoir papa, elle cherchera à se venger. Je pense que c'est vrai pour les deux sexes, mais les femmes redoutent moins la rivalité et la colère de la mère que l'éventualité d'un abandon. Par le fait que nous sommes femmes, nos problèmes de séparation ne sont pas identiques à ceux des hommes. L'homme, pour gagner son indépendance, n'a pas à quitter un autre homme. Le garçon peut être le rival de son père et/ou le prendre pour modèle, mais dans les deux cas, il continue d'avoir l'amour et l'appui de sa mère. La fille, elle, pour renforcer la séparation, se sent souvent obligée de se placer sur un terrain différent de celui de sa mère. Pour beaucoup de femmes, la rivalité avec les hommes est beaucoup plus facile à affronter que celle qui l'oppose à une autre femme.

« Les femmes sont beaucoup plus rapides que les hommes à comprendre les stratégies qui peuvent leur permettre de gagner », dit George Peabody, qui est docteur ès sciences en Comportement Appliqué. Il a inventé le Jeu du Pouvoir dont se servent des entreprises pour essayer d'apprendre à leurs employés le chemin de leur promotion. « Mais nous constatons à tout bout de champ, dit-il, que les femmes hésitent — au point de paraître stupides — à utiliser leurs possibilités. Comme elles sont loin d'être sottes, on peut se poser des questions... Elles pensent que le fait d'utiliser leur supériorité stratégique et politique est en quelque sorte une tricherie. Dès qu'elles prennent leurs fonctions, elles laissent à la porte une grande partie de leurs talents. Quand elles jouent au Jeu du Pouvoir, elles ont tendance à rendre tout ce qu'elles ont gagné quand la partie est finie. Beaucoup ont peur de battre les autres femmes. Elles ne veulent pas risquer de détruire les relations. »

Je connais une agence de voyage qui n'emploie que des femmes; elles ont « éliminé » la compétition en supprimant les titres. « Quand un poste de cadre est libre, m'a dit avec fierté l'une des associées, on n'en fait pas toute une affaire. La rivalité n'entre pas en jeu. L'une d'entre nous est nommée au poste, et on n'en parle plus. » Cette histoire me fait frémir!

De qui se moque-t-on? Il n'y a pas de relation de pouvoir déclarée? D'accord. Mais cela ne veut pas dire du tout que cette relation n'existe pas dans l'entreprise. Tout le monde sait qu'il y a quelqu'un qui décide d'ouvrir une filiale en Floride, qui décide que c'est Mary-Anne qui ira à Paris prendre ce poste tant convoité, pendant que Sally tapera tous les rapports. Certaines femmes veulent avoir un poste de direction, d'autres pas. A moins que les règles de la compétition ne soient précisées, personne ne se sent à l'aise. Les personnages dominants sont les maîtres, selon leurs propres lois, et en général dans leur propre intérêt; et en même temps, d'une façon toute paternaliste (!) elles disent à leurs subordonnées que tout le monde forme une grande famille heureuse qui n'a en vue que le plus grand bien de toutes. Les femmes qui sont au sommet ne gagnent pas totalement : la place qu'elles occupent dans la hiérarchie, n'étant pas reconnue, apparaît donc illégitime, et ces femmes ne sont pas plus que les autres à l'abri de l'angoisse.

Leur refuser le droit de se sentir compétitives, c'est renforcer les vieux stéréotypes de passivité. Le pouvoir est bel et bien dans les mains de quelques-unes, mais tout le monde fait semblant de ne pas le savoir. On préfère se taire, refouler sa colère, faire comme si on n'était pas du tout compétitive. En agissant autrement, on risque d'être étiquetée comme « non féminine ». Même si des lois obligent les entreprises à confier à un plus grand nombre de femmes des postes de cadres, peu de femmes s'avanceront pour dire avec aplomb : « Je sais me battre! » Dans le secret du conseil de direction, on décidera de ne pas confier à une femme la responsabilité du bureau de Chicago. « Les femmes ne sont pas assez dures ni assez bagarreuses. Il vaut mieux donner le poste à Harry. »

Nous pensons qu'on nous récompensera d'avoir été des gentilles filles qui ne font pas de remous... En attendant, c'est Harry qui a la promotion.

Dans *African Genesis*, Robert Ardrey dit que l'animal le plus névrosé, le plus malheureux du monde est la femme américaine : elle cherche à faire quelque chose à quoi la « nature » ne l'a pas adaptée [1]. Je ne suis pas du tout d'accord, et tout d'abord sur le fait que, tout en étant des animaux, nous sommes quand même quelque chose de plus. Ce n'est pas la nature qui nous a rendues aptes à jouer du piano ou à piloter un avion. Nous apprenons nous-mêmes à le faire. Si on substitue cette idée d'*éducation* à la notion quasi religieuse de *nature,* si chère à Ardrey, je pourrais être d'accord avec lui.

« Pourquoi n'y a-t-il jamais eu de femme championne du monde de bridge ou du jeu d'échecs? demande le Dr Robertiello. Ou bien, comme disent les hommes sexistes : " Pourquoi n'y a-t-il pas eu davantage de femmes qui ont été de grandes artistes, de grands savants, etc.! " La réponse est fonction de la culture où se développent les femmes. Après tout, si on compare leurs QI, les femmes sont souvent plus brillantes que les hommes. »

Travailler à son compte, foncer tête baissée, cela signifie souvent

1. Robert Ardrey, *African Genesis,* p. 165.

pour la femme éliminer un tiers, *briser un lien*. « Les femmes, dit le Dr Peabody, ont été habituées à être l' " autre " de quelqu'un, à ne pas avoir un sentiment d'identité indépendant. Quand on devient le numéro un, on ne peut pas être " l'autre " de quiconque. Si pendant toute votre vie, vous n'avez pensé à votre identité que dans les termes d'être " la femme de quelqu'un ", " la secrétaire ou l'assistante de quelqu'un ", le fait de ne plus être dans cette position de dépendance a pour vous quelque chose d'effrayant. Vous perdez votre identité. Mais si on dit aux femmes que, sans tricher, sans être méchantes, sans perdre leur féminité, elles peuvent se fixer un but et s'efforcer de l'atteindre, qu'elles peuvent être sûres d'elles-mêmes sans pour cela marcher sur la tête des autres, alors elles sont capables d'utiliser pleinement leurs dons et de faire brillamment leur chemin. C'est tout juste si elles ne sont pas sidérées de constater que les gens ne tombent pas raides morts quand elles disent " non "! »

On nous a habituées non pas à prendre des initiatives, mais à réagir; non pas à choisir, mais à être choisies. « Mon travail, dit encore le Dr Peabody, consiste à aider les femmes à vaincre leur peur de se définir clairement et de prendre leurs responsabilités; c'est seulement de cette façon qu'elles peuvent progresser dans leur profession. Il me faut parfois six ou huit mois pour sortir certaines femmes, même parmi les plus remarquables, de leur impasse. Mais il est certain qu'elles peuvent apprendre! »

La plupart des femmes sont récompensées tardivement de s'être considérées comme des êtres capables et valables, bien après que leurs convictions les plus profondes aient été formées. C'est comme si on apprenait à être danseuse de ballet entre vingt et trente ans... Notre psyché a déjà été conditionnée pour réagir uniquement à certaines sortes d'encouragements; il est difficile de s'adapter à toute une gamme de stimuli, aussi séduisants qu'ils puissent être.

« Vous êtes formidable! dit le patron. Vous avez fait là un fameux travail! »

Nous rougissons. Ce n'est pas possible! Il ne peut pas parler sérieusement! C'est un coup de chance. Jamais nous ne serons capables de récidiver!

Voilà où nous en sommes. Nous acceptons les compliments, mais nous n'y croyons pas. Pour nous, ce n'est que flatterie, erreur, ou mensonge. Mais si nous ne croyons pas aux compliments, aux encouragements pendant que nous luttons pour affirmer notre identité, pendant combien de temps réussirons-nous à la maintenir, cette identité? On nous a appris à avoir confiance en nous non pas par nos propres efforts, mais en allant au-devant des besoins des autres. « Ce sont les femmes, dit Jessie Bernard, qui assurent la cohésion de la famille. Toutes les recherches

montrent qu'elles servent de médiatrices dans les relations familiales. »
Nous sommes les championnes du compromis. Les hommes prennent des
positions extrêmes qui, justes ou fausses, définissent leur identité. Avec
eux, on sait « où on en est ». « Une femme comme il faut, dit-on, n'a que
deux fois son nom dans le journal : quand elle se marie et quand elle
meure. »

Une femme qui fait une brillante carrière m'a dit : « Je travaille
énormément. Je sais que je fais bien mon travail, mais quand on me fait
des compliments, je pense : " Ils disent ça pour être gentils. " Pourquoi
suis-je incapable de répondre en souriant " merci beaucoup " et d'offrir
une tournée générale, comme le font les hommes pour se sentir encore
mieux dans leur peau? Mais non, après avoir entendu l'éloge, je me
dérobe, comme si j'avais fait quelque chose de honteux. » Oui, elle a fait
quelque chose de honteux : elle s'est mise en marge des autres femmes. Et,
de plus, elle a peur. Nous avons peur de prendre trop d'importance : en
devenant autonomes au point de décourager les hommes de nous prendre
en charge, nous cessons d'appartenir au clan des femmes.

Je ne crois pas que le succès professionnel soit un bien absolu, ni que
la femme qui ne le recherche pas se conduise d'une façon infantile.
J'aurais plutôt tendance à penser le contraire. Mais c'est une chose de
décider qu'on ne veut pas du pouvoir, qu'on ne veut pas participer à la
course au succès ni devenir insensible et dévorée d'ambition, « comme un
homme »; tout cela est raisonnable, et même admirable; mais c'est autre
chose de prétendre qu'on ne veut pas du succès pour ne pas se
masculiniser, alors qu'en réalité on cède à une peur puérile : le succès et
l'autonomie entraînent la séparation. Le choix n'existe pas vraiment s'il
n'est pas conscient.

La notion de choix est pleine de connotations philosophiques, mais il
est en général possible d'établir, dans notre propre vie, une distinction
entre décider sincèrement qu'on ne veut pas quelque chose et se contenter
de dire : « Ça n'en vaut pas la peine. » Une femme qui venait d'émerger
d'une pénible histoire d'amour, est venue me dire : « Les hommes peuvent
aller au diable! Maintenant, je vais me consacrer totalement à ma
carrière. » Pour les témoins, elle peut paraître bien déterminée et
autonome, mais à moins de trouver quelqu'un qui lui procurera l'affection
et la chaleur dont nous avons toutes besoin, elle peut tout simplement nier
la réalité quand elle dit : « Je peux vivre seule, je n'ai pas besoin d'un
homme. »

Une autre femme « décide » de se passer des hommes, « parce qu'ils
ne me procurent pas l'aide affective et matérielle dont j'ai besoin ». Il est
tellement rare d'entendre une femme parler avec une telle franchise, qu'on
peut mettre sa déclaration sur le compte de sa force de caractère. Mais il

est très important de se poser cette question : sa décision est-elle le fait d'une adulte, ou un caprice d'enfant déçu?

Voici ce que dit la psychanalyste et sexologue Helen Kaplan : « Nous sommes dans une période de transition. Les femmes veulent réussir toutes seules, mais elles sont encore à la recherche d'un super-papa qui réussira encore mieux qu'elles. Si on parle statistiques, les femmes orientées vers leur carrière ont plus de chances que les autres de se trouver un homme. Elles ont plus de chances d'être sexuellement attirantes que ne l'est la ménagère. Mais les premières, en majorité, sont déconcertées par l'idée que la plupart des hommes qu'elles connaissent réussissent moins bien qu'elles. Pour ces femmes, les hommes qui sont moins puissants qu'elles peuvent paraître moins séduisants. »

Les femmes se marient vers le haut, les hommes vers le bas. « Malgré tout ce qu'on peut raconter sur la révolution féminine, dit Cynthia Fuchs Epstein, aucune statistique n'indique qu'il y ait eu un changement. » Et pourtant, si les femmes réussissaient à oublier qu'on leur a appris à ne s'attacher qu'à plus puissant qu'elles — et si elles acceptaient la notion plus démocratique d'une relation entre pairs —, un plus grand nombre d'hommes s'offrirait à leur choix. « Jamais je n'accepterais de dîner avec un homme qui gagnerait moins que moi », m'a dit une femme divorcée qui dirige le service rédactionnel d'une agence de publicité. Elle dîne seule chez elle, soir après soir.

Ce ne sont pas nos succès professionnels, mais les résidus de nos besoins symbiotiques d'enfants qui poussent tant d'hommes à sortir de notre vie. Sous une apparence de froideur, ces besoins reviennent à la surface quand nous sommes parvenues à l'âge adulte. Jackie Onassis est passée du président Kennedy à Aristote Onassis. Combien d'hommes lui reste-t-il si elle veut rester sur cette trajectoire? Le bon sens populaire affirme qu'elle ne se remariera plus.

« Je pense, dit le Dr Kaplan, que beaucoup d'hommes sont heureux d'accepter des femmes qui ont une position sociale supérieure à la leur. Les femmes n'en sont pas encore là. Elles continuent de se croire obligées de chercher des hommes d'un statut supérieur. Elles doivent apprendre à ne pas fonder sur des hommes " supérieurs " le sentiment de leur valeur personnelle. Elles ne devraient plus avoir besoin d'un papa. »

Avec un homme qui surveille son porte-monnaie, la femme ne peut pas garder l'illusion qu'elle a trouvé un père puissant et super-généreux qui lui donnera tout ce qu'elle ne peut pas se procurer par ses propres moyens. « Si, au lendemain de son mariage, dit Sonya Friedman, la femme découvre que son mari est pingre, ou s'il lui fait une scène quand elle achète une nouvelle robe, elle est toute décontenancée. La pingrerie est pour elle le défaut majeur. Les femmes peuvent tolérer l'impuissance, le sadisme et l'infidélité. L'avarice est rédhibitoire. »

Aucun symbole, en dehors de l'argent, ne peut vous dire d'une façon aussi convaincante que vous êtes forte et puissante. Pour rien au monde je ne voudrais donner ici l'impression que j'attribue à l'argent cette valeur au nom de laquelle les hommes jugent bon de s'entre-tuer; mais il est essentiel que les femmes comprennent leurs décisions en ce qui concerne l'argent; bien souvent leurs angoisses inconscientes de séparation se traduisent par leur attitude à l'égard du pactole rêvé.

Dès notre enfance, on nous apprend, non pas à gagner de l'argent, mais à manœuvrer pour en obtenir. La moitié des scènes de ménage tournent autour d'une question d'argent. Nous avons l'impression que si notre père aimait davantage notre mère il aurait plus d'argent à lui donner. L'argent est la preuve qu'il veut prendre soin d'elle. (C'est un lieu commun en psychanalyse : la petite fille qui vole de l'argent dans le porte-monnaie de sa mère lui vole en réalité de l'amour.) Si la mère était contrainte de travailler pour alimenter la caisse familiale, cela prouvait qu'elle était moins dépendante de papa, et moins aimée de lui. Nous sommes amenées à retourner la règle du jeu : au lieu de gagner nous-mêmes notre argent, ce qui signifierait que nous sommes séparées, indépendantes et que nous ne sommes pas aimées, nous voulons avoir un mari qui nous donnera notre argent de poche, comme maman le faisait. De la sorte, l'argent n'est pas utilisé comme une menace dirigée contre le rapport symbiotique, mais comme un moyen de le renforcer.

L'homme pense que c'est lui qui a eu l'idée d'établir un système de récompense quand il donne à sa femme un peu plus d'argent pour qu'elle puisse s'acheter une robe. En fait, dès le début, la femme est pour le moins sa complice. Quand nous avons atteint l'âge adulte et que nous avons un « gentil papa » bien à nous, nous aimons encore recevoir ces petits extras qui nous récompensent d'avoir été une « gentille petite fille ». De cette façon, l'argent est plus en rapport avec la symbiose qu'avec la séparation. « Quoi qu'il en soit, dit Jeanne McFarland, tout en étant très fière d'être si habile à cajoler son mari pour lui arracher de l'argent, l'épouse sait très bien que le véritable pouvoir de l'argent est de son côté à lui. Si l'homme menace de l'abandonner, au lieu de songer rapidement à ce qu'elle doit faire pour subvenir à ses propres besoins, elle se sent envahie par la vieille paralysie. Avant même de parvenir au mariage, on n'a pas vraiment le choix entre différentes options économiques, parce qu'on a opté pour le modèle qui affirme la dépendance. »

Quand le Conseil américain de l'assurance sur la vie demande dans son questionnaire annuel : « Qu'évoque pour vous la masculinité? », chaque année, au moins 80 p. cent de la population répond : « Un homme qui sait gagner sa vie. » (La sexualité est si peu citée qu'elle n'a même pas droit à une mention.) Pour la célibataire qui travaille et qui est à la recherche d'une identité fuyante, cela ne signifie qu'une chose : en gagnant trop bien sa vie, elle devient non féminine. Elle prive l'homme de son rôle vital, elle émascule son partenaire — si elle en a un. Dans certaines entreprises, les femmes peuvent recevoir une formation universitaire gratuite qui leur permet de s'élever dans la hiérarchie. La directrice du personnel de l'une de ces entreprises m'a dit : « Si la différence qui existe entre leur salaire et celui de leur mari est minime, les femmes profitent de l'avantage qu'on leur offre. Mais si cette différence est trop grande, elles estiment que leur mariage serait compromis. La menace est trop forte. »

Quand les femmes avaient de l'argent en propre, c'était traditionnellement une banque, le mari ou le père qui en prenait soin. Cette incompétence, approuvée par la société, cache un immense intérêt pour l'argent, accompagné d'un sentiment d'impuissance. « Les femmes, dit Jeanne McFarland, affichent une incroyable stupidité en ce qui concerne l'argent ; si elles acceptent de prendre cet aspect caricatural, c'est pour se conformer au rôle socialement admis de la féminité. Mais je connais peu de femmes qui, dans la vie réelle, répondent vraiment à ce stéréotype. »

Les femmes, qui constituaient 33 p. cent de la force de travail des USA, en sont maintenant à 40,7 p. cent, pourcentage qui, selon les prévisions, ne devait être atteint qu'en 1985 [1]. L'économiste Eli Ginzburg parle de cet afflux des femmes sur le marché du travail comme du « phénomène le plus remarquable du siècle [2] ». Et pourtant, la plupart des femmes veulent donner l'impression que c'est l' « homme de la maison » qui s'occupe de tout ce qui est argent, alors que non seulement elles contribuent à alimenter le budget, mais que ce sont elles, en outre, qui prennent la plupart des décisions concernant les dépenses.

Tout cela conduit à de redoutables discussions, en raison du double message que transmettent les femmes ; d'un côté, elles disent : « Je suis une pauvre petite chose, je ne comprends rien aux questions d'argent, occupe-toi de moi », et de l'autre : « L'argent, c'est très important, je ne peux pas en gagner, alors, débrouille-toi pour en avoir pour deux, parce que, si je réussis quand même à en gagner, je te jure que c'est moi qui

1. Chiffres cités d'après le ministère US du Travail et parus dans l'article : « Entrée massive des femmes sur le marché du travail », de Robert Linsay, *New York Times*, 12 septembre 1976.
2. Eli Ginzburg est professeur d'économie à l'université de Columbia et président de la Commission nationale pour l'emploi. Cette citation est extraite de l'article du *New York Times* dont il est question ci-dessus.

prendrai les grandes décisions! » (Sans parler du troisième message : « Malgré tout ce que je viens de dire, je veux de toute façon avoir l'impression que c'est toi qui décides. »)

« Le problème de ce que l'argent représente ou non pour la femme est un véritable puzzle, dit Emily Jane Goodman, avocate et coauteur de *L'Argent, les Femmes et le Pouvoir*. Si elle ne peut pas s'en remettre à un homme, elle se trouve placée en face d'un dilemme que l'on peut résumer ainsi : Quelle est la femme qui va prendre son sac et aller s'acheter une Porsche? Ce serait en fin de compte un acte sexuel. Pour les hommes, le succès financier est une expérience très sexuelle. Pour les femmes, il ne l'est pas. Si nous gagnons de l'argent, nous sommes incapables d'en profiter comme le font les hommes. Nous ne faisons pas collection d'amants, nous n'accumulons pas les richesses. Ce ne sont ni notre fortune ni notre puissance qui attirent vers nous les hommes. L'argent, s'il est du côté de l'homme, est pour la femme un aphrodisiaque; s'il est du côté de la femme, il est pour l'homme un tue-l'amour. »

Même si nous nous accommodons du renversement des rôles, inséparable du fait que nous gagnons plus que notre mari, nous devons supporter la désapprobation des autres : « Je n'aimais pas cette façon qu'avaient les gens de nous regarder de travers parce que je gagnais plus que Jack, m'a dit une femme divorcée. J'essayais de ne pas dramatiser. Mais, à la fin, il n'a pas pu tenir le coup. Je sais que c'est l'argent, mon argent, qui est l'unique raison de notre rupture. »

Il existe une façon de satisfaire ce besoin d'avoir un homme plus puissant que nous : décider de gagner nous-mêmes moins d'argent. J'ai rarement entendu une femme dire qu'elle voudrait être milliardaire. Je ne peux pas compter le nombre de celles qui m'ont dit : « J'aimerais épouser un milliardaire! » En décidant délibérément de laisser à un tiers le soin de gagner « notre vie », en faisant un « beau mariage », nous avons l'impression de pouvoir nous appuyer sur quelqu'un de fort; nous n'avons pas raffermi la femme adulte qui est en nous : nous avons renforcé le bébé.

Le chèque de fin de mois est la preuve que nous pouvons nous débrouiller toutes seules. C'est clair comme de l'eau de roche! A partir du moment où on réussit dans son travail, dès qu'on peut palper l'argent qu'on a gagné, cet argent perd beaucoup de son mystère. Nous savons le mal que nous avons eu à le gagner; nous savons comment le dépenser, l'épargner; nous savons ce qu'il peut faire pour nous. Il n'est donc plus ce grand mystère que seuls les hommes pouvaient comprendre. Avec notre argent en poche, nous savons sur quel pied danser. Puis le mariage vient nous proposer une autre solution. Nous tenterons de lui faire jouer un rôle auquel il n'est pas du tout destiné. L'amour ne réussit pas facilement

336

à survivre à un rapport de force où l'un des partenaires peut soumettre l'autre à un chantage économique.

Quand nous étions petites, si notre mère travaillait hors de la maison, nous lui reprochions peut-être de ne pas être là quand nous rentrions de l'école. De même, si elle ne faisait pas passer sa sexualité après la maternité, nous pouvions lui en vouloir de ne pas être aussi confortable, aussi rassurante que les autres mamans. Devenues adultes, nous sommes à même de comprendre qu'elle nous a donné quelque chose de mieux : l'image de la sexualité, de l'indépendance, d'une femme qui gagne de l'argent, qui le dépense, qui est heureuse de savoir qu'elle peut se tirer d'affaire toute seule s'il arrive quelque chose. « Les filles qui ont le mieux compris que l'autonomie présuppose l'indépendance économique, dit Jeanne McFarland, sont celles qui ont eu une mère qui travaillait. »

Parfois, tout en menant de front notre vie sexuelle et notre carrière, nous continuons de nous révolter à l'idée qu'elle n'était pas la mère idéale dont nous rêvions quand nous étions petites. Cette colère est une façon comme une autre de maintenir le lien. Tant que nous restons fixées sur ce ressentiment, nous ne sommes pas obligées de penser à ce que nous pourrions faire de notre propre chef. « Les enfants, dit Jessie Bernard, ont toujours eu la possibilité d'appeler leur mère au secours, et cela, jusqu'à cinquante ans. La mère doit avoir le droit de dire : " Ça suffit comme ça. J'en ai fait largement pour ma part ! " »

« Récemment, je me suis octroyé une somme d'argent, que je destinais à ma fille, pour m'offrir un voyage à Paris, m'a dit une femme. Le jour où j'ai pris l'avion, je me suis dit : " C'est ma déclaration d'indépendance ! " »

Chapitre II

Le mariage : retour à la symbiose

Dès la première heure que nous passâmes en tête à tête, Bill et moi, nous décidâmes de nous marier. Il ne m'avait jamais touchée. Je le connaissais depuis deux ans et, pendant tout ce temps, il ne m'était jamais venu à l'esprit qu'il pût le faire. Il y avait toujours eu un homme dans ma vie, comme il y avait eu une femme dans la sienne. Un beau matin, je lui ai téléphoné : « C'est aujourd'hui mon anniversaire! » « Je donne un coup de brosse à mes chaussures et j'arrive... Je t'emmène déjeuner », me dit-il simplement, comme si nous flirtions ensemble depuis des années. Pendant que nous prenions l'apéritif dans la pénombre, au fond d'un bar, il me dit brusquement : « Si nous commençons quelque chose ensemble, ce ne sera pas une aventure comme les autres. »

Je ne trouvai rien à redire. « Tu liquides Tom, dit-il, et, de mon côté, je me rends également libre. J'attendrai. » Nous n'avons pas déjeuné ce jour-là. Après avoir quitté le bar, nous nous arrêtâmes au coin de la 5e Avenue et de la 55e rue, et nous nous regardâmes. Nous avions décidé de passer ensemble le reste de nos jours. Nous ne nous étions jamais embrassés.

Mon coup de téléphone lui avait dit que j'étais une personne très séparée. C'est ce qui l'attira vers moi dès le début. « Ce que j'aime, disait-il, c'est qu'il y a autre chose que moi dans ta vie. » Le seul conseil que ma mère m'ait jamais donné sur les hommes est celui-ci : « Épouse un homme qui t'aime deux fois plus que tu ne l'aimes. » Elle ne m'a pas lâché ça comme un flash d'information; il y avait tout un contexte que j'ai oublié. J'aurais pu écarter ce conseil comme tous ceux, pleins de bonnes intentions mais sans importance, que me donnait ma mère. Mystérieusement, cette phrase était restée gravée dans ma tête, ce qui montre qu'elle m'avait fait beaucoup d'effet. Je n'étais pas prête à me marier; ma vie de célibataire était à son zénith. Mais je n'ai jamais douté que Bill était bien l'homme qu'il me fallait.

Parce qu'il m'aimait plus que je ne l'aimais? D'autres hommes m'avaient aimée pour différentes raisons. Quand ils me proposaient le mariage, quand ils me parlaient de leur amour, je ne réagissais pas... je n'arrivais pas à me mettre au niveau des sentiments qu'ils exprimaient. Bill devina la partie de moi que je voulais être.

Bill, lui non plus, n'était pas prêt à se marier. Il avait écrit plusieurs livres sur les joies du célibat. Ce qu'il avait vu en moi l'avait fait changer d'avis; et ce qu'il avait vu me plaisait beaucoup; plus mon amour pour lui augmenta, plus je devins la personne qu'il admirait. Et pourtant, j'avais toujours l'impression de le tromper. Il m'avait vue sous un jour favorable. La femme qui l'appelait, la femme qui quittait facilement les hommes et qui parcourait toute seule le monde, n'était indépendante que si elle aimait. Je ne me sentais en sécurité que si je savais qu'il m'aimait plus que je ne l'aimais. C'est sa façon de m'aimer qui m'attache à lui. Parfois, la nuit, je murmure : « Ne me quitte jamais. » Ça le rend perplexe. Il voit en moi la femme qui est assez autodéterminée pour pouvoir écrire des livres comme celui-ci. Je suis cette femme, mais je suis aussi cet être craintif.

J'ai toujours aimé voir que ma mère était très attirée par Bill. Elle réagit à lui physiquement. Quand elle danse avec lui, elle voudrait que ça ne finisse jamais. Elle ne trouve rien à lui reprocher, alors qu'elle critique beaucoup le mari de ma sœur. La première fois que je suis allée la voir avec Bill, elle a organisé un cocktail. Un banquier local a proposé à Bill une situation. « Nous nous embarquons pour l'Europe », a dit Bill. Le regard de ma mère alla de lui à moi. « Sur le même bateau? » demanda-t-elle, puis elle fit rapidement disparaître cette pointe d'inquiétude : « Comme c'est romantique! » Parce que j'étais avec un homme qu'elle respectait, elle réagissait en femme, et non pas en mère.

Avant que nous nous embarquions, elle vint à New York avec mon beau-père. Nous allâmes tous à un symposium littéraire auquel Bill participait. Le ton poli du début fit place à une discussion passionnée sur le thème : « Qu'en est-il du baisage dans la littérature d'aujourd'hui? » Pendant une pause, Bill regarda ma mère d'un air gêné : « Nous partons? » Ma mère était abasourdie par le débat. « Oh, non! dit-elle. Nous restons! » Nous allâmes ensuite dans un bar du Village. « Un jour, dit ma mère, quand j'avais vingt-huit ans, je fis la connaissance d'un homme dans une gare. C'était un capitaine. J'avais un coup de téléphone à donner, il y avait la queue, et il m'avait offert sa place. Ce soir-là, il m'a invitée à dîner. Le lendemain, quand je suis arrivée chez papa, un gros bouquet de roses m'attendait, de la part du capitaine. Il voulait me revoir, mais je ne pouvais pas... » Elle ne termina pas sa phrase. Elle souriait, ses joues étaient très rouges. Mon beau-père avait quitté la table; il était assis au bar, à quelques pas de nous, les yeux fixés sur ma mère. Elle ne lui avait jamais raconté cette histoire. « Pourquoi ne l'as-tu pas revu? » demandai-je, fascinée par un quelque chose que je n'avais jamais vu chez elle. « Parce que, dit-elle, papa ne me l'aurait jamais permis. » « Savez-vous, Jane, dit Bill à ma mère, nous allons rattraper l'aventure que vous avez manquée. Il y a une station de taxis en face. Nous allons en prendre un tous les quatre jusqu'à l'aéroport Kennedy, et là nous allons monter dans le premier avion en partance pour Porto Rico. Nous achèterons des brosses à dents en arrivant. » Ce soir-là, quand nous déposâmes ma mère et Scotty, mon beau-père, à leur hôtel, elle le suppliait encore : « Allons, Scotty! Annule ton rendez-vous d'affaires de demain! Partons pour Porto Rico! »

Le fait qu'elle me voyait avec Bill changea nos relations. Quelque chose s'ouvrit en elle, qu'elle n'avait pas osé montrer jusque-là. Étais-je devenue la mère, qui lui donnait la permission de renoncer pour une fois au côté ridicule de sa nature? Était-ce la rivalité? S'était-elle mise dans ma peau? C'était sans doute un peu pour toutes ces raisons; mais je pense surtout qu'elle était ravie de voir que j'étais passée de l'autre côté de la barrière, ce qui lui permettait de poursuivre sa route en sécurité. Bill et moi leur servions d'exemple, et j'en étais heureuse car je croyais plus en nous qu'en eux. « Épousez un homme dont votre mère est un peu amoureuse », tel est le conseil que je donnerais à mes amies célibataires.

Quatre mois plus tard, quand nous lui envoyâmes de Rome un télégramme qui annonçait que nous allions nous marier, elle oublia sa peur de l'avion et s'envola pour la première fois vers l'Europe. Nous avions organisé un beau mariage au Capitole; le repas devait ensuite avoir lieu à la Casina Valadier (où avait vécu le roi de Rome) qui dominait les fontaines de la Piazza di Popolo. C'est tout autant pour le plaisir de ma mère que pour le nôtre que je veillai à tous les détails du menu, des fleurs, des cérémonies et des cocktails qui étaient au programme de ces journées-là. C'était notre mariage, et il avait lieu à l'endroit que nous avions choisi, mais pour la première fois de ma vie, chaque fois qu'une question de goût intervenait, c'était le sien que je suivais. La veille du mariage, je demandai à Bill de quitter notre chambre et d'aller s'installer dans un autre hôtel. Pendant que ma mère volait à tire-d'aile vers sa fille aventureuse, je revenais un peu vers elle.

Bill et moi n'arrêtâmes pas de nous disputer sur le chemin de l'autel. Nos chamailleries ne cessèrent qu'au moment où je jurai à l'adjoint au maire ceint de son écharpe rouge, blanche et verte de vivre à jamais à la

« stanza » (au domicile) de Bill. Je désirais vivement être la femme de Bill, mais je ne voulais pas pour autant que tout s'arrête... les hommes, les voyages, les possibilités d'un changement. Est-ce qu'une moitié de moi espérait que Bill casserait tout? Je ne le saurai jamais. Toujours est-il que, du jour au lendemain, je me retrouvai plongée jusqu'au cou dans le mariage. J'étais devenue une épouse. J'écrivais à ma mère pour lui demander des recettes. J'achetai toute une série de petites robes surpiquées, très sages. Pour bien me prouver que j'avais renoncé à être infidèle, je ne regardais même pas les hommes. Je donnai tout mon argent à Bill; mieux : je ne voulus pas que mon nom figure sur les chèques. Je lui demanderais des espèces quand j'en aurais besoin...

J'aimais le tableau que nous formions : ma mère avec son homme, moi avec le mien, comme deux couples en goguette. Quand ils venaient à New York, nous allions danser tous les quatre. Quand ils venaient en Italie, nous laissions en plan notre travail et nous les conduisions en voiture à Florence ou à Positano. J'organisais tout avec le plus grand soin et je téléphonais à l'avance pour qu'ils aient la meilleure chambre. A Positano, il fallait que ma mère ait celle qui avait la salle de bains en encorbellement; de sa baignoire, elle pouvait se voir environnée par la Méditerranée. « Nancy, tu organises trop de choses », me disait Bill tandis que je planifiais leurs réjouissances de l'aube à minuit. « Non, non! » disais-je, et j'appelais le restaurant pour rappeler au violoniste que l'air préféré de ma mère était *Fascination*... Maintenant que j'étais mariée, je voulais être la meilleure des filles; et j'en étais capable.

Quand les hommes m'approchaient, j'éprouvais cette petite émotion que je connaissais bien, mais elle me faisait peur. Un soir, dans un bar, l'un d'eux me dit : « On vous voit trop souvent avec votre mari! » Je le remis à sa place, avec un petit pincement de regret. Cinq minutes plus tard, je jugeai que le reproche de cet homme était un compliment.

Quand nous allâmes nous installer à Londres, nous trouvâmes une belle maison à vendre. Comme nous étions écrivains, nous ne pouvions pas garantir un prêt sur un salaire régulier. « Je vais écrire à maman », dis-je. « Ne fais pas ça, dit Bill. Tu aurais tort d'accepter de l'argent de ta mère. » « Je n'en ai pas du tout l'intention. Nous allons simplement lui demander son aval. » Je lui rappelai que ma mère aidait très souvent ma sœur et mon beau-frère. Jamais je ne lui avais demandé quoi que ce soit. Comment pourrait-elle refuser? L'opposition de Bill m'amusait. Il n'avait pas la chance d'avoir une famille unie comme la mienne! « Un pour tous et tous pour un! » disait mon grand-père quand il portait un toast aux dîners de famille. Tout en répétant cette formule à Bill, je ne pouvais pas m'empêcher de sourire, mais pendant mon enfance, j'y croyais dur comme fer. J'écrivis donc à ma mère. Je me souviens du jour où sa réponse arriva : une grosse enveloppe m'attendait sur la table de l'entrée; elle contenait cinq pages où ma mère m'expliquait pourquoi elle ne pouvait pas nous donner sa signature. Bill me prit dans ses bras, sans dire un mot.

Je ne répondis pas à la lettre de ma mère. Les raisons de mon silence étaient très compliquées. J'avais terriblement besoin de comprendre. Quand je n'arrive pas à trouver le sommeil, Bill se moque de moi : « Même dans ses rêves, Nancy se demande toujours : " Qu'est-ce que tout cela veut dire? " » La douleur que j'éprouvais me faisait réviser l'ensemble de ma relation avec ma mère; toute une vie était remise en question. S'il est vrai que la famille est quelque chose de très important, s'il est vrai que l'essentiel est d'être une bonne fille, alors pourquoi me refuse-t-elle ma récompense?

Aucune des lettres que je reçus de ma mère au cours des mois qui suivirent ne fit la moindre allusion à cette affaire de prêt. « Je suis désolée de te savoir si occupée, ma chérie, écrivait-elle. J'espère quand même que tu trouveras le temps de m'écrire un petit mot. » Quand je me décidai enfin à écrire, je ne dis rien de la maison, mais le sujet continuait de déchaîner une tempête dans mon crâne.

Six mois plus tard, nous trouvâmes une autre maison, moins coûteuse, que nous achetâmes de nos propres deniers. Pour la première fois de ma vie, j'avais vraiment l'impression de vivre dans *ma* maison, celle du couple Bill-Nancy. Était-ce parce que personne ne nous avait aidés à l'acheter? Seulement en partie. Contrairement aux autres endroits où nous avions vécu, je n'hésitai pas à la décorer. Je savais exactement ce que je voulais. Par une belle après-midi ensoleillée, je me reposais sur un lit de campagne d'officier de l'armée britannique, acheté chez un antiquaire; j'étais dans la salle de séjour, qui m'allait comme un gant, et je lisais un livre ayant trait à la sexualité féminine. La théorie de l'auteur fondait l'essentiel du potentiel orgasmique de la femme sur la confiance qu'elle accordait aux hommes, confiance qui s'est d'abord développée dans sa relation au père. Je réagis immédiatement : « Et que devient la mère dans tout ça? » L'idée du présent livre est née dans cette maison.

Finalement, ma mère et mon beau-père vinrent nous voir à Londres. Heureuse de ma nouvelle maison, les colères du passé étant oubliées, je me remis dans ma peau de fille gentille, et j'organisai un cocktail princier pour leur faire connaître nos amis anglais.

Une fois de plus Bill et moi laissâmes tomber nos travaux, et nous prîmes l'avion pour leur montrer le Paris que nous aimions. Un soir, très tard, alors que j'étais assise à côté de ma mère dans un restaurant, elle s'inclina vers moi sur la banquette, comme si elle voulait se blottir contre moi. J'avais envie de la repousser, mais je me suis contentée de me pencher le plus loin possible de l'autre côté, vers Bill; j'étais à demi

343

furieuse, à demi désolée de ne pas pouvoir lui donner l'affection qu'elle attendait de moi. Parfois, je sentais monter en moi une bouffée de colère au beau milieu d'une tour de Notre-Dame ou dans un grand magasin. Un jour, je me levai de table et l'abandonnai toute seule à la terrasse du Café de Paris. Nous ne parlions jamais de ces scènes; dès notre prochaine rencontre, elle m'abordait avec le sourire. Ma colère semblait dirigée contre quelqu'un d'autre, et à une autre époque. Et c'était vrai.

Oh! peut-être aurait-elle dû garantir ce prêt... Peut-être avais-je eu tort de lui demander ce service... ? On ne peut pas répondre à des questions de ce genre. On ne peut pas dire qui a tort ou raison. Ce qui était réel, c'était cette colère qui jaillissait de la collision entre ce que j'attendais de ma mère et sa propre appréciation de ce qu'elle pouvait faire ou ne pas faire pour moi. Je commençais à prendre la responsabilité d'être moi-même.

Lorsque nous nous marions, nos premières impressions sont si douces que nous renonçons à tout. Nous abandonnons notre nom, nous disons adieu à nos amants et à nos amis, nous résilions nos comptes en banque et à la Caisse d'Épargne pour tout mettre à notre nom, c'est-à-dire à « son » nom. C'est peut-être imprudent pour notre avenir, mais nous ne voulons pas en entendre parler. La boucle est bouclée. Nous sommes « à la maison ». Rien ne nous semble plus juste, plus naturel, que de nous remettre entre les mains de l'homme de notre vie.

Notre autonomie de célibataire, avec ses récompenses incertaines, nous semble être maintenant une sorte de révolte, une phase infantile qu'il fallait bien traverser pour en arriver là. « Quand j'étais célibataire, m'a dit une femme divorcée de trente-deux ans, je menais une vie fantastique. Un appartement de rêve, un métier qui m'envoyait aux quatre coins du monde, des amants à la pelle... Tous ces hommes dont j'ai pu être amoureuse! Puis je me suis mariée. J'ai cessé de voir mes amis célibataires. Après avoir répété à ma mère pendant des années qu'elle était devenue provinciale à force de vivre dans les banlieues, je m'installai avec mon mari dans une résidence de la périphérie. Ma mère et moi devînmes de grandes amies. Et je me mis à répéter la vie de ma mère, comme une somnambule. Mes années de célibat étaient devenues ma " révolte ". Maintenant, quand je pense à mon mariage, je le considère comme " ma régression ". »

Quand nous nous marions, nous commençons par nous chercher. Nous avons l'intention de « construire » notre mariage avec cet homme que nous aimons, de même que nous voulions nous construire nous-mêmes quand nous étions célibataires. Nous n'assimilerons que ces aspects chaleureux et tendres du mariage de notre mère et rejetterons tout le reste. Un jour, notre mari nous dira avec humeur : « Tu ressembles à ta mère. » Rien ne peut nous blesser plus profondément.

Tout nous rappelle notre mère. Quand nous décorons notre maison, quand nous sommes devant notre cuisinière ou quand nous achetons des vêtements qui conviennent à notre statut d'épouse, à qui pensons-nous? Quand il règle les factures, quand il nous dit ce que nous devons faire pour nous défendre dans le monde extérieur et quand il nous serre dans ses bras, ce que nous ressentons est semblable à ce que nous connaissions avec elle... ou à ce que nous regrettons de ne pas avoir connu. En nous unissant à lui, nous nous unissons de nouveau à elle.

« Ce qui rend la symbiose si difficile à rompre, dit le Dr Robertiello, c'est le fait qu'elle est approuvée par la société. Cette intimité collante, gluante entre la mère et la fille est considérée comme une aventure idyllique, merveilleuse. En réalité, à partir de un an, un an et demi, c'est une calamité. Quand la fille a entre huit et dix-huit ans, cette dépendance symbiotique n'a absolument rien de réjouissant. Si la femme a vingt-cinq ans, qu'elle est mariée et qu'elle continue de téléphoner à maman tous les jours, c'est le signe certain qu'il y a quelque chose qui ne va pas. La société préfère toujours entériner les situations hasardeuses plutôt que tout ce qui est sain, tout ce qui marque l'indépendance des gens ainsi que leur tendance à rompre avec la tradition. » Pour pouvoir maintenir notre individualité dans le mariage, nous devons produire un effort conscient quasiment surhumain.

« Appuie-toi sur moi », dit notre mari, sans se rendre compte de toute la profondeur de son invitation. « Comment aurais-je pu savoir ce qu'elle voulait dire quand elle me demandait de m'occuper d'elle, m'a dit un homme divorcé. Évidemment, j'ai accepté. Je me sentais plus content de moi, plus capable.

« — J'ai besoin de beaucoup dormir, me disait-elle.

— Très bien. Quand nous sommes chez des amis, fais-moi comprendre que tu es fatiguée, et nous partirons.

— Non, tu ne comprends pas... Tu dois me dire qu'il est l'heure d'aller me coucher. Si tu me laisses décider, je suis capable de rester toute la nuit, et le lendemain, je ne serai bonne à rien...

« J'étais trop bête pour comprendre que j'avais conclu un marché de dupes : à partir de là, elle pouvait être aussi irresponsable qu'elle le voulait, et si quelque chose allait de travers, c'était ma faute... je ne m'étais pas occupé d'elle. Quel rôle étais-je supposé jouer? Celui de sa mère? »

Ce n'est pas à être indépendante, à avoir notre propre appartement, à réussir notre carrière et notre vie sexuelle que notre mère nous a formées, mais à *ça :* vivre pour les autres, par les autres et sous leur protection. C'est tellement plus paisible que tout ce qu'on peut faire pour soi-même et par soi-même!

Quand nous étions célibataires, notre indépendance a pu nous rappeler combien nous ressemblions à notre père qui avait, lui aussi, une vie en dehors de la maison et de notre mère. Beaucoup de femmes mariées continuent de dire que c'est leur père qui a déterminé leur caractère et leurs attitudes. C'est tout à fait compréhensible. La mère représente les inquiétudes, les angoisses, la peur. Elle est en relation avec les difficultés puériles de la dépendance, les rages, les caprices, etc. Il y a longtemps que nous avons laissé tout cela derrière nous. Maintenant, nous sommes comme notre père, tournées vers le monde extérieur. Mais qui a été notre modèle sexuel? Notre livret de famille nous donne l'impression d'être plus féminines. Est-ce là une identification avec le père? Nous avons intégré le modèle maternel, une force nouvelle coule dans nos veines. Avec l'anneau d'or à notre doigt, nous nous réveillons comme des géantes endormies... Nous posons notre tête sur la poitrine de notre mari, et nous nous sentons toutes-puissantes, comme nous devions l'être, jadis, sur le sein maternel.

Grâce à notre mariage, notre mère, elle aussi, peut mettre son cœur au repos. Nous lui prouvons qu'elle a été une bonne mère. Peut-être a-t-elle été fière de ce que nous avons fait avant de nous marier, mais, à cette époque, tout nous éloignait d'elle. La mariage rétablit le pont. Elle nous aide à décorer notre logis, nous envoie *Les joies de la cuisine,* nous prête de l'argent. *Elle est disponible.* Nous pensons que c'est elle qui a changé. Mais c'est nous, en reculant dans le temps pour la retrouver. Et nos retrouvailles sont si parfaites qu'il importe peu que notre mari soit plus riche, plus puissant que le sien : elle vit notre triomphe comme s'il lui appartenait. Le mariage nous replace à un même niveau.

« Toute ma vie j'ai eu besoin de l'approbation de ma mère, m'a dit une femme. J'attendais ses bravos. Pour elle, ma plus grande prouesse de célibataire, c'est de m'être trouvé un mari. Maintenant, c'est elle qui attend mon approbation. » Nous croyons que ces retrouvailles sont le résultat de notre propre décision, qu'elles marquent un progrès dans nos relations et vers notre maturité. Parce qu'elle nous traite maintenant en égale, qu'elle nous téléphone pour demander notre avis et qu'elle dépend même de nous comme elle ne l'a jamais fait, nous nous croyons plus adultes. La vérité, c'est que dans le mariage nous redevenons la petite fille qui décrochait les casseroles pour imiter maman. Nous nous mettons dans la peau de maman.

La nouvelle amitié mère-fille se soude souvent aux dépens de ce qui devrait être notre union privilégiée... celle que nous avons conclue avec notre mari. Nous ne voulons pas vraiment nous allier avec elle, mais sur quelles bases organisons-nous notre vie maintenant que nous avons renoncé à notre identité? Nous a-t-il demandé de l'abandonner, cette identité? Quand son mari la trompe et qu'elle ne s'autorise pas la même liberté, à qui la femme reste-t-elle fidèle? Si la sexualité, autrefois, divisait la mère et la fille, les Règles du mariage nous rapprochent, refont de nous des amies. Nous promettons à notre mari d'être monogame, mais c'est pour apaiser la mère qui est en nous. Les Règles nous mettent en prison, mais elles nous donnent le repos; elles inhibent la fille comme la mère.

« Après six mois de mariage, m'a dit une femme de trente ans, mon mari m'a dit qu'il ne voulait pas que je téléphone à ma mère si souvent. " Je ne veux pas que tu la revoies, m'a-t-il dit, avant que tu te rendes compte de l'habitude que tu as prise. Si je veux placer une chaise ici et la table là, vous vous concertez toutes les deux pour décider de les mettre ailleurs. Elle a fait ça pendant des années avec ton père. Je ne veux pas de cette coalition. Nous prendrons nos décisions toi et moi, et nous la mettrons devant le fait accompli, si toutefois nous lui en parlons... " Il avait raison. Je ne me rendais pas compte que je prenais cette habitude avec ma mère; au fond, c'était contre lui. »

D'où ces plaisanteries masculines sur les belles-mères...

Pour certains, le grand amour de la lune de miel peut durer toute la vie. Nous idéalisons l'autre, et, à travers lui, nous nous idéalisons nous-mêmes. « C'est une symbiose renforcée, dit le Dr Robertiello, une immersion totale dans un monde imaginaire. L'autre est vu non pas tel qu'il est, mais comme l'être merveilleux que nous voudrions qu'il soit. » Sous-entendu : il faut vraiment que nous soyons quelqu'un de très exceptionnel pour avoir été choisie par un tel être! Pour d'autres couples, la dure réalité apparaît quand prend fin le voyage de noces aux Bermudes et quand il retourne tranquillement à son travail et à ses parties de golf. Il franchit seul la porte de la maison, sans penser qu'il nous trahit, la conscience tout à fait tranquille. Nous aimons beaucoup notre nouvelle demeure, notre nouveau nom, mais nous sommes loin d'avoir tout ce que nous promettait le mariage. Rationnellement, nous savons bien qu'il doit travailler ne serait-ce que pour payer l'hypothèque, mais tout au fond de nous, nous sentons que sa vie de 9 heures du matin à 5 heures de l'après-midi — tout ce qui nous sépare de lui — est une rivale. Nous voulons de l'amour, encore de l'amour, toujours de l'amour! N'est-ce donc pas ce qu'il veut, lui aussi?

On nous dit que ce terrible besoin d'amour est extrêmement féminin. Seulement, il ne s'agit pas d'amour, mais du besoin d'être absorbée par l'autre. Si nous prenons un emploi à l'extérieur parce que notre nouvelle famille, pour vivre, a besoin de deux salaires, pourquoi ne nous sentons-

nous pas aussi à l'aise que lui dans notre travail? « C'est très bien ainsi »,
nous dit-il pour nous rassurer. Nous ne le croyons pas. L'indépendance
que procure ce travail, la vie au bureau avec d'autres gens ne complètent
pas ce que nous avons à la maison : c'est une menace qui risque de tout
compromettre. Nos nouveaux amis, nos nouvelles aventures et même le
sexe, quand nous vivions encore avec notre mère, étaient d'autant plus
passionnants que tout se passait *loin* d'elle, mais c'est aussi pourquoi ils
étaient mêlés d'angoisse. Nous ne parlions pas à notre mère de ces
expériences parce que nous pensions qu'elle en serait effrayée; en réalité,
nous avions peur de sa colère, si jamais elle savait. Le lien qui nous
attachait à elle se relâcherait. Ce sentiment se renforce plus tard quand
nous constatons que nos flirts, nos succès nous font souvent perdre
l'amour des autres filles. Elles ont l'impression que nous leur ôtons de la
bouche leur part de gâteau. Pourquoi notre mari serait-il différent?
Comment pourrait-il ne pas prendre pour une trahison le surplus de vie
que nous vaut notre travail? Peut-être nous aimera-t-il moins... peut-être
même nous quittera-t-il?

Une femme mariée qui réussit brillamment sa carrière m'a dit qu'elle
n'avait aucun problème : « C'est mon mari lui-même qui m'a encouragée
à continuer à travailler », dit-elle avec fierté. Mais, un peu plus tard, elle
m'a passé un coup de fil : « J'ai réfléchi... Je me sens parfois coupable de
ne pas être là avec un bon repas chaud quand Jim rentre de son travail. Je
sais bien que c'est irrationnel, mais c'est comme ça. Je suis rongée par la
peur de le priver peut-être de ma féminité. Il ne m'a jamais rien dit, mais
je le sens. »

L'angoisse, ici, ne vient pas de quelque chose qui se passe entre la
femme et son mari; elle se situe uniquement à l'intérieur de la femme.
Chaque jour, à la télé, elle voit des flashes publicitaires montrant des
familles merveilleusement unies. Elle a elle-même le souvenir de l'intimité
qui régnait dans la maison de son enfance. Peut-être, pour des raisons
économiques, a-t-elle organisé autrement sa propre famille, en accord
avec son mari; peut-être son mariage lui apporte-t-il des satisfactions plus
réelles que celles que connaissait sa mère, et tout à fait légitimes, mais on
ne l'a pas élevée pour qu'elle les recherche. Aux États-Unis, la majorité
des divorces — et leur nombre augmente chaque année — survient
pendant la seconde année du mariage. La troisième année ne vaut guère
mieux. Jamais il n'y a eu autant de femmes qui travaillent hors de chez
elles, mais notre culture nous a si bien appris que la femme doit établir
entre elle et l'homme un lien aussi sûr que celui qui la reliait à sa mère,
que tous les efforts que nous faisons pour être libres nous donnent un
sentiment de culpabilité. Les hommes ont, eux aussi, appris à penser la
même chose des femmes. Tout en nous encourageant verbalement à

travailler au-dehors, ils sous-entendent souvent : pourquoi ne te conduis-tu pas comme le faisait ma mère avec mon père?

Il est important de souligner que ce besoin d'être prise en charge n'est pas forcément négatif. L'homme et la femme sont attirés l'un vers l'autre parce qu'ils ont tous les deux besoin de vivre une relation intime, affectueuse. Quand la relation est bonne, chacun peut satisfaire avec joie les besoins de l'autre, sans en souffrir psychologiquement. Être dans les bras de quelqu'un, et lui dire : « J'ai peur quand je suis toute seule, dis-moi que j'ai tort de m'inquiéter, et que tout ira bien... Rassure-moi, et j'en ferai autant pour toi si tu éprouves la même chose »... ce n'est pas demander une garantie contre toutes les vicissitudes de la vie. La femme qui s'exprime ainsi demande simplement un coin pour se reposer, un poste de ravitaillement où elle peut trouver la force de reprendre sa route. Ce n'est pas cesser d'être adulte, ni se soumettre à une relation de supérieur à inférieur. C'est prendre le temps de revivre.

Quand la « prise en charge » signifie que quelqu'un doit s'interposer en permanence entre la femme et la réalité, le moi se détruit, en même temps que le mariage. Dans le film *Dodsworth,* qui date de 1966, il y a une scène qui, autrefois, m'aurait semblé très fade. « Aucun intérêt, aurais-je pensé, c'est du cinéma à l'eau de rose... » La femme de Walter Huston flirte sur le pont d'un bateau avec le charmant David Niven, et se rend brusquement compte qu'elle est en train de perdre la tête. Très humiliée, elle court voir son mari : « Sam, dit-elle, il faut que tu veilles sur moi. Je me fais peur. Si je me conduis mal, promets-moi de me battre! » Walter Huston la repousse en souriant : ce n'est qu'un bavardage stupide de femme! Ce besoin d'être dirigée, commandée, protégée par l'homme, comme s'il était notre mère, trahit une identité qui n'est pas encore formée : occupe-toi de moi, dis-moi ce que je dois faire, qui je dois être, laisse-moi être ton enfant.

Ce type de comportement apparaît souvent chez les femmes qui cherchent à orienter leur vie de façon à pouvoir compenser toutes les frustrations qu'elles ont connues avec une mère froide et égoïste. Dans sa vie sexuelle elle-même, une telle femme s'attend toujours à être satisfaite passivement, sans guère se soucier des besoins et des plaisirs de l'homme. Si elle veut avant tout être choyée, caressée, apaisée (comme un enfant au sein), ce n'est évidemment pas le plaisir orgasmique qu'elle recherche. Des hommes m'ont dit que les femmes de ce genre ne leur donnent pas l'impression de les rafraîchir, les renouveler, les satisfaire : elles les épuisent.

Voici ce que dit un psychiatre d'un problème sexuel qu'il peut souvent observer chez les femmes : « Pendant leurs rapports sexuels, elles restent passives, parce qu'elles ne veulent pas donner. Elles veulent seulement recevoir. Elles disent : " Je m'abandonne à lui. " Il ne leur vient même pas à l'esprit qu'elles pourraient être actives. Elles laissent faire. Quand ces femmes étaient petites, leur mère n'était pas là, ni affectivement ni physiquement. Plus tard, dans la vie, elles ont donc besoin d'être rassurées, de savoir qu'elles se conduisent bien, elles veulent qu'on agisse à leur place, qu'on fasse leur " éducation ". Elles sont incapables de donner, en partie parce qu'elles ont peur d'essuyer un refus, mais surtout parce qu'elles ont en réalité très peu à donner. » On ne peut pas apprendre à donner si on n'a pas commencé par recevoir.

Je pense que les femmes, en général, ne se demandent pas si elles ont raison ou tort de compter sur les hommes pour être prises en charge. On nous a appris à penser que le fait de manipuler les hommes à notre guise est un bien aussi précieux que notre virginité. Un ami de mon mari m'a parlé d'une femme qu'il a connue après quinze ans de mariage. « Je n'ai pas tout de suite compris que c'était une affaire sérieuse. J'avais toujours cru que les femmes — surtout les femmes mariées — étaient comme un fardeau qu'on avait le devoir de porter sur son dos. La femme dont je vous parle n'était pas conforme à cette idée préconçue. Je me suis rendu compte qu'elle portait sa propre charge. Et je sais maintenant que c'est sérieux. Je ne veux pas perdre cette impression de légèreté qu'elle me donne. »

Il n'est pas étonnant que tant de couples, après un long moment de vie commune, aient peur de détruire ce qu'ils ont en se mariant. « C'est exactement comme si nous étions mariés, m'a dit une femme. Qu'est-ce qu'une cérémonie légale pourrait y changer? » Mais le mariage nous change; il apporte dans notre vie un élément formel, toute la raideur du modèle parental. L'ami de mon mari, dont je viens de parler, et qui avait entamé une aventure après quinze ans de mariage, s'était autant plongé dans la symbiose que sa femme. Comme elle, il était retombé dans de vieux modèles d'existence.

Les femmes, elles aussi, peuvent être vivifiées lorsqu'elles brisent la symbiose. L'une d'elles, qui, pendant dix ans, n'avait jamais trompé son mari, un homme qui était de plus en plus indifférent à son égard, m'a parlé de sa liaison : « J'ai commencé à me dire qu'il y avait en moi quelque chose qui n'allait pas quand je me suis rendu compte que je ne parlais jamais de cet homme à mon mari. C'est difficile à expliquer, mais je me sentais bien avec cet homme, et nous avions été des amis très intimes avant d'avoir eu des rapports sexuels. Nous avions travaillé ensemble pendant six ans. Mon travail était pour beaucoup dans mes progrès vers la maturité. »

Sans porter de jugement de valeur sur l'adultère, essayons de comprendre ce que nous dit cette femme de la symbiose et de la liberté de décision. Elle a été surprise d'éprouver un sentiment de culpabilité très inférieur à ce qu'elle attendait. A partir du moment où elle a connu la sécurité et l'estime de soi que lui procuraient son travail et la vie qu'elle menait en dehors de son mari, elle a pu remettre en question son mariage et décider qu'il ne comblait pas ses besoins... et en tirer les conclusions. La dépendance symbiotique qui la liait à son mari avait été rompue, comme le montre le fait qu'elle n'éprouvait pas le besoin de se confesser à lui « comme une coupable ». Ce qu'elle fait est indépendant de son mari; ça ne regarde qu'elle. Elle n'en apprécie que mieux ses relations avec l'autre.

Le fait d'avoir une vie bien à soi en dehors du mariage n'entraîne pas nécessairement l'adultère. Par exemple, si les affaires de notre mari le contraignent à s'éloigner de nous pour un certain temps, au lieu de nous contenter d'attendre son retour, nous pouvons nous livrer à une nouvelle activité. S'il veut aller au restaurant chinois et si, de notre côté, nous voulons aller au cinéma, chacun peut agir selon son goût, et quand nous nous retrouvons, nous n'avons pas l'impression d'avoir choisi un compromis qui nous rend malheureuses, solitaires. Chacun est heureux d'avoir joui d'un moment de liberté et se sent revivifié; le couple se retrouve avec plaisir. L'union symbiotique donne la priorité non pas aux besoins individuels, mais à la recherche d'un commun dénominateur assez bas pour que l'homme et la femme puissent agir ensemble. C'est une relation à basse intensité.

Le couple n'y trouve même pas la sécurité. A n'importe quel moment, sans même le chercher, l'un des partenaires peut s'emballer pour quelqu'un qui lui rappelle la vie intense qu'il menait autrefois.

« Avant de me marier, dit la psychologue Liz Hauser, je menais une existence très indépendante. J'avais un travail qui me menait aux quatre coins du pays. J'étais toujours sur la route ou en avion. Mais quand je me suis mariée, à vingt-sept ans, je me suis replongée d'emblée dans la symbiose. Au fond, je ne connaissais rien d'autre. Vers la fin de mon adolescence, ma mère me disait : " Quand tu te marieras, tu resteras dans les parages. Vous aurez une petite maison pas loin d'ici. " Je ne disais rien, mais je n'en pensais pas moins. Tout, mais pas cette sensation d'étouffement, cette sur-protection. Mais si quelqu'un s'est accroché à vous trop longtemps quand vous étiez toute petite, ou si vous avez manqué de " maternage ", vous avez tendance à vivre éternellement sans savoir comment vous relier aux autres d'une façon qui ne soit pas symbiotique. Quand je me suis mariée, j'accomplis simplement un transfert. Si la séparation n'a pas eu lieu auparavant, il se produit une terrible régression vers la symbiose avec le partenaire. Il est très important d'insister sur ce point : il est plus facile pour une femme de se rendre compte de son comportement régressif dans le cadre de son mariage que par rapport à son enfant. Le mariage est moins sacré que la maternité.

MA MÈRE, MON MIROIR

Quand nous avons un enfant, nous avons moins envie que jamais d'affronter la séparation.

« Avant de me marier, je me suffisais à moi-même, mais après... j'ai commencé à attendre qu'il rentre à la maison et qu'il m'apporte des nouvelles du monde extérieur. J'ai commencé à ne voir en moi que l'épouse. Je n'avais plus d'autre identité. Et, ainsi, je ne me sentais vraiment vivante que quand il était dans la maison, quand nous étions ensemble. Je voulais qu'il me parle, à *moi,* qu'il soit avec *moi.* Je ne voulais aller nulle part sans lui.

« Quand il était absent, tout devenait irréel, le temps n'avait plus de consistance. C'est *cela,* le lien symbiotique. Six mois plus tard, environ, il me dit : " Je t'en supplie, trouve-toi une occupation ! Fais quelque chose ! " Je savais qu'il avait raison. Je soupirais, je pleurnichais comme un bébé parce qu'il s'occupait de son travail, et non pas de moi. Alors, je me suis remise au travail, Dieu merci ! »

La symbiose n'est pas un mot hideux qu'il faut proscrire. Quand, devenues adultes, nous nous sentons flotter, une symbiose, une fusion temporaire peut jouer un rôle merveilleux, comme du temps de notre première enfance. Il y a des moments où on n'a pas envie d'être séparées, où, au contraire on se sent revivifiées en se fondant dans une relation aimante, en se sentant en étroite intimité avec l'autre personne, en se transcendant pour ne former qu'un avec elle. Vous savez, par exemple, que vous pourriez, certains soirs, éprouver ce genre d'union profonde avec votre mari ou votre amant. Pendant les rapports sexuels, quand nous suspendons pour un temps notre vie d'adulte pour retrouver ces sensations presque primitives de symbiose que nous avions en tant qu'enfants confiants, la fusion avec l'autre donne à l'expérience sexuelle toutes sortes de dimensions qu'elle ne pourrait pas avoir si nous restions à notre niveau d'adulte.

Cette impression de vie qui vient de la symbiose n'est pas liée exclusivement à la sexualité ; vous pouvez la ressentir à d'autres moments de profonde intimité. Les gens créatifs l'éprouvent, par exemple, quand ils interrompent leur vie consciente d'adulte pour se replonger dans des expériences refoulées depuis longtemps, pour déterrer de l'inconscient des idées et des sentiments qu'ils pourront sublimer sous une forme artistique. *Ce qui distingue la mauvaise symbiose de la bonne, c'est l'absence de décision.*

Quand le besoin de symbiose est si intense, si désespéré qu'il vous est impossible de le maîtriser à volonté, vous perdez le sentiment de votre moi. L'autre personne, le monde extérieur diminuent d'importance, deviennent insipides, la sexualité est étouffée, l'autonomie s'en va. La symbiose agréable, positive, intervient à volonté ; elle procure des

352

moments stimulants d'intimité avec l'autre, de telle sorte que chacun des deux partenaires en sort avec une identité accrue ; et pourtant, elle est facilement rompue, ou interrompue quand le moment vient de se séparer, de se retrouver avec son moi intact, avec son autonomie, disponible pour tout ce qu'il y a à faire dans le monde extérieur. C'est, selon la formule consacrée, « être amoureux ». Dans la symbiose destructive, deux êtres se rencontrent, ressentent l'accroissement initial du moi, dû à la fusion des identités, mais ils sont ensuite incapables de se séparer. Ils restent collés l'un à l'autre, comme englués. Chaque absence du partenaire est lourde d'angoisse, la paix ne revient que lorsqu'ils sont enfin réunis. Mais comme la situation n'a pas grand-chose de stimulant, leurs forces s'amenuisent, ils s'usent l'un l'autre. L'ennui s'installe, ils deviennent insipides, et pourtant ils ne peuvent pas se quitter.

Les femmes confondent souvent la prise en charge affective et la prise en charge matérielle. Je vais m'étendre un peu sur cette équivoque qui complique singulièrement le problème de la symbiose. La difficulté commence avec le fait que les hommes et les femmes voient de façon différente le rôle que l'argent joue dans leur vie. Cela provoque des frictions, aggravées par le fait que nous avons toutes été habituées à penser qu'il est foncièrement mal de parler argent.

Les psychanalystes ont la même expression pour parler du comportement du têtu et de celui de l'avare : ils disent qu'il s'agit de formation de caractère « rétention anale ». Personne ne sera surpris d'apprendre que les pingres sont souvent constipés. Que l'on croit ou non à la psychanalyse, ce genre d'idées fait directement appel au bon sens. On peut ainsi mieux s'expliquer l'extrême discrétion de certains en ce qui concerne l'argent. Tout le monde a remarqué que de nombreuses personnes parlent plus facilement de leurs secrets d'alcôve que de leurs revenus annuels. Il est donc facile de comprendre que les discussions d'argent entre mari et femme commencent avec un lourd handicap. L'argent est symboliquement relié à trop d'aspects de la vie affective pour pouvoir être traité à un niveau simple, positif ; trop de refoulements, de colères rentrées — par exemple, l'argent assimilé à la matière fécale, à un sordide esprit de lucre — bouillent sous la surface.

A l'époque où l'homme atteint l'âge de se marier, il est en général en passe d'avoir réglé les aspects matériels de la vie. La conception culturelle de la masculinité lui dit que sa femme, pourvu qu'il alimente convenablement le budget familial, prendra affectivement soin de lui. « Occupe-toi de moi », dit-il quand il rentre du bureau. Il veut dire qu'il est fatigué par les luttes de la journée et qu'il compte sur sa femme pour se sentir mieux. Il attend d'elle un soutien affectif.

La femme, elle aussi, est épuisée par les corvées de la journée, les dépanneurs, les réunions professeurs-parents d'élèves, et par sa solitude. Elle lui dit : « Occupe-toi de moi. » Sa requête affective est aussi légitime que celle de son mari, mais elle attend davantage de lui. On peut dire que sa requête contient une clause secrète. A la défense des femmes, il faut ajouter qu'il s'agit de quelque chose qui fonctionne à l'écart de la pensée consciente : au support affectif s'ajoute inconditionnellement le support financier, et c'est une prétention que les hommes ne comprennent pas bien. A partir de là, il est facile de fondre et de confondre les besoins affectifs et les besoins matériels : nous pensons que l'homme, du moment qu'il satisfait le premier besoin, est tout disposé à satisfaire l'autre et qu'il en est capable. C'est ce que « signifie » aimer. S'il nous offre des cadeaux coûteux, une maison au bord du lac, ou un voyage à Paris, la partie financière du cadeau se mélange à la partie romanesque, sentimentale : « Il m'a prouvé qu'il m'aime. »

« Je ferai un mariage d'amour »... la femme qui dit cela sous-entend que l'amour la délivrera de ses angoisses matérielles. Ce n'est qu'après leur mariage que beaucoup de femmes se rendent compte qu'elles aimaient non seulement l'homme mais aussi la sécurité matérielle qu'il était censé apporter. L'argent est à l'origine de la plupart des scènes de ménage.

D'autre part, un foyer où toutes les factures sont payées sans retard n'est pas nécessairement heureux. Ce n'est qu'un élément négatif, un souci de moins. Ce cliché est éculé, mais je le cite parce qu'il est souvent vrai : l'homme se donne tant de mal pour gagner l'argent du ménage qu'il n'a que peu de temps et d'énergie à consacrer aux sentiments. Quand elle a sa maison dans une cité résidentielle de banlieue, deux mignons enfants et un compte ouvert dans cinq magasins de luxe, la femme, dans un ménage de ce genre, peut se rendre compte un jour qu'elle est en train de mourir affectivement, en pleine abondance matérielle. « Pourquoi a-t-elle quitté le brave Charley? disent les gens. Elle pouvait compter sur lui! Pensez donc, il est sous-directeur dans une banque, une situation solide! Et pour s'enfuir avec un guitariste! » Sa vie affective était nulle. A force de confondre les deux besoins — affectif et matériel —, elle s'était fourvoyée dans une impasse.

Évidemment, toutes les femmes qui sont dans cette situation ne s'envolent pas avec un guitariste. Elles peuvent chercher ailleurs le support affectif dont elles ont besoin : un travail bénévole d'entraide, l'adultère, le militantisme féministe, ou même le divorce... Certaines de ces options peuvent marcher, d'autres pas; il n'est pas question ici de porter des jugements de valeur. Je voulais simplement montrer que la femme, avant de chercher de nouveaux débouchés, ferait peut-être mieux de commencer par mettre de l'ordre dans ses idées. L'amour et le lait de sa

354

mère lui avaient donné le bien-être affectif et matériel; elle était incapable de les distinguer l'un de l'autre. Quand elle a connu un homme qui pouvait la prendre en charge matériellement, supposait-elle qu'il la prendrait automatiquement en charge affectivement, comme l'avait fait sa mère?

L'argent est le point sensible, et quand le mariage se termine par un échec, c'est souvent l'argent que les femmes utilisent pour se « venger ». Quand vient l'heure de régler le divorce, quelle est la part des sommes invraisemblables exigées comme pension alimentaire qui correspondent à une assistance réelle et celle qui est considérée par la femme comme une vengeance? Du temps où ils s'aimaient, elle disait à son mari : « L'argent n'a pas d'importance. Seul l'amour compte! » Maintenant que l'amour symbiotique, ainsi qu'elle aurait pu s'y attendre, n'a pas tenu ses promesses, elle ne pense plus qu'à l'argent. « Mais, dit l'avocate Emily Jane Goodman, je rencontre toujours une résistance quand je dis aux femmes que si elles n'ont pas d'argent bien à elle, qu'elles peuvent contrôler, elles ne peuvent pas contrôler leur propre vie. " Oh, non! me disent-elles. C'est moi qui détiens le carnet de chèques, qui paie régulièrement les notes de téléphone; nous avons un compte commun, etc. " Elles ne veulent pas savoir que si le mari cesse d'alimenter le compte commun, tout s'arrête. »

On dit que ce sont les femmes qui contrôlent toute la richesse des États-Unis. Ce cliché permet aux femmes de nier leur inconséquence en ce qui concerne l'argent. « Si vous êtes convaincue que vous faites partie de la classe dirigeante qui contrôle la fortune de la nation, dit Emily Jane Goodman, il vous est difficile de vous révolter contre le fait que, dans votre foyer, vous n'avez rien à dire dès qu'il s'agit d'un problème financier. »

Tout change à partir du moment où la femme entre dans le bureau du juge des divorces. Jusqu'alors, elle a « choisi » de ne pas connaître les revenus exacts de son mari, elle ne sait pas au juste au nom de qui est la maison, quel est le montant de son compte en banque, la valeur de ses titres, etc. « Si je le sais, moi? C'est mon mari qui s'occupe de tout ça! » Quand son avocat lui demande des chiffres, des doubles de déclarations d'impôts, des bilans bancaires, pour compléter le dossier de la demande de pension alimentaire, la pauvre future divorcée ne peut que pleurer.

« Je reçois beaucoup de femmes en instance de divorce, dit Jane Goodman. Certaines ont été battues par leur mari. Je leur demande : " Connaissez-vous ses revenus? " " Non, disent-elles, mais je vais le lui demander. " Il est presque impossible de leur faire comprendre qu'il s'agit bel et bien de l'homme qui leur a cassé le nez. Et elles s'imaginent qu'il aura l'honnêteté de ne pas tricher sur l'argent? Leur attitude signifie : " Si je ne peux pas lui faire confiance, tout mon passé est anéanti. " » Si l'enfant ne peut pas avoir confiance en sa mère, comment pourrait-il vivre?

J'ai connu une femme célibataire — certainement pas la seule dans son genre — qui parlait avec aisance dans la vie courante, mais qui s'est mise à bégayer quand elle a essayé d'exprimer sa confusion au moment où elle a voulu rentrer chez elle après une nuit d'amour passée chez son amant : son retour en taxi allait lui coûter très cher. Devrait-elle sortir l'argent de son sac alors que son amant gagnait quatre fois plus qu'elle, sous prétexte qu'elle était une femme libérée qui avait décidé de rentrer toute seule chez elle? Elle veut être « égale », mais elle est fauchée. Il lui serait pourtant facile de lui glisser un billet de dix dollars! Même s'il le fait avec discrétion pourquoi se sent-elle en colère, humiliée, comme une petite fille cupide qui a fait du charme pour avoir un supplément d'argent de poche? Personne ne veut parler argent, elle ne sait pas elle-même comment s'y prendre, et elle en est là.

Pour se défendre de leur impuissance économique, certaines femmes mariées ont recours à une formule tacite : « *Ton* argent est *notre* argent; mais *mon* argent est *mon* argent. » Si son mari lui demande d'expliquer pourquoi elle refuse de verser tout ce qu'elle a dans la caisse commune, elle ne peut pas le lui dire. Pour éviter toute discussion, elle grignote sur l'argent du ménage et va mettre ses sous dans un bocal, à moins qu'elle n'ouvre un compte secret. Elle sent inconsciemment qu'elle agit mal en gardant, en cachant cet argent, *son* argent. A un niveau plus conscient, elle a appris à ne pas en parler. Le plus triste, c'est que tout ce qu'elle peut ainsi mettre de côté ne peut même pas assurer son autonomie.

A mon avis, loin de se comporter d'une façon puérile, les femmes, qui défendent cette autre formule tacite : « Ton argent est à toi et mon argent est à moi », font preuve d'un certain bon sens. « Je ne pense pas, dit la psychologue Sonya Friedman, que les femmes qui n'ont pas de revenus propres aient tort de se garantir une marge de sécurité en mettant de l'argent de côté. En tant que conseillère conjugale, j'ai souvent vu des hommes qui s'apprêtaient à quitter leur femme. Ils vendent la maison, installent leur femme dans une nouvelle maison de 80 000 dollars qu'ils ont hypothéquée pour 70 000 dollars et gardent pour eux tout ce qui reste de la vente de l'ancienne maison. Les femmes devraient toujours se demander : " Est-ce que j'ai raison de dépendre totalement de lui sur le plan financier? " »

Des millions de femmes contribuent au budget familial. Elles sont plus de trente millions, aux États-Unis, à travailler hors de chez elles, soit plus du tiers de la force de travail [1]. Quand il s'agit de nourrir et d'habiller les enfants, peu importe que l'argent vienne du mari ou de la femme. Une enquête récente de l'université du Michigan montre qu'un tiers des femmes qui travaillent sont seules à subvenir aux besoins du ménage [2]. Certaines ont été élevées par leur mère dans l'idée qu'elles devront un jour gagner leur vie, et elles en sont fières. D'autres savourent les joies de la symbiose parfaite avec leur mari et leurs enfants quand elles abandonnent leur chèque de fin de mois pour le bien de la famille. « C'est à partir du moment où l'argent dont dispose la famille dépasse le minimum vital que les ennuis commencent, dit le Dr Friedman. La femme pense qu'il appartient toujours à son mari d'assurer ce minimum nécessaire à l'entretien de la famille. Ce qu'elle gagne éventuellement vient en supplément et échappe en principe au contrôle du mari. Elle s'estime en droit de faire ce qu'elle veut de son argent. » Elle a été élevée dans l'idée qu'elle n'aura pas à gagner de l'argent, de telle sorte que, si elle en gagne, elle considère que c'est un extra qui lui appartient en propre. Si un problème d'argent se pose, qu'elle juge être du ressort quotidien de son mari, et qu'il lui demande de l'aider — par exemple pour payer une réparation de voiture —, elle peut très bien s'entêter à refuser sa participation.

D'habitude, elle lui cède sur tout. Pourquoi, ici, renâcle-t-elle?

D'après nos souvenirs, notre mère nous a présenté le mariage comme la grande compensation de tous nos sacrifices, de tous nos refoulements. Tout repose sur une sorte de principe de réalité : en renonçant aujourd'hui à nos plaisirs, nous nous assurons de plus grandes satisfactions pour demain. Le fait de refouler nos colères et notre sexualité, de renoncer à nous affirmer, nous vaudra un meilleur époux, un mariage plus sûr où nous pourrons vivre du travail de l'homme. En contribuant par ses propres moyens à son entretien, l'épouse détruit l'illusion symbiotique qui veut que le mari la prenne toujours en charge.

L'argent est symbole de puissance; la femme sans argent est une victime. La plupart des femmes mariées se rendent compte de ce que cela signifie pour elles : elles vivent au bord d'un précipice financier. « Quand ma femme m'a dit qu'elle versait son salaire sur un compte d'épargne à son nom, m'a dit un chirurgien, j'ai été un peu étonné. Mais je ne m'y suis

---

1. Chiffres publiés par le ministère US du Travail. Près de 48 p. cent des femmes américaines de plus de seize ans travaillent actuellement ou cherchent du travail. Certains économistes estiment que dans deux ou trois ans il est probable que la moitié des femmes américaines de plus de seize ans auront rejoint le monde du travail.

2. Dr Joyce Brothers, « Comment ne pas avoir peur de réussir », *Harper's Bazaar*, janvier 1976, p. 96.

pas opposé. Elle gagne infiniment moins que moi. Elle a certainement de bonnes raisons de se faire un petit magot. J'ai été marié quatre fois. J'espère bien que ce mariage-ci sera le bon. Mais s'il se termine comme les autres sur un échec, son standing pourrait très bien passer brusquement de la classe aisée à l'assistance publique. »

De ce point de vue, la femme qui s'entête à placer à son nom le peu d'argent qu'elle peut gagner tente de rétablir l'équilibre des puissances, équilibre que notre société continue à détruire au bénéfice des hommes, qui ont moins de mal que les femmes à gagner de l'argent. Mais cette femme réagit également à une peur : si son mari, en lui demandant de mettre en commun son argent, rompt la promesse symbiotique, comment peut-elle savoir si, un jour, il ne brisera pas la symbiose elle-même, en s'en allant?

Il est difficile de dire à un mari : « Tu ne me donnes pas assez d'affection »; ce serait parler comme une enfant, comme une névrosée. Il est plus commode de dire : « Pourquoi ne demandes-tu pas une augmentation? Pourquoi n'irions-nous pas nous promener en Amérique du Sud? Nos voisins ont une nouvelle voiture... Qu'est-ce que tu attends pour en acheter une? » La femme qui sollicite des plaisirs que l'argent peut acheter, alors qu'en réalité elle souffre d'un vide affectif, peut être sûre que les discussions d'argent finiront par détruire son ménage. Prisonniers de leurs attitudes de rôle, disant une chose alors qu'ils en pensent une autre, incapables de comprendre la différence qui existe entre une « prise en charge » affective et une prise en charge matérielle, le mari et la femme sont voués à de perpétuels dialogues de sourds. Chacun défend une position clandestine que l'autre ne soupçonne même pas.

« Demandez à une femme mariée si elle est heureuse, dit Jessie Bernard, et il y a beaucoup de chances qu'elle vous réponde : " Oh, oui! Je suis aussi heureuse qu'on peut l'être. " Et pourtant, elle se bourre de tranquillisants... Au nord-ouest de Washington, dans le district de Columbia, le taux des suicides féminins est plus élevé que partout ailleurs; et pourtant, il s'agit d'une région très prospère. » En fait, depuis 1950, aux États-Unis, le nombre des suicides de femmes a pratiquement doublé [1].

Une femme peut très bien résister à la vague du féminisme et en rejeter tous les principes, mais elle ne peut pas ignorer qu'elle a des possibilités que sa mère n'avait pas. Nos grand-mères pouvaient obtenir leur part de satisfactions narcissiques en s'identifiant à leur mari, à son statut social. Aujourd'hui, la télévision est là pour nous montrer qu'il existe au monde beaucoup de femmes qui profitent plus que d'autres de

1. En 1950, 3 848 femmes se sont suicidées aux États-Unis. En 1974, 7 088. Ces chiffres ont été communiqués par le ministère du Commerce, service des statistiques, 1976.

leur vie. Cela ne veut pas dire que les femmes ne peuvent pas se contenter d'être mères et ménagères. Il est évident qu'il y a des millions de femmes dans ce cas. Mais si vous êtes de ces femmes qui ne veulent pas être seulement Mme Harry Brown, vous ne pouvez pas vous résoudre à ne vivre que par lui. Il n'a pas assez d'air, de vie, de succès pour contenter deux personnes.

« Mais ce manque, dit le Dr Schaefer, n'est pas considéré par la femme comme son propre problème. Elle pense que c'est le sien. Peut-être a-t-elle l'impression de n'être rien, mais cela se traduit ainsi : " Oh, oui! Je suis très heureuse, mais je voudrais que George s'organise mieux pour se trouver une meilleure situation. " Sous-entendu : " Si j'étais à sa place, je me débrouillerais mieux. " Une autre femme dira à son mari : " Si tu faisais plus d'efforts, intelligent comme tu l'es, tu pourrais gagner beaucoup plus d'argent! " Aux yeux des témoins, cette femme a une confiance illimitée en son mari. Mais il sait, *lui,* qu'il s'agit en fait d'un reproche. »

Le Dr Schaefer continue : « Cette femme, et toutes celles qui lui ressemblent, a peur d'assumer les risques qu'elle demande à son mari de prendre. Elle voudrait bien avoir une vie plus intéressante, plus excitante, mais elle considère que c'est quelque chose qui ne peut venir que de lui. Elle se confond tellement avec lui, elle est si dépendante qu'elle ne sait même pas où il commence et où elle finit. Elle craint, en isolant un problème pour le régler toute seule, de diviser le couple : ce serait le doigt dans l'engrenage, elle finirait par être obligée d'agir à son propre compte. " Pourquoi ne cherchez-vous pas un travail? ai-je demandé à une de ces femmes. Vous vous habillez avec beaucoup de goût ; je suis sûre que vous trouveriez facilement du travail dans une boutique de mode. " " Oh, non! dit-elle. Je ne serais même pas capable de remplir une fiche de vente! " En attendant, elle s'accroche à son mari et, après, elle vient se plaindre. »

Pour les femmes de ce genre, le message moderne qui affirme que les femmes sont en partie responsables des satisfactions qu'elles peuvent attendre de la vie paraît être une fumisterie théorique. Une femme qui est aussi douée que son mari le poussera à terminer ses études juridiques ou médicales parce qu'elle a l'habitude de penser que la vie qu'elle pourra mener grâce à sa réussite surpassera de loin celle qu'elle pourrait obtenir par ses propres moyens.

Dans les mariages où les rôles sont partagés — où la femme participe par son travail aux besoins du ménage et où le mari l'aide à entretenir la maison et à élever les enfants, les enquêtes montrent, dit la sociologue Jessie Bernard, « que la part de travail de la femme est pour plus de 25 p. cent supérieure à celle du mari ».

« Les femmes mariées ont trop de choses en jeu pour admettre qu'elles sont malheureuses, dit la sociologue Cynthia Fuchs Epstein. Il est vraiment impossible de leur demander dans quelle mesure elles s'estiment satisfaites de leur sort. J'ai fait une enquête sur des femmes juristes qui sont mariées à un homme également juriste et qui travaillent avec lui. Elles m'ont toutes dit qu'elles vivaient en parfaite égalité une association mari-épouse; mais quand j'ai pu observer le comportement réel d'un bon nombre d'entre elles, j'ai constaté qu'elles faisaient le " ménage " du cabinet juridique : elles embauchaient le personnel, mettaient les gens à la porte et s'occupaient des questions administratives, pendant que le mari recevait les clients et plaidait les causes intéressantes. Vues de l'extérieur, ces femmes semblaient très sûres d'elles, très autoritaires. Personnellement, elles s'estimaient " heureuses ", mais quand elles disaient qu'elles formaient avec leur mari une association parfaitement équilibrée, elles se berçaient d'illusions. J'ai pu les fréquenter assez longtemps pour observer combien elles s'effaçaient devant leur mari. Elles préparaient les repas et demandaient : " Tu veux encore un peu de café, chéri? " Elles se contentaient d'un strapontin. »

Il y a eu récemment un retour de flammes de la part de certains écrivains masculins. Ils mettaient les femmes en garde : si elles ne retournaient pas à leur rôle traditionnel, si elles ne débarrassaient pas de leur présence le marché du travail, essentiellement masculin, toute une génération d'hommes frustrés et en colère se déchaînerait sur le monde...

Je préfère parler de la colère des femmes...

Pendant toute notre vie, nous traînons un lourd fardeau de colères rentrées. De même que chez les hommes, certaines sont plus en colère que d'autres. Certaines autorités voudraient nous faire croire que les hommes possèdent un plus grand potentiel de colère en raison de leur sexe (hormones, testostérone, etc.), mais je ne suis pas du tout convaincue. La différence qui existe entre les colères des deux sexes vient de ce que celles des femmes sont plus refoulées.

Si j'ai décidé de parler de la colère dans le contexte du mariage, ce n'est pas parce que je pense qu'il n'y a pas de mariages heureux. J'en connais personnellement beaucoup qui le sont. Pourtant, cette institution sacrée que l'on propose aux femmes pour les récompenser de toute une vie d'inhibitions ne peut que provoquer colères et déceptions. Mais combien de femmes oseront mettre leurs désordres sur le compte du mariage? La plupart du temps, c'est la femme, et non pas l'homme, qui veut se marier. En outre, si elle en a assez du mariage, *que veut-elle vraiment?* Divorcer? Le mot lui fait peur. « Plus je m'entretiens avec une femme, dit Sonya Friedman, plus je découvre de colères en elle. Ses moments de dépression, son manque d'énergie, le fait qu'elle va se coucher de bonne heure, ou qu'à 3 heures de l'après-midi elle traîne encore en peignoir dans son appartement... tout cela n'est que colère, sous une forme ou sous une autre. " Je n'en peux plus, dit-elle. Après avoir consacré tant d'années à mes études, après avoir fait tant de rêves, je sais maintenant qu'ils ne s'accompliront jamais. J'ai même peur de retourner à la faculté pour, ensuite, me lancer dans la compétition. " Une grande partie de la colère est orientée vers l'éducation qu'elle a reçue. Le mariage, lui a-t-on dit, résoudra tous les problèmes. La ménagère américaine classique n'a pas d'identité en marge de son mari, si bien qu'elle est incapable de laisser sa colère s'exprimer. Elle ne peut que la retourner contre elle. C'est pourquoi tant de femmes ont des dépressions nerveuses. »

J'ai été bouleversée par l'interview qui va suivre. Il s'agit d'une femme de trente-cinq ans. J'ai d'abord pensé que le ton très doux sur lequel elle parlait était l'indice d'une passivité acquise depuis longtemps. Ce qu'elle m'a dit m'a fait comprendre que ce calme cachait la bataille qu'elle livrait intérieurement à ses sentiments de colère.

« Ma mère est morte d'emphysème, il y a cinq ans. Elle était aussi docile que mon père était autoritaire. Je l'ai toujours vue ravaler ses colères. Elle était si douce, si affectueuse. Elle ne voulait certainement pas que j'étouffe les sentiments tumultueux qui s'agitaient en moi, mais elle ne m'a jamais aidée à les exprimer. Comme je n'ai jamais été témoin de scènes de ménage, j'étais persuadée que mes parents formaient un couple parfait. Après la mort de ma mère, j'ai laissé éclater ma colère, colère qui était entièrement dirigée contre elle. Ce fut pour moi une expérience très difficile. Mais aussi très effrayante : il fallait que je reconnaisse la colère, la haine, aussi bien que l'amour. Une partie de cette colère venait du fait que j'avais retardé ma licence pour que mon mari puisse passer la sienne avant moi. Ma mère m'avait appris que, en tant que femme, je devais m'effacer devant lui. Oui, c'était elle qui m'avait enseigné cette sorte de déférence, et je lui en voulais terriblement. J'ai épousé un homme qui était totalement différent de mon père et j'ai eu beaucoup de mal à accepter le respect qu'il manifestait à mon égard. Ce n'est que tout récemment que j'ai cessé de le considérer comme un faible ; je prenais pour de la faiblesse, en effet, ce qui, en réalité, était la haute opinion qu'il avait de moi et un ensemble de sentiments très tendres, très affectueux. Je tenais de ma mère cet aveuglement. J'ai le plus profond respect pour ma mère et pour mon père. Je ne me révolte pas contre mon père. Mais je me révolte contre ma mère parce que je suis comme elle, parce qu'elle m'a appris à être comme elle. Parce qu'elle m'aimait, elle m'a appris à ravaler ma colère. »

La parole est le moyen le moins dangereux d'exprimer sa colère. Les mots permettent de la dissiper facilement ou de modifier l'environnement d'une façon bénéfique. Mais les petites filles apprennent très vite à ne pas exprimer directement ce qu'elles pensent. Maman en préfère une qui parle comme il faut, qui sait adroitement contrôler ses pensées. Tous les pédiatres savent que les filles apprennent à parler plus vite et mieux que les garçons. Quand nous devenons des jeunes femmes, tout change; nous commençons l'apprentissage subtil du silence.

Nous apprenons que la spontanéité du langage peut nous perdre. Nous apprenons à trafiquer nos pensées, à réduire nos émotions fortes à des euphémismes inoffensifs. « Quand je sors avec mon mari, m'a dit une femme de trente ans, j'aimerais participer davantage aux discussions. Mais le temps que je forme une phrase dans ma tête, et la conversation a déjà abordé un autre sujet... »

Nous ne sommes pas entraînées à la spontanéité. La facilité d'élocution que cette jeune femme avait acquise pendant ses études avait été perdue pendant les dix années passées à la maison pour élever ses enfants. Elle ne regrette pas d'avoir choisi d'être mère; tout simplement, elle ne peut pas comprendre ce sentiment de gêne qui l'empêche de participer aux conversations. « Beaucoup d'hommes ne sont pas particulièrement intelligents, mais ça ne les empêche pas de parler tout leur saoul. Pourquoi m'est-il impossible de placer un mot? »

Pour qu'elle ne se rouille pas, la liaison cerveau-langue — comme tous les autres circuits qui nous permettent de nous exprimer — exige une pratique constante. Sans entraînement, la peur d'être humiliée, de dire une bourde, de rester coite au beau milieu d'une phrase nous cloue irrémédiablement le bec. Nous avons aussi le handicap de notre voix de femme... Bien souvent, dans ma propre salle de séjour, j'ai constaté que mon opinion était totalement ignorée, comme si j'étais invisible. La même idée, exprimée quelques minutes plus tard par une voix d'homme bien sonore est applaudie par tous. Ces expériences négatives ne nous arment pas pour imposer notre opinion sur un film, ni pour commenter avec humour une partie de tennis... A plus forte raison, comment pourrions-nous traduire nos émotions violentes par une bouffée soudaine de colère?

Vous est-il souvent arrivé d'entendre une femme exprimer intelligemment son hostilité? Nos voix se chargent subitement non pas de cette intensité, de cette détermination que procure la colère, mais d'une certaine angoisse qui oblige les auditeurs à se détourner. Ils ont peur que nous perdions le contrôle de nous-mêmes. Notre débordement d'émotion les « ennuie ». « Les femmes sont comme ça; elles sont incapables de discuter avec logique. » Ce qui nous met en fureur, ce n'est pas le manque de logique de nos arguments, mais notre inexpérience : nous ne savons pas parler de façon agressive. Comme si nous avions peur de faire une crise d'hystérie. J'ai pu observer des groupes où ne figuraient que des femmes; j'ai vu ces groupes se désintégrer en petits noyaux apeurés quand l'une des participantes était incapable d'exprimer sa colère à une autre femme. Il nous est plus facile de montrer notre colère à un homme : c'est une femme qui nous a appris à ravaler nos rages. Il ne nous restait que les larmes et les sanglots.

A défaut d'un modèle féminin qui nous aurait appris à soulager nos colères d'une façon socialement acceptable, nous avons peur de ce sentiment, nous le nions. « Quand j'étais à l'université, m'a dit une femme, je prenais des leçons d'escrime. On nous apprenait, selon la tradition, à taper agressivement du pied au début de chaque reprise. Pas un mot à prononcer : on tape du pied, et c'est tout! C'était la partie de la leçon que je préférais! »

Dans son livre sur le viol, *Malgré nous,* Susan Brownmiller parle d'un cours d'auto-défense où le professeur de karaté demandait à ses élèves-femmes de le frapper de toutes leurs forces. Il leur disait bien qu'elles ne pouvaient faire aucun mal à ses muscles endurcis et leur donnait la permission d'être aussi agressives qu'elles le voulaient. Au début, aucune de ces femmes n'osa frapper le moniteur de toutes ses forces, et certaines, même, furent incapables de lui porter le moindre coup [1]. Apprendre à nous défendre, c'est avant tout un problème affectif.

Parce que la société préfère toujours leur voir un joli visage, les femmes ont été entraînées à refouler leurs colères, de même que des chirurgiens du XIXᵉ siècle, pour des raisons similaires (dompter la sexualité), essayaient de populariser l'excision du clitoris. « Aidez-moi! » crions-nous en nous précipitant chez les psychiatres, les chirurgiens, les médecins, les prêtres, ou même chez notre mère. Nous disons que nous sommes « nerveuses », et nous prenons des tranquillisants, de l'aspirine, du whisky. Nous disons que nous sommes « heureuses » et nous constatons que nous souffrons de migraines, d'ulcères ou d'une fatigue chronique inexplicables. Nous disons que nous nous ennuyons, et nous jouons pour de l'argent, nous prenons des amants ou nous dépensons des sommes folles dans les grands magasins. Nous disons que nous ne sommes pas en forme, et nous refusons de faire l'amour avec notre mari. Nous disons que nous avons atteint la ménopause, et nous nous installons pour dix ans dans un état d'angoisse physique et mentale chronique. Certains médecins, et non des moindres, pensent que nos colères longtemps réprimées peuvent même aboutir à cette agression silencieuse du corps contre lui-même : le cancer. Notre colère contre l'idéalisation mensongère du mariage est si inacceptable que nous la retournons contre nous, dans le sens le plus profond du mot.

Une New-Yorkaise de quarante-cinq ans m'a raconté : « Je me suis mariée à midi sonnant à la cathédrale Saint-Patrick. Allez faire mieux! Je

---

1. Susan Brownmiller, *Against Our Will*, p. 403.

faisais vraiment tout " comme il faut ". Sans doute pour combler les plus chers désirs de ma mère. Elle essayait de me faire réaliser tout ce qu'elle n'avait pas pu faire pendant sa jeunesse. Elle avait travaillé toute sa vie et voulait que je l'imite. Elle était certainement heureuse de voir ce que nous accomplissions, ma sœur et moi; elle ne nous adressait jamais directement ses compliments. Mais nous savions par ses amis qu'elle était très fière de nous. Ainsi, d'un côté elle nous disait : " Je voudrais que vous fassiez mieux que moi ", et de l'autre, elle était jalouse de nous.

« Tout en me faisant une place dans le monde, je me suis mariée et j'ai eu des enfants. Ma mère faisait pour moi des prières à sainte Anne, vous savez... " Sainte Anne, faites que ma fille trouve un mari! " Quand j'ai eu vingt-huit ans, je n'étais toujours pas mariée. Elle s'est alors tournée vers saint Jude, le patron des cas désespérés.

« Une fois mariée, il m'a été plus facile d'être gentille avec ma mère. J'avais cessé de travailler. J'allais être typiquement la jeune mère de famille catholique irlandaise de l'East Side. Mais mon mari mourut et je dus me remettre au travail. Il y a de cela quinze ans et je peux dire que j'ai bien réussi dans ma profession. Mais il me reste cette colère... Si mon éducation m'avait permis d'être normalement agressive, je n'aurais pas été aussi douce, aussi soumise dans mes relations de travail; surtout avec les hommes. Je voulais avant tout qu'ils m'approuvent en tant que femme; dans ces conditions, il est difficile de lutter à égalité pour se faire une place dans l'entreprise où on travaille. Mon Dieu!... Toutes ces années que j'ai passées à sourire à des bonshommes qui étaient moins capables que moi!

« Aujourd'hui, c'est ma mère qui compte sur moi. Je ne lui en veux plus de m'avoir refusé son approbation quand j'étais petite. C'était sa nature, elle n'y pouvait rien. Elle m'a téléphoné au bureau, ce matin, pour me demander si elle pouvait mettre un ensemble-pantalon pour prendre l'avion... Il y a quelques années, j'aurais été furieuse d'être dérangée en plein travail pour une affaire aussi ridicule. Aujourd'hui, je me suis maîtrisée. Il faut croire qu'avec le temps je me suis adoucie. J'ai pris tout mon temps pour lui répondre, et je suis arrivée en retard à une réunion. J'ai l'impression de la traiter comme mes enfants. Je me sens responsable d'elle; comme si j'avais une dette à payer. Et je me sens bien dans ma peau. L'hostilité latente, toutes ces choses qui me faisaient rager quand j'étais petite sont encore là, mais je sais les éviter. »

Cette femme est morte d'un cancer un an après notre entrevue. Ses deux filles sont élevées par sa sœur qui m'a demandé de lire l'interview. Voici ce qu'elle m'a écrit : « J'ai été très attristée de voir combien ma sœur s'entêtait à ne pas se révolter contre certaines choses. Elle disait qu'elle n'avait aucune raison de se mettre en colère du moment qu'elle comprenait. Je regrette tellement qu'elle ne se soit pas fâchée contre certaines choses, certaines gens... Elle ne s'est même pas révoltée contre cette agression finale qui lui a coûté la vie. »

« J'ai connu, m'a dit le Dr Schaefer, énormément de femmes dont l'existence était dominée par cette idée : " Il ne me le permettra pas ! " Tous les mouvements féminins sont fondés sur la responsabilité individuelle, mais la plupart des femmes pensent qu'à partir du moment où elles se sont libérées tout leur tombera du ciel. " Maintenant, pensent-elles, que je me suis débarrassée de cette ancienne partie de moi qui me retenait, mon patron, le monde, les autres femmes, mes sœurs, me donneront tout ce que je veux. " Comme elles n'ont pas été dressées à être autonomes, les " femmes ne comprennent pas que seule la responsabilité individuelle peut donner un sens aux slogans qui prônent la libération ". Elles veulent être " libres ", tout en étant " prises en charge ". »

La colère rentrée qui résulte du fait que nous sur-idéalisons le mariage pour attendre de lui la solution de tous nos problèmes provoque une sorte d'agoraphobie. « On peut même parler d'une " phobie de la ménagère ", m'a dit Sonya Friedman. Elle existe, et explique pourquoi tant de femmes n'aiment pas sortir seules de leur maison, ou en ont peur. Elles ont peur, une fois qu'elles se trouvent dans l'espace libre, d'avoir une envie irrésistible de s'enfuir. »

Un détective privé qui travaille dans une grande agence de New York m'a tracé le portrait-robot des ménagères fugueuses. On pourrait croire qu'il s'agit de l'héroïne d'un feuilleton télévisé : elle se marie à dix-neuf ans, a tout de suite des enfants et n'a pas (ou peu) d'expérience professionnelle. A trente-quatre ans, elle rompt avec le modèle classique et disparaît pour se trouver une nouvelle vie.

Dans le mariage symbiotique, on se sent protégé, serré de près... en fait, serré de si près que l'idée d'une séparation paraît insupportable. La moindre velléité d'indépendance, le moindre mouvement de colère paraissent être une trahison. Quelqu'un a appelé cette sorte de mariage « une longue et paisible promenade, la main dans la main, jusqu'à la tombe ». Pour un psychiatre que je connais, c'est « un cercueil rembourré de mamelles ». Les hommes fuient depuis longtemps ce type d'union; les femmes commencent à réagir de la même façon.

« Avant mon mariage, j'ai aimé certains hommes beaucoup plus passionnément que celui que je devais finalement choisir pour époux, m'a dit une conseillère conjugale. Il y avait entre autres un acteur dont j'étais littéralement folle. Il était très sensible, ce qui donnait à notre liaison un piment supplémentaire. Mais l'idée de me marier avec lui me faisait peur, si bien que j'ai épousé un homme qui me semblait solide comme un roc, comme mon père. Quand je me suis aperçue que derrière le calme de Larry se cachait un être égoïste et instable, il était trop tard. Je dépendais déjà de lui affectivement. Il rentrait tard le soir, sans même me téléphoner. J'étais furieuse de ne pas réagir. Je me sentais sombrer peu à peu dans la folie. Mais le lendemain matin, j'évitais de provoquer une scène. J'avais tant de choses à faire que j'oubliais mon désespoir. Je préparais le petit déjeuner, je conduisais les enfants à l'école, en essayant de toujours sourire. »

Notre culture applaudit les femmes qui ravalent leur colère ou qui la détournent de sa véritable origine. La ménagère compulsive qui a la manie de la propreté et du rangement, la tigresse qui milite dans la Ligue antipornographique, la femme qui se consacre infatigablement aux œuvres de charité, la mère sur-protectrice et exigeante qui n'agit que pour le bien des autres... qui oserait les condamner? Nous ignorons d'où elles tirent leur dynamisme et nous ne savons pas ce qu'elles retirent de leur affairement. Sans doute fuirons-nous leur compagnie; mais on ne peut pas les accuser d'être des mauvaises femmes, des mauvaises épouses, des mauvaises mères.

Ces femmes, très souvent, sont obsessionnelles/compulsives. Elles souffrent d'une forme de comportement qui semble n'avoir aucun rapport avec la colère. Contrairement aux personnes dépressives qui rentrent leur colère, qui la retournent contre elles-mêmes, ces femmes lui permettent de s'exprimer, mais d'une façon si détournée qu'elles n'éprouvent même pas le besoin de l'identifier.

Les compulsions et les obsessions sont en général considérées en bloc, alors qu'elles diffèrent légèrement les unes des autres. Les compulsions sont des actes répétitifs de comportement. C'est la femme qui vide sans cesse les cendriers pendant que des fumeurs sont en train de s'en servir, ou celle qui fait bouffer les coussins dès que quelqu'un les a libérés. S'il vous est arrivé de fréquenter des femmes compulsives, vous avez pu voir combien elles usent les nerfs de toutes les personnes qui sont en contact avec elles, et constater qu'il se dégage d'elles une forte dose d'hostilité qu'il est difficile de préciser. Les obsessions, elles, ne sont pas des actes, mais des pensées. Les obsessionnelles ont sans cesse l'esprit envahi par des idées répétitives, comme cette femme qui n'arrête pas de penser avec angoisse qu'il va arriver quelque chose de terrible à ses enfants, ou que son mari va l'abandonner. Une fois de plus, la colère est déguisée; elle se transforme en un rappel perpétuel de la souffrance, de l'abandon, de la mort. Personne n'a des obsessions souriantes. Les compulsions et les obsessions sont répétitives parce qu'on doit encore et toujours se défendre contre la colère rentrée.

« Le souvenir le plus précis de ma mère, m'a dit une femme mariée de vingt-huit ans, c'est cette quantité incroyable de colère qui accompagnait ses actions les plus anodines, quand, par exemple, elle pourchassait les grains de poussière sur le sol de la cuisine. Elle s'emportait tout autant pour un bouton qui manquait que pour une faute grave, un mensonge, par exemple. A mon avis, sa colère venait de ce qu'elle avait peur. Chaque fois que je faisais quelque chose de travers, c'était pour elle l'indice que mon insouciance pouvait avoir un jour des résultats catastrophiques. Aujourd'hui, je me surprends parfois à me mettre en colère contre ma petite fille, et ça me fait peur. »

« Si les femmes ont des problèmes de colère, dit Sonya Friedman, c'est qu'elles n'ont pas en elles de sentiment de sécurité. Après avoir été le prolongement de leur famille, elles deviennent celui de leur mari. Elles se marient pour la plupart avant d'être adultes. L'homme, en général, est plus fort, si bien qu'il étouffe facilement en elles toute trace de leur sentiment d'identité. Ce n'est pas là quelque chose que les hommes *infligent* aux femmes; ils le font *avec* leur complicité. Les femmes ont été tellement conditionnées pour le mariage qu'elles acceptent le contrat qui leur fera échanger leur autonomie contre la dépendance. Et plus tard, elles gémiront : " Que puis-je faire pour sauver mon mariage? " Il faut dire à ces femmes qu'il n'y a pas de solution toute faite. Peut-être, avec le temps, entreront-elles en contact avec leur colère, mais il faudrait d'abord qu'elles fassent un bond dans le passé; qu'elles remontent à l'époque où elles ont commencé à apprendre qu'elles ne pouvaient obtenir les récompenses ambiguës de leur mère qu'en renonçant à leur indépendance et à leur confiance en elle-mêmes.

« La colère est positive. Si une femme est malheureuse dans son ménage, mais apathique, je sais que j'aurai beaucoup de mal à l'aider. Mais si elle est en colère, je suis certaine de tenir un bon début. Si je réussis à faire voir à une femme qu'elle a acheté tout un lot de marchandises frelatées, elle ne se met pas en colère, non... elle voit rouge! »

Voici ce que dit le Dr Sidney Q. Cohlan : « De même que l'enfant ne parvient jamais au niveau des fantasmes de sa mère, de même aucune mère ne peut ressembler à l'image que se fait la fille de ce que devrait être une mère. » Pour prolonger la fiction selon laquelle, malgré les petits accrochages quotidiens, nous avions avec notre mère des relations idéales, nous inventons souvent une petite phrase à double sens pour résumer ce qui se passe aujourd'hui entre elle et nous; comme n'importe quelle phrase codée, elle déguise la véritable situation : « En ce moment, ma mère et moi nous entendons très bien, pourvu que nous ne vivions pas trop près l'une de l'autre. » Ou bien : « Je ne reproche pas à ma mère de m'avoir élevée comme elle l'a fait, je suis sûre qu'elle a fait tout ce qu'elle a pu. » Bien sûr, à moins d'être foncièrement méchante, ce qui est quand même rare, elle a *vraiment* fait de son mieux. Il n'empêche que nous souffrons de ce qu'elle a fait comme de ce qu'elle n'a pas fait. L'enfant qui est en nous est encore furieuse. Si vous relisez les deux petites phrases que je viens de citer, vous verrez qu'elles contiennent toutes les deux de la colère.

« Le travail de la partie adulte qui est en vous ne consiste pas à nier l'existence de son voisin, l'enfant en colère, dit le Dr Robertiello. Si vous le niez, cette enfant sortira et dirigera sa colère contre quelqu'un d'autre, par exemple contre votre mari, ou se manifestera sous la forme de troubles psychosomatiques, de dépressions ou de compulsions. »

Voici le cas d'une femme de vingt-cinq ans qui, à la fois, sait et ne sait pas qu'elle est en colère contre sa mère : « Ma mère était persuadée que le meilleur moyen de mettre un enfant à l'abri de la sexualité est de ne pas souffler mot de la question. Même quand ma sœur a dû se faire avorter, on n'a jamais entendu parler de sexualité à la maison. Je me suis mariée vierge parce que je croyais tout ce que me disait ma mère. Entre autres choses, que si j'étais une fille bien sage, tout irait bien. Mais toute ma vie je me suis demandé si c'était vraiment important. Je sais que ma mère n'y est pour rien, mais j'ai toujours eu le sentiment d'avoir été trompée quand, plus tard, j'étais incapable d'exprimer mes sentiments et mes émotions. Je suis en colère contre les hommes, seulement, je ne veux pas que ma fille s'en aperçoive. Mais elle se rend certainement compte que j'éprouve du ressentiment envers mon mari. C'est un excellent homme ; je l'ai épousé parce que je l'aimais et parce qu'il était approuvé par ma famille. Je voulais que ma mère applaudisse mon mariage. »

Cette femme est en colère contre son mari parce qu'il n'a pas pu faire de ses rêves une réalité. Elle prétend ne rien reprocher à sa mère, ce qui laisse entendre qu'elle n'est pas en colère contre elle... ce qui n'est pas du tout le cas. Parallèlement à l'amour sincère qu'elle éprouve pour sa mère, il existe un autre sentiment : la fureur. On a du mal à comprendre que l'on puisse en même temps être en colère et pardonner. Les deux sentiments semblent s'exclure mutuellement. On pense que quand on déteste quelqu'un, on le fait totalement. C'est ne pas comprendre la cassure qui se trouve entre le conscient et l'inconscient, entre le moi adulte et l'enfant.

La solution ne consiste pas à bondir chez sa mère pour lui faire une scène d'enfer à propos de ce qui s'est passé vingt ans plus tôt. *La colère n'est pas dirigée contre la mère d'aujourd'hui.* Elle ne comprendrait d'ailleurs absolument rien à ce qu'on pourrait lui raconter. Ou peut-être est-elle morte, ce qui ne signifie pas que notre colère a disparu. « Ce n'est qu'à partir du moment où vous comprenez l'origine de votre colère, dit le

Dr Robertiello, que vous pouvez cesser de la transférer sur votre mari ou sur vous-même. »

Il y a une grande différence entre « être en colère » contre quelqu'un et « condamner » quelqu'un. Si un psychotique vient vous gifler parce qu'il pense que vous êtes la femme de son patron, vous pouvez être en colère, mais vous ne le condamnez pas. Vous pouvez comprendre qu'il n'est pas responsable. Vous pourriez même sympathiser avec lui. Mais vous avez quand même reçu la gifle, elle vous a fait mal, et vous êtes furieuse. De même votre mère s'est comportée à votre égard avec les meilleures intentions du monde. Mais cela n'apaise pas votre douleur cuisante. Vous avez mal. Vous êtes en colère. « Vous trouvez donc très pratique, dit le Dr Robertiello, de ne pas avoir à reconnaître votre colère et de ne pas avoir à vous la cacher en disant : " Pauvre maman, elle a fait tout ce qu'elle a pu. " Vous jugez que votre colère ne convient pas à la situation présente, qu'elle est enfantine, et cela vous aide à voir les choses de loin. En même temps, cela vous évite de devoir revivre dans le présent la situation du passé. »

Une partie du problème vient de ce que, même quand nous sommes devenues adultes, la petite fille qui est en nous reste fixée, vis-à-vis de la mère, à une période de notre vie si primitive, si enveloppée de vestiges d'idées d'omnipotence infantile, qu'il n'y a pas de séparation nette entre notre colère et notre annihilation. Notre inconscient ne nous permet pas d'éprouver, et encore moins d'exprimer, notre fureur contre notre mère. Si nous nous le permettions, nous nous sentirions coupables et nous aurions peur de vouloir la tuer. « Les idées coléreuses dirigées contre la mère sont simplement inacceptables, dit la psychiatre Lilly Engler. Il n'y a qu'une chose qui soit encore plus difficile à affronter, c'est la colère de la mère contre son enfant. C'est presque impossible. Il y a trop de culpabilité. »

En dehors des migraines, des dépressions nerveuses, des ulcères et autres maladies, la colère rentrée peut également prendre la forme du masochisme sexuel... un comportement aberrant qui est souvent attribué gratuitement à toutes les femmes. Freud l'a observé chez tant de ses patientes qu'il pensait qu'il s'agissait d'une réalité biologique qui venait de nos gènes. Évidemment, il se trompait. C'est un fait culturel, qui peut être modifié.

Comme exemple des racines d'un type particulier de masochisme psycho-sexuel, prenons la mère qui dit à son enfant : « Attends seulement que papa rentre, tu vas voir ce qu'il va dire! » « A la maison, m'a dit une jeune mère, c'était mon père qui s'occupait toujours des questions de discipline. Ma mère m'envoyait dans ma chambre et j'attendais, toute tremblante, son retour. J'étais terrorisée, et je pense que ma peur d'être rejetée par les hommes me vient de lui. Il me faisait donc très peur, mais j'avais surtout besoin d'être approuvée par ma mère. J'avais l'impression qu'elle était le seul rempart capable de me protéger de lui. Elle dominait la maison, y compris mon père. Ayant ainsi fait de lui la fausse figure d'autorité, le sale type, elle pouvait le manipuler. Nous conspirions ensemble. Si je sortais le soir, elle me disait : " Rentre à minuit. Mais si tu t'amuses vraiment bien, téléphone-moi, et je lui dirai qu'il est moins tard qu'il ne le pense. " »

Pendant longtemps, cette femme a cru que sa mère était la victime de ce mâle terrifiant ; pour ne pas déchaîner ses violentes colères, elle devait le cajoler, lui mentir, et surtout le contrôler. Elle continue :

« Ce n'est qu'à partir du moment où j'ai été loin de la maison, dans l'espace et dans le temps, que j'ai commencé à voir que mon père avait eu la vie dure. Ma mère le faisait passer pour un ogre alors qu'en réalité elle le menait par le bout du nez. Je peux établir un parallèle entre leur mariage et le mien, en ce sens que j'ai pris pour argent comptant l'aspect extérieur que présentait leur couple. Quand mon mari tempêtait contre moi — pendant dix ans il m'a dit que j'étais frigide, castratrice et que je n'étais bonne à rien sexuellement —, je l'acceptais. C'était comme ça que les hommes étaient supposés être... toujours violents, coléreux. Je ne pouvais pas à mon tour me mettre en colère, parce que ma mère m'avait montré qu'une *vraie femme* sait mater un homme en lui répondant avec douceur et en lui jouant des tours. Si je lui avais retourné sa colère, j'aurais agi comme un homme! »

Quand la mère fait de son mari le croquemitaine de sa fille, il faut comprendre ce message tacite : « Je suis furieuse contre toi, mais, comme je suis femme, je ne peux pas te le montrer. Les sales types, les sadiques, ce sont les hommes. C'est ce qu'est papa, et il va te faire souffrir. » Plus tard, quand elle est mariée à son tour, la fille se conforme au rôle de femme qu'on lui a enseigné : elle s'attend à ce que l'homme l'avilisse, la fasse souffrir psychologiquement, et même physiquement. Peut-être déteste-t-elle d'être ainsi traitée, mais tout lui semble dans l'ordre. Elle est femme, n'est-ce pas?

Mais il y a quelque chose de plus important, qui a de terribles conséquences pour sa sexualité : quand elle se sent en colère, elle manœuvre l'homme pour qu'il l'exprime à sa place, comme le faisait sa mère. Elle le mystifie, l'agace, le défie, pour faire éclater sa colère, par exemple en s'arrangeant pour qu'il découvre que la robe de vingt dollars en a, en réalité, coûté soixante-quinze. Elle a alors la triste satisfaction de s'être faite la victime de la colère de l'homme. Le modèle psycho-sexuel, établi quand elle était enfant, est ici revécu par la femme adulte.

Par ailleurs, si nos besoins nous poussent à être aussi symbiotiques et dépendantes que possible vis-à-vis de notre mari, nous ne ferons rien pour le mettre en colère. Au lieu de nous servir de lui pour exprimer notre colère, nous la refoulons. Nous avons l'impression d'être des ratées, nous devenons des ménagères insomniaques et compulsives, nous sommes obsédées par l'idée que nous vieillissons, que la mort approche. Cette peur, cette colère intérieures prennent souvent le visage de la femme autoritaire. La petite femme tatillonne, harcelante, chamailleuse, qui critique tout ce que font les autres.

« Nous pensons que l'épouse autoritaire est très sûre d'elle, dit le Dr Friedman, alors que c'est le contraire qui est vrai. C'est très souvent par peur d'être elle-même contrôlée ou abandonnée qu'elle prend une position autoritaire. La femme qui avait une mère despotique devient souvent elle-même inflexible parce qu'elle craint de redevenir l'enfant vulnérable, écrasée qu'elle était. Elle contrôle l'homme avant qu'il puisse la contrôler, ou la quitter. Mais elle le houspille, plus elle lui impose son autorité, plus elle a peur de sa vengeance, et plus elle est terrifiée, angoissée à l'idée qu'il finira par en avoir par-dessus la tête et qu'il s'en ira. Elle réprime ses moindres accès de spontanéité parce que le suivant pourrait bien être un pas vers la porte. »

Dans les relations humaines, la peur engendre souvent un comportement qui ne fait que l'augmenter. Plus la femme a peur que son mari la quitte, plus elle le harcèle et essaye de le diriger comme s'il était un enfant. Il finit par en avoir assez de la voir pleurer, de savoir qu'elle fouille dans ses poches. Il ne peut plus supporter ses angoisses. Et il s'en va.

En voyant sa mère jouer les martyres au lieu d'exprimer directement sa colère, la fille apprend la technique de la manipulation masochiste. « Ça va, ça va... dit la mère au père. Ne t'inquiète pas pour moi si tu as du travail ce soir. Je dînerai toute seule. » Ce type de comportement flou, où la femme ne s'affirme pas, apprend à la fille qu'elle devra s'incliner devant les mauvaises manières des hommes. Le message dit : « Les ressentiments et les colères que les femmes peuvent manifester ne sont rien, comparés à ce qui existe du côté des hommes : leurs rages violentes, leurs mœurs cruelles dans les affaires, leur goût pour la guerre et les sports violents. » La fille apprend l'art de l'agression passive, qui consiste à faire comprendre à l'homme que vous êtes en colère contre lui, tout en niant que vous le soyez, ce qui ne lui laisse aucune chance d'empoigner le problème. Les actes d'agression passive peuvent être très subtils, inconscients et ils ne s'expriment pas forcément par des mots. C'est, par exemple, la femme qui réserve la réponse appropriée : le mari a tout à coup l'impression d'avoir dit ou fait « quelque chose ». « Qu'est-ce qui ne va pas? » demande-t-il à sa femme qui a l'air de bouder. « Oh, rien! » répond-elle. Elle dit cela sur un ton impassible, alors que tout chez elle — son visage, son corps, son attitude — hurle que tout va mal.

Ces méthodes qui permettent d'éviter d'exprimer la colère créent une coalition entre les femmes de la famille ; c'est souvent une façon d'éviter la rivalité sexuelle. En faisant de papa un croquemitaine, la mère avertit sa fille du danger de s'approcher d'un homme aussi violent, aussi dangereux. Maman est d'une bonté, d'une douceur inébranlables. La mère est sûre de gagner au petit jeu qui oppose universellement les parents : lequel des deux sera le plus aimé de l'enfant ?

Après le mariage, à l'occasion de chaque scène, l'homme est posé en agresseur, nous sommes les victimes. Nous savions qu'il en serait ainsi. Seuls les hommes font souffrir les autres. Ils sont incapables d'aimer. Notre insécurité s'affirme : notre vie dépend de l'autre. Sa colère, son abandon, sa disparition, sa mort nous anéantissent. Il est tout naturel que, par moments, nous en voulions à cet homme de nous être indispensable à ce point. Mais notre dépendance elle-même nous oblige à étouffer tout mouvement d'hostilité. Si une rupture survenait, nous aurions plus à perdre que lui. « Les mères, dit Sonya Friedman, donnent ce conseil à leur fille : " C'est à toi de faire réussir ton mariage : tu y seras pour 80 p. cent, et ton mari seulement pour 20 p. cent. " Il est normal, dans ces conditions, que les enquêtes nous montrent que les femmes tendent à endosser tout ce qui va mal dans une relation. »

Sauf pour le sexe. Là, c'est l'affaire de l'homme, à 100 p. cent. S'il en est ainsi, quelle sera la réaction de la femme si les rapports sexuels posent des problèmes ? « Sam, avant notre mariage, ne pouvait pas rester une minute sans me caresser, m'a dit tristement une jeune femme. Maintenant, je ne l'intéresse plus du tout. » Du monde extérieur lui viennent des recettes de sécurité : « Essaie un nouveau parfum... Va passer une nouvelle lune de miel à Hawaii. » « La femme mariée n'a pas été habituée à penser qu'elle est aussi responsable de sa sexualité que son mari l'est de la sienne, dit le Dr Schaefer. Elle ne peut pas s'imaginer prenant l'initiative de positions variées, pour rompre la monotonie du comportement classique : l'homme actif, et la femme passive. » « Tu es impassible et frigide ! » s'écrie l'homme, dont la colère est à son maximum parce qu'il sait que c'est à moitié sa faute. Mais l'expert, c'est lui : « S'il me traite de ratée sexuelle, il doit avoir raison. » Elle le croit. C'est *entièrement* sa faute.

Mais quelque part, au profond de notre être, nous pensons différemment. C'est là que vit notre vieille colère.

On ne peut pas y faire grand-chose. Le rapport de force a été établi depuis l'adolescence : nous sommes l'argile, il est le sculpteur. « Fais de moi ce que tu veux. » La tyrannie de l'orgasme commence : le vrai sexe, la réalité d'une vie sexuelle comblée d'orgasmes feront de vous, grâce à votre mari, une femme différente, une vraie femme, embellie, plus relaxée, plus forte, heureuse de vivre. Dans notre société séculaire, une sorte de mysticisme sexuel est notre dernière foi, et le grand, le « vrai » orgasme est son signe tangible.

C'est un fait médical reconnu : beaucoup de femmes assurent ressentir de merveilleuses sensations sexuelles sans avoir d'orgasme, de même qu'il est vrai que beaucoup de femmes ont des orgasmes sans joie, sans bonheur sexuel. Nous tenons de Freud un lourd héritage : la notion que l' « orgasme vaginal » est d'une façon mystérieuse la mesure de la féminité ou de la santé psychique. « Une femme dépendante et névrosée peut être très orgasmique, dit le Dr Robertiello. Au cours de ma pratique clinique, j'ai trouvé dans les salles réservées aux malades très profonds des femmes multiorgasmiques. D'autres femmes, dont le psychisme est sain, aiment les rapports sexuels sans avoir jamais eu d'orgasmes de leur vie. Quand on dit que la perte du moi, dans la symbiose, entraîne une diminution de la sexualité, il ne faut pas confondre sexe et orgasme. Nous ignorons pourquoi certaines femmes ont des orgasmes, alors que d'autres n'en ont pas. Il n'y a pas de corrélation étroite entre le plaisir sexuel et l'orgasme. »

« Si la femme choisit le sexe pour manifester sa colère, dit Sonya Friedman, c'est parce qu'elle n'a pas d'autre arme. Superficiellement, elle a tendance à prendre les torts de son côté; mais profondément, parce qu'elle ne peut pas s'affirmer autrement, elle se refuse sexuellement. Dans presque tous les problèmes conjugaux que j'ai pu rencontrer, il y a une incompatibilité sexuelle. L'homme ne comprend pas que le sexe ne commence pas dans la chambre à coucher. Il pense qu'il peut accabler sa femme de reproches, lui crier qu'elle est une mère, une maîtresse de maison en dessous de tout, puis l'entraîner dans la chambre, persuadé qu'elle va l'accueillir avec joie. Pour lui, le mariage n'est pas l'essentiel de la vie. Pour la mère de famille qui consacre tout son temps au foyer, *il l'est*. »

Un nombre important de femmes ne se refusent pas totalement à leur mari mais se servent du sexe comme moyen d'échange. Elle se fait tout sucre tout miel pour obtenir de lui quelque chose qu'elle convoite, quand elle se sent coupable, ou quand elle a peur qu'il la quitte. Mais cette manière de faire du sexe une marchandise négociable a un résultat lamentable : la femme, en n'agissant que par intérêt, s'avilit, et l'homme qui accepte le marché n'est qu'un imbécile. Les deux époux n'ont plus de respect l'un pour l'autre. Le mariage est vide de joies et de sentiments sincères.

Le refus sexuel n'est pas toujours une manœuvre cynique et consciente. La femme peut avoir une migraine subite; elle est fatiguée, lasse, elle dit que les enfants peuvent les entendre, etc. Peu importe qu'en rejetant l'homme elle se rejette elle-même. Dans son état de dépendance, elle gagne quelque chose qu'elle juge préférable au sexe : les joies empoisonnées du « contrôle ».

« Quand une femme, dit le Dr Friedman, tourne sa colère contre elle-même, et devient non sexuelle et non orgasmique, elle accomplit plusieurs choses. Au niveau de l'inconscient, elle refuse de livrer à l'homme la partie la plus profonde de son être, peut-être la seule zone qu'elle est capable de contrôler totalement. Beaucoup de femmes refusent radicalement d'avoir des rapports sexuels avec l'homme qu'elles ont épousé. Je connais beaucoup de femmes qui sont sélectivement orgasmiques, de même que certains hommes sont sélectivement impuissants. Cela n'a rien à voir avec la technique. Elle est irritée, aigrie. Elle ne veut pas lui procurer ce plaisir, lui donner le spectacle de son abandon. Elle ne veut pas lui montrer qu'il détient sur elle ce type de pouvoir. Elle ne veut pas favoriser son plaisir. Si une femme se marie dans l'idée que l'homme la prendra en charge — ce qui suppose aussi qu'il la rendra sexuelle, pleinement orgasmique et satisfaite —, elle aura peur de lui dire ce qu'elle veut.

« Beaucoup de femmes sont absolument incapables de modifier cette façon de penser, où l'homme est responsable non seulement de leur sexualité, mais aussi de leurs orgasmes. Pour pouvoir comprendre que sa sexualité est destinée à son propre plaisir, quelque chose qu'elle se procure activement à elle-même, il faudrait que la femme repense l'ensemble de son éducation sexuelle. » Les femmes préfèrent être silencieuses, asexuelles et ravaler leur colère.

On pense généralement que l'orgasme est en liaison étroite avec la confiance que la femme éprouve envers son partenaire. « Si vous êtes méfiante, ombrageuse ou en colère, dit le Dr Engler, vous sentez que vous devez vous contrôler, et le contrôler, lui aussi. Et si vous essayez constamment de contrôler, vous ne pouvez pas vous laisser aller, être spontanée, dans l'acte sexuel comme en toutes choses. »

Certains hommes sont francs comme l'or, tout à fait dignes de confiance, et pourtant, leur femme est incapable d'abandonner sa méfiance. Je ne pense pas que le bien-être sexuel soit une question de confiance en l'homme, ni qu'elle vienne de sa compétence érotique. Je crois, avec Erik Erikson, que la « confiance fondamentale » est tout d'abord apprise dans la relation avec la mère. Le père, bien sûr, est extrêmement important, mais à moins qu'il n'ait participé sincèrement à notre maternage, bien des années se passent avant qu'il n'entre dans notre vie de façon significative. Notre attitude envers notre corps dépend fondamentalement de l'attitude qu'avait à son égard la personne qui nous tenait dans ses bras, qui nous baignait et qui nous apprenait à être propres. Était-ce le père? La confiance est l'enjeu du sexe. Elle peut être modifiée, influencée, augmentée ou diminuée par ce qui se passe entre les hommes et nous. Elle commence avec la mère.

Leah Schaefer m'a dit un jour que le fait que sa mère avait refusé de lui prêter l'argent qui lui aurait permis de terminer ses études de médecine avait déclenché en elle une colère qui lui donna le courage d'écrire son livre *Les femmes et le sexe*. « Mais dès le moment où j'ai commencé mes recherches, m'a-t-elle dit, mes relations avec ma mère se sont améliorées. Ma colère m'avait aidée à entreprendre ce travail, mais par la suite, elle ne s'est pas aggravée. Au contraire. Nos relations n'ont pas cessé de s'améliorer jusqu'à sa mort, parce que j'étais soulagée de mes vieilles rages contre elle. »

L'enfant a peur de défier sexuellement sa mère. La femme garde ses inhibitions dans ses expériences avec les hommes, mais maintenant, il est coupable de tout : « Il ne m'a pas *donné* d'orgasme. » Et pourtant, la simple logique nous dit que chacun des deux partenaires en est responsable à 50 p. cent. Il est plus facile de mettre notre échec sexuel sur le compte de notre mari que de réveiller nos colères contre notre mère, enfouies tout au fond de nous.

Cependant, si nous affrontons et exprimons — ne serait-ce qu'à nous-mêmes — les rages de notre enfance, elles ne peuvent pas détruire l'amour véritable qui existe entre la mère et la fille. Je commence à comprendre que je ne peux rien faire qui soit de nature à détruire ma mère. Je peux être aussi sexuelle, aussi libre, aussi différente d'elle dans mon travail et dans ma vie que je le veux, tout en continuant de rester en contact avec elle. Cette relation sera beaucoup plus réelle que celle qui existait entre moi et cette Maman tout-Amour, cette mère mythique à laquelle je m'accrochais inconsciemment.

J'ai toujours été furieuse de sentir que pour garder l'amour et l'approbation de ma mère je devais être parfaite. Il fallait que je lui montre ce qu'elle voulait voir, et non pas la personne qui avait évolué loin d'elle pendant des années. Je sais maintenant que ce pacte que j'avais établi détruisait toutes mes chances d'être moi-même, que je sois ou non avec elle. Et ne lui faisais-je pas la même chose ?

Nous nous fabriquons nos propres fantômes.

Chapitre 12

Une mère meurt. Une fille naît. Le cycle se répète

Pendant notre lune de miel, mes règles arrivèrent avec deux semaines d'avance. Cela ne s'était jamais produit auparavant. Ce fut pour moi comme un signe : j'étais plongée jusqu'au cou dans le mystère du mariage. Dix mois plus tard, j'ai eu la peur panique d'être enceinte.

Les mots ne sont pas trop forts : j'étais vraiment terrorisée à l'idée d'être grosse, comme peut l'être une fille de seize ans. Le Mariage m'était vaguement apparu comme la fin de l'Aventure. Maintenant, il me semblait que la grossesse venait menacer ma vie elle-même. J'espérais avec ferveur que je m'étais trompée.

J'allai voir un jeune docteur américain installé dans une de ces petites rues ombragées qui donnent dans la Via Veneto. Il augmenta mon désarroi en me montrant tout le mépris qu'il éprouvait pour une jeune mariée qui ne voulait pas être mère. Je retrouvai ensuite Bill au Café de Paris. Nous nous installâmes à une table tranquille, à l'intérieur, délaissant notre place habituelle à la terrasse d'où nous avions le spectacle de la *passaggiata* de l'après-midi. Bill me commanda un cognac. J'étais toute tremblante. Était-ce donc si terrible? Pourquoi nous conduisions-nous comme deux conspirateurs qui veulent se cacher les conséquences d'un acte douteux? Nous pensions que nous n'étions pas encore en état de supporter une famille. Nous voulions avoir plus de temps pour nous. C'est du moins ce que nous disions. En réalité nous étions tous les deux incapables de dire à haute voix que, tout simplement, nous ne voulions pas être père et mère.

Je crois que je n'ai été vraiment mariée que deux ou trois ans après la cérémonie. Pendant cette première année, dans notre joli appartement

377

romain, nous « jouions au mariage ». Oui, nous jouions la comédie dans un pays étranger. Comment le simple fait de signer un registre d'état civil pourrait-il changer une vie? Les jeunes filles imaginent pendant longtemps ce que sera leur mariage; quand vient la réalité, elles croient vivre un rêve. Il m'a fallu du temps pour me mettre dans la peau d'une épouse, pour renoncer à tous mes fantasmes sur la vie conjugale. Pendant cette première année, et peut-être même la deuxième, je n'aimais pas Bill comme j'allais l'aimer par la suite. Ce jour-là, j'avais raison d'être inquiète. Les enfants, avions-nous décidé, ce serait pour plus tard. Nous étions encore absorbés par notre mariage. Bill commençait une nouvelle carrière; il voulait être écrivain. Nous étions jeunes. Nous n'avions jamais douté qu'un jour nous aurions des enfants. Mais pas maintenant.

Quelques années plus tard, nous franchissions ma mère et moi la porte tournante d'un grand magasin de New York quand je perçus la fin d'une phrase : « ... et le magazine disait que les accidents de grossesse sont plus fréquents chez les femmes qui ne font pas souvent l'amour... » *Quoi?*
Était-ce ma mère qui avait dit ça? Le temps que je la rattrape, elle était déjà en train de discuter du rouge à lèvres le plus pâle avec la vendeuse du rayon Estée Lauder. L'armoire à pharmacie de ma mère est pleine de tubes et de flacons de produits de beauté à peine utilisés. Elle choisit toujours les nuances les plus discrètes et, régulièrement, refuse de s'en servir. Je n'étais pas sûre d'avoir envie de la faire revenir sur le bout de phrase que j'avais entendu. Elle résolut elle-même le problème en nous achetant à chacune un pinceau pour les lèvres, et en m'entraînant vers le rayon des chaussures. Elle avait toujours évité toute discussion sur la sexualité.

« Pourquoi n'écrivez-vous pas quelque chose sur un autre sujet? nous demandait-elle. Il n'y a pourtant pas que ça dans la vie! » Ce n'était pas vraiment un reproche, mais plutôt des remarques mi-gênées, mi-taquines, lancées entre deux gorgées d'apéritif. Elle jouait son rôle. Nous jouions le nôtre : être différents, et non pas comme les gosses de sa voisine, ou comme ma sœur qui avait eu trois enfants dès les quatre premières années de son mariage.

Je me suis toujours demandé si, ce jour-là, je n'avais pas raté une occasion. Voulait-elle parler avec moi de mes futurs bébés? Je ne pense pas. En tant que grand-mère, elle était comblée : ma sœur lui parlait tous les jours de ses enfants, comptait sur son avis et sur son appui financier et acceptait d'être constamment critiquée, ce que ma mère estimait être son droit. Ma sœur a beau être maman, aux yeux de notre mère, elle a toujours treize ans, se maquille trop, parle trop vite, s'habille de façon trop voyante et ne devrait pas fumer.

378

Non, encore aujourd'hui, je ne pense pas que ma mère voulait me pousser à avoir un enfant. A vingt ans, elle était restée seule avec deux bébés sur les bras; à partir de cette sombre histoire, j'avais l'impression qu'elle essayait plus ou moins de me mettre en garde contre les risques imprévisibles du mariage, contre le fait que tous les rêves charmants que l'on brode autour de la maternité ne deviennent pas forcément des réalités au bout du neuvième mois, et que la note à payer est parfois très lourde. Loin d'être dérangée par le fait que Bill et moi étions « préoccupés » par la sexualité, elle se réchauffait les mains à notre feu et essayait de me dire que si je devenais mère, nous pourrions perdre cette qualité qu'elle aimait voir en nous. Jusqu'ici, je ne pense pas qu'elle regrette que nous ayons décidé de ne pas avoir d'enfant.

Il y a quatre ans, j'ai cessé de prendre la pilule. Nous vivions en Angleterre et une de mes meilleures amies attendait un bébé. Mon docteur londonien — comme les gynécologues de tous les pays où nous avions vécu — me montrait la pendule et, avec des airs de jugement dernier, me faisait remarquer que je ne rajeunissais pas. Ce qui est plutôt effrayant, c'est que je ne me souviens pas d'avoir eu avec Bill une discussion sérieuse sur la maternité et la paternité. Tout se passait comme si nous étions parvenus à ce carrefour important de notre vie par un chemin presque négatif : comme nous avions toujours pensé qu'un jour nous aurions des enfants. Dès que le moment me sembla venu — une amie de mon âge attendait un bébé —, Bill fut tout simplement d'accord avec moi.

« Nous avons été amenés peu à peu à prendre une décision qui, au fond, n'en était pas une, me disait récemment Bill. Aucun de nous deux n'a exprimé son vrai désir. Nous n'avions pas accepté les idées traditionnelles sur le travail, l'argent, la façon de vivre et sur ce que nous attendions du mariage. Mais ce problème de l'enfant était trop grand, trop profondément implanté en nous. Pour notre défense, il faut dire que ça se passait avant qu'il ne soit ouvertement question des mariages sans enfants. Le fait que nous avions décidé d'avoir un enfant signifie que nous avions perdu confiance en nous-mêmes. Nous nous soumettions à un impératif inconscient : ce que les autres semblaient attendre de nous. *Ils avaient raison.* La décision de ne jamais avoir d'enfant était trop grave pour que nous puissions la prendre sur la base de nos propres valeurs. En ce qui me concerne, mon refus était ébranlé par l'idée qu'il était anormal, inhumain de ma part de ne pas vouloir être père. En niant mes sentiments profonds, je devenais indécis, passif. J'avais l'impression que je n'avais pas le droit de te faire vivre selon ma propre anomalie. »

Ma propre acceptation était dénuée de toute passion; j'agréais tout aussi passivement que Bill, sans peser le pour et le contre comme je

379

l'aurais fait, par exemple, avant de décider de partir m'installer dans un autre pays. Toujours est-il que, comme mon amie avait des ennuis de grossesse, je prenais ma température tous les matins et que je la pointais sur un graphique. Je passai même toute une journée à l'hôpital pour me faire faire un check-up, afin d'être sûre que j'étais en grande forme pour le voyage. (Au fond de mon esprit, il y avait cette question que me posaient depuis dix ans les gynécologues : « Quoi? Vous n'avez jamais été enceinte? Pas le moindre avortement? » disaient-ils, comme s'il était impensable que la femme qui était devant eux pût prendre ses précautions!) Maintenant que j'étais décidée à avoir un enfant, j'allais me montrer aussi responsable que je l'avais été pour ne pas en avoir. Comme tout était en ordre, j'allais donc être enceinte.

Je suis encore très étonnée que nous ayons pris notre décision froidement, sans discuter. Comme Bill, peut-être, je pensais que je n'avais pas le droit de lui refuser d'être père. Il est assez effrayant de penser qu'après avoir toujours discuté ensemble de tous les aspects de notre vie commune, nous étions si passifs, si silencieux à propos de celui-là. Être mariés, vivre ensemble, parcourir le monde à notre gré, c'était, pour nous, tout à fait naturel. Avoir un enfant, c'était vraiment un changement radical, ce n'était pas notre style, ce n'était pas né de notre propre imagination. Et nous l'acceptions, tout en sachant que si je mettais un bébé au monde, notre vie serait totalement, profondément changée. Sans garantie que le changement serait bénéfique.

Il y avait quand même un aspect de la maternité qui me passionnait : il fallait que ce soit un garçon. Un petit Bill aux cheveux bruns et aux grands yeux noirs, c'était un rêve merveilleux. Ayant grandi sans père, je me disais que j'en avais assez de vivre avec des femmes. Il faut absolument que ce soit un fils, disais-je à Bill, tandis que nous roulions vers Mexico pour étudier de près une proposition douteuse qui nous aurait permis d'y vivre pendant un an. Nous parlions rarement des enfants, et il y avait un peu de plaisanterie dans mon insistance à vouloir un garçon, mais j'étais terriblement sérieuse sur le point de ne pas vouloir de fille. Il y avait en moi quelque chose qui me disait que jamais je ne pourrais, par exemple, la laisser partir, comme j'étais en train de le faire, vers l'inconnu. Je serais une mère qui tremblerait plus pour sa fille que pour elle-même.

Je ne suis restée que deux mois sans prendre la pilule. Là encore, ce ne fut pas vraiment le résultat d'une décision consciente concernant la maternité. Nos travaux nous appelaient à New York ; l'agrandissement de notre famille était remis à plus tard ; c'était le fait du hasard, tout comme notre « décision » d'avoir un enfant. Un an plus tard, je remplaçai la pilule par un diaphragme, et, il y a deux ans, Bill et moi avons décidé de ne jamais avoir d'enfant. Non, à dire vrai, ça c'est passé ainsi. Un jour, Bill m'a dit : « N'est-ce pas une bonne chose que nous n'ayons pas d'enfant? »

Aujourd'hui, quand je me remémore mes histoires de contraceptions, de peurs de grossesse et de courbe de température, je me demande ce que pouvaient bien faire deux personnes intelligentes qui n'étaient pas capables de prendre consciemment une décision à propos de l'une des démarches les plus importantes de leur vie. Je disais plus haut que je n'ai été vraiment mariée qu'au bout de deux ou trois ans; aujourd'hui, la façon dont nous vivons notre mariage me donne l'impression que pendant les six premières années nous avons simplement fait connaissance. Je dis parfois à Bill qu'il m'est égal de vieillir pourvu que nous soyons ensemble. La vie que nous nous sommes faite, le genre de mariage que nous avons créé avec ce que nous avions de talent et d'imagination, tout cela changerait si nous avions un enfant. Sans doute aimerions-nous beaucoup cet enfant, peut-être serions-nous de bons parents, mais Bill et moi serions différents. Je ne sais si ce serait un progrès. Je sais quelle épouse je suis, et j'ai une idée du type de mère que j'aurais été.

Ce que je préfère en moi n'est jamais très loin de ce que j'aime le moins : ma nature angoissée qui, je l'espère, apporte une tension créative à mon travail; ma peur, qui me fait désirer être près de quelqu'un. Si, n'importe quand, je peux croire aux sentiments que Bill éprouve pour moi, ou à mon travail, c'est que j'ai pu surmonter, ce jour-là, ce qui reste de ma peur d'être la fille de ma mère. Je peux supporter les coups de téléphone anonymes en pleine nuit, mes angoisses, l'opinion de mes voisins. Ils ne me dominent plus parce que je connais l'espace qui sépare la personne que je suis aujourd'hui de celle que j'étais. Ce sont des problèmes que je peux régler toute seule. Mais si j'avais une fille, je tremblerais à l'idée qu'elle pourrait avoir moins de chance que moi. Cet espace entre l'autonomie et la peur se rétrécirait et je lui communiquerais ma propre angoisse. Pour la protéger, je limiterais son univers, et en même temps le mien. Ce que j'ai avec Bill et mon travail seraient remis en question. Je redeviendrais totalement la fille de ma mère.

Alors que j'interviewais Helen Deutsch à propos de ce livre, elle me parla de l'instinct maternel. « Me dites-vous bien, lui demandai-je, incrédule, que je regretterai un jour de ne pas être mère? — Oui, me répondit-elle sans hésiter. Vous regretterez toujours de n'avoir pas eu d'enfant. » Aujourd'hui encore, des propos de ce genre me remplissent de remords. On dirait une voix qui me vient du fond des temps. Un instant plus tard, je retrouve ma certitude. Aujourd'hui, si quelqu'un me parlait de ces regrets, je répondrais que je n'essayerai jamais de faire des sauts retardés en parachute ni d'être Présidente des États-Unis. Cela aussi serait très satisfaisant. Je me suis résignée à m'en passer.

Je ne pense pas que mon histoire soit exactement celle de n'importe quelle autre femme, mais je crois que la plupart des femmes ont dû avoir des idées semblables. Je rêverai toujours du fils que j'aurais pu mettre au monde. J'imagine Bill lui parlant des livres qu'il a lus dans son enfance, la mythologie scandinave, les contes d'Andersen. Ce n'est pas parce que j'ai décidé de ne pas avoir d'enfant que je ne rêve jamais de ce qu'il aurait pu être.

Commençons par une histoire de modèle de rôle mère-fille tout à fait classique :

Peggy est en train de préparer le premier repas qu'elle offre à ses parents depuis son mariage : elle fait cuire un magnifique jambon de Virginie. Prêt à le découper, son mari lui demande pourquoi elle l'a raccourci de deux ou trois centimètres avant de le cuire. Peggy le regarde d'un air surpris : « Maman a toujours fait comme ça. »

Tout le monde, à table, regarde la mère de Peggy. « J'ai toujours vu ma mère le faire, dit-elle, un peu interloquée. Tout le monde ne le fait pas? »

Peggy, le lendemain, téléphone à sa grand-mère pour lui demander pourquoi, dans la famille, on a l'habitude de couper l'extrémité du jambon avant de le faire cuire. « J'ai toujours procédé ainsi, dit la grand-mère. Et ma mère également. »

Il se trouve que quatre générations de femmes sont encore en vie dans cette famille. On va donc voir l'arrière-grand-mère de Peggy, et le mystère s'éclaircit. Un jour, du temps où sa fille — la grand-mère de Peggy — était petite et apprenait à faire la cuisine, on fit cuire un gros jambon. Comme le plat de cuisson était trop petit, et qu'il n'y en avait pas d'autre, on fut obligé de raccourcir le jambon...

Ainsi, trois générations de femmes ignoraient la réalité du moment et se conformaient aveuglément à une pratique qui n'avait plus sa raison d'être. Chacune de ces trois femmes pensait « c'est comme ça qu'il faut faire » parce qu'elle avait vu que sa mère le faisait. Cette histoire amusante montre comment nous intégrons les caractéristiques de notre mère que nous décidons d'imiter — ses talents culinaires, par exemple —; mais en même temps, sans nous en rendre compte, nous en assimilons d'autres beaucoup moins rationnelles.

C'est ici que commence l'un des grands mystères féminins. Tout le monde, sauf nous, peut voir que nous avons intégré un certain nombre des traits de caractère les plus négatifs de notre mère. Nous les nions, nous estimons que les autres nous accusent à tort et nous nous mettons en colère. Et pourtant, un beau jour, nous nous rendons compte que nous agissons vis-à-vis de notre fille d'une façon répressive, exactement comme le faisait notre mère à notre égard. Comment est-ce arrivé? Nous jurions que ça ne se produirait jamais. Nous ne voulions manifester à notre fille que l'amour et la merveilleuse tendresse que nous obtenions de notre mère. Quant au reste — les critiques et les gronderies perpétuelles de notre mère, ses angoisses, sa timidité sexuelle et, en général, sa peur de l'aventure —, non, nous laissions tout cela de côté. Et pourtant, de génération en génération, quand les filles deviennent femmes, elles ont dans leur bagage le triste héritage de leur mère, qu'elles transmettront à leurs propres filles.

Pourquoi le cycle se répète-t-il?

« Parfois, quand je me regarde dans la glace, dit le Dr Schaefer, j'aperçois fugitivement sur mon visage une expression que je déteste. C'est à ces moments-là que je ressemble le plus à ma mère. C'est une sorte d'expression dure, tendue que je lui voyais toujours quand elle était préoccupée par un projet. Quand j'étais petite, j'étais très près de ma mère. Je l'adorais, mais quand son visage prenait cet air déterminé, inflexible, je la détestais. J'ai compris depuis peu que ce n'était pas cette expression de dureté que je haïssais chez ma mère : c'était la façon dont elle se comportait avec moi quand elle la portait sur son visage. Je comprenais qu'elle était trop concentrée sur ses travaux pour pouvoir s'occuper de moi.

« Je ne pouvais pas m'avouer que je la détestais. J'étais obligée de penser que c'était cette *qualité,* visible sur son visage, que je haïssais. Autrement dit, cette caractéristique exécrée n'était pas ma mère. Ma vraie mère, c'était cette personne bonne, gentille qui avait tout le temps de s'occuper de moi. Cet aspect tendu, implacable que j'apercevais appartenait à " quelqu'un d'autre ", à une étrangère. *J'avais séparé la bonne mère de la mauvaise.* Je refusais d'admettre le mauvais côté. Puis, quand j'ai eu une fille, je me suis rendu compte que Katie me haïssait quand elle voyait chez moi la même qualité. Pour terminer ma thèse, je me suis bouclée pendant des semaines dans mon bureau. Un soir, Katie m'a dit : " Je te déteste, je ne t'aime plus! Tu peux rester enfermée dans ton bureau tant que tu veux! " J'étais atterrée. J'avais répété exactement ce que je détestais le plus chez ma mère : j'avais ignoré ma fille. »

On retrouve dans cette histoire tout le pathétique du double lien parental. Notre mère ne nous accable pas de reproches, ne nous réprime pas parce qu'elle est cruelle. Le Dr Schaefer n'a pas interdit sa porte à sa fille parce qu'elle était égoïste. Elle avait réellement besoin d'écrire sa thèse, d'obtenir son diplôme de médecin, de terminer ses études. Elle avait deux personnes à entretenir, sa fille et elle-même. En se rappelant combien elle était elle-même malheureuse, elle aurait pu, penserait-on, trouver le moyen de consacrer plus de temps à sa fille. Mais ce n'est pas comme cela que travaille l'inconscient. Comme elle agissait comme sa mère, *elle avait la conscience tranquille*. Pour maintenir le lien qui l'attachait à sa propre mère, pour éviter de se révolter contre la mère de son enfance, Leah Schaefer *est devenue* cette mère.

Pourquoi les filles répètent-elles dans leur vie de nombreux aspects de leur mère, y compris ceux qu'elles détestaient? Voici la réponse du Dr Robertiello : « Deux mécanismes entrent en jeu. Le *modèle de rôle* est largement conscient et intervient pour beaucoup dans les éléments de la " bonne " mère que nous aimons. Pour cette raison, il suffit d'un moment d'introspection pour voir que l'aisance avec laquelle notre mère se comportait avec les étrangers et nos propres qualités de maîtresse de maison sont étroitement liées. A un certain niveau, le modèle de rôle se transforme peu à peu en *introjection*. Ce processus est plus difficile à comprendre parce qu'il est en grande partie inconscient et s'accompagne d'une forte colère rentrée dirigée contre la " mauvaise " mère. Nous intégrons ses aspects négatifs pour ne plus les voir chez elle. S'ils sont en nous, nous n'avons aucune raison de la détester et nous nous mettons à l'abri d'une colère et d'une vengeance possibles. C'est nous qui sommes mauvaises. La partie mauvaise de la mère, que nous avons séparée de l'autre, a été introjetée. »

L'enfant, même si elle a été momentanément abandonnée, repoussée, ne peut pas se permettre de penser : « Maman ne veut pas de moi. » Elle est obligée de rationaliser : « Maman m'aime, mais elle me punit parce que j'ai fait quelque chose de mal. La faute n'est pas du côté de maman. Elle essaie de me corriger. C'est par amour qu'elle m'éloigne d'elle, pour que j'apprenne à être meilleure. Elle est bonne. C'est moi qui suis mauvaise. »

Autre exemple, plus quotidien : quand notre mère refuse de nous laisser aller au cinéma avec des amis. Nous la détestons, nous la séparons de la bonne mère qui nous a acheté hier une jolie robe. Et pourtant, si l'une de nos amies nous dit : « Elle est méchante, ta mère. Je la trouve trop sévère », nous nous empressons de la défendre. « Mais non! Il faut croire que je le méritais, disons-nous. Ces derniers temps, j'ai été infernale à la maison. » Nous n'aimons pas que nos parents, et surtout notre mère, soient critiqués par les autres. L'admettre, ce serait expliciter la mauvaise mère, risquer de relâcher notre colère rentrée, ce qui détruirait la relation. Il est plus facile, plus prudent de mettre la méchanceté de notre côté.

384

Ce processus est automatique, irréfléchi, inconscient et inéluctable. L'enfant est incapable de supporter la redoutable solitude qu'il éprouverait s'il détestait sa mère. L'introjection est une union involontaire dans les profondeurs de l'être, une fusion au niveau de l'enfant qui ne pouvait tolérer — c'était en fait une question de survie — d'être séparée de sa mère.

Dans des conditions idéales de croissance, dès la fin de la première année, la petite fille devrait avoir fondu en une seule personne l'image de la bonne mère et celle de la mauvaise mère. Autrement dit, elle devrait conclure de façon très réaliste que sa mère est le mélange des deux. C'est une notion très complexe, un jugement difficile à comprendre, même pour les adultes. Nous conservons une attitude dichotomique à l'égard des gens auxquels nous sommes intimement attachés, et nous répétons avec eux la cassure que nous n'avons jamais résolue avec notre mère. Si nous sommes furieuses contre notre mari, il devient le pire salaud du monde et notre mariage est depuis le début une erreur magistrale ; le lendemain, quand il nous apporte des fleurs, nous nous rendons compte qu'il est vraiment le chic type que nous connaissions depuis toujours. C'est une façon puérile de voir le monde... et c'est de cette façon que nous aimions voir les films quand nous étions petites. Les casques blancs étaient tous gentils ; les casques noirs étaient tous méchants. Tous les efforts que faisait le scénariste pour nous montrer qu'il y avait des nuances de gris chez les gentils et, chez les méchants, des circonstances atténuantes, n'aboutissaient qu'à nous déconcerter. Ce n'est qu'à partir du moment où nous avons atteint un haut degré d'intégration psychique que nous pouvons accepter les autres comme un mélange de bons et de mauvais éléments, sans recourir aux extrêmes quand ils nous déçoivent ou nous font souffrir.

Dans son livre *Psychanalyse des contes de fées*, Bruno Bettelheim examine pourquoi tant de contes, où il est question de sorcières et de dragons terrifiants, parviennent à survivre — transmis pendant des siècles par la tradition orale —, alors que des histoires pour enfants contemporaines, publiées en livres et en principe « saines et éducatives », tombent rapidement dans l'oubli. A chaque génération la version héritée oralement de la précédente est débarrassée de tous les éléments personnels et contingents. Le conte est écumé. Seuls subsistent les éléments dont la signification vaut de l'or pour les auditeurs à venir. Finalement, dit le Dr Bettelheim, les contes de fées deviennent des histoires universelles qui transmettent « leurs messages d'une façon qui touche l'esprit inculte de l'enfant... Elles s'adressent à son moi en herbe et favorisent son développement, tout en soulageant les pressions préconscientes et conscientes [1] ».

1. Bruno Bettelheim, *Psychanalyse des contes de fées*, Éditions Robert Laffont, Collection « Réponses », p. 16.

MA MÈRE, MON MIROIR

L'un des éléments qui donnent aux vieux contes de fées tout leur pouvoir est la fréquence avec laquelle ils présentent séparément les deux images de la mère, la bonne et la mauvaise. Cendrillon est traitée d'une façon abominable par sa belle-mère cruelle, mais la bonne fée-marraine la transforme en princesse. Dans tous les contes, il y a une opposition entre la marâtre méchante, ou la vieille fée malveillante et une figure maternelle protectrice, magique, qui prend le parti de l'enfant. A propos du Petit Chaperon rouge dont la grand-mère prend soudain l'apparence d'un loup qui porte les vêtements de la bonne vieille femme, Bruno Bettelheim écrit : « Combien cette transformation... si on la considère objectivement, peut paraître effrayante... Mais si on la considère dans les termes de l'expérience propre à l'enfant, est-elle vraiment plus effrayante que la transformation brutale de sa propre grand-mère, si gentille, qui devient un personnage qui la menace au cœur de son moi lorsqu'elle l'accable de honte pour avoir accidentellement mouillé sa culotte? Pour l'enfant, Bonne-Maman n'est plus la personne qu'elle était quelques secondes plus tôt. Elle s'est transformée en ogre [1]. »

A mesure que nous grandissons, nous refoulons notre attachement à la mère toute-puissante de notre enfance pour aboutir à cette conclusion qui est apparemment le signe d'une certaine maturité : « D'accord... il y a certains aspects de ma mère qui ne me plaisent pas, mais je comprends les raisons de son comportement. Au fond, tout ça n'a pas d'importance. » Nous ignorons la « mauvaise » mère. Nous savons qu'il y a certains côtés de notre mère que nous détestons, et nous faisons comme si nous ne les connaissions pas.

Tant que nous sommes assez jeunes pour continuer de vivre à la maison, nous pouvons même marquer une certaine tolérance à l'égard des aspects maternels qui nous irritent. Nous pouvons nous permettre de les regarder en face parce que l'angoisse de séparation n'est pas trop intense : nous vivons toutes les deux sous le même toit. Nous pouvons, par moments, détester notre mère, rager contre elle, mais elle est là; elle attend. Une heure plus tard, il suffira de quelques larmes et d'un baiser pour que la symbiose revienne, plus forte que jamais. Même si nous ne sommes pas très affectueuses, elle est physiquement près de nous, disponible.

Quand nous prenons de l'âge, le lien qui nous unit à notre mère est affaibli par la séparation physique ou psychique, et l'introjection s'accélère. Lorsque nous nous installons dans un appartement bien à nous, que nous trouvons un travail, que nous prenons un amant ou que nous nous marions et avons un enfant, au cours de tous ces rites de

1. *Ibid.*, pp. 92-93.

386

passage que nous accomplissons loin d'elle, pour chaque pas que nous faisons en avant, nous en faisons un en arrière, et nous nous surprenons à agir comme elle le faisait. *En devenant comme elle, nous surmontons notre angoisse de séparation.*

Il s'agit d'une sorte de rapprochement symbolique. De même que l'enfant qui s'éloigne à quatre pattes de sa maman pour se cacher dans la pièce voisine prend vite peur et revient constater qu'elle est toujours là, de même, affectivement, quand notre vie d'adulte nous éloigne de notre mère, nous intégrons automatiquement certains de ses aspects. Le fait de l'avoir avec nous — *en nous* — rend notre voyage moins inquiétant.

Notre patron nous propose une promotion. Nous la méritons. Nous savons que nous faisons bien notre travail. Mais par sa façon de vivre, notre mère nous a mises en garde, il y a de cela bien longtemps : les gens n'aiment pas les femmes agressives. Et nous décidons d'en rester à nos occupations routinières. « Je ne suis pas compétitive, disons-nous. Je ne suis pas de ces filles qui sont obsédées par leur situation. » Nous avons des amants, mais nous ne sommes jamais libérées de l'angoisse maternelle : les hommes nous joueront de sales tours, ils nous abandonneront. C'est déconcertant. Nous pouvons même voir en nous-mêmes une double image : d'une part la femme qui couche avec des hommes, qui aime faire l'amour; d'autre part, celle qui se réveille le lendemain matin en se demandant déjà : « Est-ce qu'il me téléphonera ce soir? » Ce sont des peurs que nous avons héritées de notre mère. Quelle femme sommes-nous donc? Nous sommes les deux, la mère et la fille.

Le processus de l'introjection continue même si nous ne voyons plus notre mère, si elle est morte ou si elle vit à Paris alors que nous habitons la Californie. Ce n'est pas la mère actuelle que nous introjectons, mais la mauvaise mère de notre enfance que nous ne pouvions pas nous permettre de « connaître », ce qui nous rendait si malheureuses que nous la détestions. Quand nous avons un accès de colère contre quelqu'un, n'est-ce pas souvent parce que le comportement de cette personne nous rend conscientes de quelque chose qui est en nous et que nous n'aimons pas?

Quand, étant petites, nous voyions maman s'affairer dans la maison, nous admirions la fermeté avec laquelle elle réglait le compte du plombier qui avait fait du mauvais travail, ou du grand magasin qui avait envoyé une facture erronée. Elle disait ce qu'elle pensait et faisait ce qu'il fallait faire. Sur ce plan, nous sommes aussi fortes qu'elle. Mais nous nous souvenons aussi de sa panique, en auto, quand papa prenait un mauvais virage, sa rage quand le lait se sauvait, ses frayeurs quand elle entendait des bruits suspects dans la maison. Et par-dessus tout, nous avons introjeté son angoisse sexuelle.

Le mariage nous offre enfin l'occasion d'être aussi audacieusement

387

sexuelles que nous désirions l'être. Mais voilà que nous nous préoccupons surtout de notre ameublement, de la propreté de la maison, de nos réceptions. Les vêtements que nous portions quand nous étions célibataires étaient très décolletés. Et voilà que nous adoptons un style bien sage qui ne nous attirerait même pas un coup d'œil de la part des passants. Si nos rapports sexuels étaient plus faciles quand nous étions célibataires, c'est que nous n'avons pas connu notre mère avant son mariage. C'était un rôle que nous pouvions créer toutes seules. De plus, elle était loin, du moins affectivement, et nous pouvions jouir du tonus que procure une séparation même temporaire. Le mariage nous rapproche d'elle. Si, maintenant, nous déclarions ouvertement notre sexualité, nous nous rendrions différentes de son image d'épouse. Nous devrions enfin affronter la mère frustrante qui détestait le plaisir sexuel que nous désirions depuis notre enfance, qui nous obligeait à y renoncer si nous voulions garder son amour.

Quand nous devenons mères à notre tour, l'introjection s'accélère encore davantage. Le simple fait de tenir notre petite fille dans nos bras nous rappelle notre mère, nous met en communion avec elle, comme nous ne l'avons jamais été. Comme le sexe a toujours été une force qui nous poussait puissamment vers l'individualisation, il n'est pas surprenant qu'il soit une des premières choses à disparaître.

Pour faire plaisir à notre mère, quand nous étions petites, nous renoncions aux satisfactions érotiques que nous pouvions tirer de notre corps. Maintenant, quand notre bébé porte la main à ses organes génitaux, nous ne nous contentons pas de froncer les sourcils. Comme l'avait fait pour nous notre mère, nous écartons ses mains. Nous devenons des éducatrices centrées sur l'enfant, des madones « qui ne pensent pas qu'à " ça " ». La sexualité était le plus grand ennemi de notre mère. Nous sommes lasses de faire la guerre. Pour le plus grand bien de notre fille, et le nôtre, nous nous rangeons dans le camp de notre mère. La continuité est assurée.

Du temps de notre célibat, notre sexualité était renforcée par les satisfactions qu'elle nous apportait. Il est trop risqué d'accorder la même autonomie à notre fille. Nous n'avons aucun modèle d'une mère qui encourage la sexualité de sa fille. Pour être plus sûres que notre petite fille n'aura pas des idées « bizarres », nous croyons bien faire en lui présentant de nous une image non sexuelle. Rien ne doit exciter chez notre fille les pensées interdites. Et bientôt, rien ne peut plus les exciter chez nous.

La plupart des femmes que j'ai interrogées se rendent compte, sans pouvoir se l'expliquer, qu'elles sont devenues moins sexuelles à partir du moment où elles ont été mères. Elles sont trop fatiguées, ou trop attentives aux cris du bébé, etc. Ce sont d'excellentes raisons, mais pas tellement convaincantes. Quand on veut vraiment quelque chose, on peut très bien s'arranger pour l'avoir. C'est simplement une question de priorité. La psychologue pour enfants Helen Prentiss, a réfléchi à ce problème à la fois subjectivement et objectivement :

« Avant la naissance de ma fille, j'étais très fière de l'entente sexuelle qui existait entre mon mari et moi. Avant toute chose, je me rendais compte que cela me distinguait du type de femme que représentait ma mère. Mais quand j'ai été enceinte, j'ai commencé à perdre ce contact que j'avais avec mon mari, avec les sentiments profonds que j'avais toujours éprouvés à son égard. Je savais que Jack aimait mon corps, mais j'avais perdu ma sveltesse. Comment pouvais-je l'exciter avec mon gros ventre? Il me prenait dans ses bras, commençait à m'embrasser, mais je trouvais toujours des excuses. Je serais bientôt mère et j'estimais que mon état était incompatible avec la sexualité. J'avais de moi une image toute différente, qui ressemblait à ces mères infiniment maternelles, élégantes et tendres que l'on peut voir dans les magazines féminins. Ces jolies femmes n'ont pas de sexe! Elles sont de bonnes mères, et j'allais en être une!

« La présence fréquente de ma mère à mes côtés renforçait considérablement cette idée. Elle me comblait de vêtements de bébé, m'aidait à préparer la chambre d'enfant. J'avais un peu peur, et j'étais très rassurée de la sentir près de moi. Je donnais des cours de psychologie enfantine, ce qui ne m'empêchait pas d'être effrayée de la responsabilité qui m'incombait. De même que ma mère avait toujours manœuvré pour « ignorer » la forte sexualité, qui nous unissait, Jack et moi, de même elle s'était arrangée pour tout savoir de ma grossesse. Elle semblait tout à coup connaître toutes les solutions, alors qu'elle n'en trouvait jamais avant que je sois enceinte. Elle me parla de ses propres grossesses. Elle m'avoua même qu'elle n'était pas tellement sûre d'avoir été une bonne mère!

« A mesure que nous nous rapprochions, je me séparais physiquement de Jack. Les rapports sexuels me semblaient ridicules, frivoles. J'en avais même peut-être un peu honte. Ils n'étaient acceptables que du temps où je n'attendais pas d'enfant. J'étais maintenant passée aux affaires sérieuses. Toutes ces nuits et ces matinées que nous avions passées au lit à nous aimer ne me semblaient être qu'enfantillages, égoïsme diabolique. Ainsi, voyez-vous, parce que j'entrais dans la maternité avant de m'être affirmée clairement, avant d'avoir établi mes priorités dans ma propre vie et vis-à-vis de mon mari, je me glissais automatiquement dans cette image de ma propre mère. Sans le vouloir et sans la moindre hésitation, j'abandonnais l'une des choses les plus importantes de ma vie : le lien sexuel qui existait entre mon mari et moi.

« Tout se passait comme si j'avais été programmée depuis ma

naissance pour partager avec ma mère ce grand mystère féminin qui excluait Jack, ce paysan du Danube qui avait bien sûr été nécessaire pour mettre tout en route, mais qui devait maintenant se hâter de quitter la scène pour nous laisser nous occuper entre femmes des réalités de la vie. C'était un peu comme si nous nous coalisions, ma mère et moi, contre lui ! »

Le Dr Prentiss m'a dit ensuite qu'elle savait parfaitement — théoriquement, intellectuellement, d'après ce qu'elle avait lu et appris — qu'il est indispensable que la mère vive le plus possible en symbiose avec son bébé pendant les premiers mois de sa vie, mais que cette union ne devait pas intervenir dans la relation mari-épouse. « Le sexe, en principe, est prohibé pendant les six semaines qui suivent la naissance de l'enfant. Eh bien ! dans mon cas, ces six semaines ont été doublées; et encore, j'avais l'oreille tendue vers le berceau chaque fois que Jack me caressait; je me sentais dans la peau d'une Déesse-Mère, et je disais : " Voyons, Jack, je t'en prie ! " sur un ton indigné, comme s'il avait touché le Saint-Graal !

« Dans mon esprit, je savais qu'à défaut d'une relation avec son moi adulte, la femme reste symbiotiquement attachée à son enfant bien au-delà de la période où elle devrait permettre la séparation. Le sexe est la vocation du monde adulte; il affirme votre identité. Il vous affirme que vous pouvez être mère, et en même temps femme et épouse. J'en étais profondément convaincue, mais quelque chose de plus profond, d'inconscient travaillait en moi. Le sexe avait toujours été l'une des forces les plus agissantes qui me poussaient vers le monde extérieur, qui m'incitaient à quitter la maison maternelle pour être moi-même. J'aimais ma mère, mais je voulais une vie plus large; et quand je fis la connaissance de Jack, le sexe fut l'élément définitif qui me sépara, à mes propres yeux, de l'image de ma mère. J'étais devenue une femme différente, ou, du moins, je le pensais. Dès que j'eus ce bébé dans mes bras, tout bascula. Il ne me vint jamais à l'esprit que Jack pût m'aider à m'occuper de Sally pendant ces premiers mois. Et comme j'avais l'air de ne pas lui faire confiance sur ce point, il cessa lui-même d'avoir confiance en lui. Il renonça à me proposer ses services. J'en étais donc là... un cas type qui semblait sorti de mes manuels de psychologie de l'enfant : attachée symbiotiquement à ma fille, rattachée à ma mère, et excluant mon mari de " notre " vie (la mienne, celle de mon bébé et celle de ma mère)!

« Cette relation avec mon bébé fut pour moi très riche en émotions. Ma libido, pour employer un autre langage, était nettement orientée vers mon enfant. Je lui réservais toute mon énergie libidinale. Mon corps avait perdu sa beauté, mon narcissisme était diminué. Je ne me considérais plus comme une femme sexuelle. Je pouvais constater que toutes mes vieilles notions — que je devais à ma mère — étaient revenues : que les plaisirs sexuels étaient quelque chose de sale, d'égoïste. *Ils étaient exclus de la maternité.*

« Si la femme ne pense pas à sa sexualité pendant ces premiers mois où elle se confond avec son bébé, elle se réveille six ans plus tard non pas femme, mais matrone. Être sexuelle et être en même temps une femme fortement consciente de son identité, ce sont là deux notions qui sont intimement liées. Les femmes devraient se concentrer sur cette idée. Il est déjà assez difficile d'être une personne sexuelle avant de devenir mère. Le monde extérieur peut voir en nous une femme très sexuelle, mais sur ce plan nous ne nous sentons pas tout à fait bien dans notre peau. Il est si facile, et si dangereux, de redevenir une " dame comme il faut ", une mère. Il est sain et nécessaire de s'unir intimement à son enfant au début de sa vie. Maintenir ce lien, c'est renoncer aux problèmes, aux joies et aux plaisirs d'une vie adulte vraiment personnelle. »

Qu'il y ait ou non renoncement, c'est pourtant ce que font la plupart des femmes. « Oh, non! Pas devant les gosses! »... on dirait un gag de vaudeville, alors que c'est un fait réel de la vie conjugale. Nous acceptons avec joie notre sacrifice « pour le bien de notre enfant ». L'idée est très discutable. Derrière ce rideau que nous tirons entre nous-même et notre sexualité, il n'y a que frustration et colère.

S'il est vrai que nous devons faire un tel sacrifice pour le bien de notre fille... il faut qu'elle soit vraiment *bien!* Nous sommes résolues à ne pas être aussi répressives que l'était notre mère, mais, si nous avons également un fils, il sera quand même soumis à des règles de conduite moins sévères. Après notre dernier accès de colère contre notre fille, nous essayons de nous ressaisir, et nous jurons : « Plus jamais! » C'était tellement effrayant, quand nous étions petites, de voir notre mère en colère! Et nous repartons du bon pied, avec l'intention de rester calmes, douces, et de lui laisser faire ce qu'elle veut. Mais tandis que nous essayons de jouer ce rôle, une colère intérieure vient ruiner nos meilleures intentions. Il n'est pas possible d'être cette mère « parfaite » sans comparer ce comportement idéal que nous essayons d'atteindre avec celui, répressif, qu'avait adopté notre mère. Si nous allons jusqu'au bout de cette comparaison, nous ne pouvons pas manquer d'être furieuses contre cette ancienne « mauvaise » mère qui est restée cachée dans notre inconscient. Et notre colère nous séparerait d'elle, ce qui est intolérable. La colère est donc détournée, contre nous-mêmes, contre notre mari et, en général contre l'injustice du monde. Et elle retombe aussi en partie sur notre fille.

Pourquoi jouirait-elle de ce traitement parfait alors que nous avons eu la vie si dure pendant notre enfance? Nous dominons une partie de

391

notre colère pour la transformer en une sorte de pardon. « Quand les femmes deviennent mères, dit le Dr Mio Fredland, elles commencent à se sentir davantage en empathie avec leur mère et effacent les vieilles querelles. Elles se rendent compte de ce qu'a été sa vie. Elles oublient les colères obscures qui ont pu empoisonner leur enfance, deviennent très aimantes et tentent de resserrer le lien. Surtout si elles ont une fille. Il existe certainement une continuité directe très étrange entre la mère, la fille et la petite-fille. Ma propre mère me dit que tout en aimant les enfants de mon frère, elle n'éprouve pas pour eux les mêmes sentiments que pour ma petite fille. Ils ne viennent pas de l'utérus de l'enfant qu'elle a porté dans son propre utérus. Elle pense déjà à l'enfant que ma fille portera un jour, ce qui lui donne l'impression d'être immortelle. Cette idée la transforme, la régénère. »

« L'une des principales raisons, dit le Dr Sirgay Sanger, pour lesquelles la colère que les femmes éprouvent contre leur mère diminue dès qu'elles ont un enfant, c'est qu'elles peuvent faire revivre dans la vie réelle l'image de la bonne mère. L'image négative qui a été intériorisée peut rester refoulée, et elles ont maintenant une nouvelle capacité : elles peuvent aimer leur nouveau-né en se donnant à lui totalement. Comme la mère qu'elles désiraient avoir. Après l'accouchement, la jeune mère est souvent rayonnante d'euphorie; elle dégage une atmosphère de chaleur qui se répand sur sa famille, son mari, ses amis. Ce phénomène est biologiquement nécessaire à la croissance et au développement de l'enfant. La dépression qui suit l'accouchement est très différente des autres. Elle met une limite à l'euphorie. La femme sent qu'elle a l'occasion de renforcer le sentiment qu'elle a de sa propre valeur, de devenir une personne plus créative. Le désir d'être " une bonne mère pour son enfant " explique pourquoi certaines femmes qui ne s'étaient jamais affirmées auparavant, sont capables de dire " non ", au nom de cet enfant. Le désir d'être une mère parfaite commence à se transformer en réalité. »

C'est quelque chose que l'on entend très souvent : « Dès que j'ai eu un enfant, j'ai commencé à comprendre ce que ma mère a vécu. Je suis moins en colère contre elle. » C'est très bien, à moins que ce pardon n'escamote la prise de conscience des vrais problèmes de la maternité et ne vienne renforcer la symbiose originelle. Est-ce que cette « prise de conscience » permet une identification avec tout ce que nous détestions autrefois chez notre mère? Le rapprochement mère-fille nous autorise-t-il à agir comme elle le faisait, à surprotéger notre fille et, ce faisant, à limiter sa séparation? S'agit-il d'un feu vert qui, une fois de plus, nous permettra de transmettre à une nouvelle génération les angoisses, les criailleries, les refoulements et les répressions sexuels de notre mère?

Quand nous avons un enfant, nous pensons que nous serons capables de renoncer au vieux besoin symbiotique de notre mère (appelez cela comme vous voudrez) et de trouver une nouvelle sécurité grâce à notre enfant. Au lieu d'avoir besoin d'être prises en charge par quelqu'un, nous sommes heureuses et comblées de prendre quelqu'un en charge. C'est une sorte de version déformée de la séparation : puisque je serai surtout attachée à ma petite fille, j'aurai beaucoup moins besoin de ma mère pour me sentir forte.

Naturellement, la nouvelle maman a de plus en plus besoin de sa mère. Je parle moins ici d'un besoin d'aide physique et de conseils pratiques que du désir d'une réconciliation affective, grâce à un nouveau lien. Maintenant que nous tenons dans nos bras notre bébé, si fragile, nous pouvons moins que jamais supporter les vieilles colères dirigées contre notre mère. Curieusement, elle s'adoucit elle-même et ressemble davantage à la mère de nos rêves. Mais ce n'est pas pour nous qu'elle se transforme, c'est pour notre fille.

« Ma mère, dit la psychologue Liz Hauser, aimait beaucoup ma fille Liza et était patiente avec elle. Je les voyais jouer aux cartes pendant des heures. Depuis mon enfance, j'ai toujours pensé qu'il y avait beaucoup de choses plus créatives à faire, si bien que je ne jouais pas avec elles. Ma mère étouffait bien moins Liza qu'elle ne l'avait fait avec moi, car il y avait entre elles assez d'éloignement. C'est pourquoi il est si facile d'être une grand-mère. Comme la symbiose agglutinante ne se produit pas, la relation grand-mère/petite-fille ne connaît ni l'angoisse, ni la peur, ni le besoin de contrôler. En ce qui me concerne, il m'arrive souvent, dans mon cabinet, d'entendre une femme me dire combien elle détestait être harcelée par sa mère... Quelques minutes, quelques heures plus tard, chez moi, je me précipite vers Liza : " Qu'est-ce que tu attends pour aller ranger ta chambre! " il est si difficile de se rappeler qu'il ne faut pas agir avec sa fille comme le faisait votre mère avec vous! »

Avant d'être mère, nous essayons de trouver chez les hommes et d'autres femmes ce qui nous a manqué avec notre mère. Notre mari nous a sans doute déçues dans cette recherche d'une union parfaite, merveilleusement heureuse. (Comment aurait-il pu se hisser à la hauteur de nos rêves?) La maternité met fin à notre quête. Nous ne serons plus jamais seules. Liées à notre bébé par le besoin qu'il a de nous, nous trouverons dans ce lien une identité qui nous est familière et toutes les émotions que nous désirons.

Voici ce que dit la poétesse Anne Sexton dans *La double image* :

> *Moi, qui n'étais jamais tout à fait sûre*
> *d'être une fille, j'avais besoin d'une autre*

> *vie, d'une autre image où je pourrais me reconnaître.*
> *Et ce fut ma pire faute ; toi,*
> *mon enfant, tu n'as pas pu l'effacer,*
> *ni l'adoucir. Je t'ai obligée à me trouver* [1].

« Dans cette douce ambiance de dépendance et d'intimité qui s'établit entre vous et votre enfant, vous cherchez en partie à être vous-même prises en charge. Si vous n'avez pas été assez maternées quand vous étiez bébés, vous avez maintenant l'occasion d'assurer le maternage. C'est comme si vous pouviez vous rattraper en faisant pour l'enfant ce qu'on n'a pas fait pour vous. Grisées par la symbiose, vous avez le sentiment d'un attachement étroit, d'un amour éternel. *Mais ce n'est pas vous qui êtes prises en charge.* L'enfant est le seul bénéficiaire. Le fait d'être mère vous procure une immense satisfaction, mais ce n'est pas celle que vous désiriez. Dans cette relation, vous n'êtes pas l'enfant, mais la mère. Tout le problème de la symbiose est là : les limites ne sont pas nettes. Vous ne savez pas où vous finissez et où commence l'enfant. Finalement, vous éprouvez un sentiment de colère parce que l'enfant ne satisfait pas vos besoins. »

Le Dr Hauser parle ici en termes de théorie psychologique, mais exprime aussi une réalité intérieure. Elle a une petite fille. Toutes les femmes que je cite dans ce chapitre sont mamans, et aussi des praticiennes habituées à traiter des problèmes de symbiose. Et pourtant, quand elles ont eu des filles, elles n'ont pas pu éviter la non-séparation. La façon presque hypnotique dont elles ont été accaparées par la symbiose montre combien est illusoire ce défi : « L'éducation que je donnerai à ma fille sera totalement différente de celle que j'ai reçue de ma mère. »

Le Dr Hauser continue : « Si vous pensez que votre fille vous permettra de rattraper ce qui vous a manqué quand vous étiez enfant, c'est comme si, ayant très faim, vous tourniez autour d'une boulangerie en vous contentant de l'odeur du pain chaud. Ce n'est pas satisfaisant, mais c'est irrésistible : vous tournez tout au moins *autour* de votre propre maternage. Et finalement, bien sûr, de cette faim jamais assouvie, naissent les terribles colères des mères. Leurs enfants sont " égoïstes ", " ingrats ", et les colères sont d'autant plus redoutables que nous nous défendons contre elles, que nous ne voulons pas les reconnaître. Mais si vous prenez le temps d'y réfléchir, vous constaterez que la mère qui est furieuse contre sa petite fille parce qu'elle la juge ingrate, égoïste, ne fait que renverser les rôles. Tout se passe comme si la mère était elle-même le bébé, comme si elle réclamait avec des larmes de rage plus d'amour de la

---

1. Anne Sexton, « La double image », *To Bedlam and Part Way Back,* p. 61.

part de *sa* mère. Elle a vingt, trente, quarante ans, et ce besoin infantile d'un amour étroit, enveloppant, provoque encore chez elle des colères.

« Quand j'étudiais la psychologie, poursuit Liz Hauser, cette remarque, à propos de la mère m'a frappée : " Bien sûr qu'elle est hostile. Elle est dépendante, et les personnes dépendantes sont nécessairement hostiles. " C'est tout simple, mais toute la dynamique est là : si vous êtes totalement dépendante, vous attendez toujours que quelqu'un vous donne une aumône, même si ce quelqu'un est un petit bébé. Vous attendez que ce bébé vous *donne,* et, dans ce sens, vous dépendez de lui.

« J'ai commis moi-même ces erreurs, j'ai éprouvé ces colères. J'aime Liza, et je ressens des émotions formidables quand je la rends heureuse. Mais, parfois, j'ai l'impression d'être en présence d'une sollicitation sans fin. C'est tout à fait naturel de la part de l'enfant, mais pour la mère, c'est un véritable tonneau des Danaïdes. On ne parvient pas à la satisfaire; on voudrait qu'elle se calme et se contente de ce qu'elle a. La colère s'accumule. Je me souviens intensément de l'époque où j'étais à la place de Liza, et j'entends ma propre mère me dire les mots que j'adresse à ma fille : " Maintenant, ça suffit! Tu as déjà eu ceci, nous avons fait ensemble cela. Tu devrais m'être reconnaissante d'en avoir eu tant et cesser d'en vouloir encore et toujours! " C'est pour cela que les femmes devraient avoir accompli leur séparation avant d'être mères. Elles devraient pouvoir se contrôler après la naissance de leur bébé. Par exemple, si vous vous mettez terriblement en colère contre le bébé parce qu'elle n'arrête pas de pleurer, posez-vous cette question : " Est-ce que l'intensité de ma colère ne vient pas de ma propre frustration, parce que l'enfant me rend malheureuse, alors que je voudrais qu'*elle me* rende heureuse? " Vous rêviez tant de ces sentiments d'intimité et de sécurité... où est votre récompense? »

Un petit conte attribué à Freud relate l'histoire d'une maman aigle qui voulait sauver ses petits du déluge; ils étaient trop faibles pour voler de leurs propres ailes. Elle prit le premier dans ses serres et s'envola. « Je te serai toujours reconnaissant, maman », dit l'aiglon. « Menteur! » dit la mère en lâchant son petit dans les flots. La même chose se produisit avec le deuxième petit. Quand la mère prit le troisième et se mit à voler vers un refuge, l'aiglon lui dit : « J'espère que je serai aussi bon pour mes enfants que tu l'as été pour moi! » Et la mère sauva cet enfant.

La dette de gratitude que nous devons à notre mère et à notre père est située devant nous et non pas derrière. Ce que nous leur devons, c'est la facture que nous présenteront nos enfants. Avoir une petite fille, c'est l'un des cadeaux les plus merveilleux que puisse nous faire la vie, mais attendre d'elle qu'elle nous récompense où, quand et comme nous le voulons, c'est déformer la nature de la relation mère-enfant

MA MÈRE, MON MIROIR

Au cours des âges, le processus de l'évolution élimine les traits qui ne sont pas indispensables à la survie de l'espèce. Inversement, ce qui est essentiel ne peut pas être livré au hasard et se trouve inscrit dans les gènes. Je crois que les récompenses de la maternité sont biologiquement programmées, mais que le degré de satisfaction varie selon les circonstances. La jeune mère qui donne le sein à son bébé n'attend pas qu'on lui dise qu'elle est heureuse. Elle le sait... La mère qui vit dans un taudis avec ses neuf enfants et qui apprend qu'elle va en avoir un dixième doit avoir des sentiments différents!... La biologie et l'anatomie continuent d'exister, que cela nous plaise ou non. Une mère célibataire peut très bien avoir décidé d'abandonner son enfant à l'Assistance publique; mais quand naît le bébé, elle est assaillie par tant d'émotions qu'elle préfère le garder. Elle est persuadée que sa décision est bonne. L'est-elle? Il n'y a pas de solution « juste ». Je veux parler ici du choix personnel. La maternité apporte à la femme de grandes satisfactions; elle a le sentiment de remplir une fonction conforme à sa nature. Beaucoup de femmes commencent à se demander : « En dehors de la maternité, pourrais-je consacrer ma vie à quelque chose d'autre, qui m'apporterait encore plus de satisfactions? » Un sondage d'opinion récent a montré que trois personnes sur quatre — hommes et femmes — estiment qu'il est très bien pour les femmes de ne pas avoir d'enfants [1]. A mon avis, cela reflète une évolution de nos attitudes et non pas nécessairement de nos sentiments profonds : « *C'est très bien pour les autres, mais pas pour moi.* » Mais si la plupart des femmes ne peuvent pas imaginer un mariage sans enfants, est-il possible de dire qu'elles *décident* d'être mères?

« Ma propre histoire, dit le Dr Prentiss, pourrait faire croire que j'ai pris une décision consciente en ce qui concerne la maternité; mais ce n'est qu'une illusion. Étant enfant, j'avais l'impression de n'obtenir de ma mère que des sentiments " officiels ", uniquement ce qu'elle estimait être bon pour moi. Et non pas ses sentiments réels. Si bien que j'ai appris à ne lui montrer que ce qu'elle voulait voir, " sa " fille qui était en moi, et non l'ensemble de ma personne. En conséquence, nous nous aimions, certes, mais ce n'était pas très franc. C'est ce que j'ai essayé de compenser en ayant des enfants. Surtout une petite fille, parce que je pouvais mieux comprendre ses sentiments. Mais ne vous y trompez pas. On pourrait croire que j'ai décidé d'avoir un bébé pour telle ou telle raison. En fait, je

---

1. A l'occasion de son enquête nationale, le Conseil américain de l'assurance sur la vie demande : « Faut-il approuver les couples mariés qui décident de ne pas avoir d'enfant? » En 1973 et 1974, trois adultes sur quatre de plus de dix-huit ans ont répondu positivement. En 1976, les réponses positives se sont élevées à 83 p. cent, soit quatre personnes sur cinq.

n'ai jamais décidé d'être mère ou de ne pas l'être. Je n'ai jamais senti consciemment que j'avais le choix. J'avais toujours pensé que j'allais me marier et avoir des enfants. Cela faisait partie d'un enchaînement qui était prévu pour moi de tout temps. Je savais qu'un jour je serais maman, et c'est tout. Toutes les femmes en sont là. Cette sorte de passage automatique à un rôle nous a causé, à ma fille et à moi, bien des ennuis. »

Le fait d'avoir un enfant est encore de nos jours tellement attendu de nous, si programmé dans notre développement que nous nous laissons entraîner passivement vers cet acte qui est peut-être le plus important de notre vie. Nos raisons d'être mères — si difficiles à identifier — sont les premiers indices qui nous permettent de savoir si nous sauvegarderons notre propre identité et si nous laisserons notre enfant devenir une personne à part entière, séparée de nous.

La façon dont une femme se relie à son enfant est l'une des marques de sa propre évolution... ou du blocage de son évolution. Si elle était restée liée symbiotiquement à sa mère, et si elle se lie de la même façon à son mari, on ne peut pas dire qu'elle soit devenue adulte. Il n'y a eu qu'un simple transfert. Avec le temps, l'épouse se rendra peut-être un peu plus indépendante de son mari, mais quand sa fille naîtra, le transfert symbiotique se fera vers elle. « Il passe de la mère au mari, du mari à la fille, dit le Dr Robertiello, mais l'âge affectif de la mère, son niveau de développement en restent au même point. Elle ne s'est pas rapprochée d'un jour du stade adulte. Le mari n'a été qu'une période intermédiaire entre la vieille symbiose avec la mère et la nouvelle, avec la fille. La femme, en tant qu'individu indépendant, ne s'est jamais totalement manifestée. »

Tout le monde — hommes et femmes — tient à protéger l'idée de sa propre identité. « *Je suis moi!* » Rien, pour une femme ne menace plus cette notion d'autonomie que de s'entendre dire qu'elle ressemble à sa mère.

Hier soir, à un dîner, on m'a demandé à quoi je travaillais. « J'écris un livre sur les relations mère-fille. » Les quatre femmes présentes ont aussitôt tendu l'oreille. Les hommes n'existaient plus. « Où en êtes-vous actuellement? » m'a demandé l'une d'elles. « J'essaie de répondre à cette question : pourquoi ressemblons-nous à notre mère? » Malgré le mascara, les quatre paires d'yeux perdirent leur éclat. « Oh, non! Je ne ressemble pas du tout à ma mère. J'ai surtout été influencée par mon père, ou par ma grand-mère. »

Refus. Refus péremptoire d'admettre que la femme qui, autrefois, a vécu si intimement avec nous, qui nous a appris à parler, à manger, à marcher, à nous habiller, dont le sourire était toute notre vie, ait pu avoir sur nous une influence déterminante. Deux de ces femmes me dirent qu'elles aimaient beaucoup leur mère, tout en répétant que l'influence dominante venait d'autres personnes. J'avais l'impression qu'on me jurait les yeux dans les yeux que deux et deux font cinq!

Évidemment, d'autres personnes — le père, la tante Sally ou une sœur aînée — ont pu être extrêmement importantes, mais pourquoi nier avec tant de véhémence que la mère l'était également? Pourquoi faisons-nous de notre attachement à ces autres personnages la preuve de notre unicité? « Vous avez l'air plus adulte, plus autonome, dit le Dr Robertiello, si vous affirmez que vous ressemblez à votre tante ou à votre grand-mère, des personnes avec lesquelles vous n'avez pas eu cette intimité étroite, ni ces relations de dépendance plus ou moins oubliées. Si vous dites que vous ressemblez à votre père, c'est encore mieux. Cela implique que vous avez l'esprit de décision. Après tout, il est un homme. Vous êtes donc sexuelle, tandis que ressembler à maman, c'est s'avouer a-sexuelle. Si vous êtes comme papa, c'est que vous l'avez décidé. Si vous êtes comme maman, ça s'est fait automatiquement, passivement. Être comme papa, dénote une certaine fermeté de caractère. Vous avez franchi la frontière sexuelle, vous êtes assez grande pour vous sentir à l'aise dans un monde d'hommes. Vous êtes une sacrée femme, et c'est à vous seule que vous le devez! »

La rupture du lien symbiotique entre la mère et la fille peut être facilitée par l'identification avec le père ou une tante, mais le mieux est de commencer par un effort de mémoire, d'introspection et de franchise absolue. Nous devons voir notre mère telle qu'elle était, et nous-mêmes telles que nous étions. A quoi ressemblait-elle quand nous étions petites? Était-elle réservée, pas tout à fait assez attentive? Ou nous sur-protégeait-elle, nous envahissait-elle, nous obligeait-elle à avoir peur de vivre sans elle? Avons-nous été capables de faire face à la fois à la mauvaise et à la bonne mère, pour savoir ce que nous aimions et ce que nous détestions et commencer à en faire enfin un tout, sans vernis sentimental?

Si nous avons un enfant pour la seule raison de nous donner une identité, de revivre notre enfance comme nous aurions voulu qu'elle soit, pour sauver notre mariage, pour avoir un but dans la vie, ou pour toute autre raison plus ou moins boiteuse, la séparation sera très difficile. *Parce qu'elle nous rend service,* nous ne pouvons pas lâcher notre fille. Si elle nous quitte pour être une personne à part entière, nous perdons notre identité, notre raison d'être, notre chance de recommencer une fois de plus notre vie.

Le fait de prendre une décision consciente en ce qui concerne la maternité est l'acte le plus libérateur que l'on puisse accomplir pour soi-même et pour l'enfant à naître. Même si nous voulons être mère pour des raisons irréalistes, *le fait que nous le savons* indique que nous sommes plus séparées que la femme qui ne prend pas du tout de décision, qui se laisse glisser passivement de l'adolescence au mariage et qui, automatiquement, a un enfant. Cette forme de pensée — ou de non-pensée — qui obéit à un programme pré-établi, montre que nous n'avons pas encore acquis un sentiment réel de notre moi. La femme qui dit : « Je veux un enfant pour être sûre que mon mari ne me quittera pas », obéit à coup sûr à de faux mobiles qui se retourneront contre elle, mais elle agit mieux que celle qui met un enfant au monde parce que c'est ce qu'il faut faire quand on est femme. Qu'elle ait tort ou raison, la première a pris une décision, elle a été active et elle a pris la responsabilité d'être enceinte.

Décider que nous voulons un enfant, et en sachant pourquoi, cela nous aide à sentir qu' « on » ne nous y a pas obligée. Si la maternité nous déçoit, si le bébé nous donne plus de travail que nous le pensions, le fait de savoir que nous avons voulu cet enfant nous empêchera de lui faire sentir qu'il est lui-même responsable d'être au monde.

Si nous voulons échapper au modèle répétitif mère-fille, il nous faut d'abord affronter tous les aspects de notre mère, et de nous-mêmes, que nous voulons ignorer. Nous avons le droit d'accepter enfin la colère que nous ressentions quand nous avions cinq ans et qu'elle nous négligeait. Mais, de son côté, elle a le droit, maintenant que nous avons vingt-cinq ans, de ne plus essayer d'être cette mère parfaite que nous voulions. En voyant notre mère objectivement, comme un tout où se mêlent le meilleur et le pire, nous faisons un pas énorme vers la séparation. Bien mieux, cela nous aide à nous couper d'elle si radicalement que nous pouvons rejeter tout ce que nous avons hérité d'elle, ce que nous aimions aussi bien que ce que nous détestions.

Il y a deux époques dans la vie d'une femme où s'accentue la tendance qui la pousse à devenir semblable à la mère qu'elle n'aime pas : quand elle devient mère à son tour, et quand sa mère meurt.

Même au-delà de la tombe, la mère continue d'avoir deux visages. La personne qui est morte est la bonne mère. La mauvaise continue de vivre en nous, ces filles indignes qui n'ont jamais su apprécier leur mère de son vivant comme elle le méritait. Ce monument funéraire que nous érigeons en nous à la mémoire de notre mère est quelque chose de très complexe...

« Ma mère est morte il y a six ans, dit Leah Schaefer et toute ma vie j'ai eu avec elle des problèmes de séparation. Je pense que j'ai accompli mon plus grand pas vers l'autonomie quand j'ai mis au monde Katie. Pendant toutes mes années d'étude et de pratique psychanalytique, j'ai pu cerner intellectuellement le problème symbiotique qui se posait entre ma mère et moi, mais je ne l'ai jamais résolu. J'avais quarante-deux ans à la naissance de Katie. Ce n'est qu'à ce moment-là que j'ai été prête à faire ce pas de géant. Je pensais peut-être que c'était pour le bien de ma fille, mais je sais maintenant que j'en ai été la principale bénéficiaire. J'avais toujours pensé que c'était ma mère qui voulait à tout prix maintenir sur moi cette emprise symbiotique. C'était une projection typique ; je prenais mes désirs pour la réalité. J'ai appris que la plus grande responsable de la survie de cet attachement étouffant, c'était moi.

« Toute ma vie, je n'ai jamais rien refusé directement à ma mère, Si j'avais envie de faire quelque chose qu'elle pourrait blâmer, je le faisais en cachette. J'ai toujours cru qu'il arriverait quelque chose de terrible si elle découvrait cet autre moi, mon moi secret. Si je ne tenais pas compte d'elle, si je l'ignorais, elle mourrait ou me rejetterait. Après la naissance de Katie, elle a voulu venir vivre avec nous. J'ai compris que si elle le faisait, c'en serait fini de moi. Si je lui cédais, comme je l'avais toujours fait dans le passé, elle accaparerait ma vie et celle de mon enfant. Je comprenais la symbiose qui existait entre ma mère et moi, c'était une notion qui m'était familière. Mais maintenant, j'étais mère et je voulais élever ma fille pour qu'elle soit cette personne à part entière que je m'efforçais encore d'être. En disant " non " à ma mère, en lui interdisant de venir vivre avec nous, j'ai pris le virage le plus important de ma vie... je rompais avec toute une vie de dépendance.

« Elle n'en est pas morte. Elle ne m'a pas même rejetée. En fait, c'était ce que je pouvais faire de mieux pour elle comme pour moi. Nous imaginons que nous ne pouvons pas être franches avec notre mère, qu'elle est incapable d'accepter la réalité de ce que nous sommes. Mais nous ne sommes que des froussardes, des bébés ; nous avons peur, en l'affrontant, d'être abandonnées par elle.

« Quand je mis ma mère au courant de ma décision, il y eut une scène terrible. Nous pleurions toutes les deux. J'étais affreusement malheureuse, comme si je lui avais enfoncé un couteau en plein cœur. Quelques jours plus tard, elle m'annonça qu'elle retournait chez elle, en Californie. " J'estime que les gens mariés ont besoin de vivre seuls ", me dit-elle, comme si elle avait pris toute seule la décision. Cette explication la satisfaisait pleinement. Elle était d'une nature très indépendante, mais il y avait ce terrible lien entre elle et moi, sa seule fille. Quand nous nous dîmes au revoir, jamais je ne l'avais vue aussi décontractée. Moi, j'étais très malheureuse. Savez-vous quelle a été ma réaction après son départ? Ces mots tournaient dans ma tête : *Elle m'a eue!*

« Ma vie n'avait été qu'un immense compromis, parce que je pensais qu'en refusant quoi que ce soit à ma mère, je perdrais son amour. J'avais eu ma vie secrète, j'avais fait toutes ces choses que, de toute façon, elle n'aurait pas approuvées, mais au prix d'un sentiment de culpabilité. J'avais enfin pu être moi-même devant elle, j'avais pu lui dire " non ", et elle n'était pas morte, je n'étais pas morte, il n'était rien arrivé de terrible! C'était incroyable. Je me comportais affectivement comme une enfant qui a besoin de l'approbation de sa mère, alors que j'étais mariée et mère d'une petite fille. C'était encore de la symbiose à l'état pur. Toutes ces années que j'avais passées à limiter la personne que je voulais être parce que je sentais aussi que je devais ressembler à la fille qu'elle voulait avoir!... Et maintenant, voilà qu'elle acceptait de bon cœur d'être séparée de moi!

« Pendant la période qui a précédé la mort de ma mère, j'étais près d'elle à l'hôpital. Elle avait l'esprit confus et elle souffrait de voir qu'elle perdait la mémoire. Ma mère n'avait jamais pu accepter ma profession. Elle croyait à la médecine *physique* et non à la thérapeutique mentale. Mais maintenant, j'étais en mesure de la récompenser du travail que j'avais pu accomplir grâce à l'exemple qu'elle m'avait donné : elle avait toujours pris sa profession très au sérieux et m'avait appris à l'imiter. Pour la première fois de ma vie, je pouvais l'aider, lui parler de son passé, de son mari et de notre famille, lui rappeler qui elle était. Je pouvais lui donner ce qui lui manquait le plus pendant ces ultimes semaines : le sentiment de son identité. Quand je l'ai embrassée pour la dernière fois, elle s'est détournée pour parler à mon frère. Elle n'avait jamais pu supporter les adieux.

« Le début de séparation qui s'était produit à la naissance de ma fille me permit de voir en moi, avant sa mort, toutes les bonnes choses que j'avais héritées d'elle. Son dévouement à son travail la rendait efficiente et admirable. Quand j'étais petite j'avais détesté cette attitude parce qu'elle m'excluait. Maintenant que j'avais pris de la distance par rapport à elle, je pouvais comprendre que ce n'était pas de sa part un comportement " compulsif ", mais qu'elle agissait simplement en femme consciente de l'importance et de la valeur de son travail. Et il en allait de même pour moi. Si je n'avais pas pris mon travail au sérieux, je n'aurais pas été capable de me suffire à moi-même, d'adoucir ses derniers jours à l'hôpital ni de régler ses dernières factures. Si je ne m'étais pas séparée de ma mère, je n'aurais jamais pu reconnaître combien je lui devais de lui ressembler en bien. »

L'idée de *mélancolie* — en relation avec la mort d'un être pour lequel nous éprouvons des sentiments ambivalents d'amour et de haine — a été étudiée par Freud et par l'un de ses disciples, le Dr Karl Abraham [1]. C'est une notion très différente du simple deuil. Pleurer une mère qui vient de mourir, c'est un processus sain, l'acceptation d'une perte, un dernier adieu

---

1. Sigmund Freud : *Deuil et mélancolie*, (1917). Voir aussi Karl Abraham : *Le processus de l'introjection dans la mélancolie* (Selected Papers).

progressif. C'est le signe qu'elle était une « assez bonne » mère, et que les sentiments que nous éprouvions pour elle étaient relativement ambivalents, qu'il y avait plus d'amour que de colère ou de haine. « Même si elle n'était pas une " assez bonne " mère, dit le Dr Robertiello, si vous avez accepté cette idée avant sa mort, vous pouvez éviter la mélancolie. Si vous pouvez la prendre pour ce qu'elle était, c'est une appréciation adulte. Vous avez enfin commencé la séparation. »

Dans la mélancolie, le chagrin n'est pas sincère, parce que la rage ambivalente contre la mauvaise mère de l'enfance n'a pas été dissipée. La peine ne peut pas être pleinement exprimée. Les anciens sentiments d'omnipotence infantile reviennent vous harceler : de l'inconscient montent des remords; la fille s'accuse d'avoir tué sa mère.

C'est une idée trop effrayante. Nous devons nier plus que jamais notre haine pour la mauvaise mère. Ce refoulement semble régler le problème. Nous nous mettons à marcher comme notre mère, à parler comme elle; *nous devenons notre mère*. Nous intégrons tous ses aspects autrefois détestés. De cette façon, nous avons une réponse toute prête quand nous nous accusons d'être contente qu'elle soit morte : elle n'est pas morte, puisqu'elle vit encore en nous!

En retournant notre agressivité contre nous, en détestant ces aspects d'elle que nous avons intégrés, nous évitons de voir que notre animosité est directement dirigée contre elle. C'est nous-mêmes que nous détestons, et non pas elle. Il en résulte une amertume, et une demi-haine qui se prolongent indéfiniment, des sentiments de confusion et d'impuissance, des accès de colère apparemment sans but, dans une ambiance de dépression. C'est la mélancolie, dans le sens médical du terme. L'introjection posthume de la mauvaise mère est un mystère. C'est un phénomène qui a été trop universellement observé pour que l'on puisse douter de lui.

« Mon père, m'a dit le Dr Robertiello, a eu sa première crise cardiaque il y a six mois. Cela m'a donné le temps de me préparer à ce qui allait fatalement arriver. Je ne me suis jamais bien entendu avec lui. J'ai refusé toute ma vie d'admettre que je lui ressemblais. Et pourtant, pendant ces derniers six mois, je me suis rendu compte que j'adoptais les aspects de mon père que j'avais toujours détestés : son arrogance, son hypocondrie, et tout le reste. C'était de l'introjection, et je compris que si je ne lui faisais pas carrément face, si je ne le voyais pas tel qu'il était, à la fois bon et mauvais, mes sentiments de culpabilité, à sa mort, seraient beaucoup trop intenses. La mélancolie aurait persisté pendant des années. Je savais que seule une séparation plus complète était capable d'arrêter le processus. Autrement, j'aurais continué de détester mon père globalement. Je n'aurais jamais pu reconnaître les bonnes choses qui étaient en moi et que j'avais héritées de lui. Au fond, il fallait que je me dise : " Le roi est mort, vive le roi! " »

Il y a quatre ans, j'ai dit à la sœur de ma mère que j'allais écrire un livre sur les relations mère-fille. Elle s'écria : « Nancy, un jour ou l'autre ta mère mourra! Comment peux-tu lui faire une chose pareille? » Je suis restée interdite; je me sentais coupable; je souffrais de voir que ma tante pensait que je m'apprêtais à offenser ma mère. Pourquoi supposait-elle automatiquement que tout examen lucide de la relation mère-fille doit être nécessairement blessant pour la mère? Des notions comme celle-là s'accompagnent de projections, d'images interdites de la « mauvaise mère » refoulée. Si nous, les filles, nous nous sentons terriblement coupables à l'idée que notre mère mourra un jour, la mère, de son côté, fait écho à notre angoisse quand nous nous proposons de regarder durement la relation, sans complaisance, sans sentimentalisme, étant donné l'imminence et l'importance de la mort. Pourquoi la franchise est-elle si redoutable? Que peut-il y avoir de si terrible entre nous pour que nous passions nos vies à ne montrer à l'autre que ce qu'elle peut apparemment tolérer et, en même temps, en ne voyant en elle que ce que nous voulons bien voir?

Voici ce que m'a dit le Dr Robertiello à ce sujet : « Les femmes qui estiment qu'elles agiraient cyniquement et égoïstement si elles tentaient d'analyser ce qu'elles sont et ce qu'est leur mère — de reconnaître ce qu'elles aiment et ce qu'elles détestent chez elle —, essayent encore de s'accrocher à leur mère comme des enfants. Elles ont peur de penser à toutes ces choses parce que, à un niveau profond, elles craignent encore de les faire souffrir par leurs seules pensées. D'autre part, elles désirent intensément que leur mère soit immortelle, ce qui leur éviterait la séparation. »

« Si seulement, de son vivant, j'avais été capable de dire à ma mère combien je l'aimais! m'a dit une femme. Elle avait ses défauts, mais ils n'étaient que des réflexes. Elle ne pouvait pas plus s'empêcher de me harceler et de me critiquer qu'on n'est capable de retenir un éternuement quand le nez nous démange. C'était simplement quelque chose qui était inscrit dans son système nerveux. Maintenant, je ne pourrai jamais lui dire ce que j'éprouvais vraiment pour elle. C'est trop tard. »

Cette conversation m'a profondément attristée et troublée. Je sais que cette femme est encore plus harcelante et répressive que sa mère. A tel point qu'elle a divorcé et qu'elle s'est aliéné sa fille. Quand nous avons eu une relation destructive avec notre mère, pourquoi retournons-nous cette situation pour ne parler que de l'amour que nous éprouvons pour elle?

Quand j'ai commencé ce livre, j'aurais pu vous dire, moi aussi, que j'aimais ma mère et que mes ressentiments à son égard n'avaient aucune importance. « Elle ne voulait pas me faire souffrir. C'était simplement sa façon d'être, une mauvaise habitude. » Afin de pouvoir maintenir mon fantasme, selon lequel derrière ces « mauvaises habitudes » il y avait un amour illimité, j'aurais refusé de reconnaître la « mauvaise mère » de mon enfance. J'aurais dit que le fait d'ignorer mes rages mesquines était ma façon adulte de garder avec ma mère une relation affectueuse et facile. Je sais maintenant que cet « oubli » ne fait que rentrer les colères, qui restent bien vivantes, en perpétuelle effervescence.

En enveloppant notre mère de sentimentalisme (et c'est ce que font la plupart des femmes), nous échappons à cette peur de voir en elle les aspects que nous détestons. La littérature ne nous dit pas grand-chose de ce qui se passe réellement entre la fille et la mère. Les poésies sucrées de la Fête des Mères sont un parfait exemple de ce grand mensonge.

« Le sentimentalisme, sous toutes ses formes, est une défense contre la colère, dit le Dr Robertiello. Plutôt que de nous sentir une âme de meurtrière, nous refoulons doublement notre hostilité, avec le sourire. Nous disons que tout ce que nous n'aimions pas chez notre mère n'avait " aucune importance "... ses harcèlements, les contrôles qu'elle essayait de nous imposer, la répression sexuelle. Nous les " comprenons ". Ce qui signifie que nous lui pardonnons et que nous nous concentrons au contraire sur ses aspects " aimants " et sur l'immense amour que nous éprouvions pour elle. La femme qui parle ainsi ne prouve pas qu'elle aimait sa mère; elle l'enveloppe de sentimentalisme. Le mot " amour " sert à camoufler tant de sentiments destructifs, comme la possessivité, l'angoisse, etc. Vous vous dites à vous-mêmes des mensonges pleins de remords qui la protègent, ce qui signifie que vous ne voulez pas admettre que vous répétez votre mère. Vous vous raccrochez à votre animosité, et la seule façon de la faire survivre est d'intégrer les parties d'elle que vous haïssiez. Ce comportement vous permet de prolonger la symbiose, même si votre mère est loin de vous ou si elle n'est plus de ce monde. » Dans l'inconscient, où se sont inscrits les premiers rapports mère-fille, la mère de notre première enfance ne meurt jamais.

Quand nous ne nous retranchons pas derrière le sentimentalisme, nous passons d'un extrême à l'autre. Si notre dernière conversation téléphonique a mal tourné, si elle a dit ce qu'elle n'aurait pas dû dire au cours de notre dernière visite, toutes nos vieilles colères remontent à la surface. Nous avons eu bien raison d'être aussi différente d'elle que nous le pouvions! Elle devient l'étalon de tout ce que nous détestons; autrement dit, nous dénigrerons ou nous haïrons le moindre écho d'elle que nous découvrons en nous. Tout ce qui caractérise la « mauvaise mère » est par principe mauvais, et si nous avons hérité de sa franchise et de sa rondeur de caractère, nous dirons que c'est de la méchanceté et de l'hostilité. Leah Schaefer, qui tenait de sa mère son goût du travail bien fait, s'estimait compulsive. Si nous avons le talent d'organisation de notre mère, nous nous accusons de régenter et de contrôler les autres.

Peu importe que les gens en général, et notre mari en particulier, nous aiment pour ces qualités. Cela signifie seulement que nous les trompons momentanément sur notre personne. S'ils ne finissent pas par voir clair en nous, c'est qu'ils ne sont que des imbéciles. S'ils voient clair, ils se détourneront de nous. Nous n'avons pas le choix : ou bien nous sommes aimées par un imbécile, ou bien nous ne sommes pas aimées du tout.

« C'est parce que je refusais de voir ce qui existait réellement entre ma mère et moi, dit Helen Prentiss, que je me suis réfugiée dans une symbiose avec ma fille. Refuser sa sexualité, c'est une façon d'éviter d'être la rivale de sa fille. J'espère rompre la chaîne qui lie les femmes de génération en génération... ce pacte paralysant de non-agression, de non-compétition. Je sais qu'on peut être à la fois une bonne mère et une femme sexuelle, mais j'ai mis très longtemps à le comprendre. C'est pourtant si simple. Je pourrais l'expliquer à ma fille qui n'a que six ans, mais, sur ce point, je ne pourrai jamais tirer les choses au clair avec ma mère. »

A ce stade de notre vie, notre mère a probablement plus besoin de nous que nous n'avons besoin d'elle, mais nous avons encore peur de lui poser ces questions sur notre enfance, si délicates, mais qui clarifieraient tellement la situation. Elle pourrait nous aider à nous séparer en participant à nos efforts d'introspection, mais sa collaboration n'est pas nécessaire. Nous devons nous poser ainsi le problème : « Si nos questions entraînent chez elle une colère si violente qu'elle nous chasse de sa maison — pour imaginer le pire —, qu'y perdrions-nous? » Seulement l'illusion de l'amour symbiotique.

Nous avons pour la plupart besoin de vaincre la peur qu'en nous séparant d'elle nous risquons de la tuer. Être une bonne mère, pour une fille de trente-cinq ans (dépendante) est aussi étouffant, aussi anachronique que de jouer à la petite fille gentille quand nous sommes adultes et mères de famille. Notre mère est plus forte que nous ne voulons le croire. En partie, cette peur de la faire souffrir est destinée à nous donner de l'importance. L'autre partie consiste à maintenir la symbiose, à nous permettre de prendre nos désirs pour des réalités. Ces deux notions peuvent se résumer ainsi : d'une part « Elle ne peut pas vivre sans moi »; d'autre part : « Ma colère est si terrible que si je la lui montre, elle en mourra. »

Les Grecs avaient un mot pour cela : *hubris*. Il signifiait une sorte d'orgueil outrecuidant, arrogant, toujours destructif. Considérer, étant adulte, que la mère a besoin d'être protégée comme une enfant, n'est-ce pas de l'*hubris*?

Nous appelons « sentiment de culpabilité » cette peur, cette angoisse de ne plus être en symbiose avec notre mère. Nous nous sentons en effet coupables chaque fois que nous la quittons. Pendant toute notre vie, à chaque au revoir, nous avons l'impression d'avoir été incapables de lui donner quelque chose qu'elle désirait. Que pourrait-elle attendre de nous que nous serions incapables de lui procurer? Et nous nous promettons : « La prochaine fois que je la verrai, je ferai encore plus d'efforts pour être une " gentille fille "; j'essaierai de lui donner cette chose magique qui la rendra heureuse. » Mais à notre prochaine rencontre, nous constatons une fois de plus notre échec; et après sa mort, nous savons que notre échec est définitif.

Bien des femmes m'ont exprimé ces idées, et au cours d'un entretien récent avec le Dr Robertiello, je lui ai dit qu'il m'arrivait souvent de les avoir moi-même. Nous venions de parler de l'introjection, à propos de la mort de son père. J'étais en train d'écrire ce chapitre. Je lui dis aussi que j'espérais que tout ce que m'avaient appris mes recherches « m'aiderait à éviter le retour de cette tristesse, de ce sentiment de culpabilité à ma prochaine visite chez ma mère et quand viendrait l'heure des adieux ». Richard Robertiello secoua la tête d'un air navré : « Ah, Nancy, Nancy! dit-il, vous n'avez pas encore intégré ce que vous savez intellectuellement et ce que vous éprouvez profondément. Vous ne vous sentez pas coupable de ne pas pouvoir rendre votre mère heureuse. Non, ce n'est pas du tout ça. Vous êtes angoissée à l'idée que vous ne prononcerez pas les paroles qu'il faut, que vous n'ouvrirez pas la porte magique par laquelle coulera à flots tout l'amour que vous attendiez d'elle autrefois. Vous ne pouvez pas encore vous débarrasser de votre besoin infantile d'avoir une mère magique. Votre mère est encore vigoureuse et bien vivante, mais si vous ne parvenez pas à comprendre ce que vous êtes en train de faire, vous continuerez de vous accabler de reproches, même après sa mort. Ce que vous regretterez, ce n'est pas de n'avoir pas su la rendre heureuse, mais de n'avoir pas fait ou dit ce quelque chose de magique qui l'aurait obligée — dans le sens de l'omnipotence infantile — à vous donner l'amour que vous avez attendu d'elle toute votre vie. »

Combien de fois ai-je dit dans ce livre que ma mère et moi sommes deux femmes totalement différentes? Oh, bien sûr, j'ai admis que je tiens d'elle certaines vertus mineures! Je sais entretenir ma maison, je sais recevoir, etc. Mais en comparaison des caractéristiques que j'ai héritées d'elle et que j'ai toujours détestées — ses angoisses, ses peurs qui sous-tendent mon apparente indépendance —, combien mon héritage « béné-fique » peut paraître mesquin! J'ai toujours pensé que je devais quitter la maison pour renforcer en moi les qualités que je voulais posséder, parce que je sentais que ma mère était par nature une personne très timorée.

A chaque pas qui m'a éloignée d'elle — ma sexualité, mon travail, tout le côté spectaculaire de ma vie qui laisse dans l'ombre son conservatisme —, j'ai toujours été consciente qu'elle me retenait par la manche. Je me suis peut-être « faite toute seule », mais je n'ai jamais pris aucun risque sans me sentir angoissée. Au début de ce chapitre, j'ai dit que l'une des raisons les plus fortes qui m'ont décidée à ne pas être mère était que je ne voulais pas faire revivre la mère nerveuse et craintive qu'elle avait été pour moi. Seule, je peux maîtriser la mère faible qui vit en moi. Si j'étais moi-même mère, je deviendrais exactement comme elle.

Faible? Pourquoi ce qualificatif me vient-il automatiquement à l'esprit chaque fois que je pense à elle? Une femme qui a élevé toute seule ses deux enfants! qui a tenu impeccablement sa maison! qui a toujours payé ses factures à temps! qui n'a jamais dressé une table ou organisé un voyage sans omettre le moindre détail! Est-elle vraiment si timide, si apeurée, si différente de moi... sa fille aventurière? Autrement dit : suis-je si différente d'elle?

J'ai parlé des coupes d'argent qu'elle a gagnées dans des steeple-chases. Elle minimise son courage qui n'était, selon elle, qu'inconscience de gamine, et ses coupes sont restées dans sa cave jusqu'au moment où je les ai récupérées. Elles sont maintenant dans ma maison, bien astiquées; un hommage muet rendu à quelque chose que j'ai, moi aussi, du mal à admettre. Chaque fois que Bill dit à quelqu'un combien je suis responsable et bien organisée, je sens remonter une vieille rancœur. Pourquoi ai-je toujours pensé que je devais cacher ces qualités, que je ne devais pas en être fière? Tant que je n'ai pas pu les reconnaître et les apprécier chez ma mère, tant que j'ai voulu voir sa « faiblesse » comme la marque de la féminité, le fait d'être efficace et organisée me donnait l'impression d'être masculine.

Il m'a fallu aller jusqu'au bout de ce livre pour admettre que je tiens de ma mère les qualités dont je suis le plus fière. Il me semble incroyable que j'aie pu les ignorer la semaine dernière! « C'est fou ce que tu peux ressembler à ta mère », m'a dit récemment une amie. J'ai pensé qu'elle voulait parler de cette expression anxieuse, tendue, propre à ma mère et que j'observe souvent sur mon visage. Mais elle pensait à autre chose : « La dernière fois que je l'ai vue, elle jouait au bridge. Elle a fait un grand schelem. Oui, il était 4 heures du matin et elle l'a demandé et réussi! »

MA MÈRE, MON MIROIR

Les histoires où apparaît l'audace de ma mère m'ont toujours fascinée. Les photos d'elle que je préfère sont accrochées au-dessus de mon bureau. Sur l'une, elle saute à cheval un énorme mur de brique; sur l'autre, elle porte un maillot deux pièces très audacieux; cette photo a été prise il y a vingt-cinq ans, quand elle avait mon âge. Beaucoup plus important : pourquoi ai-je toujours négligé le fait qu'elle s'était enfuie à dix-sept ans avec le plus bel homme de Pittsburg et qu'elle l'avait épousé malgré l'opposition de son père? J'avais toujours estimé que sa fugue était un phénomène exceptionnel qui ne cadrait pas avec sa véritable nature, que c'était mon père qui avait pris toutes les initiatives et qu'elle s'était laissé entraîner passivement. En réalité, ma mère « asexuelle », ma mère « timorée » a commencé sa vie sexuelle *avec quatre ans d'avance sur sa fille qui n'a perdu son pucelage qu'à vingt et un ans!*

Avec mon entêtement à vouloir que je me sois faite toute seule, sans rien lui devoir, je me suis également privée de l'héritage de ma grand-mère. N'avait-elle pas quitté son mari despotique et ses enfants quand il lui est devenu impossible de supporter plus longtemps la tyrannie... et cela dans les années 1920, bien avant que l'on parle de la libération de la femme, à une époque où une telle décision ne pouvait qu'être jugée insensée et radicalement non féminine?

Il existe chez les femmes de ma famille une forte tendance que je m'entête à ne pas reconnaître. Je suis issue de trois générations de femmes sexuelles, aventureuses et autonomes. N'est-ce pas plus stimulant, plus profond que de penser superficiellement que je me suis faite toute seule? Ne s'agit-il pas de celles de mes qualités que je désire le plus vivement renforcer en moi? En essayant de maintenir un lien puéril avec une mère qui n'a jamais existé ailleurs que dans mon imagination, j'ai tourné le dos à la meilleure part de mon héritage.

J'ai soudain peur que tout ce que j'ai écrit sur ma mère dans ce livre ne donne d'elle une image fausse.

Dois-je en conclure que tout, absolument tout ce que j'ai écrit est également faux?

« Non! m'a dit le Dr Robertiello. Comme tout le monde, vous n'arrêtez pas de modifier l'idée que vous vous faites de votre mère. Un jour, elle n'est que bonté, gentillesse et amour. Le lendemain, elle est craintive, timide et asexuelle. Un jour, vous ne pouvez voir que votre colère. Pour le moment, vous voulez entrer dans une période où vous la verrez parfaite. De toute façon, cela signifie que vous n'êtes pas décidée à la voir avec réalisme. Vous êtes déterminée à investir votre mère d'une importance magique, à la voir non pas comme un être humain, *mais telle que vous pouviez la voir avec vos yeux d'enfant*. Vous êtes encore perdue dans ce premier attachement à elle, comme du temps où elle était la Géante qui se dressait dans votre chambre d'enfant. »

Dès que nous dépouillons notre mère de l'éclat symbiotique qu'elle avait autrefois pour nous, elle devient une autre personne, extérieure à nous. Cela veut dire que nous nous sommes enfin séparées. Tant que le lien symbiotique survivait, nous espérions toujours qu'il était encore temps d'obtenir d'elle le parfait amour auquel nous aspirions depuis notre tendre enfance. Maintenant que nous sommes adultes, nous devons savoir que le miracle n'aura pas lieu. Nous devons renoncer à nos fantasmes et porter ailleurs nos yeux. L'idée est dégrisante. Mais elle est féconde. Et surtout, elle est la vérité.

Je peux comprendre maintenant que tout en aimant ma sexualité, et tout en considérant qu'elle ne devait rien à ma mère, cette partie de moi reposait sur une base incertaine; si ma mère, cette image de la féminité, était « asexuelle », ma propre sexualité devait donc être « masculine ». J'étais fière d'elle, mais je ne lui faisais pas confiance. Ainsi, tant que nous ne réunissons pas notre mère en une seule personne, nous restons en guerre avec nous-mêmes. Les cris et les slogans qui célèbrent la libération de la femme et qui nous viennent de l'extérieur peuvent au mieux nous encourager. Mais l'histoire des femmes ne commencera à changer qu'à partir du moment où chacune affrontera sa propre histoire.

J'ai dit au premier chapitre de ce livre que j'ai souvent regretté que ma mère n'ait pas eu la même vie que moi. C'est encore de l'*hubris*, de la fausse rivalité; et c'est aussi bigrement impertinent! Je ne pense pas qu'elle aurait aimé vivre ma vie. Plus je m'éloigne d'elle, plus je me définis, et plus je vois en elle cette autre personne qu'elle était avant d'être la mère de Nancy Friday. C'est là qu'est la magie : elle consiste non pas à recréer sempiternellement ce nirvāna d'amour qui a pu exister ou ne pas exister dans notre relation mère-fille, mais à nous offrir réciproquement, une fois que nous sommes séparées, une autre vie, une vie supplémentaire qui jaillit de la richesse de la vie de chacune.

Depuis que j'ai reconnu la femme qui peut demander et réussir un grand schelem à 4 heures du matin, quand tout le reste du monde est en train de dormir, je dors moi-même d'un sommeil plus paisible. Maintenant que je lui ai accordé le mérite de s'être enfuie avec mon père à dix-sept ans parce qu'elle était foncièrement une aventurière sexuelle, et non par une sorte de folie qui n'aurait rien eu à voir avec sa vraie nature, je peux être fière de la femme sexuelle qui est aussi en moi.

Bibliographie

Abraham, Karl. *Selected Papers.* Londres : Hogarth Press, 1927.

Ardrey, Robert. *African Genesis.* New York : Atheneum, 1961.

Bardwick, Judith. « The Dynamics of Successful People. » *New Research on Women.* Ann Arbor : University of Michigan.

Barker-Benfield, G.J. *The Horrors of the Half-Known Life : Male Attitudes Toward Women and Sexuality in Nineteenth Century America.* New York : Harper & Row, 1976.

Barnett, Rosalind C. « Sex Differences and Age Trends in Occupational Preference and Occupational Prestige. » *Journal of Counseling Psychology.* Jan. 1975, Vol. 22 (1), pp. 35-38.

Bernard, Jessie. *The Future of Marriage.* New York : World, 1972. *The Future of Motherhood.* New York : Dial Press, 1975. *Women, Wives, Mothers : Values and Options.* Chicago : Aldine Press, 1975.

Bettelheim, Bruno. *The Uses of Enchantment.* New York : Knopf, 1976. Tr. fr. : *Psychanalyse des contes de fées,* Éditions Robert Laffont, Collection « Réponses » 1976.

Blos, Peter. *On Adolescence : A Psychoanalytic Interpretation.* New York : The Free Press, 1962.

Bowlby, John. *Attachment and Loss.* Vol. I, *Attachment.* New York : Basic Books, 1969. *Attachment and Loss.* Vol. II, *Separation — Anxiety and Anger.* New York : Basic Books, 1973.

Brothers, Joyce. « How to Be Unafraid of Success. » *Harper's Bazaar,* janvier 1976, p. 96.

Brownmiller, Susan. *Against Our Will : Men, Women and Rape.* New York : Simon and Schuster, 1975.

Delaney, Janice and Mary Jane Lupton. *The Curse : A Cultural History of Menstruation.* New York : Dutton, 1976.

MA MÈRE, MON MIROIR

Deutsch, Helen. *The Psychology of Women.* Vol. 1, *Girlhood.* New York; Bantam Edition, 1973. *The Psychology of Women,* Vol. 2, *Motherhood.* New York : Bantam Edition, 1973.

Erikson, Erik H. *Childhood and Society.* New York : Norton, 1950. *Identity, Youth and Crisis.* New York : Norton, 1968.

Fine, Reuben. *The Psychology of the Chess Player.* New York : Dover Publications, 1967.

Fisher, Seymour. *The Female Orgasm.* New York : Basic Books, 1973.

Freud, Sigmund. *Standard Edition of Complete Psychological Works of Sigmund Freud.* Londres : Hogarth Press, 1957-1964.

Friday, Nancy. *My Secret Garden.* New York : Trident, 1973.

Goodman, Emily Jane and Phyllis Chesler. *Women, Money and Power.* New York : Morrow, 1976.

Greer, Germaine. *The Female Eunuch.* Londres : MacGibbon and Kee, 1970. Tr. fr. : « La femme eunuque ». Éd. Robert Laffont, collection « Réponses ».

Haskell, Molly. *From Reverence to Rape : The Treatment of Women in the Movies.* New York : Holt, Rinehart and Winston, 1974.

Hellman, Lillian. *Pentimento : A Book of Portraits.* Boston : Little, Brown, 1973.

Hennig, Margaret. « Career Development for Women Executives. » Thèse de doctorat, École supérieure de gestion des affaires, Université Harvard, 1970. Reprise dans un livre : *The Managerial Woman,* avec la collaboration d'Anne Jardim. New York : Doubleday, 1977.

Horner, Matina. « Sex Differences in Achievement Motivation and Performance in Competitive and Non-Competitive Situations. » Thèse de doctorat non publiée (Université du Minnesota. 1968.)

Hunt, Morton. *Sexual Behavior in the 1970's.* Chicago : Playboy Press, 1974.

Janeway, Elizabeth. *Man's World, Woman's Place.* New York : Delta, 1971.

Kaplan, Helen. *The New Sex Therapy.* New York : Brunner/Mazel, 1974.

Kinsey, A.C., et al. *Sexual Behavior in the Human Female.* Philadelphie : W. B. Saunders, 1953.

Kohut, H. *The Analysis of the Self.* New York : International University Press, 1971.

Komarovsky, Mirra. *Dilemmas of Masculinity : A Study of College Youth.* New York : Norton, 1976.

Maddux, Hilary C. *Menstruation.* New Canaan : Tobey Publishing, 1975.

Mahler, M.S. *On Human Symbiosis and the Vicissitudes of Individuation.* Vol. I, *Infantile Psychosis.* New York : International University Press, 1968. *The Psychological Development of the Human Infant.* New York : Basic Books, 1976.

Masters, William H. and Virginia E. Johnson. *Human Sexual Response.* Boston : Little, Brown, 1969.

Mitchell, Juliet. *Psychoanalysis and Feminism.* New York : Vintage, 1974.

Money, John. *Sexual Signatures.* Boston : Little, Brown, 1975.

Page, Karen. « Women Learn to Sing the Menstrual Blues. » *Psychology Today.* Septembre 1973.

Plath, Aurelia Schober. *Letters Home by Sylvia Plath.* New York : Harper and Row, 1975.

Pomeroy, Wardell B. *Girls and Sex.* New York : Delacorte Press, 1969.

BIBLIOGRAPHIE

Reiss, Ira L. *The Social Context of Premarital Sexual Permissiveness.* New York : Holt, Rinehart and Winston, 1967. « Premarital Contraceptive Usage : A Study and Some Theoretical Explorations. » *Journal of Marriage and Family.* Août 1975.

Rich, Adrienne. *Of Woman Born : Motherhood as Experience and Institution.* New York : Norton, 1976.

Robertiello, Richard C. *Hold Them Very Close, Then Let Them Go.* New York : Dial, 1975 et Grace Elish Kirsten. *Big You, Little You.* New York : Dial, 1977. et Rena M. Shadmi. « Dynamics in Female Sexual Problems. » *Journal of Contemporary Psychotherapy.* Vol. 1, N° 1. Automne 1968. « Masochism and the Female Sexual Role. » *Journal of Sex Research.* Vol. 6, N° 1. Fév. 1970, pp. 56-58. « Penis Envy. » *Psychotherapy : Theory, Research and Practice.* Vol. 7, n° 4. Hiver 1970.

Rukeyser, Muriel. *Waterlily Fire, Poems 1935-1962.* New York : Macmillan, 1962.

Schaefer, Leah Cahan. *Women and Sex.* New York : Pantheon, 1973. « Female Adolescent Sexuality. » Article non publié, présenté au Forum international de l'adolescence. Jérusalem, Israël. Juillet 1976.

Schiller, Patricia, « The Effects of Mass Media on the Sexual Behavior of Adolescent Females. » Enquête diffusée par l'American Association of Sex Educators and Counselors.

Sheehy, Gail. *Passages : Predictable Crises of Adult Life.* New York : Dutton, 1976.

Sex Information and Education Council of the *SIECUS Study Guide* N° 5 (éd. rev. et cor.), « Premarital Sexual Standards. » New York : SIECUS, 1967.

Sexton, Anne. *To Bedlam and Part Way Back.* Boston : Houghton Mifflin, 1960.

Shorter, Edward. *The Making of the Modern Family.* New York : Basic Books, 1975.

Sorenson, Robert. *Adolescent Sexuality in Contemporary America.* New York : World Publishing, 1972.

Stanger, Ila. « Extraordinary Women Talk About the Single Life. » Harper's Bazaar, mars 1975.

Sullivan, H.S. *The Interpersonal Theory of Psychiatry.* New York : Norton, 1953.

Thompson, Clara. « Penis Envy in Women. » *Psychiatry.* Vol. VI, 1943.

Tiger, Lionel, and Robin Fox. *The Imperial Animal.* New York : Holt, Rinehart and Winston, 1971. Tr. fr. *L'animal impérial.* Éd. Robert Laffont, Collection « Réponses » (1973).

Weideger, Paula. *Menstruation and Menopause.* New York : Knopf, 1976.

Winnicott, D.W. *The Maturational Processes and the Facilitating Environment.* New York : International University Press, 1965. *Playing and Reality.* New York : Basic Books, 1971.

Zelnik, Melvin, and John Kantner. « Sexuality, Contraception and Pregnancy Among Young Unwed Females in the United States. » Publié par la Commission nationale de la croissance démographique et de l'avenir américain. *Demographic and Social Aspects of Population Growth,* Vol. 1 des rapports de la Commission d'enquête. Government Printing Office, 1972.

TABLE DES MATIÈRES

COLLECTION « RÉPONSES »

Ouvrages disponibles

1968	Dr Raymond Baud	*Les effets psychologiques de la pilule.*
1969	Jean Courbeyre	*Les handicapés moteurs et leurs problèmes.*
1970	Henri Wadier	*La réforme de l'enseignement n'aura pas lieu.*
	Theodor I. Rubin	*Vivre ses colères.*
1971	Yves Paul-Marguerite	*Le prix de l'équilibre.*
	Charles Rycroft	*L'angoisse créatrice.*
	Germaine Greer	*La femme eunuque.*
	Bruno Bettelheim	*Les enfants du rêve.*
1972	Rudolf Dreikurs et Vicki Soltz	*Le défi de l'enfant.*
	Bruno Bettelheim	*Le cœur conscient.*
	David Rorvik et Landrum Shettles	*Vous pouvez choisir le sexe de votre enfant.*
	Fitzhugh Dodson	*Tout se joue avant six ans.*
	Gennie et Paul Lemoine	*Le psychodrame.*
1973	Arthur et Libby Colman	*La grossesse, expérience psychologique.*
	Bruno Bettelheim	*Dialogues avec les mères.*
	Geneviève Jurgensen	*La folie des autres.*
1974	Carl R. Rogers	*Réinventer le couple.*
	Anne-Marie Coutrot et Jean Ormezzano	*Chers parents.*
	Axel Anneville	*T'ai-chi, la gymnastique chinoise.*

1982	Arthur Janov	*Prisonniers de la souffrance.*
	Charlotte Le Millour	*La maternité singulière.*
	Fitzhugh Dodson	*Être grands-parents aujourd'hui.*
	Dr Julien Cohen-Solal	*Les deux premières années de la vie.*
	Georges Romey	*Rêver pour renaître.*
	Helene Arnstein	*Que dire à votre enfant.*
	C. Valabrègue/C. Berger-Forestier/A. Langevin	*Ces maternités que l'on dit tardives.*
1983	Erich Fromm	*De la désobéissance.*
	Arthur Janov	*Empreinte.*
	Shere Hite	*Le rapport Hite sur les hommes.*
	N. Grafeille/M. Bonierbale/ M. Chevret-Measson	*Les cinq sens et l'amour.*
	Dominique Dallayrac	*Pulsion de viol.*
	Bruno Bettelheim	*La lecture et l'enfant.*
	John Killinger	*La solitude de l'enfant.*
1984	Stuart Miller	*Les hommes et l'amitié.*
	Harriet Sarnoff Schiff	*Parents en deuil.*
	Frédérique Gruyer	*Ce paradis trop violent.*
	Jean-Pierre Klein	*Les masques de l'argent.*
	Louis et Gilles Plamondon et Jean Carette	*Les enjeux après cinquante ans.*
	Paule Aimard	*L'enfant et la magie du langage.*
1985	Yva Barthélémy	*La voix libérée.*
	Bruno Bettelheim	*Freud et l'âme humaine.*
	Jean Ormezzano	*Le grand âge de nos proches.*
	Dan Kiley	*Le syndrome de Peter Pan.*
	Stéphanie Barrat et Jacques de Panafieu	*Le trac.*

Achevé d'imprimer en juillet 1985
sur presse CAMERON
dans les ateliers de la S.E.P.C.
à Saint-Amand-Montrond (Cher)
pour le compte des éditions Robert Laffont
6, place Saint-Sulpice - 75279 Paris Cedex 06

Dépôt légal : 1er trimestre 1979.
N° d'Édition : L.567. N° d'Impression : 1310.